STANFORD UNIVERSITY PUBLICATIONS

UNIVERSITY SERIES

LANGUAGE AND LITERATURE

VOLUME VIII   NUMBER 1

Middle High German Translation of the *Summa Theologica* by Thomas Aquinas

Edited with a Latin-German and a German-Latin Glossary

by

BAYARD QUINCY MORGAN

and

FRIEDRICH WILHELM STROTHMANN

Publication of this volume was aided by a subsidy from the
AMERICAN COUNCIL OF LEARNED SOCIETIES

STANFORD UNIVERSITY PRESS
STANFORD, CALIFORNIA
LONDON: GEOFFREY CUMBERLEGE
OXFORD UNIVERSITY PRESS

1950

STANFORD UNIVERSITY PRESS
STANFORD, CALIFORNIA

London : Geoffrey Cumberlege
Oxford University Press

———

THE BAKER AND TAYLOR COMPANY
55 FIFTH AVENUE, NEW YORK 3

HENRY M. SNYDER & COMPANY
440 FOURTH AVENUE, NEW YORK 16

W. S. HALL & COMPANY
457 MADISON AVENUE, NEW YORK 22

———

CONTENTS

xpo noch denne. Do
en hatte er den noch
niht volklliche. alles
dz zů siner volkomlī
behort. Also er enhat
te noch denne nilht
die vntotlicheit. vn
die glorificervnge de
libes. da zů er noch zů
vsiht haben molhte.
Ez ist zemiken.
Ob mir wen ga
be.li zů ist zesagen.
dz die gabe eigenliche
sur eliche volkomē
heit d mehre d sele
nach dem vn si geben
sur. dz si beweget
wident von dem hei
ligen geiste. als un
ist dz offenbar. dz

die sele zů all volko
menliches beweget
wart von dem heili
gengeiste. alse ez geschri
ben ist m.s.lucas ī
dem vierden capitele
Jhc vol des heiligen
geistes kerte wid vo
dem iordan. vn wart
getriben von dem gei
ste in die westi. vn
da von so ist offenbar
dz in xpo warn die
all volkomenesten
gaben.
Ez ist zemike. Ob
curxis wen ga
be d uoehte. Ez ist ze
sagen. dz die uoehte
ansiht zwen gegen
wirfe. dure zweier

PAGE 55 OF THE ORIGINAL MS, ACTUAL SIZE

EDITORS' PREFACE

The Middle High German translation of the *Summa theologica,* published here for the first time in its entirety, is found in Codex H B III 32 of the Landesbibliothek in Stuttgart. This manuscript, written in a fourteenth century hand, originated in the Benedictine Monastery of Weingarten, and contains 211 leaves written on both sides. On the outside of the front flyleaf a modern hand had written: *Liber germanicus. D. Thomas contra Gentiles.* This erroneous title probably refers to the Middle High German introduction written at the beginning of the Middle High German text in red ink which states that this is the book written by Thomas "against the unbelievers and the heretics."

However, the statement belies the actual content of the manuscript. With very few exceptions, the Middle High German text provides a translation of various parts of the *Summa* (cf. table, p. 13). Nor are the exceptions taken from the *Contra Gentiles,* but from other works of Thomas.

The 422 pages of the manuscript are carefully ruled in double columns and with 22 cross lines to make 21 lines of text on each page (see facsimile). Each twenty-fourth page is numbered at the bottom. There are side margins, and a space separates the two columns; the bottom margin is considerably larger than the top one. Though it is evident that a number of scribes worked on the manuscript, the consistency of the writing is rather remarkable, indicating something like a fixed tradition or convention; this consistency extends to abbreviations, ligatures, and similar devices. The writing was done with care, and marginal corrections as well as insertions, deletions, and the like, indicate something like proofreading. The fairly extensive use of colored ink for single letters at the beginning of syntactical units, and for an occasional sentence, is probably evidence of an effort to make of this manuscript a modest showpiece, though there are no fancy initials or similar decorations in it. Chapter headings are entirely lacking, and for the most part the only suggestion of a structural division is the large initial *E* which regularly begins the phrase "ez ist zemerken." Occasionally there is a special written symbol not unlike the paragraph sign in modern printing; its use appears not to be systematized or definitely regulated and we have not reproduced it. The same remark applies to the use of capital letters and of the dots which might be supposed to indicate punctuation; both are used so haphazardly that it seems impossible to refer or reduce them to any sort of system.

The existence of the manuscript was first made known by Martin Grabmann in his *Mittelalterliches Geistesleben,* Bd. I, München 1926, where he also transcribed some paragraphs of the text. We have found, however, that this transcription is very faulty and it must be regarded as unreliable. The only other transcription known to us is that of Wolfgang Stammler in *Prosa der deutschen Gotik* (Berlin 1933), where about two and a half pages are devoted to our manuscript. This transcription follows the manuscript in orthography very closely, but attempts almost no editing.

The present edition is based on a photostatic copy made in 1937 and now housed in the Stanford Library. In addition, it should be said that F. W. Strothmann inspected the manuscript at Stuttgart and made detailed notes of its external features. As far as we know, no duplicate of the manuscript exists anywhere, and for a time we thought, in view of the heavy bombing of the Stuttgart area, that our photostats might represent the sole remaining traces of the original manuscript.

As to our method of transcription, we were to some extent hampered by typographical difficulties, since we had to get along with the traditional symbols of the standard typewriter keyboard. However, we believe that our procedure, far from bringing undesirable laxity into a critical edition, has, by standardizing the erratic and completely unsystematic orthography of the manuscript, served to make the transcription a great deal more readable than a faithful reproduction of the original in all orthographical details would have been. We feel the more justified in such standardization that scholars who might want to consult the manuscript itself can easily avail themselves of the photographic copy in possession of the Stanford Library, which, by the way, happens to be much more legible than the original.

Certain details of our procedure in transcribing will interest the specialist.

The manuscript uses *v* and *u* indiscriminately and unsystematically: *nature, natvre* (p. 2). We have written systematically *u* for the vowel and *v* for the consonant. Similarly, we have written *uo* in all cases where the manuscript has either *v* or *u* with superscript *o*, as in *zv̊* and *zů*, both on page 1.

The following sounds, all spelled *ü* in our transcription, are written in the manuscript either *v* or *u* with superscript stroke, but without systematic differentiation: (1) MHG long *ü* corresponding to OHG diphthong *iu*; e.g. nom. sing. fem. and nom. plu. *dü, ellü, welchü,* etc.; also *lüt* (Leute), *tüsch* (deutsch), *frünt* (Freund), *für* (Feuer); (2) the *i*-mutation of OHG short *u*; e.g. *übermitz, für, müglich, fünf, bekümit,* etc.; (3) the *i*-mutation of OHG long *u*; e.g. *hüser* (p. 227), *natürlich,* etc.; (4) MHG long *ü*, the *i*-mutation of OHG diphthong *iu*; e.g. 3d sing. pres. *erbütet* (p. 128), infin. *erlühtenne* (p. 61), etc.

Since the manuscript consistently spells all of the MHG *ü* monophthongs indiscriminately *u̇* or *v̇*, we have spelled this sound *ü* in all cases without exception. The entries in the German glossary, however, follow the standard practice set by Lexer. Where the manuscript does not indicate umlaut, we follow the manuscript.

The MHG diphthong *ou* is spelled consistently either *ov* or *oᵛ*. There is no indication of *i*-mutation. We write *ou* throughout. It might be mentioned in this connection that MHG *fröude* is generally spelled *fröde,* and *froide* (p. 329). We transcribe either *fröde* or *fröide.*

The *i*-mutation of OHG *o,* MHG long and short *ö,* is spelled consistently *ȯ* throughout the entire manuscript. We write *ö* in all cases where the manuscript indicates *i*-mutation.

MHG *üe,* the umlaut of OHG *uo,* is written in the manuscript very consistently either *v̇* or *u̇,* and is thus differentiated from the monophthong *ü* mentioned above. This consistency indicates continued diphthongal pronunciation. On all the 422 pages we found only these exceptions to this principle, all of them very probably mistakes of the copyist: *künsch* for *küensch* (156), *süche* for *süeche* (208), *genügliche* for *genüegliche* (217), and *küestlich* for *küstlich* (254). On p. 55 *wüeste* is spelled *viesti.*

In writing *s* we have not differentiated between long and short *s,* which are not used with any system in the manuscript. The same applies to *f* and *v,* except that in general we have followed the manuscript; in the German glossary we follow Lexer's practice.

A comparable inconsistency affects the actual writing in various ways. Thus, the spacing of words in the manuscript is no indication of their linguistic form or function, and on the same page we may find *uzgaung* and *uz gaung* without distinction of meaning. Again, the hyphen may be omitted at the end of a line when it should be there, or it may be written when it is out of place. Similarly, word-division at the end of a line is quite mechanical and not infrequently misleading: cf. *glic-heit* (p. 305), *zwe-ien* (p. 399), *geste-ltnüsse* (p. 308), and many others.

We get two main impressions from these phenomena: first, that the scribes were attempting to set down pictures of *oral* utterance, with no realization that the written forms might be expected to show a certain inner consistency; second, that the actual writing was a rather mechanical affair, perhaps involving a procedure like that of a child copying a (to him) meaningless picture. It follows from this that we have not felt ourselves bound by the external patterns of the manuscript when these went counter to the established principles of MHG grammar and orthography as set forth in standard works. However, we have indicated all actual corrections in our footnotes.

The practice of abbreviation was evidently prevalent and relatively fixed, although by no means entirely consistent. In general, we may distinguish two main types: (1) alphabetic indicators on the writingline, and (2) superscript characters or symbols, of which the latter are the most numerous.

    1. Alphabetic indicators, written on the line, are as follows:

    c stands for *s* or *z* with preceding vowel: *dc = das* (*daz*), *wa = was*, *xpc = Christus* (p. 4).
    p (with an extra understroke) stands for *per-* in *persone.*
    S. stands for *Sanctus.*
    w may stand for *wu*: *wrde, tuowng.*
    z may stand for *s* or *z* with preceding vowel: *dz = das* (*daz*), *swz = swas* (*swaz*); also it may stand for *-et* as verbal ending: *sprichz = sprichet, erweichz = erweichet* (p. 211), *bekümz = bekümet* (*bekümit*).

    2. Superscript indicators subdivide into (*a*) letter, and (*b*) other symbols.

    a) superscript letters are used as follows:

    e above *o* or *u* (never *a*) indicates umlaut.
    i occurs above *spch* to indicate *spricht*; above *wrde* it means *wirde*; above *x* it stands for *Christi.*
    o above *spch* indicates *-sprochen*; above *u* it indicates *uo* (*buoch*); it also occurs above *x* to indicate *Christo*, above *zw* to stand for *zwo*, and above *wr* for worden.
    t usually stands for *-heit*, but is occasionally written up to save space, e.g. in *wirt, niht*, and some other words.
    u or *v* is written above *o* as in *ouch.*

    b) superscript characters (not letters) are as follows: the macron; a sort of *tilde*; a hook used with names ending in *-us*; a symbol for *er*; a small vertical stroke related to *i.*

    (α) Most frequent and varied of all the symbols is the macron, a horizontal stroke (sometimes with a slight wave in it) written just above a letter or doublet. Over a vowel it stands for *n* or *m*: *wā = wan, dāp = damp, -dēt = -dent, kēne = kenne; allei = allein, ī = in, vō = von, ūbe = umbe, -ūg = ung*, etc. Above a consonant it may also indicate *en*: *m̄sche = mensche, volkōmheit = volkomenheit, s̄pchen* we read *sprechen*; *gew̄sten* (p. 354) we read *gewesten*; *p̄diget* (p. 383) stands for *prediget.* The connective is mostly written *u*, which we transcribe as *unde* (cf. the full form written out on p. 11).

    (β) The stroke we have called *tilde*, a sort of macron with a hump, appears in *naturē(n)*, *creaturē(n)*, and *figurē(n)*, taking the place in these words of *ur.*

(γ) The *us*-hook is used with a number of proper names, being added to *Aug* for *Augustinus,* to *Dyo* for *Dyonisius* (spelled out on p. 264) to *Paul* for *Paulus,* and others.

(δ) The *er*-symbol is widely used and varies but little in form; it may occur in final position, as in *h* for *her,* or medially, as in *mkn* for *merken.*

(ε) The vertical stroke has a variety of functions; we find it after the *h* in *Johs* standing for *Johannis*; after the *b* in *sbstenzlich* (read *substenz-lich*); and in *sbtilen* (read *subtilen*); after the *h* of *Jhc* (read *Jesus*); after the *l* of *ewangli* (read *ewangelii,* p. 203, cf. 42, where *ewangelijs* is written out); after the *l* in *isrl* (read *Israel*).

Some miscellaneous symbols may be mentioned here. (1) A paragraph symbol, referred to above, occurs a few times, with no apparent system. (2) A small cross is used to refer to a correction or insertion in the margin. (3) The sign for the insertion of a letter is not unlike the printer's caret. (4) Deletion is indicated by a broken line through the middle of a word and underdots below it. (5) A sort of vertical hook is used to indicate the transposition of two letters. (6) A symbol unique to this manuscript occurs on p. 363 above *spch,* which at this point is clearly *sprach.* (7) A thin line is used on p. 381 to separate two words written together. (8) A symbol somewhat resembling a *y,* written at line level, stands for *rum* in *heticorum* (p. 406), the copyist's version of Aristotle's "ethikos".

Certain types of orthographical error in the manuscript prove that the manuscript was not written by the person who made the translation. It is hardly conceivable that the translator, who knew his Latin rather well and generally translates *derivari* as *nidergan* or *niderkomen,* should have written *in der gan* and *in der komen* on pages 70 and 75. But it is entirely conceivable that a person copying *niderkomen* and *nidergan* would misread the prefix as *inder.* Furthermore, there are a number of omissions where the scribe jumped from a certain word in one part of the sentence to the same word in a later part of the sentence, a mistake which can be explained only by assuming the existence of a copyist. A good example of this type is to be found on p. 239 in the sentence "Unde also ist offenbar, daz also vil etwas [guot ist, alse vil et etwaz] wesendes ist." The occasional repe-tition of entire phrases points in the same direction, e.g. p. 184.

As far as suitable, we have tried to use the rules of punctuation accepted for modern German texts; however, we have ignored the rules whenever such deviations would serve to make our transcription more readable or in-telligible, and help to bring out the thought of the passage in question.

In view of the inconsistency in spacing noted above, it has seemed to us proper to correct the manuscript in writing compounds, and we have therefore for the most part followed Lexer in this regard. This applies also to the proclitic negative particle *en,* which is frequently joined in the manuscript to the following verb.

As noted above, the manuscript has no system of paragraphing. Our paragraphing is based on that of the Leonine (or Parma) edition, from which we have taken the Latin text. It should be pointed out, however, that the Leonine edition quite frequently lists variant readings, some of which must have been before the eyes of our translator; in such cases we have entered these variants in the footnotes. For example, see p. 32 and note.

Since the Leonine edition is unfortunately not complete, we had to make use of the Parma edition for all those parts of the manuscript which are not translated from the *Summa.*

In his account of the manuscript, Grabmann was quick to point out its great significance for the history of the German language. For our part, we are convinced that it ranks in importance with the famous OHG translation of Boecius. It might even come to outrank it, because we have found that it throws a great deal more light on the semantic history of the language. In the light of our findings we expect to prove that modern German, i.e. philosophic and theoretical German, is, to a hitherto unsuspected degree, nothing but a Germanized form of medieval Latin. This fact has so far been completely overlooked, largely because no manuscript of this type has ever been published; and, as Grabmann remarks, it has therefore not been possible up to now to investigate "die sprachschöpferische Tätigkeit" required of a fourteenth century German who wanted to express in his native tongue the highly abstract and philosophical ideas which medieval Latin handled with such astounding facility and precision. The space at our disposal does not permit us to elaborate in detail on the assertion made above. We must content ourselves here with giving a few hints and examples, reserving a fuller treatment of this important matter for a monograph which we hope to publish shortly.

Take for instance Latin *accipere.* In its literal usage occurring quite frequently in medieval texts, it combines the meaning of modern English "to receive" and "to accept." Thus Rev. 2:17 reads: "....a new name.... which no man knoweth save he that receives it." The Vulgate has: ".... nomen novum scriptum, quod nemo scit, nisi qui accipit." On the other hand, I Cor. 11.24, reads: "Take, eat: this is my body." The Vulgate has: "Accipite et manducate." Our manuscript translates *accipere* in its literal usage in most cases by *nemen,* occasionally by *enphangen.* So far there is nothing surprising in this. But it is surprising to see how German *nemen,* with or without a prefix, simply because it is the one verb suitable for the rendering of *accipere,* has also taken over all the other meanings of *accipere* occurring in our text. Thus, in the phrase "si gratia accipiatur ipsa Dei voluntas," rendered by our translator "unde wirt die gnade genomen alse der wille gotiz selber" (p. 19), *accipere* means " to *take* a certain word in a certain sense." To this day modern German uses the verb *nehmen* in exactly the same sense: e.g. "etwas übel nehmen." In the phrase "Si imago Trinitatis debet accipi in anima," rendered by our text as "unde sol daz bilde der triveltikeit genomen werden in der sele," *accipere* means "to assume an existing." To this day modern German uses *annehmen* in exactly the same meaning.

In a similar way, the peculiar uses of modern German *bringen* and *führen* in phrases like "etwas auf eine Formel bringen," "die Wirkung auf die Ur-sache zurückführen," "etwas auf einen Zustand bringen," all originated as translations of medieval Latin *reducere.* Note by the way that modern English preserves some of these meanings: "to reduce to a formula," "to reduce to ashes," "to reduce to dust."

Again, the peculiar use of German *legen* in phrases like "die Axt an den Baum legen," "Geld anlegen," "sich auf die Medizin legen," though seemingly not at all connected with each other, can all be explained by medieval Latin *applicare.*

In these and similar cases our dictionaries, entirely oblivious of the fact that educated Germans for centuries spoke and wrote Latin rather than German, attempt to explain these semantic changes as internal German phenomena. But everybody who reads the MHG translation of Thomas, and has an opportunity to observe how in case after case the translator quite understandably uses mechanically one and the same German term for one and same Latin term, without paying much if any attention to the semantic differentiations of the Latin terms, will become aware of a process of grafting what we may call "loan-meanings" onto already existing spelling forms. Thus, to give but one example, German *bequem* and *be-kömmlich* simply represent semantic extensions of the stem *kommen,* because Latin *conveniens* had, for reasons of its own, already undergone the semantic changes which our dictionaries try to explain as internal German phenomena.

It was therefore not at all surprising that in comparing our glossary with Lexer's MHG dictionary we discovered a considerable number of German terms not recorded by Lexer at all, and quite obviously coined, if not by our translator himself, then by somebody who found himself confronted by the same difficulty, namely, that of finding a German equivalent to express a Latin idea which nobody had ever thought in German. It was however both surprising and significant to find that, whereas not a few of these words are still current in modern German, the dictionaries are quite innocent of their Latin origin.

Again, it was not at all surprising to us to learn from our manuscript that many existing MHG terms had been given new and hitherto unrecorded meanings. These new meanings are invariably explainable as derivations from the Latin. Numbers of these meanings are listed in modern German dictionaries, but without any mention of Latin sources.

We even suggest that Martin Luther, who after all was more familiar with the Vulgate than with the Hebrew and Greek text of the Scriptures, "inherited" a great many of the new words and expressions credited to him from a standard and widespread linguistic tradition developed in the preceding centuries in the never-ending struggle of learning to say in German what had already been said in Latin. There is no other explanation for the fact that a number of words are used in our manuscript which the German dictionaries cannot trace farther back than Luther's Bible translation.

That the profound influence of medieval Latin upon modern German is not limited to semantic phenomena, but also extends into the grammatical field, has become quite apparent to us in the course of our work on this manuscript. To mention only one type of case, we point out that medieval Latin uses a remarkably large number of passive verbal forms as deponents: e.g. *comedi* (ſich verȝehren), *geessen werden* (p. 97); *diversificari* (ſich verſchiedenartig geſtalten) *mislich werden* (p. 198). It seems probable to us that a large number of modern German reflexives, such as *sich bewegen, verzehren, neigen, zeigen, teilen,* owe their very existence to this peculiar development of deponents in medieval Latin.

All these and other evidences of the far-reaching influence of medieval Latin on modern German vocabulary, syntax, and thinking are to be dealt with in considerable detail in a monograph now in preparation.

In conclusion, it is a pleasure to express our hearty thanks to Carlton E. Byrne, who made the first typescript from the above-mentioned photostats, and who assisted in the arduous task of locating the Latin originals of the MHG translation given here. This task was especially difficult in cases where the MHG translator had selected a passage from some work other than the *Summa.*

Thanks are also due to the director and editors of Stanford University Press for their assistance in bringing this work to publication.

B. Q. M.
F. W. S.

LIST OF ARTICLES TRANSLATED

Summa Theologica III

Q.	Art.	MS. p.
1	1	1
1	2	2
1	3	3
1	4	4
1	5	5
2	1	6
2	2	8
2	3	11
2	4	13
2	5	13
2	6	14
2	7	15
2	8	16
2	9	17
2	10	18
2	11	20
2	12	21
3	1	22
3	2	23
3	3	24
3	4	25
3	5	26
3	6	27
3	7	29
3	8	30
4	1	31
4	2	33
4	3	34
4	4	35
4	5	37
4	6	38
5	1	39
5	2	40
5	3	40
5	4	41
6	1	42
6	2	44
6	3	45
6	4	47
6	5	48
6	6	50
7	1	51
7	2	52
7	3	52
7	4	53

Summa Theologica III

Q.	Art.	MS. p.
7	5	55
7	6	55
7	7	57
7	9	58
7	10	59
7	11	61
7	12	63
7	13	65
8	1	66
8	2	69
8	3	71
8	4	73
8	5	74
8	7	76
9	4	78
10	1	80
10	2	81
10	3	83
10	4	85
13	3	86
13	1	87
14	4	88
15	3	91
15	6	91
15	4	92
15	7	94
15	9	96
15	10	97
16	1	98
16	2	100
16	4	100
16	5	103
16	8	103
16	10	106
18	1	107
19	1	109
19	3	114
19	4	116
20	1	117
21	1	119
21	2	120
21	3	122
21	4	123
23	4	125
24	1	126

Summa Theologica III

Q.	Art.	MS. p.
24	4	127
25	1	128
25	5	130
26	2	131
27	1	132
27	3	134
28	4	135
29	1	136
30	1	138
30	3	139
34	3	140
37	1	141
39	5	142
39	6	144
39	8	144
45	2	145
60	2	147
65	3	148
75	2	148

3 Sent., 1 Dist., Q 1, Art. 2. 149
(Ed. Parma vol. VII p. 11, 12)

Summa Theologica I-II

Q.	Art.	MS. p.
4	5	152
4	5	154
5	3	157
5	7	159
11	3	161
11	4	163
13	1	164
14	1	166
14	3	167
15	1	168
15	4	170
18	1	171
18	3	173
19	5	174
19	6	180
20	4	181
20	5	184
26	3	185
27	2	187
40	1	187
40	3	189

Summa Theologica I-II			Summa Theologica I			Summa Theologica I		
Q. 69, Art.	3,	MS. p. 191	Q, 12, Art.	3,	MS. p. 283	Q. 26, Art.	1,	MS. p. 359
72	4	196	12	4	283	26	3	360
72	6	199	12	6	284	26	4	361
73	1	201	12	7	285	27	1	362
73	6	203	(same, ad primum)		286	27	2	365
74	1	205	8	2	288	27	3	367
74	2	206	8	3	290	27	4	368
77	4	206	12	11	291	27	5	369
70	1	207	14	1	292	28	1	370
70	2	209	14	2	294	28	2	372
79	3	211	14	4	296	28	3	374
79	4	214	14	5	297	28	4	375
80	1	215	14	8	298	29	3	378
81	5	217	14	10	299	30	1	378
83	2	218	14	11	300	30	2	379
83	3	219	15	1	301	31	1	381
84	1	220	16	1	303	31	2	381
84	2	221	93	2	307	32	3	384
84	3	222	93	3	309	Quodl. IV, Art. VI,		
109	1	224	93	5	310	corp.		387
109	2	226	93	6	311	(Ed. Parma, vol. IX,		
109	3	228	93	7	315	p. 511a)		
109	5	231	16	5	316	Quodl. IV, Art. VII,		388
109	6	232	16	6	317	(Ed. Parma, vol. IX,		
109	7	238	18	4	319	p. 511b)		
109	9	242	19	1	319	Quodl. VIII, Art. XVI,		390
109	10	245	19	2	320	(Ed. Parma, vol. IX,		
110	1	247	19	4	321	p. 583a)		
110	2	250	19	6	322	Quodl. VIII, Art. XVII,		
110	3	252	19	7	325			391
110	4	255	19	9	326	(Ed. Parma, vol. IX,		
111	1	256	19	10	328	p. 583b)		
111	2	258	20	1	329	Quodl. VII, Art. I,		392
Opusc. (Rom.) X, 7		261	20	2	331	(Ed. Parma, vol. IX,		
(Ed. Mandonnet vol. III,			20	3	332	p. 553a, b)		
p. 199) (Follows Ms.			20	4	333	Opusc. (Rom. vol. X,		397
p. 402)			21	1	334	(Ed. Mandonnet XXII,		
Summa Theologica I-II			21	3	335	vol. III, p. 197)		
Q. 112, Art.	1,	MS. p. 264	21	4	337	Summa Theologica I-II		
112	2	265	23	1	340	Q. 112, Art.	5,	MS. p. 402
112	3	266	23	2	342	113	1	405
112	4	268	23	3	343	113	2	408
111	3	270	23	4	344	113	3	409
111	4	271	23	5	346	113	4	410
111	5	275	23	6	347	114	1	411
Summa Theologica I			23	8	348	114	5	414
Q. 4, Art.	3,	MS. p. 276	(same)		349	114	6	415
5	1	279	24	1	350	114	7	416
5	2	279	24	3	352	114	8	417
5	3	280	25	2	354	114	9	418
8	1	280	25	3	354	114	10	419
12	2	281	25	6	358			

MIDDLE HIGH GERMAN TRANSLATION

OF THE *SUMMA THEOLOGICA*

BY THOMAS AQUINAS

MIDDLE HIGH GERMAN TRANSLATION

DIS ist daz buoch, daz Sanctus Thomas mahte, der bredier heilige. Daz ist ze tüsche gemaht. Diz selbe buoch maht er wider die ungeloubigen und wider die kezzer.

Ez ist zewissen, daz einem ieklichen dingen bekömlich ist, daz im bekümit
5 nach der eigener [1] reden der eigener naturen, alse dem menschen bekümet zeredenne: Wan diz bekümit im in deme unde er [re]delichen ist nach siner naturen. Aber die nature gotis ist die guotheit, alse ez offenbar ist übermitz Dyonisium, in dem ersten capitele „Von den götlichen namen." Unde dar umbe: alles, daz da behöret zuo der reden der guotheit, daz bekümet got.
10 Nu behöret daz zuo der reden der guotheit, daz si sich gemeinet, alse ez offenbar ist übermitz Dyonisium, in dem vierden capitel „Von den götlichen namen." Unde dar umbe so behöret zuo dem öbersten guot, daz es sich in
m₃ der höchsten wise gemeine den creaturen. Unde daz geschit
1 ——

aller meist übermitz daz, daz „er im zuofüeget also die geschaffenen naturen, daz dü
15 niderste [2] persone wirt von drin, daz ist von dem worte unde von der sele unde von dem fleische," alse St. Augustinus sprichet in dem vierden capitele „Von der driveltikeit." Under dar umbe so ist ez offenbar, daz got behörlich was, daz er ingefleischet wurde.

Ez ist ze merken, daz zuo etlichem ende etwaz heizet notdurftig in zweier
20 hant wis; ein wis ane daz etwaz niht gesin enmag, alse die spise, dü ist notdürftige zuo der wandelunge [3] mengeheliches lebennes; ein anders, übermitz daz man bekenlicher unde bas kumet zuo dem ende, alse daz ros not-durftig ist zuo dem wege. Nach der ersten wis so enwas niht notdurftig, daz got ingefleischet wurde zewiderbringenne menscheliche nature. Wan
25 got, der moht übermitz sin algewelty craft die menschlichen naturen in einer andern wis wol widergebraht han. Aber in der andern
2 ——

wis so was es notdürftig, daz got ingefleischet wurde. Unde da von sprichet St. Augustinus, in dem drizehenden capitel „Von der driveltikeit": „Wir zeigen daz, daz

---

[1] Translator read *secundum propriam rationem propriae naturae.* Here as well as in most other cases our remark "translator read" does not necessarily indicate a mistake made by the translator. His Latin manuscript may have contained certain variations, or, as a result of the extensive use of abbreviations, it may have been readable only with difficulty.

[2] Unclear: "dü niderste persone" = *una persona.*

[3] Translator mistook *conservatio* for *conversatio.*

[16]

SUMMA THEOLOGICA

III, q. I, a. I, c. Respondeo dicendum quod unicuique rei conveniens est
30 illud quod competit sibi secundum rationem propriae naturae: sicut homini
conveniens est ratiocinari quia hoc convenit sibi inquantum est rationalis
secundum suam naturam. Ipsa autem natura Dei est bonitas: ut patet per
Dionysium, I cap. *de Div. Nom.* Unde quidquid **pertinet** ad rationem boni,
conveniens est Deo.
35 Pertinet autem ad rationem boni ut se aliis communicet: ut patet per Dio-
nysium, IV cap. *de Div. Nom.* Unde ad rationem summi boni pertinet quod
summo modo se creaturae communicet. Quod

1

quidem maxime fit per hoc
quod *naturam creatam sic sibi conjungit ut una persona fiat ex tribus, Verbo,
anima et carne:* sicut dicit Augustinus, XIII *de Trin.* Unde manifestum est
40 quod conveniens fuit Deum incarnari.
III, q. I, a. 2, c. Respondeo dicendum quod ad finem aliquem dicitur
aliquid esse necessarium dupliciter: uno modo, sine quo aliquid esse non
potest, sicut cibus est necessarius ad conservationem humanae vitae; alio
modo, per quod melius et convenientius pervenitur ad finem, sicut equus
45 necessarius est ad iter. Primo modo Deum incarnari non fuit necessarium
ad reparationem humanae naturae: Deus enim per suam omnipotentem virtu-
tem poterat humanam naturam multis aliis modis reparare. Secundo autem
modo necessarium fuit Deum

2

incarnari.... Unde dicit Augustinus, XIII
de Trin.: Ostendamus non alium modum possibilem Deo defuisse, cuius

[17]

ez got niht [1] in einer andern wis müglich was, des gewalt glichelichen ellü ding undertenig sint, sit daz dekein ander wis behörlicher was, das gesunt gemachet wurde unser krankeit."

Ez ist zemerken, daz wane sint, ob der mensche niht gesündet hette, ob
5 den noch got ingefleischet wer worden. Etlich sprechent, es were geschehen. Aber die andern sprechent dar wider. Der widersprache man aller meiste volget. [2] Wan dü ding, dü da alleine koment von götlichem willen, über daz behörlich wesen der creaturen [3] enmag ez uns niht erkant werden, niht wan also vil, als es in der heiligen schrift geoffenbart wirt, übermitz welchü
10 schrift uns gottes wille geoffenbart wirt. Unde sit daz [4] den in aller der

3 _____

heiligen schrift allenthalben bezeichent si, daz von der ersten sünden des ersten menschen die rede der infleischung si, so ist behörlichen ze sagen, daz daz werke der infleischunge geordent wurde von gotte, daz es were in einer arzenien der sünden, also, so daz die sünde niht gewesen were, daz
15 ouch die infleischunge niht gewesen were. Wie wol daz die maht gotis dar zuo niht gezellet were: Er mohte wol ingefleischet sin worden, ob die sünde noch denne niht gewesen were.

Ez ist zemerkenne, daz sicher ist, daz Christus komen si in dis welt, niht alleine daz er vertilken wolte die sünde, [5] die da gezogen waz ursprünglich
20 in die nachkömlinge, sunder ouch zevertilkenne alle die sünde, die dar nach übergevallen sint. Niht daz si alle vertilket werden (unde daz ist von ge- bresten der menschen, die Christo niht anhangent, nach St. Johannis worte in dem dritten capitel: „Daz lieht ist komen in dis welt, unde die menschen minte mer die vinsternüsse

4 _____

                                  denne daz lieht"), wan er erbot aber dar, des
25 genuog waz zuo einer wollusti [6] aller menschen. Dar umbe sprichet St. Paulus, „Zuo den Romeren," in dem fünften capitel: „Niht also die sünde ist, daz als die gabe si, wan das urteile ist von eime [7] in ein verdampnüsse, aber die gnade ist von vil sünden in ein gerehtigung."

Unde also vil so kam Christus [8] ze vorderst ze troste etlicher sünden,
30 alse vil alse die sünde grözer was.

Ez ist zemerken, daz ez nit zehant bekomlich waz nach der sünden, daz got ingefleischet wurde. Unde des bewisunge ist durch die eigenschaft der sünden, daz si kam von der hochvart. Unde dar umbe was er zerlösenne in

---

1 Translator construed *non* with *alium*, thus vitiating the sense.
2 This passage is one of the few examples of a paraphrase rather than a translation.
3 Translator interpreted *supra omne debitum creaturae* as modifying *innotescere*.
4 MS: "daz man den."
5 "Die sünde" repeated.
6 Translator probably took *deletio* as *dilectio* or *delectatio*.
7 "eine" shows failure to connect *uno* with *delictis*.
8 MS: "Christo."

potestati omnia aequaliter subiacent; sed sanandae miseriae nostrae convenien-
35 *tiorem alium modum non fuisse.*

35   III, q. 1, a. 3, c. Respondeo dicendum quod aliqui circa hoc diversimode
opinantur. Quidam enim dicunt quod, etiam si homo non peccasset, Dei
Filius fuisset incarnatus. Alii vero contrarium asserunt. Quorum assertioni
magis assentiendum videtur. Ea enim quae ex sola Dei voluntate proveniunt,
40 supra omne debitum creaturae, nobis innotescere non possunt nisi quatenus in
sacra Scriptura traduntur, per quam divina voluntas innotescit. Unde, cum
in sacra Scriptura ubique incarnationis ratio ex peccato

─── 3

                                     primi hominis as-
signetur, convenientius dicitur incarnationis opus ordinatum esse a Deo in
remedium peccati, ita quod, peccato non existente, incarnatio non fuisset.
45 Quamvis potentia Dei ad hoc non limitetur: potuisset enim, etiam peccato
non existente, Deus incarnari.

     III, q. 1, a. 4, c. Respondeo dicendum quod certum est Christum venisse
in hunc mundum non solum ad delendum illud peccatum quod traductum est
originaliter in posteros, sed etiam ad deletionem omnium peccatorum quae
50 postmodum superaddita sunt: non quod omnia deleantur (quod est propter
defectum hominum, qui Christo non inhaerent, secundum illud Ioan. III:
Venit lux in mundum, et dilexerunt homines magis tenebras quam lucem),
sed

─── 4

     quia ipse exhibuit quod sufficiens fuit ad omnem [9] deletionem. Unde
dicitur *Rom.* 5: *Non sicut delictum, sic et donum: nam iudicium ex uno in*
55 *condemnationem, gratia autem ex multis delictis in iustificationem.*

     Tanto autem principalius ad alicuius peccati deletionem Christus venit,
quanto illud peccatum maius est.

     III, q. 1, a. 5, c. Sed non etiam statim post peccatum conveniens fuit Deum
incarnari. Primo quidem, propter conditionem humani peccati, quod ex su-

─────

[9] Var.: *omnium.*

der wis, daz er die demüetigi erkande, daz er bedorfte eins erlösere. Unde da von St. Paulus sprichet „Zuo den Galathen," in dem dritten capitel: „Si [1] was geordent in die hant des mitteleres übermitz die engele." Her- über sprichet die glose: „Es ist von einem

5

grozen rat geschehen, daz nach
des menschen valle niht zehant gottis sun gesant wart. Wan got der liez e die menschen in einen frigen willen in der e der naturen, daz er also sin creft alle erkante. Unde do im gebrast, do enphieng er die e. Unde do die e gegeben wart, in der wart vergraben [2] die krankeit niht der e, sunder der naturen gebresten. Also, swenne er erkante sin siecheit, daz er riefe den arzat [3] unde gnade suochet der helfe." [4]

Ez ist zemerkenne, ob die einunge des ingefleischeten wortes geschehe in der naturen. Her zuo ist ze sagen, daz eins von zweien oder von menigerm gesast wirt in drier hant wis. Ein wis: von zweien, dü volkomen- lichen [5] gantze beliben. Unde daz enmag in dekeinen dingen geschehen, niht wan in den, der form ein zesamensetzunge ist, oder ein orden, [6] oder ein figure: alse

6

von vil steinen [7] ane ordenunge der zesamenhuffunge, niht wan übermitz alleine zesamensetzunge, so wirt ein huffe; von steinnen oder von holtze, nach etlicher ordenunge bereitet unde ouch zuo etlicher figure geworfen: [8] also daz hus. Unde nach dem so satzten solich, [9] daz die einunge were übermitz wis einre unordenunge, also daz sie were ane ordenunge oder ane [10] glichmessunge, dü da mit einer ordenunge ist.

Aber daz enmag niht gesin. Wan zesamensetzunge oder orden oder figure, dü ensint niht ein substentzlich forme, sunder ein zuovellich. Unde also so volget daz dar nah, daz die einunge der infleischunge niht sub- stentzlich were, sunder daz si were zuovellich: unde daz were valsche. — In einer andern wis so wirt etliches von volkomenen dingen, doch daz si übergewandelt sint, also von den elementen wirt etwaz, daz gemischet ist. Unde also so sprachen etliche, daz die einunge der infleischunge geschehen were übermitz wise der conplexien. Unde daz enmag

7

---

[1] The Vulgate reads, Gal. 3:19: *Quid igitur lex? Propter transgressiones posita est . . . . ordinata per angelos in manu mediatoris.*
[2] Translator probably read *involvit* for *invaluit.*
[3] MS: "riefende arzat."
[4] Should be "helfe suochet der gnade."
[5] Translator read *perfectis* as *perfecta.*
[6] MS: "orden ist."
[7] MS: "stimen."
[8] *Redactis* connected by translator with *iacio?*
[9] The normal rendering of *aliqui* is etliche, cf. line 28 of this page.
[10] Translator read: *sine ordine vel commensuratione.*

30 perbia provenerat: unde eo modo erat homo liberandus ut, humiliatus, re-
cognosceret se liberatore indigere. Unde super illud *Galat.* III: *Ordinata per*
angelos in manu mediatoris, dicit Glossa: *Magno consilio factum est ut,*

5

post hominis casum, non illico Dei Filius mitteretur. Reliquit enim Deus
prius hominem in libertate arbitrii, in lege naturali, ut sic vires naturae suae
35 *cognosceret. Ubi cum deficeret, Legem accepit. Qua data, invaluit morbus,*
non Legis, sed naturae vitio: ut ita, cognita sua infirmitate, clamaret ad
medicum, et gratiae quaereret auxilium.

III, q. 2, a. I. UTRUM UNIO VERBI INCARNATI SIT FACTA IN UNA NATURA
— Tripliciter enim aliquid unum ex duobus vel pluribus constituitur. Uno
40 modo, ex duobus perfectis integris remanentibus. Quod quidem fieri
non potest nisi in his quorum forma est compositio, vel ordo, vel figura:
sicut ex multis lapidibus absque

6

aliquo ordine adunatis per solam compo-
sitionem fit acervus; ex lapidibus autem et lignis secundum aliquem ordinem
dispositis, et etiam ad aliquam figuram redactis, fit domus. Et secundum hoc,
45 posuerunt aliqui unionem esse per modum confusionis, quae scilicet est sine
ordine; vel commensurationis, quae est cum ordine.

Sed hoc non potest esse. Primo quidem, quia compositio, ordo vel figura
non est forma substantialis, sed accidentalis. Et sic sequeretur quod unio
incarnationis non esset per se, sed per accidens: quod infra improbabitur.
50 Alio modo fit aliquid ex perfectis, sed transmutatis: sicut ex elementis fit
mixtum. Et sic aliqui dixerunt unionem incarnationis esse factam per modum
complexionis. Sed hoc non potest esse.

7

niht gesin. Wan die
gotlich nature ist alzemale unwandelich. Unde dar umbe so enmag si noch
gewandelt werden in ein anders, wan si unvergenklich ist, noh nihtes niht
mag verwandelt werden in si, umbe daz, wan si ungeberliche ist.

Ze [1] dem dritten male so wirt etwaz von etlichen dingen, unde die doch
5 niht verwandelt [2] werdent, aber sü sint unvolkomen, also von sele unde
von lip wirt ein mensche, unde von menslichen glidern wirt ein lip.

Aber diz mag man niht sprechen von der himelschen [3] infleischunge.
Wan ietweder nature ist von irre rede volkomen, daz ist dü götlich
nature unde die menschliche. Unde also ist ez offenbar, daz die einunge
10 niht geschach in der nature.

Ez ist zemerken, daz die einunge des ingefleischten wortes geschach
in der personen.

Unde des sache ist zemerken, daz die persone ein anders bezeichent
denne die nature. Wan die nature bezeichent die wesung des gesteltnüsses,
15 welche wesunge bezeichent

8 ───

die endenunge. Unde mag [4] man von den
dingen, die da behörent zuo der gesteltnüsse, nihtes niht anders zuogefüegtes
vinden, so enwere nit notdurftig dekeiner underscheidung der nature von
dem underwurf der nature, daz [5] da ist selbestande in dirre naturen un-
teillichen. [6] Wan ein iegeliches, daz da selbestande wer in der nature unteil-
20 lichen, [6] daz were alzemale daz selbe daz sin nature were. [7] Doch geschiht,
daz etwaz funden wirt in den selbestanden dingen, daz niht behöret zuo der
rede des gesteltnüsses [8] alse die zuovelle unde die unteillichen [9] beginne, alse
ez aller meist offenbar ist von den dingen, die da zesamengesast sint von
formen unde von materien. Unde dar umbe so underscheidet ouch in solichen
25 dü nature unde der underwurf, niht doch alse etlichü, die alzemale geschei-
den sint, sunder in dem underwurf wirt beslozen die nature des gesteltnüsses.
Unde da von wirt der underwurf bezeichent alse die gantzheit unde
haben [10] die

9 ───

nature alse ein förmeliches teile siner volmachunge. Unde dar

---

[1] MS: "zē."
[2] MS: "werdelt."
[3] In view of p. 12, line 6, we assume the copyist misread "heimelichen" as "himel-
schen."
[4] MS: "wz."
[5] „daz" for "der," referring to "underwurf."
[6] *individuum* read as *individue?*
[7] MS: "were mit siner nature."
[8] MS: "gestelnüsses."
[9] *individua substantia* is translated acceptably on p. 10 as "unteillichü substancie."
Here the etymological connection is misleading, for *individuans* does not mean *indivisibilis*.
[10] Pres. Part., see Behaghel, *Deutsche Syntax,* II, § 748.

Primo quidem, quia natura divina
est omnino immutabilis: ut in Prima Parte dictum est. Unde nec ipsa potest
30 converti in aliud, cum sit incorruptibilis: nec aliud in ipsam, cum ipsa sit
ingenerabilis.

Tertio modo fit aliquid ex aliquibus non permutatis, sed imperfectis: sicut
ex anima et corpore fit homo; et similiter ex diversis membris. [11]

Sed hoc dici non potest de incarnationis mysterio. Primo quidem, quia
35 utraque natura est secundum suam rationem perfecta divina scilicet et
humana. — Ergo unio non est facta in natura. [12]

III, q. 2, a. 2. ERGO FACTA EST UNIO VERBI IN PERSONA.[12]

Respondeo dicendum quod persona aliud significat quam natura. Natura
enim significat *essentiam speciei, quam significat*

———————————————————————————————————— 8

definitio. Et si quidem his
40 quae ad rationem speciei pertinent nihil aliud adiunctum inveniri posset, nulla
necessitas esset distinguendi naturam a supposito naturae, quod est indivi-
duum subsistens in natura illa: quia unumquodque individuum subsistens
in natura aliqua esset omnino idem cum sua natura. Contingit autem in qui-
busdam rebus subsistentibus inveniri aliquid quod non pertinet ad rationem
45 speciei, scilicet accidentia et principia individuantia: sicut maxime apparet in
his quae sunt ex materia et forma composita. Et ideo in talibus etiam secun-
dum rem [13] differt natura et suppositum, non quasi omnino aliqua separata:
sed quia in supposito includitur ipsa natura speciei, ... Unde suppositum
significatur ut totum, habens naturam sicut partem formalem

———————————————————————————————————— 9

et perfectivam

———

11   Certain manuscripts have: *ex diversis membris constituitur corpus.*
12   This sentence from the end of the "Sed contra est" of the same article.
13   *secundum rem* is not translated here, but cf. p. 10, line 6.

umbe: in den dingen, die da zesamengesatzt sint von formen unde von der
materien, [1] der selber nature wirt niht gesaget von den underwurfen. Wan
wir ensprechen niht, daz dirre mensche si sin menschlichü nature. Unde ist
dekein ding, [2] in dem nihtes niht anders alzemale enist ane die reden des
5 gesteltnüsses oder der naturen, also es in got ist. Wan da [3] enist niht ein
anders nach dinge der underwurf unde ein anders die nature, sunder
allein niht wan nach reden ze verstan. Wan die nature heizet nach dem
unde si etwaz wesung ist, unde die selbe nature heizet der underwurf nah
dem unde si selbestande ist. Unde daz gesprochen ist von dem underwurf,
10 daz ist ze verstende [4] von der personen in der redelichen creaturen oder in
der verstendigen. Wan nihtes niht ist ein person denne ein unteillichü [5]
substancie der redelichen naturen, alse Boecius sprichet.

    Unde dar umbe ein iekliches, daz da inne ist

10 ───

    etlicher personen, ez si, daz
es [gehöre] [6] zuo siner nature oder niht, daz wirt zuogeeiniget in der per-
15 sonen. Unde dar umbe unde [7] wirt die menschlich nature deme worte gotis
niht zuogeeiniget in der persone, so wirt si im in dekeiner wis zuogeeiniget.
Unde also wirt alzemale ab genomen der gloube der infleischung, unde daz
wer undertuon allen cristenen glouben. Unde dar umbe so hat daz wort im
geeiniget die menschlichen naturen, aber doch [niht] [6] daz si gehöre zuo siner
20 gotlichen naturen. Unde dar nach volget, daz die einunge geschehen ist dez
wortes in der personen, aber niht in der naturen.

    Ez ist zemerken, daz etlich niht enwesten die habung der selbstaunge
zuo der personen. Doch verjehent si daz wol, daz in Christo si niht wan [8]
ein person. Unde doch so satzten si ein selbestaunge gotte[s] [6] unde ein
25 ander selbestandung des menschen, unde also so si die einunge [9] geschehen
in der persone unde

11 ───

    niht in der selbestaung. Unde daz schinet irrunge von
dem, daz die persone nihtes niht zuoleit über die selbestaunge niht wan ein
beterminierte naturen, daz ist die redelichen naturen, nach dem unde
Boecius [10] sprichet in dem buoche „Von den zweien naturen," daz „die

sui: Et propter hoc in compositis ex materia et forma natura non prae-
30 dicatur de supposito: non enim dicimus quod hic homo sit sua humanitas.
Si qua vero res est in qua omnino nihil est aliud praeter rationem speciei
vel naturae suae, sicut est in Deo, ibi non est aliud secundum rem suppo-
situm et natura, sed solum secundum rationem intelligendi: quia natura
dicitur secundum quod est essentia quaedam; eadem vero dicitur suppositum
35 secundum quod est subsistens. Et quod est dictum de *supposito,* intelligendum
est de *persona* in creatura rationali vel intellectuali: quia nihil aliud est per-
sona quam *rationalis naturae individua substantia,* secundum Boetium.
Omne igitur quod inest alicui personae, sive pertineat ad

10

naturam eius
sive non, unitur ei in persona. Si ergo humana natura Verbo Dei non
40 unitur in persona, nullo modo ei unitur. Et sic totaliter tollitur incar-
nationis fides: quod est subruere totam fidem Christianam. Quia igitur
Verbum habet naturam humanam sibi unitam, non autem ad suam naturam
divinam pertinentem, consequens est quod unio sit facta in persona Verbi,
non autem in natura.
45   III, q. 2, a. 3, c. Respondeo dicendum quod quidam, ignorantes habitudi-
nem hypostasis ad personam, licet cederent in Christo unam solam personam,
posuerunt tamen aliam hypostasim Dei et aliam hominis: ac si unio sit
facta in persona, non in

11

hypostasi. Quod quidem apparet erroneum tri-
pliciter. Primo, ex hoc quod persona supra hypostasim non addit nisi de-
50 terminatam naturam, scilicet rationalem; secundum quod Boetius dicit, in

persone ist ein unteillichü substancie der redelichen naturen." Und dar
umbe so ist daz [selbe], in christo zuozegeben die eigen selbestandunge der
menschilicher persone unde die eigen nature. [1] Unde daz verstuonden die
heiligen vettere in dem fünften concilij, daz da begangen wart ze Con-
5 stantinopolim, do verdampneten sie sprechende: „Swer sich dar zuo pint,
daz er in die gotlichen heimlicheit [2] Christi zwei substancien oder zwo per-
sonen [infuert], daz si verbannen. Noch ouch emphieng die heiligen drivel-
tikeit dekein zuowerfung der persone oder der selbestandunge von dem
ingefleischeten worte gotte von der heiligen driveltikeit." Nu ist „diu sub-
10 stancie" daz selbe daz daz

12 ———

                           selbestande ding ist, daz da eigen ist der selbe-
staung, daz da offenbar ist übermitz Boecium [3] in dem buoche „Von den
zwein naturen."

    Unde also so schinet, es für ketzerie verdampnet ist von wilent da her,
daz man spreche, daz in Christo sin zwo selbstaunge oder zwene under-
15 wurf, oder daz die einung niht geschech in der selbstandunge oder in dem
underwurf.

    Ez ist zemerken, daz die persone oder die selbstandunge Christi in zweier
hande wis ze betrahten si. Ein wis, nach dem, daz es ist in im selben.
Unde also ist es alzemale einveltig: alse die nature des wortes. Ein ander
20 wis, nach rede der personen oder der selbstaunge, zuo der daz behöret [4]
selbstande in etlicher nature. Unde nach dem so bestet die persone Christi
in zweien naturen. Doch ist da ein ander rede unde ein ander des selbesta-
nes. Unde also heizet ez ein zesamengesast persone, nach deme unde eins
in zweien bestat.

25   Ez ist zemerken, daz Christus heizet einhellichen ein

13 ———

                            mensche mit den an-
dern menschen, also daz er der menschen gesteltnüsse ist; nach dem unde
St. Paulus sprichet „Zuo [5] den Philippensen," in dem andern capitele: „Er
ist gemachet in glichnüsse der menschen." Aber nu behört daz zuo der rede
des gesteltnüsses, daz dü sele geeinigt werde dem libe, wan die forme ensetzet
30 dekein gesteltnüsse, niht wan übermitz daz, daz si wirt ein tat der materien.
Unde daz ist, dar zuo daz beterminieret wirt die geburt, übermitz welch
geburt die nature das gesteltnüsse meinet. Unde da von ist von not zesagen,
daz in Christo waz die sele geeinigt dem libe.

    Ez ist zemerken, [6] daz vil irrunge waren über daz, ob die menschlich

---

[1] MS: "persone."   [2] MS: "heimlichet."
[3] MS: "beocium."   [4] MS: "behörent."   [5] MS: "suo."
[6] The following passage is a paraphrase rather than a translation.

35 libro *de Duabus Naturis,* quod *persona est rationalis naturae individua sub-*
stantia. Et ideo idem est attribuere propriam hypostasim humanae naturae in
Christo, et propriam personam. Quod intelligentes sancti Patres, utrumque
in Concilio Quinto, apud Constantinopolim celebrato, damnaverunt, dicentes:
Si quis introducere conetur in mysterio Christi duas subsistentias seu duas
40 *personas, talis anathema sit: nec enim adiectonem personae vel subsistentiae*
suscepit sancta Trinitas, incarnato uno de sancta Trinitate, Deo Verbo.
„Subsistentia" autem idem est quod res subsistens: quod est proprium

---

12

hypostasis, ut patet per Boetium, in libro *de Duabus Naturis* ....
Sic igitur patet esse haeresim ab olim damnatam dicere quod in Christo
45 sunt duae hypostases vel duo supposita, sive quod unio non sit facta in
hypostasi vel supposito.
III, q. 2, a. 4, c. Respondeo dicendum quod persona sive hypostasis Christi
dupliciter considerari potest. Uno modo, secundum id quod est in se. Et sic
est omnio simplex: sicut et natura Verbi. — Alio modo, secundum rationem
50 personae vel hypostasis, ad quam pertinet subsistere in aliqua natura. Et
secundum hoc, persona Christi subsistit in duabus naturis. .... est tamen ibi
alia et alia ratio subsistendi. Et sic dicitur persona composita, inquantum
unum duobus subsistit.
III, q. 2, a. 5, c. Respondeo dicendum quod Christus dicitur homo univoce
55 cum hominibus aliis, utpote eiusdem

13

speciei existens: secundum illud Apos-
toli, *Philipp.* II: *In similitudinem hominum factus.* Pertinet autem ad ratio-
nem speciei humanae quod anima corpori uniatur: non enim forma constituit
speciem nisi per hoc quod sit [7] actus materiae; et hoc est ad quod generatio
terminatur, per quam natura speciem intendit. Unde necesse est dicere quod
60 in Christo fuerit anima unita corpori ....

III, q. 2, a. 6. UTRUM HUMANA NATURA FUERIT UNITA VERBO DEI ACCIDEN-
TALITER

---

[7] Some Latin MSS have *fit* instead of *sit.*

nature geeiniget wurde dem gotlichen worte zuovellichen. Unde etliche sprechen, daz es also geschehe. Die andern sprechent, daz die einunge geschehe nach der wesunge unde nach der naturen. Unde dirre ietweders ist ketzerie.

5   Sunder der [1] gelouben heltet den mittern wege

14 ──

zwischen den zweien sezzunge, die da vorgesprochen sint. Noch er ensprichet niht, daz die einung geschehen si gottis unde des menschen nah der wesunge unde nah der nature, noch ouch übermitz zuoval, sunder in der mittern wis, nach der selbestandunge.

Ez ist zemerken, daz die einunge, von der wir sprechen, si si [2] etliche
10 widertragunge, welche widertragunge zemerken ist zwischen der gotlichen naturen unde die [3] menschlichen, nah dem unde si zesamenkoment in einer personen gottis suns. Aber ein ieklich widertragung, die da zebetrahten ist zwischen got unde der creaturen, dü selbe widertragung ist dinklich in der creature, übermitz welcher creaturen wandelunge ein solichü widertragung in-
15 geborn wirt . . . ., [4] nach der wandelunge gotiz. Unde alse ist zesprechen, daz dis einunge, von der wir reden, niht in got dinklich ist, sunder alleine nach reden. Aber in der menschlichen nature, die da ein creature ist, in der so

15 ──

ist si dinklich. Unde dar umbe so muoz man sprechen, daz dis einunge si etwas geschaffens.

20 Ez ist zemerken, daz underscheit zenemen ist zwischen der ufnemung unde der einunge. Wan es ist gesprochen, daz die einunge innetrage widertragung der götlichen naturen unde der menschlichen, nach dem unde si in einer persone zesamenkoment. Aber ein ieklich widertragunge, die da anvaht zesin von der zit, die wirt gesachet von wandelunge etlicher crea-
25 turen. Aber die wandelunge bestat in der tüeliche unde in der lidunge. Unde also ist zesagen, daz die erste unde die vorderest underscheit ist zwischen der einung unde die [5] ufnemunge, daz die einunge innetreit die widertragung selbe. Aber die ufnemunge treit inne die tüegunge, nach dem unde man sprichet, daz etwer ufnimet, oder die lidunge, nach dem unde etwaz ufge-
30 nomen ist.

Von der underscheidunge so wirt genomen die ander underscheidunge. Wan die ufnemung ist

16 ──

[1] MS: "den."
[2] For this pleonastic use of pronoun plus noun see H. Paul, *Mhd. Gram.*, § 328. Cf. also Tatian: Luke 1: 41.
[3] Cf. note 5. The nominative after "zwischen" suggests an analogy with "between you and I."
[4] Assuming the translator wrote "geborn" twice, in rendering the Latin (*in*)*nascitur*, we think the copyist made a skip, omitting the intervening phrase. In a similar case on p. 30, the omitted line is inserted in the margin.
[5] Cf. note 3.

Respondeo dicendum quod, ad huius quaestionis evidentiam, sciendum est quod circa mysterium unionis duarum naturarum in Christo, duplex haere-
35 sis insurrexit . . . .

Fides autem Catholica, medium tenens inter praedictas

———————————————————————————————— 14

positiones, neque dicit esse unionem factam Dei et hominis secundum essentiam vel naturam; neque etiam secundum accidens; sed medio modo, secundum subsistentiam seu hypostasim.

40 III, q. 2, a. 7, c. Respondeo dicendum quod unio de qua loquimur est relatio quaedam quae consideratur inter divinam naturam et humanam, secundum quod conveniunt in una persona Filii Dei. . . . . omnis relatio quae consideratur inter Deum et creaturam, realiter quidem est in creatura, per cuius mutationem talis relatio innascitur: non autem est realiter in Deo, sed
45 secundum rationem tantum, quia non nascitur secundum mutationem Dei. Sic igitur dicendum est quod haec unio de qua loquimur, non est in Deo realiter, sed secundum rationem tantum: in humana autem natura, quae creatura quaedam est, est realiter.

———————————————————————————————— 15

Et ideo oportet dicere quod sit quoddam creatum.

50 III, q. 2, a. 8. UTRUM IDEM SIT UNIO QUOD ASSUMPTIO

Respondeo dicendum quod, sicut dictum est, unio importat relationem divinae naturae et humanae secundum quod conveniunt in una persona. Omnis autem relatio quae incipit esse ex tempore, ex aliqua mutatione causatur. Mutatio autem consistit in actione et passione. Sic igitur dicendum est quod
55 prima et principalis differentia inter unionem et assumptionem est quod unio importat ipsam relationem: assumptio autem actionem secundum quam dicitur aliquis assumens, vel passionem secundum quam dicitur aliquid assumptum.

Ex hac autem differentia accipitur secundo alia differentia.

———————————————————————————————— 16

geheizen nach dem gewerdenne, aber die einung [1]
nach dem gewordenen. Unde da von so heizet der einunde daz geeinigt, aber
der ufnemende enheizet niht der ufgenomen. Nu ist die menschliche nature
bezeichent in dem ende der ufnemunge zuo der gotlichen selbestaung, nach
dem unde si heizet ein mensche. Unde dar umbe so sprechen wir für war,
5 daz gottes sun, der einende ist die menschlichen naturen, ein mensche si.
Aber alse man die menschlichen naturen in ir selber betrahtet, daz ist in der
abgezogenheit, so wirt si bezeichent, alse si ufgenomen si. Wan wir en-
sprechen niht, daz gotis sun si die menschlich nature.

Ez ist zemerken, daz die einunge innetreit ein zesamenfüegunge etlicher
10 in etwaz eime. Nu mag man die einunge der infleischunge nemen in zweier
hande wis. Dü ein wis von teile dirre, die za da zesamengefüget werden; unde
die ander wis von

17 ━━

teile des, in daz si zesamengefüeget werdent. Unde nach
disem teile so hat dis einunge ein fürschinunge wider den andern einunge,
wan die einunge der gotlichen persone, in der zwo naturen geeiniget werdent,
15 dü ist die gröst einunge. Unde si enhant dekein fürschinunge von teile dirre,
die da zuo einem gefüeget werdent.

Ez ist zemerken, ob die einung der infleischunge geschehen ist übermitz
gnade. Her zuo ist zesagen, daz die gnade in zweier hande [wis] zesprechen
ist. Ein wis heizet si der gotis wille selber, der da gebende ist etwaz ver-
20 gebens. Daz ander: die vergeben gabe gotis selbe. Nu bedarf die mensch-
lich nature die begnadet von gotte [2] zuo dem, daz si uferhaben werde in
gotte, sit daz dis ist über die maht siner naturen. Aber die menschliche
nature wirt erhaben in got in zweier hande wis. Ein wis von der wirkunge,
von welcher wirkunge daz die heiligen [got] erkennent unde

18 ━━

minnent. In einer
25 andern wis übermitz personlich [3] wesen, welchü wis die sunderlich ist in
Christo, in dem menschlich nature ufgenomen ist zuo dem, daz si si gotis
suns person. Nu ist diz offenbar, daz gesuochet wirt zuo der volkomenheit
der wirkung, daz die wirkung si volkomen übermitz die habunge. Aber daz
die nature habe wesen in irem [4] underwurfe, daz engeschiht niht übermitz
30 dekein mitel dekein[er] habung.

Unde also ist zesagen: unde wirt die gnade genomen der wille gotiz selber,
der da etwaz begnate machet, oder alse etwaz [5] daz daz begnate oder daz

---

1 MS repeats: "aber die einung."
2 Translator, omitting *voluntate,* interpreted *gratuita* as a substantive.
3 MS: "persolich."
4 MS: "iren."
5 Translator read *aliquem* as *aliquid,* and did not recognize *faciens* and *habens* as
parallel.

Nam assumptio dicitur sicut in fieri: unio autem sicut in facto esse. Et ideo uniens dicitur esse unitum: assumens autem non dicitur esse assumptum. Natura enim
35 humana significatur ut in termino assumptionis ad hypostasim divinam per hoc quod dicitur *homo*: unde vere dicimus quod Filius Dei, qui est uniens sibi humanam naturam, est homo. Sed humana natura in se considerata, idest in abstracto, significatur ut assumpta: non autem dicimus quod Filius Dei sit humana natura.
40 III, q. 2, a. 9, c. Respondeo dicendum quod unio importat coniunctionem aliquorum in aliquo uno. Potest ergo unio incarnationis dupliciter accipi: uno modo, ex parte eorum quae coniunguntur; et alio modo, ex parte eius in quo coniunguntur.

17

Et ex hac parte huiusmodi unio habet praeeminentiam inter alias uniones: nam unitas personae divinae, in qua uniuntur duae
45 naturae, est maxima. Non autem habet praeeminentiam ex parte eorum quae coniunguntur.

III, q. 2, a. 10. UTRUM UNIO INCARNATIONIS SIT PER GRATIAM

Respondeo dicendum quod .... gratia dupliciter dicitur: uno modo, ipsa voluntas Dei gratis aliquid dantis; alio modo, ipsum gratuitum donum Dei.
50 Indiget autem humana natura gratuita Dei voluntate ad hoc quod elevetur in Deum: cum hoc sit supra facultatem naturae suae. Elevatur autem humana natura in Deum dupliciter. Uno modo, per operationem: qua scilicet sancti

---

18

cognoscunt et amant Deum. Alio modo, per esse personale: qui quidem modus est singularis Christo, in quo humana natura assumpta est ad hoc quod sit
55 personae [5] Filii Dei. Manifestum est autem quod ad perfectionem operationis requiritur quod potentia sit perfecta per habitum: sed quod natura habeat esse in supposito suo, non fit mediante aliquo habitu.
Sic igitur dicendum est quod, si gratia accipiatur ipsa Dei voluntas gratis
60 aliquid faciens, vel gratum seu acceptum aliquem habens, unio incarnationis facta est per gratiam, sicut et unio sanctorum ad Deum per cognitionem et amorem. Si vero gratia dicatur ipsum gratuitum Dei donum, sic ipsum quod

geneme habende ist, die einung der infleischung ist gemachet übermitz gnade, alse die einunge der heiligen ist übermitz bekennen unde minen. [1] Aber heizet die gnade daz begnate ding selber, also daz selbe, daz die menschliche nature geeinigt ist der gotlichen personen, mag geheizzen sin ein gnade, nah dem unde diz geschehen ist von dekeiner vorgeganner

19 ─────────────────────────────────────

verdiente. Niht daz es si etwaz habender gnade, von welcher gnade mittelich die einunge geschehe.

Ez ist zemerken, als vil als zuo Christo, so mohten dekein verdiente vorgan der einung. Wan wir ensetzen nit, daz er vor were ein luter mensche unde dar nach übermitz verdient eins guoten lebens verkriegte, daz er gottis [sun] were, alse Fotinus satzte; sunder wir setzen, daz von dem beginne, da enphangen wart der mensche, do waz er werlich gottis sun, also, daz er dekein ander selbestaung enhatte denne den gottis sun. Unde dar umbe: ein ieklichü wirkunge disses menschen ist nachvolgende der einunge. Unde da von so waz dekein siner wirkunge lonlich der einunge. Noch ouch dekein wirkunge dekeines andern menschen moht verdientlich sin der einunge wirdeclichen. Want die verdientlichen werke dez menschen, die ordenent eigenlichen zuo der selikeit, dü da ein lon der tugent ist unde bestat

20 ─────────────────────────────────────

in einer voller gotlicher gebruchunge. Aber die einunge der infleischunge, sit daz si ist in einem personlichen wesen, so übergat si die einunge des gemüetes der selig zuo got, daz da ist übermitz die tat des gebruchenden. Unde also so enmag es niht gevallen under daz verdiente.

Ez ist zemerken, daz nach des philosophen worten in dem fünften capitele, in dem buoch daz da heizet „Methaphisice," die nature heizet in einer wis die geburt selbe, in einer andern wis so heizet die nature die wesunge dez dinges. Unde dar umbe so mag etwaz natürlich heizen in zweier hande wis. In einer wis, daz es allein ist von den wesenlichen beginne des dinges, alse ez dem für natürlichen ist, daz es ufwert gat. In einer andern wis so heizet, daz dem menschen daz natürlichen si, daz er hat von der geburt, nach dem unde St. Paulus sprichet „Zuo den Ephesien," in dem andern capitel: „Wir warn von der naturen sün des zornes;"

21 ─────────────────────────────────────

unde in „Der wisheit buoch," in dem zwelften capitel: „Ir geburt dü ist böse, unde ir bosheit ist natürlich."

Unde dar umbe: die gnade, es si, daz si si ein gnade der einunge oder si si ein gnade der habunge, noh denne so enmag si niht geheizen sin alse natürlich, alse ob si geschaffen si von den beginnen der menschlicher nature

─────────────────────────────────────

[1] All manuscripts have (in) *persona*; translator had *persona* before him, but construed it as nominative, which is possible grammatically, but not logically or theologically.

est humanam naturam esse unitam personae divinae, potest dici quaedam gratia, inquantum nullis praecedentibus meritis hoc est

── 19

factum: non autem
40 ita quod sit aliqua gratia habitualis qua mediante talis unio fiat.

III, q. 2, a. 11, c. Respondeo dicendum quod, quantum ad ipsum Christum, manifestum est.... quod nulla eius merita potuerunt praecedere unionem. Non enim ponimus quod ante fuerit purus homo, et postea per meritum bonae vitae obtinuerit esse Filius Dei, sicut posuit Photinus; sed ponimus
45 quod a principio suae conceptionis ille homo vere fuerit Filius Dei, utpote non habens aliam hypostasim quam Filium Dei, ... Et ideo omnis operatio illius hominis subsecuta est unionem. Unde nulla eius operatio potuit esse meritum unionis.

Sed neque etiam opera cuiuscumque alterius hominis potuerunt esse meri-
50 toria huius unionis ex condigno. .... quia opera meritoria hominis proprie ordinantur ad beatitudinem, quae est *virtutis praemium,* et consistit in plena Dei fruitione.

── 20

Unio autem incarnationis, cum sit in esse personali, trans-
cendit unionem mentis beatae ad Deum, quae est per actum fruentis. Et ita non potest cadere sub merito....
55 III, q. 2, a. 12, c. Respondeo dicendum quod, secundum Philosophum, in V *Metaphys.,* natura uno modo dicitur ipsa nativitas, alio modo essentia rei. Unde naturale potest aliquid dici dupliciter. Uno modo, quod est tantum ex principiis essentialibus rei: sicut igni naturale est sursum ferri. Alio modo dicitur esse homini naturale quod ab ipsa nativitate habet: secundum illud
60 *Ephes.* II: *Eramus natura filii irae;* et *Sap.* XII:

── 21

Nequam est natio eorum,
et naturalis malitia ipsorum.

Gratia igitur Christi, [2] sive unionis sive habitualis, non potest dici naturalis quasi causata ex principiis naturae humanae in ipso: quamvis possit dici naturalis quasi proveniens in naturam humanam Christi causante divina

---

[2] Some Latin manuscripts omit *Christi.*

in Christo; wie wol doch daz ist, daz si natürlich geheizen mag si[n],[1] nach dem unde si fürkomen ist in die menschlichen nature Christi unde geschaffen von siner gotlicher naturen. Aber doch so heizet ietweder gnade natürlich in Christo, nach dem unde er si hatte von der geburt, wan von
5 dem beginne der enphahung so was die menschlich nature der gotlichen personen zuogeeiniget, unde sin sele waz erfüllet mit der gabe der gnaden.

Ez ist zemerken, daz getragen wirt in dem worte der annemunge zwei ding: daz ist daz beginne der tat unde daz ende. Wan daz wort „ufnemung" sprichet also vil alse „etwaz zuo im nemen."

22 ────────────────────────────────────

Aber dirre ufnemung ist die
10 persone ein beginne unde ein ende. Ein beginne ist die person der ufnemunge: wan der personen eigen ist daz werk. Aber nu ist die ufnemung des fleisches geschehen übermitz die gotlichen tüewungen. Unde also des gliches so ist die persone dirre ufnemung ein ende, alse da vor gesprochen ist, von geschiht der einunge[2] in der persone, unde niht in der
15 nature. Unde also ist ez offenbar, daz es aller eigentlicheste zuobehöret der persone, ufzenemen die nature.

Ez ist zemerken, alse gesprochen ist, daz in dem worte der ufnemunge zwei ding dar inne bezeichent werdent: daz ist beginne der tat unde ir ende. Aber ein beginne zesin der ufnemunge, daz behört der gotlichen naturen
20 zuo nach ir selber, wan von irre craft ist die ufnemunge geschehen. Aber zesin der ufnemung ein ende, daz enbekümet niht der götlicher nature nah ir selber, sunder von rede der persone, in der si betrahtet wirt. Unde dar umbe so ist des ersten unde aller eigentlichest der personen, daz si ufneme.

23 ────────────────────────────────────

Aber zem andern male so mag man sprechen, daz ouch die nature ufneme
25 die nature zuo irre personen. Unde nach dirre wis so heizet ouch die nature ingefleischet nach der heiligen wort St. Athanasium[3] unde Cirillum.

Ez ist zemerken, daz sich daz verstan in zweier hande wis heltet zuo den gotlichen dingen. In einer wis, alse es got erkennet, alse er ist. Unde also nach dem so ist es unmügliche, ob etwaz umbe[4] gesprochen werde gote
30 übermitz daz verstan, da belibe noch denne etwaz. Wan alles, daz in got ist, daz ist ein,[5] niht wan alleine die underscheidung der person, unde welcher[6] underscheidunge man ein undertuot, so wirt die ander abgenomen, wan si underscheident sich alleine nach widertragung, welche widertragung so mit einander müssen sin. In einer andern wis so haltet sich
35 daz verstan zuo den gotlichen dingen, niht daz ez got erkenne, alse er ist,

---

[1] For other forms without *-n* see page 214, line 21; page 220, line 25; page 234, line 11; page 290, line 25.
[2] MS: "ei einunge."
[3] MS: "Anathasium."
[4] MS: "abe."
[5] MS: "en."
[6] MS: "welchen."

natura ipsius. Dicitur autem naturalis utraque gratia in Christo inquantum eam a nativitate habuit: quia ab initio conceptionis fuit natura humana divinae personae unita, et anima eius fuit munere gratiae repleta.

III, q. 3, a. 1, c. Respondeo dicendum quod in verbo *assumptionis* duo
40 importantur, videlicet principium actus, et terminus: dicitur enim assumere quasi *ad se aliquid sumere*.

── 22

Huius autem assumptionis persona est et principium et terminus. Principium quidem, quia personae proprie competit agere: huiusmodi autem sumptio carnis per actionem divinam facta est. Similiter etiam persona est huius sumptionis terminus: quia, sicut supra dictum
45 est, unio facta est in persona, non in natura. Et sic patet quod propriissime competit personae assumere naturam.

III, q. 3, a. 2, c. Respondeo dicendum quod, sicut dictum est, in verbo *assumptionis* duo significantur: scilicet principium actionis, et terminus eius. Esse autem assumptionis principium convenit naturae divinae secundum
50 seipsam: quia eius virtute assumtio facta est. Sed esse terminum assumptionis non convenit naturae divinae secundum seipsam: sed ratione personae in qua consideratur. Et ideo primo quidem et

── 23

propriissime persona dicitur assumere: secundario autem potest dici quod etiam natura assumit naturam ad sui personam.
55 Et secundum etiam hunc modum dicitur natura incarnata; .... *secundum beatos Athanasium et Cyrillum.*

III, q. 3, a. 3, c. Respondeo dicendum quod intellectus dupliciter se habet ad divina. Uno modo, ut cognoscat Deum sicuti est. Et sic impossibile est quod circumscribatur per intellectum aliquid a Deo quod aliud remaneat: quia
60 totum quod est in Deo est unum, salva distinctione personarum; quarum tamen una tollitur, sublata alia, quia distinguuntur solum relationibus, quas oportet esse simul.

Alio modo se habet intellectus ad divina, non quidem quasi cognoscens

sunder nach siner wis, daz ist

24 ──

manigveltiklichen unde teillichen daz selbe, daz
in got ein ist. Unde übermitz diz wis so mag unser verstan verstan die seli-
keit [1] unde die gotlichen wisheit unde dü andern des gliches, die da weseliche
zuogabung heizent, aber niht zu verstan die vetterlicheit oder die sunlicheit, [2]
5 die da heizent personlicheit. Unde nach der wis, unde wer, daz man abneme
übermitz daz verstan die personlicheit, noch denne so mügen wir da verstan
die nature annemende.

Ez ist zemerken, ob ein person ufnemen müge die menschliche naturen,
so daz die andern persone niht enanneme. Ez ist zesagen, alse gesprochen
10 ist: die annemung treit zwei ding inne, daz ist die tat des annemenden unde
daz ende der annemung. Aber die tat dez annemenden die gat für von
götlicher craft, die da gemein ist den drien personen; aber daz ende der
annemunge daz ist die persone, alse gesprochen ist. Unde dar umbe, waz
der tuowunge ist in der

25 ──

annemung, daz ist den [3] drien personen gemein.
15 Aber daz, daz da behöret zuo der reden des endes, daz bekümet einer perso-
nen also, daz es der andern niht bekümet. Ez mahten drie persone, daz die
menschliche nature geeiniget wart einre persone, daz ist dem sun.

Ez ist zemerken, ob dekein ander person möchte angenomen han die
menschelich nature ane die persone des suns. Ez ist zesagen, alse gesprochen
20 ist, daz die annemung zwei ding inne treit: daz ist die tate selbe des an-
nemende unde daz ende der annemung. Aber nu ist daz beginne der tat die
götliche craft; aber daz ende ist die persone. Aber die gotliche craft, die
heltet sich bekemlich [4] unde [un]underscheidenlich zuo den personen allen.
Unde die selbe gemein rede ist ouch der personlicheit in drien personen, wie
25 doch daz ist, daz die personlichen eigenscheft geunderscheidet sint. Wie vil
daz sich nu ein craft [un]underscheidenlichen heltet zuo

26 ──

vil, dü selbe
craft mag enden ir tuowunge zuo einem ieklichen der, zuo den [5] sich dü
craft heltet; alse es offenbar ist in den redelichen mehten, dü sich
da haltent zuo den gegengesasten dingen, welcher ietwelers [6] si wirken
30 mügen. Unde also so mohte die götlich craft die menschlichen nature einigen
alse wol der personen des [7] vaters unde der personen des heiligen geistes,

---

    [1] MS: "seliket"; *bonitatem* probably read as *beatitudinem.*
    [2] MS: "sunderlicheit."
    [3] MS: "die."
    [4] Probably *communiter* misread as *convenienter.*
    [5] MS: "dem."
    [6] MS: "ietwedens."
    [7] MS: "den."

Deum ut est, sed per modum suum: scilicet

—————————————————————————————— 24

multipliciter et divisim id quod in Deo est unum. Et per hunc modum potest intellectus noster intelligere bonitatem et sapientiam divinam, et alia huiusmodi, quae dicuntur essentialia
35 attributa, non intellecta paternitate vel filiatione, quae dicuntur personalitates. Et secundum hoc, abstracta personalitate per intellectum, possumus adhuc intelligere naturam assumentem.

III, q. 3, a. 4. UTRUM UNA PERSONA POSSIT ASSUMERE NATURAM CREATAM, ALIA NON ASSUMENTE

40 Respondeo dicendum quod, sicut dictum est, assumptio duo importat: scilicet actum assumentis, et terminum assumptionis. Actus autem assumentis procedit ex divina virtute, quae communis est tribus personis: sed terminus assumptionis est persona, sicut dictum est. Et ideo id quod est actionis in assumptione,

—————————————————————————————— 25

commune est tribus personis: sed id quod pertinet ad rationem
45 termini, convenit ita uni personae quod non alii. Tres enim personae fecerunt ut humana natura uniretur uni personae Filii.

III, q. 3, a. 5. UTRUM ALIA PERSONA DIVINA POTUERIT HUMANAM NATURAM ASSUMERE, PRAETER PERSONAM FILII

Respondeo dicendum quod, sicut dictum est, assumptio duo importat:
50 scilicet ipsum actum assumentis, et terminum assumptionis. Principium autem actus est virtus divina: terminus autem est persona. Virtus autem divina communiter et indifferenter se habet ad omnes personas. Eadem etiam est communis ratio personalitatis in tribus personis, licet proprietates personales sint differentes. Quandocumque autem virtus aliqua indifferenter
55 se habet ad

—————————————————————————————— 26

plura, potest ad quodlibet eorum suam actionem terminare: sicut patet in potentiis rationalibus, quae se habent ad opposita, quorum utrumque agere possunt. Sic ergo divina virtus potuit naturam humanam unire vel personae Patris vel Spiritus Sancti, sicut univit eam personae Filii. Et ideo

als. vol alse si si geeiniget hat der persone dez sunes. Unde also ist ze-
sagen, daz der vater oder der heilig geist möhte ufgenomen haben daz
fleische alse wol alse der sun.

Ez ist zemerken, ob zwo götlich persone angenomen möhten haben ein
5 menschlich nature, unde nach einer zale. Ez ist zesagen, alse da vor ge-
sprochen ist, daz von einung des libes unde der sele in Christo niht worden
ist weder ein nüwe person noch ein selbestaung; sunder ez wirt niht wan
ein nature, angenomen in die persone oder in die gotlichen selbestaunge.
Unde daz engeschiht

27
___

niht übermitz die mehte der menschlicher nature,
10 sunder übermitz maht der gotlichen person. Aber nu ist ein solichü wis der
gotlichen person, daz der persone eine die andern niht enusslüzet in gemein-
samung der selben nature, sunder alleine von der wise[1] der selben der[2]
persone. Unde dar umbe in der gotlicher wirkung der infleischunge so ist
die rede alzemale dez gemahten dinges dü maht des machenden. Unde da
15 von so sprichet St. Augustinus in einer epistelen „Zuo Volysianum." Noch
mer ist zemerken bi diser reden nach der wise des annemenden denne nach
der wis der angenomer menschlicher nature. Unde also dar umbe so ist
es niht unmüglich den gotlichen persone, daz ein person oder zwo annemen
ein menschlich nature.
20 Doch daz wer unmüglich, daz si an sich neme ein selbestaunge oder ein
menschlich persone, alse St. Augustinus sprichet in dem buoch „Von der
megtlichen versmahunge,"[3] daz zwo persone niht

28
___

enmügen an sich nemen
einen menschen unde den selben.

Ez ist zemerken, ob ein gotlich persone müge annemen zwo nature. Ez
25 ist zewissen, daz daz ding, daz da nihtwan in eins mag unde niht für bas,
daz hat ein geziltü maht zuo eime. Aber dü maht der götlichen persone dü
ist unentlich, noch enmag niht gezelte werden zuo dekeinem geschaffenem
ding. Unde da von so ist daz niht zesagen, daz die gotlich persone[4] also
an sich genomen habe ein menschliche nature, daz si niht an sich nemen
30 möhte ein ander. Wan anders so volget daz der nach, daz die personlicheit
der gotlicher nature begriffen were übermitz die menschlichen nature, daz
zuo irre personlicheit dekein ander nature niht genomen mag werden. Unde
daz ist unmüglich; wan dekein ungeschaffenes mag begriffen werden von
dem geschaffenen. Unde dar umbe so ist offenbar, es si daz wir betrahten die

29
___

[1] *communio* misread as *conditio*?
[2] Unless copyist added "der" by mistake, translator must have construed *personae* as-
dative and *eiusdem* as genitive.
[3] Seemingly *conceptu* was misread as *contemptu.*
[4] MS: "persone niht."

35 dicendum est quod Pater vel Spiritus Sanctus potuit carnem assumere, sicut
et Filius.

III, q. 3, a. 6. UTRUM DUAE PERSONAE DIVINAE POSSINT ASSUMERE UNAM
ET EANDEM NUMERO NATURAM

Respondeo dicendum quod, sicut supra dictum est, ex unione animae et
40 corporis in Christo non fit neque nova persona neque hypostatis, sed fit
una natura assumpta in. personam vel hypostasim

27

divinam. Quod quidem
non fit per potentiam natu.ae humanae, sed per potentiam personae divinae.
Est autem talis divinarum personarum conditio quod una earum non excludit
aliam a communione eiusdem naturae, sed solum a communione eiusdem
45 personae. Quia igitur in mysterio incarnationis *tota ratio facti est potentia
facientis,* ut Augustinus dicit, in Epistola *ad Volusianum*; magis est circa
hoc iudicandum secundum conditionem personae assumentis quam secundum
conditionem naturae humanae assumptae. Sic igitur non est impossibile di-
vinis personis ut duae vel tres assumant unam naturam humanam.
50 Esset tamen impossibile ut assumerent unam hypostasim vel nuam per-
sonam humanam: sicut Anselmus dicit, in libro *De Conceptu Virginali,* quod
plures personae non possunt assumere unum

28

eundemque hominem.

III, q. 3, a. 7. UTRUM UNA PERSONA DIVINA POSSIT ASSUMERE DUAS
NATURAS HUMANAS

55 Respondeo divendum quod id quod potest in unum et non in amplius, habet
potentiam limitatam ad unum. Potentia autem divinae personae est infinita,
nec potest limitari ad aliquid creatum. Unde non est dicendum quod persona
divina ita assumpserit unam naturam humanam quod non potuerit assumere
aliam. Videretur enim ex hoc sequi quod personalitas divinae naturae esset
60 ita comprehensa per unam humanam naturam quod ad eius personalitatem
alia assumi non possit. Quod est impossibile: non enim increatum a creato
comprehendi potest. Patet ergo quod, sive consideremus personam divinam
secundum virtutem,

29

gotlichen persone nah der craft, dü da ist ein beginne der einung, oder nah
irre personlicheit, dü da ist ein ende der einunge, so muoz man daz sagen,
daz die götliche persone ane die menschlich nature, die si an sich genomen,
hat mügen ein ander nature an sich nemen nach der zale.

5   Ez ist zemerken, ob ez mer behörlich si, oder ob es noch mer bekome
deme sune, daz er ingefleischet werde, denne dem vatter. Ez ist zesagen,
daz ez allerbekemlichest [1] waz der personen des suns, ingefleischet ze wer-
den, daz da offenbar ist von teile der einunge. Wan bekemlichen werdent dü
ding geeiniget, dü da glich sint. Unde dar umbe der personen des sunes, dü
10   daz wort ist gottis, der ist zemerken ein gemein wis, dü da bekemlich ist [2]
zuo der creaturen alzemale. Wan daz worte des künstmeisters, daz ist sin
einphangens worte, daz ist ein biltlich glichnüsse der ding, dü da von dem
künstmeister geschehent.

30   ──
Unde dar umbe daz gottis wort, daz da [3] ewig
ist, [4] daz emphangen des selben wort gotis ist ein biltlich glichnüsse allen
15   der creaturen. Unde also, alse übermitz die teillicheit dirre glichnüsse die
creaturen sint gesast in ir eigen gesteltnüsse, aber beweglichen, unde also
übermitz die einung des wortes zuo der creaturen, niht übermitz geteilt
einung, sunder personliche, so waz bekemliche, daz die creature widerbraht
werde in der ordenunge zuo der ewiger unde zuo der unbeweglicher volkom-
20   menheit. Wan der künstmeister übermitz die forme der künste, die da en-
phangen ist, von der die künstlichen ding gesast, wan unde ist, daz die künst-
lichen ding nidervallent, so bringet er si wider.

Ez ist zemerken, ob die menschlich nature mer annemelich were von dem
sun gotis denne von einer andern personne. [5] Ez ist zesagen, daz etliches
25   heizet annemliche von dem, daz es dar zuo gevellig ist, daz es angenomen
werde von der gotlichen naturen. [5]

31   ──
Welchü gevelligi man niht verstan en-
mag nach einre lidenden natürlicher maht, welche naturliche maht sich niht
enstreket [6] zuo dem, daz da übergat die nature, welcher daz die personlich
einung ist der creature zuo got. Unde dar umbe ist daz zehalten, daz etwaz
30   annemlich geheizen ist nach der gevelligi zuo der vorgesprochener einunge.
Welche gevelligi zemerken ist nach zwein dingen in der menschliher natu-

---

[1] MS: "bekentlichest."
[2] Translator read: *attenditur unus quidem modus communis, conveniens.*
[3] Phrases like "der daz," "die daz," and "daz daz" occur so often in this manuscript
that we regard them as examples of a pleonastic use of "daz" after a relative pronoun.
Cf. p. 102, lines 12-14.
[4] Translator read: *Unde Verbum Dei, quod est aeternus, conceptus eius est.…* The
eius is taken as referring to *Verbum.*
[5] Confusion of *natura* and *persona* occurs frequently.
[6] MS: "ensterket."

quae est principium unionis; sive secundum suam perso-
nalitatem, quae est terminus unionis: oportet dicere quod persona divina,
praeter naturam humanam quam assumpsit, possit aliam numero naturam
humanam assumere.

35 III, q. 3, a. 8. UTRUM FUERIT MAGIS CONVENIENS FILIUM DEI INCARNARI
QUAM PATREM VEL SPIRITUM SANCTUM

Respondeo dicendum quod convenientissimum fuit personam Filii incar-
nari. Primo quidem, ex parte unionis. Convenienter enim ea quae sunt similia,
uniuntur. Ipsius autem personae Filii, qui est Verbum Dei, attenditur, uno
40 quidem modo, communis convenientia ad totam creaturam. Quia verbum
artificis, idest conceptus eius, est similitudo exemplaris eorum quae ab artifice

———————————————————————————————— 30

fiunt. Unde Verbum Dei, quod est aeternus conceptus eius, est similitudo
exemplaris totius creaturae. Et ideo, sicut per participationem huius simili-
tudinis creaturae sunt in propriis speciebus institutae, sed mobiliter; ita per
45 unionem Verbi ad creaturam non participativam sed personalem, conveniens
fuit reparari creaturam in ordine ad aeternam et immobilem perfectionem:
nam et artifex per formam artis conceptam qua artificiatum condidit, ipsum,
si collapsum fuerit, restaurat.

III. q. 4, a. I. UTRUM HUMANA NATURA FUERIT MAGIS ASSUMPTIBILIS A
50 FILIO DEI QUAM QUAELIBET ALIA NATURA

Respondeo dicendum quod aliquid assumptibile dicitur quasi aptum assumi
a divina persona. Quae quidem aptitudo non potest

———————————————————————————————— 31

intelligi secundum po-
tentiam passivam naturalem, quae non se extendit ad id quod transcendit
naturam, cuius est [7] unio personalis creaturae ad Deum. Unde relinquitur
quod assumptibile aliquid dicatur secundum congruentiam ad unionem prae-
55 dictam. Quae quidem congruentia attenditur secundum duo in humana natura:

[7] Other Latin manuscripts, followed by Leonine edition, read: *ordinem naturalem,
quem transcendit.*

ren, daz ist nach siner wirdekeit unde ouch nah siner notdurft. Aber nach siner wirdekeit: wan die menschlich nature, alse vil alse si redelich ist unde vernunftig, so ist si geborn, daz si in etlicher wis anrüeren mag daz worte übermitz sin wirkunge, daz ist übermitz bekennen unde minnen daz wort
5 selbe. Aber nach der notdurft: wan si bedorft widerbringunge umbe daz wan si undergeworfen waz der erbesünde. Unde disü zwei die bekoment allein der menschlicher naturen, wan die

32 ――――――――――――――――――――――――――――――――

           unredelich creature dü enhat niht die gevelligi der wurdikeit, aber der engelscher nature der gebristet der vor gesagter gevelligi [1] der notdurft. Unde da von ist daz zehalten, daz die mensch-
10 lich nature allein ist annemlich.
  Ez ist zemerken, ob der sun gotis an sich neme ein menschlich person. Ez ist zesagen, daz etliches heizet angenomen, von dem daz es von etwem ist angenomen. Unde da von so muoz man e verstan daz, daz da angenomen wirt, denne die annemung selber; alse des gliches, daz da beweget wirt von
15 einre stat zuo der andern, daz muoz man e verstan e die bewegunge. Aber nu verstat man die persone niht e in der menschlicher naturen e die annemung, sunder si haltet sich mer alse ein ende der annemung, alse da vor gesprochen ist. Wan unde were daz, daz man die personen e verstunt, eintweder so muost daz sin, daz die person zenihtü werden, unde also so
20 were si vergebans angenommen, oder si blibe nach der

33 ――――――――――――――――――――――――――――――――

             einung, unde also so weren da zwo personen, einü die da angenomen hette unde ein die da angenomen were, unde daz were irrunge, alse da vor gesprochen ist. Unde also ist zehalten, daz in dekeiner wis der sun gotis ein menschelich person an sich genomen habe.
25   Ez ist zemerken, ob die gotlich person einen menschen habe an sich genomen. Ez ist zesagen, alse da vor gesprochen ist, daz daz, daz da angenomen wirt, niht enist ein ende der annemung, sunder ez wirt e verstanden e die annemung. Nu ist daz gesprochen, daz daz unteillich, in daz sodaz genomen wart die menschlich nature, daz enist dekein ding anders denne
30 die götlich persone, dü da ein ende ist der annemung. Aber dirre name „mensche", der bezeichent die menschlichen naturen nah dem unde si geborn ist, in dem underwurfe ze sin. Wan als Damascenus sprichet, als der nam „got" bezeichent den, der da hat die gotlichen naturen, also bezeichent ouch der nam „mensche" den, „der da hat die menschlichen

34 ――――――――――――――――――――――――――――――――

            nature." Unde
35 also so enist ez niht eigen zesprechen, daz „der sun gotis an sich genomen habe [einen menschen]," undersetzlich, alse sich die warheit des dinges heltet, daz in Christo niht mer enist denne ein underwurf unde ein selbestaunge.

 [1] MS: "gevelliger."

scilicet secundum eius dignitatem; et necessitatem. Secundum dignitatem qui-
dem, quia humana natura, inquantum est rationalis et intellectualis, nata est
40 contingere aliqualiter ipsum Verbum per suam operationem, cognoscendo
scilicet et amando ipsum. Secundum necessitatem autem, quia indigebat
reparatione, cum subiaceret originali peccato. Haec autem duo soli humanae
naturae conveniunt: nam creaturae

32

irrationali deest congruitas dignitatis;
naturae autem angelicae deest congruitas praedictae necessitatis. Unde relin-
45 quitur. quod sola natura humana sit assumptibilis.

III. q. 4, a. 2. UTRUM FILIUS DEI ASSUMPSERIT PERSONAM

Respondeo dicendum quod aliquid dicitur assumi ex eo quod *ad aliquid
sumitur.* Unde illud quod assumitur oportet praeintelligi assumptioni: sicut
id quod movetur localiter praeintelligitur ipsi motui. Persona autem non
50 praeintelligitur in humana natura assumptioni, sed magis se habet ut termi-
nus assumptionis, ut supra dictum est. Si enim praeintelligeretur, vel oporte-
ret quod corrumperetur: et sic frustra esset assumpta. Vel quod remaneret
post unionem: et sic essent duae personae, una assumens et alia

33

assumpta;
quod est erroneum, ut supra ostensum est. Unde relinquitur quod nullo modo
55 Filius Dei assumpsit humanam personam.

III. q. 4, a. 3. UTRUM PERSONA DIVINA ASSUMPSERIT HOMINEM

Respondeo dicendum quod, sicut supra dictum est, id quod assumitur non
est terminus assumptionis, sed assumptioni praeintelligitur. Dictum est autem
quod individuum in quo assumitur natura humana, non est aliud quam
60 divina persona, quae est terminus assumptionis. Hoc autem nomen *homo*
significat humanam naturam prout est nata in supposito esse: quia, ut dicit
Damascenus, sicut hoc nomen *Deus* significat *eum qui habet divinam natu-
ram,* ita hoc nomen *homo* significat *eum qui habet humanam*

34

naturam. Et
ideo non est proprie dictum quod *Filius Dei assumpsit hominem,* suppo-
65 nendo. sicut rei veritas se habet, quod in Christo sit tantum [2] unum suppo-
situm et una hypostasis.

> [2] Certain Latin manuscripts, followed by Leonine edition, omit *tantum.*

Aber nah den, die da in Christo setzent zwo selbstaunge oder zwen underwurf, nah dem so möhte man bekemlich [1] sezzen unde eigenlichen, daz gotis sun an sich genomen hette einen menschen. Unde da von so ist der erste wan, der da gesast ist in der sechster underscheidung in dem driten

5 buoch „Von der sentencie"; der selbe wan verlichet daz, daz ein mensche si angenomen. Aber der selbe wan ist valsche, alse da vor bewiset ist.

Ez ist zemerken, ob der sun gotis solt angenomen haben die menschlichen nature abegezogen von allen unteillichen dingen. Ez ist zesagen, daz die nature des menschen, oder eines ieklichen andern dinges, daz sinlich ist,

10 ane daz wesen, daz si in den sunder-

35 ─────────────────────────────

lichen dingen hat, mag man si verstan in zweier hande wis: ein wis, alse daz si übermitz sich selber habe ein wesen ane die materie, [2] alse die junger Platoni sasten; in einer andern wis, alse si stande ist in des menschen verstan, oder in des engels [3] verstan, oder in dem gotlichen verstan.

15 Aber übermitz sich selber so enmag si niht bestan, alse der philosophus brüevet in dem sibenden capitele in dem buoche, daz da heizet „Methaphisica," daz zuo der naturen dez gesteltnüsses der sinlicher dinge behöret ein sinlichü materie, dü da gesast wirt in ir endunge, alse fleische unde gebein [4] in die endunge des menschen. Unde also so enmag daz niht gesin, daz die

20 menscheliche nature gesin mag ane die sinlichen materie. [2]

Unde wer si noch denne also selbestande, die menschliche nature, noch denne so enwer ez niht bekemlich gewesen, daz si von dem worte gotis angenomen wer gewesen. Wan diz annemung wirt geendet zuo der persone. Aber

36 ─────────────────────────────

diz ist wider die reden der forme des gemeinen dinges, daz si also

25 unteilliche werde in der personen.

Unde des glichez so enmoht ouch niht angenomen werden die menschlich nature von dem sun gotis, nach dem unde si ist in dem gotlichen verstan. Wan also so enwere si nihtes niht anders denne die gotliche nature selber, unde übermitz diz wise so wer die menschlich nature ewicliche gewesen

30 in dem sun gotis .

Unde dez gliches so ist niht bekemlich zesprechen, daz der sun gottis an sich genomen habe die menschlich naturen, nah deme unde si ist in dem menschlichen verstan. Wan also so enwer ez nihtes niht anders, denne ob man verstüende anzenemenne die menschliche naturen. [5] Aber unde were

35 daz, daz si niht angenomen wer in der dinge nature, so wer daz verstan

[1] MS. "bekenlich."
[2] MS: "nature."
[3] Translator's addition?
[4] MS: "gebern."
[5] MS: "naten."

Sed secundum illos qui ponunt in Christo duas hypostases vel duo sup-
posita, convenienter et proprie dici posset quod Filius Dei hominem assump-
sisset. Unde et prima opinio quae ponitur sexta distinctione Tertii Libri
Sententiarum, concedit hominem esse assumptum. Sed illa opinio erronea
40 est, ut supra ostensum est.

III. q. 4, a. 4. UTRUM FILIUS DEI DEBUERIT ASSUMERE NATURAM HUMA-
NAM ABSTRACTAM AB OMNIBUS INDIVIDUIS

Respondeo dicendum quod natura hominis, vel cuiuscumque alterius rei
sensibilis, praeter esse quod in singularibus habet,

35

dupliciter potest intelligi:
45 uno modo, quasi per seipsam esse habeat praeter materiam, sicut Platonici
posuerunt; alio modo, sicut in intellectu existens, vel humano vel divino.

Per se quidem subsistere non potest, ut Philosophus probat, in VII
Metaphys.: quia ad naturam speciei rerum sensibilium pertinet materia sen-
sibilis, quae ponitur in eius definitione; sicut carnes et ossa in definitione
50 hominis. Unde non potest esse quod natura humana sit praeter materiam
sensibilem.

Si tamen esset hoc modo subsistens natura humana, non fuisset conveniens
ut a Verbo Dei assumeretur. Primo quidem, quia assumptio ista terminatur
ad personam. Hoc autem est

36

contra rationem formae communis, ut sic in
55 persona individuetur.

Similiter etiam non potuit assumi natura humana a Filio Dei secundum
quod est in intellectu divino. Quia sic nihil aliud esset quam natura divina:
et per hunc modum, ab aeterno esset in Filio Dei humana natura.

Similiter non convenit dicere quod Filius Dei assumpserit humanam na-
60 turam prout est in intellectu humano. Quia hoc nihil aliud esset quam si
intelligeretur assumere naturam humanam. Et sic, si non assumeret eam
in rerum natura, esset intellectus falsus. Nec aliud esset quam *fictio quaedam*

falsche, unde enwere nihtes niht anders denne ein „glichsenunge der in-
fleischunge", alse Damascenus [1] sprichet.

Ez ist zemerken, ob der sun gotis solt an sich genomen haben

37 ————————————————————————————

die menschlichen nature in allen unteillichen dingen. Ez ist zesagen, daz
5 ez niht bekemlich waz, daz die menschlich nature angenomen wurde von
dem ewigen worte in allen iren underwurfen. Wan daz neme dem sun
gotiz, der da ingefleischet ist, die wirdikeit, die er hat von dem, daz er
ist „ein erster geborn under allen creaturen" gotis. Wan also so weren alle
menschen von einer glicher wirdikeit.

10 Ez ist zemerken, ob ez behörlich were, daz er an sich neme die mensch-
lichen naturen, der sun gotis, von dem stamme Adams, alse St. Augustinus
sprichet in dem drizehenden capitele in dem buoch „Von driveltikeit," daz
„got moht ein andern menschen an sich genomen haben, niht von dem ge-
slehte dises Adams, der da von siner sünden gebunden hat menschlich ge-
15 schlehte. Doch hat er ez bas bewiset, daz got von dem, daz da überwunden
wart, daz er von dez selben geslehte einen menschen an sich neme, über-
mitz den [2] er verwunne

38 ————————————————————————————

den vigende des menschlichen geslehtes." Wan daz
schinet, daz daz behörte zuo der gerehtikeit, daz der, der da gesündet hat,
daz der selbe ouch besserte. Unde also waz daz behörlich, daz von der
20 naturen, die da übermitz in zergangen waz solte daz si an sich übermitz
daz die besserunge zerfüllen were für alle die nature. [3]

Ez ist zemerken, ob der sun gotiz an sich genomen habe einen waren
lip. Ez ist zesagen, alse man sprichet in dem buoche „Von der cristenlicher
lere": „Der sun gottis der ist geborn, aber niht wanlichen, daz ist, daz er
25 niht einen gebilten lip habe, sunder daz er habe einen gewaren lip." Unde
dez rede ist von der reden der menschlicher naturen, zuo welicher nature
daz behöret, daz si einen gewaren lib habe in dem underwurft. [4] Unde dar
umbe so ist von vorgesagten dingen zemerken, daz ez behörlichen waz dem
sun gotis, daz er an sich neme die menschlichen naturen, also waz ez
30 ouch behörlich, daz er einen gewaren lip an sich genomen habe. [5]

39 ————————————————————————————

Ez ist zemerken, ob Christus hate einen fleischlichen lip oder einen
himelschen [6] lip. Ez ist zesagen, daz er niht an sich nam einen himelschen.

---

1 MS: "Damaschenus.
2 MS: "daz."
3 The entire passage seems unintelligible.
4 Translator construed *supposito* with *habere*.—The form "underwurft" suggests
uncertainty of copyist as to *-ft,* frequently simplified to *-f* in Ripuarian.
5 Shifting *supposito* to previous sentence, translator missed the conditional structure,
and altered the sense.
6 "himelsche" taken from *caeleste* below.

incarnationis, ut Damascenus dicit.

III. q. 4, a. 5. UTRUM FILIUS DEI HUMANAM NATURAM ASSUMERE

37

DEBUE-

35 RIT IN OMNIBUS INDIVIDUIS

Respondeo dicendum quod non fuit conveniens quod humana natura in omnibus suis suppositis a Verbo assumeretur .... quia hoc derogaret dignitati Filii Dei incarnati, prout est *primogenitus omnis creaturae* scilicet Dei. [7] Essent enim tunc omnes homines aequalis dignitatis.

40   III. q. 4, a. 6. UTRUM FUERIT CONVENIENS UT FILIUS DEI HUMANAM NATURAM ASSUMERET EX STIRPE ADAE

.... sicut Augustinus dicit, in XIII *de Trin., poterat Deus hominem aliunde suscipere, non de genere illius Adae qui suo peccato obligavit genus humanum. Sed melius iudicavit et de ipso quod victum fuerat genere assu-* 45 *mere hominem Deus, per quem*

38

generis humani vinceret inimicum .... quia hoc videtur ad iustitiam pertinere, ut ille satisfaciat qui peccavit. Et ideo de natura per ipsum corrupta debuit assumi id per quod satisfactio erat implenda pro tota natura.

III. q. 5, a. 1. UTRUM FILIUS DEI ASSUMPSERIT VERUM CORPUS

50   Respondeo dicendum quod, sicut dicitur in libro de *Ecclesiasticis Dogmatibus, natus est Dei Filius non putative, quasi imaginatum corpus habens, sed corpus verum.* Et huius ratio .... est ex ratione humanae naturae, ad quam pertinet verum corpus habere. Supposito igitur ex praemissis quod conveniens fuerit Filium Dei assumere humanam naturam, consequens est 55 quod verum corpus assumpserit.

39

III. q. 5, a. 2. UTRUM CHRISTUS HABUERIT CORPUS CARNALE, SIVE TERRESTRE

[7] Other Latin manuscripts, followed by Leonine edition, have: "prout est *primogenitus in multis fratribus* secundum humanam naturam, sicut est *primogenitus omnis creaturae* secundum divinam."

Wan der lip Christi der ensolt niht gewesen sin himelsche. Wan also so enwere niht gewesen, daz die menschlich nature in der warheit [7] erlöset were in Christo, unde were si fantasilichen, alse der meister saste, der da heizet Manicheus. Unde des gliches unde were er himelsche, alse der meister
5 saste, der da heiset Valentinus. Sit daz denne die forme des menschen si etwaz natürliches dinges, so suochet si ein beterminierte materie, [2] daz ist fleische unde gebein, dü man setzen muos in die entlicheit des menschen, alse ez offenbar ist in dem sibenden capitele des buochez, daz da heizet „Metha-phisica."
10 Ez ist zemerken, ob der sun gotis an sich genomen habe ein menschliche sele. Ez ist zesagen, alse St. Augustinus sprichet in dem buoch „Von der kezzerie," daz der erste wan [3] waz der

40 ——————————————————————————————

    meister, die da hiezen Arrij [4] unde dar nah des [5] meisters, der [6] da hiez [7] Appollinaris, daz der sun gotis alleine an sich neme einen lip ane die sele, unde sasten, daz daz worte dem fleische
15 wer zuogeeiniget an der stat der sele. Unde also so volget daz dar nah, daz in Christo niht weren gewesen zwo naturen, sunder alleine ein einigü. Wan von lip unde von sele wirt gesast ein menschlichü nature.
    Aber diz mag niht bestan, wan ez ist widerwertig der ortfrümung der schrift, in welcher schrift daz der herre rede tuot von siner sele in Matheo
20 in dem sechsundzweinzigesten capitel: „Min sele ist betrüebet biz in den tot", unde in Johanne in dem zehenden capitel. „Ich han gewalt, min sele von mir zelegen unde wider zuo mir zenemende."
    Ez ist zemerken, ob der sun gotis an sich genomen habe ein menschliches gemüete oder ein menscheliches verstan. Alse St. Augustinus sprichet in
25 dem buoche „Von der ketzerie der meister, [8] die da hiezen appolinaristen": „Von der sele Christi so sint si

41 ——————————————————————————————

    entwichen von dem gelouben der cristenheit unde sprachen, also ouch die Arrij sprachen, daz Christus alleine an sich nam den lip ane die sele. In [9] welcher frag in der daz verwunnen ist, daz der sele Christi gebreste dez gemüetes mit den gezügen des ewangeliis unde
30 daz für daz gemüete der sele wer daz worte gotis." Aber diser wan ist falsche. Wan ez ist widerwertig der reden des ewangelijs, dü da bewiset, daz in

---

[1] Meaning of *salvaretur* and of following words not understood by translator.
[2] MS: "nature," cf. p. 36.
[3] Translator read: *opinio prima.*
[4] Translator took *Arii* as plural instead of genitive singular.
[5] MS: "die."
[6] MS: "daz."
[7] MS: "heiz."
[8] Translator read *Apollinaristae* as genitive plural.
[9] This sentence is completely unintelligible in the MHG.

Respondeo dicendum quod . . . . corpus Christi non debuit esse caeleste . . . . sicut non salvaretur veritas humanae naturae in Christo si corpus eius esset phantasticum, ut posuit Manichaeus; ita etiam non salvaretur si poneretur
35 caeleste, sicut posuit Valentinus. Cum enim forma hominis sit quaedam res naturalis, requirit determinatam materiam, scilicet carnes et ossa, quae in hominis definitione poni oportet, ut patet per Philosophum, in VII *Metaphys.*

III. q. 5, a. 3. UTRUM FILIUS DEI ANIMAM ASSUMPSERIT

40   Respondeo dicendum quod, sicut Augustinus dicit, in libro *de Haeresibus,* opinio primo fuit Arii, et postea Apollinaris,

─── **40**

                              quod Filius Dei solam car-
nem assumpserit, absque anima, ponentes quod Verbum fuerit carni loco animae. Ex quo sequebatur quod in Christo non fuerunt duae naturae, sed una tantum: ex anima enim et carne una natura humana constituitur.
45   Sed haec positio stare non potest . . . . quia repugnat auctoritati Scripturae, in qua Dominus de sua anima facit mentionem: Matth. XXVI, *Tristis est anima mea usque ad mortem*; et Ioan. X, *Potestatem habeo ponendi animam meam.*

III. q. 5, a. 4. UTRUM FILIUS DEI ASSUMPSERIT MENTEM HUMANAM, SIVE
50 INTELLECTUM

Respondeo dicendum quod, sicut Augustinus dicit, in libro *de Haeresibus,* *Apollinaristae de anima Christi a Catholica Ecclesia*

─── **41**

                              dissenserunt, dicentes,
sicut Ariani, Christum carnem solam sine anima suscepisse. In qua quaestio-
ne testimoniis Evangelicis victi, mentem defuisse animae Christi dixerunt,
55 *sed pro hac ipsum Verbum in ea fuisse.*
Sed haec positio . . . . convincitur . . . . hoc adversatur narrationi Evange-

wunderte, alse ez offenbar ist in Matheo in dem ahten capitel. Die wunderunge enmag niht gesin ane die redelicheit, wan si treit die versamnunge dez werkes der sachen, sit daz etwer daz werke siht, dez sache er niht enweis, unde suochet si, also man sprichet in dem buoch „Methaphisica."

5   Ez ist zemerken, ob der sun gotis an sich neme daz fleische übermitz mittel der sele. Ez ist zesagende, daz daz mittel geheizen ist nach dem gesihte des beginnes unde des endes. Unde da von, also innetreit daz beginne unde daz ende ein

42 _____

ordenunge, unde also treit ouch inne daz mittel ein ordenunge. Aber ez ist zweier hande ordenunge: Ein ordenunge ist ein ordenunge der zit, 10 ein ander ordenunge ist der nature. Aber nach der ordenunge der zit so enist dekein mittel in der fleischunge des wortes, wan er einigte an sich die menschlichen nature zemale mit einander mit dem ewigen worte.

Aber die ordenunge der nature under andern dingen so mag si gemerket werden in zweier hande wise: In einer wis nach der wirdekeit der grete, [1] 15 alse wir sprechen, daz die engele sin enmitten zwischen got unde dem menschen. [In] einer andern wis nach reden der sechlicheit, alse wir sprechen, daz die mittersten sache si zwischen der ersten sache unde dem jungsten werke. Unde also diz ander ordenunge ervolget die ersten ordenunge. Unde also [2] sprichet St. Augustinus in dem dricehenden capitel „Von 20 den gotlichen namen," daz got übermitz die substancien, die im da aller nahste sint, wirket [3]

43 _____

in den substancien, die dar nach die verreren sint. Unde also unde betrahten wir den grat der wirdikeit, so vindet man die sele enmitten zwischen got unde dem fleische. Unde nach dem so mag man sprechen, daz der sun gottis an sich einigt daz fleische übermitz mittele der sele. Aber 25 nach der ordenunge der sechlikeit so ist dü sele glichlichen [4] ein sache mit dem sune gottis, daz er sich einigt daz fleische. Wan ez enwere niht annemlich nihtwan übermitz die ordenunge, die ez hat zuo der redelichen selen, nach dem unde ez hat, daz ez ist ein menschliches fleische. Nu ist da vorgesprochen, daz die menschlich nature annemlich ist vor allen andern dingen. 30   Ez ist zemerken, ob der sun gotis an sich neme die sele übermitz mittel des geistes. Ez ist zesagen, alse gesprochen ist, daz der sun gotis an sich genomen habe den lip übermitz mittele der sele, unde daz also wol durch die ordenunge der wirdikeit

44 _____

---

[1] Cf. page 42, line 27.
[2] _hic_ read as _sic._
[3] MS: "unde wirket."
[4] Translator read _aliqualiter_ as _aequaliter,_ and misconstrued the rest of the sentence.

licae, quae commemorat eum fuisse miratum, ut patet Matth. VIII. Ad-
35 miratio autem absque ratione esse non potest; quia importat collationem
effectus ad causam; dum scilicet aliquis videt effectum cuius causam ignorat,
et quaerit, ut dicitur in principio *Metaphys.*

III. q. 6, a. I. UTRUM FILIUS DEI ASSUMPSERIT CARNEM MEDIANTE ANIMA

Respondeo dicendum quod medium dicitur respectu principii et finis.
40 Unde, sicut principium et finis important ordinem, ita

— 42

et medium. Est au-
tem duplex ordo: unus quidem temporis; alius autem naturae. Secundum
autem ordinem temporis, non dicitur in mysterio incarnationis aliquid me-
dium: quia totam naturam humanam simul sibi Dei Verbum univit....

Ordo autem naturae inter aliqua potest attendi dupliciter: uno modo,
45 secundum dignitatis gradum, sicut dicimus angelos esse medios inter homines
et Deum; alio modo, secundum rationem causalitatis, sicut dicimus mediam
causam existere inter primam causam et ultimum effectum. Et hic secundus
ordo aliquo modo consequitur primum: sicut enim dicit Dionysius, XIII cap.
Cael. Hier., Deus per substantias magis propinquas agit in ea quae sunt

— 43

50 magis remota.

Si ergo attendamus gradum dignitatis, anima media invenitur inter Deum
et carnem. Et secundum hoc, potest dici quod Filius Dei univit sibi carnem
mediante anima. — Sed secundum ordinem causalitatis, ipsa anima est ali-
qualiter causa carnis uniendae Filio Dei. Non enim esset assumptibilis nisi
55 per ordinem quem habet ad animam rationalem, secundum quam habet quod
sit caro humana: dictum est enim supra quod natura humana prae ceteris
est assumptibilis.

III. q. 6, a. 2. UTRUM FILIUS DEI ASSUMPSERIT ANIMAM MEDIANTE
SPIRITU

60 Respondeo dicendum quod, sicut dictum est, Filius Dei dicitur assumpsisse
carnem anima mediante, tum propter ordinem

— 44

also wol ouch durch die gevelligi der anne-
munge. Wan dirre ietweders vinden wir, ob wir es zuofüegen der vernunft, [1]
dü da heizet ein geist, zuo den andern teilen der selen. Wan die sele enist
niht annemelich nach der gevelligi nihtwan übermitz daz [si] da begriffende
ist gotis, zesinde zuo einer bildunge gotis, dü da ist übermitz daz gemüete,
5 daz da ein geist heizet, nach dem unde St. Paulus sprichet in dem vierden
capitel „Zuo den von Ephesien": „Werdent vernüwert des geistes üwers
gemüetes." Unde also ist ouch daz verstan under andern teilen des libes daz
wirdegest unde daz oberste unde got aller glichest. Unde dar umbe, alse
Damascenus sprichet in dem dritten buoch: „Daz worte gotis ist dem fleische
10 zuogeeinigt übermitz mittel dez verstans. Aber daz verstan ist daz da der
sele daz aller luterste ist. Nu ist got daz verstan."

    Ez ist zemerken, ob dü sele Christi von dem worte werde e angenomen
e der lip oder daz fleische. Ez ist zesagen, daz

45 ━━

                Origenes saste, daz die selen
alle weren von dem beginne geschaffen, under welche selen er ouch saste
15 die sele Christi, daz si geschaffen si. Aber diz ist unbehörlich; ob man setzet,
daz si geschaffen wurde unde uf der stat niht geeinigt wurde dem worte,
wan anders so volget daz dar nah, daz dü selbe sele hette gehabt ein eigen
substantie, oder müeste daz sin, daz die selbestaung der sele zeniht worden
were, die e waz.
20   Unde also ist ouch umbehörlich, ob man setzet, daz die selbe sele si ge-
einiget gewesen [2] von anegenge, unde daz si dar nach ingefleischet wurde
in dem libe Marien. Wan also so were ze ahten, daz sin sele niht enwere der
selber naturen mit unserre selen, die mit einander geschaffen werdent unde
dem libe ingegozen werdent. Unde da sprichet der babest Leo „Zuo Juliano"
25 in einer epistelen, daz „er daz fleische dekeiner andern naturen schephet [3]
denne unserre naturen, noch in dekeiner andern wis ist si sinem libe

46 ━━

ingegeistet denne die sele den andern menschen ingegeistet si von anegenge."

    Ez ist zemerken, ob daz fleische Christi dez ersten wirde angenomen
von dem worte. Ez ist zesagen, daz daz menschlich fleische annemlich si von
30 dem worte nah der ordenunge, die ez hat zuo der redelichen selen alse zuo
siner eigener formen. Aber diz ordenun [4] enhat ez niht, e daz im die
redeliche sele zuoköm. Wan uf der stat, so etlich materien eigen wirt etlicher
forme, so einphahet si mit einander die selben forme. Wan in der selben
stunt [5] beterminiert wirt die anderunge, in der daz ingeleitet wirt die

---

[1] Faulty translation.
[2] Translator apparently omitted *Verbo.*
[3] Did translator misread *erat* as *creat*?
[4] *Omission of -g* after -*n*- ist frequent; we assume a phonetic basis.
[5] MS: "stunt in der daz."

dignitatis, tum etiam propter
35 congruitatem assumptionis. Utrumque autem horum invenitur si compare-
mus intellectum, qui spiritus dicitur, ad ceteras animae partes. Non enim
anima est assumptibilis secundum congruitatem nisi per hoc quod est capax
Dei, ad imaginem eius existens: quod est secundum mentem, quae spiritus
dicitur, secundum illud *Ephes.* IV: *Renovamini spiritu mentis vestrae.* Simi-
40 liter etiam intellectus, inter ceteras partes animae, est superior et dignior et
Deo similior. Et ideo, ut Damascenus dicit, in III libro, *unitum est carni
per medium intellectus* [6] *Verbum Dei: intellectus enim est quod est animae
purissimum; sed et Deus est intellectus.*

III. q. 6, a. 3. UTRUM ANIMA CHRISTI FUERIT PRIUS ASSUMPTA A VERBO
45 QUAM CARO

45

Respondeo dicendum quod Origenes posuit omnes animas a principio
fuisse creatas: inter quas etiam posuit animam Christi creatam. Sed hoc
quidem est inconveniens: scilicet, si ponatur quod fuerit tunc creata sed non
statim Verbo unita, quia sequeretur quod anima illa habuisset aliquando
50 propriam subsistentiam .... vel corrupta fuisset subsistentia animae prae-
existens.
  Similiter etiam est inconveniens si ponatur quod anima illa fuerit a
principio Verbo unita, et postmodum in utero Virginis incarnata. Quia sic
eius anima non videretur eusdem esse naturae cum nostris, quae simul
55 creantur dum corporibus infunduntur. Unde Leo Papa dicit, in Epistola *ad
Iulianum,* quod *non alterius naturae erat caro quam nostra: nec alio illi
quam ceteris hominibus*

46

est anima inspirata principio.

III. q. 6, a. 4. UTRUM CARO CHRISTI FUERIT PRIUS A VERBO ASSUMPTA

Respondeo dicendum quod caro humana est assumptibilis a Verbo secun-
60 dum ordinem quem habet ad animam rationalem sicut ad propriam formam.
Hunc autem ordinem non habet antequam anima rationalis ei adveniat: quia
simul dum aliqua materia fit propria alicuius formae, recipit illam formam;
unde in eodem instanti terminatur alteratio in quo introducitur forma sub-

---

[6] Leonine reading *intellectum* is clearly wrong.

substentzlich forme. Unde also ist diz daz selbe, [1] daz daz fleische niht e
angenomen solt werden, e daz daz fleische menschlich were, daz da ge-
schach, da die redeliche sele zuokom dem fleische. Unde also so enist dü
sele niht des ersten angenomen e daz fleische, wan ez were wider die na-
5 turen der sele, daz si vor si, e daz si geeiniget werde in libe. Unde

47

also so solt daz fleische niht e angenomen werden e die sele, wan daz
menschelich fleische [2] enist niht vor, e daz ez habe die redelichen sele.
   Ez ist zemerken, ob der gotis sun an sich neme die menschlichen naturen
alzemale übermitz der teile. Ez ist zesagen, swenne man sprichet, daz etwas
10 mittels si in der annemunge der infleischunge, so enwirt niht bezeichent dü
ordenunge der zit. Wan mit einander so geschach die annemunge der
menschelicher naturen unde der teile alre. Wan ez ist bewiset, daz mit ein-
ander der lip unde die sele geeinigt wirden zuo einander, zesetzen die
menschlichen naturen in [3] dem worte. Aber da wirt bezeichent die orde-
15 nunge der naturen. Wan übermitz daz, daz des ersten ist der naturen, daz
nimet an sich, daz dar nach ist.
   Nu ist etlich in zweier hande wis vor der naturen. In einer wis von teile
des wirkenden, unde in einer wis von teile der materien. Unde diz zwo sache
sint, e daz daz ding si. Von

48

teile des wirkenden so ist einvelticlichen des
20 ersten daz, daz da vellet in sin meinunge. Aber nach etwaz so ist [daz]
das erste, von dem daz sich anvaht sin werke. Unde daz ist dar umbe, wan
sin meinung ist vor sinem werke. Aber von rede der materien so ist daz
des ersten, daz des ersten ist in der verwandelunge der materien.
   Aber in der infleischung so mag man allermeist merken die ordenunge,
25 dü da ist von teile des wurkenden, wan als St. Augustinus sprichet in einer
epistelen „Zuo Volusium": „in solichen dingen so ist ellü die rede des
geschenen dinges dü maht des wirkenden." Aber diz ist offenbar, daz nach
der meinunge des wirkenden des aller ersten erfüllet ist unde dar nach
alre erste so wirt gemachet dü gantzheit des dinges unde ouch dü teile des
30 dinges. [4] Unde dar umbe so ist daz zesagen, daz daz worte gotis an sich
genomen habe die teile der menschlichen naturen übermitz mittel der gantz-
heit. Wan als er an sich

.49

genomen hat den lip durch die ordenunge, die er
hat zuo der redelichen sele, also hat er an sich genomen lip unde sele durch

---

[1] *inde* read as *idem.*
[2] Translator took *caro humana* to be the subject.
[3] MS: "unde."
[4] This sentence seems to be hopelessly garbled.

stantialis. Et inde est quod caro non debuit ante assumi quam esset caro
35 humana, quod factum est anima rationali adveniente. Sicut igitur anima
non est prius assumpta quam caro, quia contra naturam animae est ut prius
sit quam corpori uniatur; ita caro non debuit prius

── 47

                                               assumi quam anima,
quia non prius est caro humana quam habeat animam rationalem.

III. q. 6, a. 5. UTRUM FILIUS DEI ASSUMPSERIT TOTAM NATURAM HUMA-
40 NAM MEDIANTIBUS PARTIBUS

Respondeo dicendum quod, cum dicitur aliquid medium in assumptione
incarnationis, non designatur ordo temporis: quia simul facta est assumptio
totius et omnium partium. Ostensum est enim quod simul anima et corpus
sunt ad invicem unita ad constituendam naturam humanam in Verbo. Desig-
45 natur autem ibi ordo naturae. Unde per id quod est prius natura, assumitur
id quod est posterius.

Est autem aliquid prius in natura dupliciter: uno modo ex parte agentis,
alio modo ex parte materiae; hae enim duae

── 48

                                    causae praeexistunt rei. Ex
parte quidem agentis, est simpliciter primum id quod primo cadit in eius
50 intentione, sed secundum quid est primum illud a quo incipit eius operatio:
et hoc ideo, quia intentio est prior operatione. Ex parte vero materiae, est
prius illud quod prius existit in transmutatione materiae.

In incarnatione autem oportet maxime attendere ordinem qui est ex
parte agentis: quia, ut Augustinus dicit, in Epistola *ad Volusianum, in talibus*
55 *rebus tota ratio facti est potentia facientis.* Manifestum est autem quod se-
cundum intentionem facientis prius est completum quam incompletum; et per
consequens, totum quam partes. Et ideo dicendum est quod Verbum Dei
assumpsit partes humanae naturae mediante toto. Sicut enim corpus assumpsit

── 49

propter ordinem quem habent ad animam rationalem, ita assumpsit corpus

die ordenunge, die er [1] hat zuo der menschlicher naturen.

Ez ist zemerken, ob der sun gotis an sich nam die menschlichen naturen übermitz mittel der gnade. Ez ist zesagen, daz in Christo zesetzen ist gnade der einung unde gnade der habunge. Unde dar umbe so mag die gnade niht
5 verstanden werden alse ein mittel in der annemung der menschlicher nature, ez si noch denne, daz wir sprechen von der gnade der einunge oder von hebelicher gnaden. Wan die gnade der einung ist daz personlich wesen selbe, daz da gegeben wirt vergebens gotlichen dirre nature in der persone dez wortes, daz da ist ein ende der annemunge. Aber die heblich gnade die
10 behört [2] zuo einer sünderlicher heilikeit des menschen, sit daz etlich werke ervolget die einunge, nach dem daz St. Johannes sprichet: „Wir haben sin ere gesehen alse ein

50 ———————————————————————————————————————

ere eins eingebornen von dem vatter, vol gnaden unde warheit"; übermitz daz man ze verstan git, daz daz selbe, [5] daz der mensche eingeborn ist von dem vater, daz er hat übermitz die einunge, nah
15 dem so hat er volheit der gnaden unde der warheit.

Aber verstat man die gnade, alse si der wille gottis selber ist, etwaz gnedelich machende oder begabende, [4] alse ist die einunge gemachet übermitz die gnade, aber niht alse übermitz ein mittel, sunder alse übermitz wirkende sache.

Ez ist zemerken, ob in der angenomner sele Christi von dem worte, ob
20 dar inne were heblichü gnade. Her zuo ist zesagen, daz von not in Christo zesetzen ist heblichü gnade durch die einung der selber sele zuo dem gotlichen worte. Wan als vil alse etwaz entphenkliches aller nachest ist der infliezender sache, also vil so wirt ez teilhaftig der selber infliezunge. Aber die infliezunge der gnade ist von got, alse David sprichet: „Gnade unde
25 glorie die gibit der herre." Unde dar umb so waz

51 ———————————————————————————————————————

ez aller meist behörlichest, da dü sele Christi emphienge den influzze der gnaden.

Ez ist zemerken, ob in Christo weren tugende. Her zuo ist zesagen: Alse die gnade ansieht die wesunge der sele, also sieht die tugent an ir maht. Unde also so muoz es sin rehte: alse die mechte der sele niderkömende sint
30 von wesunge der sele, also so sint [die tugende] etliche nidergaunge der gnaden. Aber also vil alse etliches beginne alre volkomenest ist, alse vil mer so druket ez in sinü werke. Unde sit denne daz Christi gnade die volkomeist waz, so volget ouch daz dar nach, daz von ir fürgiengen tugende zevolmachenne ein ieklich sünderlichü maht der sele, nach allen den geteten
35 der sele. So hat Christus alle tugende.

---

[1]   Translator read *habet* instead of *habent*.
[2]   Translator read: *Gratia pertinens est, effectus* ....
[3]   *hoc ipso* not recognized as ablative.
[4]   MS: "machet ist oder begrabende ist."

et animam propter ordinem quem habent ad humanam naturam.

III. q. 6, a. 6. UTRUM FILIUS DEI ASSUMPSERIT HUMANAM NATURAM MEDIANTE GRATIA

Respondeo dicendum quod in Christo ponitur gratia unionis, et gratia
40 habitualis. Gratia ergo non potest intelligi ut medium in assumptione hu-
manae naturae, sive loquamur de gratia unionis, sive de gratia habituali.
Gratia enim unionis est ipsum esse personale quod gratis divinitus datur
humanae naturae in persona Verbi: quod quidem est terminus assumptionis.
Gratia autem habitualis, pertinens ad specialem sanctitatem illius hominis,
45 est effectus quidam consequens unionem: secundum illud Ioan. I: *Vidimus*
gloriam eius quasi Unigeniti a Patre, plenum gratiae et

——————————————————————————— 50

veritatis; per quod
datur intelligi quod hoc ipso quod ille homo est Unigenitus a Patre, quod
habet per unionem, habet plenitudinem gratiae et veritatis.
Si vero intelligatur gratia ipsa voluntas Dei aliquid gratis faciens vel do-
50 nans, sic unio facta est per gratiam, non sicut per medium, sed sicut per
causam efficientem.

III. q. 7, a. 1. UTRUM IN ANIMA ASSUMPTA A VERBO FUERIT GRATIA HABITUALIS

Respondeo dicendum quod necesse est ponere in Christo gratiam habitua-
55 lem .... propter unionem animae illius ad Verbum Dei. Quanto enim aliquod
receptivum propinquius est causae influenti, tanto magis participat de in-
fluentia ipsius. Influxus autem gratiae est a Deo: secundum illud Psalmi:
Gratiam et gloriam dabit Dominus. Et ideo maxime fuit conveniens

——————————————————————————— 51

ut anima
illa reciperet influxum divinae gratiae.

60   ### III. q. 7, a. 2. UTRUM IN CHRISTO FUERINT VIRTUTES

Respondeo dicendum quod .... sicut gratia respicit essentiam animae, ita
virtus respicit eius potentiam. Unde oportet quod, sicut potentiae animae
derivantur ab eius essentia, ita virtutes sunt quaedam derivationes gratiae.
Quanto autem aliquod principium est perfectius, tanto magis imprimit suos
65 effectus. Unde, cum gratia Christi fuerit perfectissima, consequens est quod
ex ipsa processerint virtutes ad perficiendum singulas potentias animae,
quantum ad omnes animae actus. Et ita Christus habuit omnes virtutes.

[57]

Ez ist zemerken, ob in Christo were gloube. Ez ist zesagen, daz der gegenwurf des glouben ist dü gotlichen ding, die da ungesihtig sint. Aber die habunge der tugende, alse

52 ——

ein ieklich ander habung, dü nimet gesteltnüsse von dem gegenwurfe. Unde dar umbe, unde slüzze man uz, daz daz
5 gotlich ding [un]gesihtig si, so wurde ouch uzgeslozzen die rede dez glouben. Aber Christus der sach volkomenlichen got übermitz die wesung in der ersten gegenwertiger stunde siner enphahunge, alse ez fürbaz offenbar ist. Unde also enmoht in im dekein gloube sin.

Ez ist zemerken, ob in Christo gedinge were oder zuoversiht. Her zuo
10 ist zesagen: Alse daz von der rede dez glouben ist, daz etwer dem volget, daz er [1] niht ensicht, unde also ist ez ouch von der rede der zuoversihte, daz etwer des erbitet, des er nu niht enhat. Unde also der geloube, der enist niht von einem ieklichen, daz niht sihtigen ist, nach dem unde der gloube ein gotlichü tugent ist, sunder alleine von gotte; unde also ouch die zuoversiht,
15 nach dem unde si ist ein gotlichü tugende, alse so hat si für einen gegenwurf die gebruchunge gotis, der

53 ——

ze aller vorderst der mensche beitet übermitz die tugende der zuoversiht. Unde also von dem, daz dar nach volget, so ist ez also, daz der, der da hat die tugende der zuoversiht, der mag ouch in andern dingen beiten der gotlichen helfe; alse der, der da hat die tugent
20 des gelouben, niht allein gloubet gotte von den gotlichen dingen, sunder von einen ieklichen andern dingen, die im gotlichen erschinen sint.

Aber nu hatte Christus von dem beginne siner enphahunge volkomen gotlich gebruchung, alse furbas gesprochen wirt. Unde also so enhatte er niht die tugent der zuoversiht. Doch hatte er zuoversiht etlicher dinge, die
25 er noch niht gewunnen hatte, wie doch daz ist, daz er niht zuo gelouben enhatte von gesihte ieklicher ding. Wan er ellü ding volkomenlichen erkante, übermitz welches volkomenlichens erkennens der geloube zemale uzgeslozzen ist von Christo. Noch

54 ——

denne so enhatte er den noch niht völkliche alles, daz zuo siner volkomenheit behört, ahte er enhatte noch denne niht die
30 untötlicheit und die glorificierunge dez libes, da zuo er noch zuoversiht haben mohte.

Ez ist zemerken, ob in Christo weren gabe. Her zuo ist zesagen, daz die gabe eigenlichen sint etliche volkomenheit der mehte der sele, nach dem unde si geborn sint, daz si beweget werdent von dem heiligen geiste. Aber
35 nu ist diz offenbar, daz die sele Christi aller volkomenlichest beweget wart

———

1 MS: "ez."

III. q. 7, a. 3. UTRUM IN CHRISTO FUERIT FIDES

Respondeo dicendum quod, ... obiectum fidei est res divina non visa. Habitus autem virtutis, sicut et quilibet alius,

—— 52

recipit speciem ab obiecto. Et ideo, excluso quod res divina non sit visa, excluditur ratio fidei. Christus 40 autem in primo instanti suae conceptionis plene vidit Deum per essentiam, ut infra patebit. Unde fides in eo esse non potuit.

III. q. 7, a. 4. UTRUM IN CHRISTO FUERIT SPES

Respondeo dicendum quod, sicut de ratione fidei est quod aliquis assentiat his quae non videt, ita de ratione spei est quod aliquis expectet id quod non- 45 dum habet. Et sicut fides, inquantum est virtus theologica, non est de quo- cumque non viso, sed solum de Deo, ita etiam spes, inquantum est virtus theologica habet pro obiecto ipsam Dei fruitionem, quam principaliter homo

—— 53

expectat per spei virtutem. Sed ex consequenti ille qui habet virtutem spei, potest etiam in aliis divinum auxilium expectare: sicut et ille qui habet 50 virtutem fidei, non solum credit Deo de rebus divinis, sed de quibuscumque aliis sibi divinitus revelatis.

Christus autem a principio suae conceptionis plene habuit fruitionem divi- nam, ut infra dicetur. Et ideo virtutem spei non habuit. Habuit tamen spem respectu aliquorum quae nondum erat adeptus: licet non habuit fidem 55 respectu quorumcumque. Quia, licet plene cognosceret omnia, per quod totaliter fides excludebatur ab eo, non tamen adhuc plene habebat omnia quae

—— 54

ad eius perfectionem pertinebant, puta immortalitatem et gloriam corporis, quam poterat sperare.

III. q. 7, a. 5. UTRUM IN CHRISTO FUERINT DONA

60 Respondeo dicendum quod .... dona proprie sunt quaedam perfectiones potentiarum animae secundum quod sunt natae moveri a Spiritu Sancto. Ma- nifestum est autem quod anima Christi perfectissime a Spiritu Sancto move-

von dem heiligen geiste, alse ez geschriben ist in St. Lucas in dem vierden capitele: „Jesus, vol des heiligen geistes, kerte wider von dem Jordan und wart getriben von dem geiste in die wiesti." Unde da von so ist offenbar, daz in Christo warn die aller volkomenesten gaben.

5 Ez ist zemerken, ob in Christo weren gabe der vorhte. Ez ist zusagen, daz die vorhte ansiht zwen gegenwirfe. Dirre zweier

55 ——

gegenwürf einre ist daz lesterlich übele; der ander gegenwurf ist der, von gewalt des übelez [1] gebraht wirt, alse etwer der fürhtet den künig, indem unde er gewalt hat zetötenne. Aber nu enwere er niht zefürhten, der den gewalt hat, ez enwer 10 denne daz, daz er hette etliche vorschinung des gewaltes, der man niht lihtiklich widerstan mag. Wan dü ding, die wir in bereitschaft haben, der enfürhten wir niht widerzestan. [2]

Unde also ist ez offenbar, daz etwer niht gefürhtet wirt niht wan durch sin vorschinung.

15 Unde also so ist dar umbe zesagen, daz in Christo waz gottis vorhte. Aber niht nah dem unde er die pine vorhte des übels [3] durch die schulde, sunder nach dem unde er ansiht die gotlichen vorschinunge, daz ist nah dem unde die sele Christi von etlicher begirde [4] der wirdikeit [4] beweget wart in gotte von tribunge dez geistes. Unde da von sprichet St. Paulus; in dem fünften 20 capitele „Zuo den Juden" sprichet er, daz „er in allen

56 ——

dingen erhört wart durch sin wirdikeit." Aber dis begirde der wirdikeit zuo got, der hatte Christus, [5] nach dem under er ein mensche waz, volklicher vor allen andern menschen. Unde darumbe so leit im die schrift zuo volheit der gaben der vorhte.

Ez ist zemerken, ob in Christo weren gnade, die vergebens gegeben ist. 25 Ez ist zesagen, daz die gnade, die vergebens gegeben wirt, die ordenent zuo dem glouben [6] unde zuo offenbarunge der geistlichen [7] lere. Nu muoz dirre, der da leret, haben dü ding, übermitz welchü ding sin lere geoffenbart wirt. Wan anders so were sin lere üppig. Aber der geistlicher lere unde des glouben waz Christus ein erster unde ein vorderester lerer, nach dem unde 30 St. Paulus sprichet in dem andern capitele „Zuo den Juden": „Do er daz beginnen enphieng zekündenne von dem herren [8] übermitz die, die ez horten, daz ist in üch gekreftiget mit gezügnüsse von gotte in zeichennen unde in

---

[1] MS: "übelen."
[2] Translator construed: *ea enim quae in promptu habemus, repellere non timemus.*
[3] Translator read: *mali punitionem.*
[4] Dictionary translation, cf. Glossary and this page, line 21.
[5] MS: "Christo."
[6] Translator read: *ad fidem.*
[7] MS: "geischlichen."
[8] Faulty translation.

batur: secundum illud Luc. IV: *Iesus, plenus Spiritu Sancto, regressus est a Iordane, et agebatur a Spiritu in desertum.* Unde manifestum est quod in
35 Christo fuerunt excellentissime dona.

III. q. 7, a. 6. UTRUM IN CHRISTO FUERIT DONUM TIMORIS

Respondeo dicendum quod . . . . timor respicit duo obiecta; quorum

55

unum
est malum terribile; aliud est ille cuius potestate malum potest inferri, sicut aliquis timet regem inquantum habet potestatem occidendi. Non autem
40 timeretur ille qui habet potestatem, nisi haberet quandam eminentiam potestatis, cui de facili resisti non possit: ea enim quae in promptu habemus repellere, non timemus. Et sic patet quod aliquis non timetur nisi propter suam eminentiam.

Sic igitur dicendum est quod in Christo fuit timor Dei, non quidem se-
45 cundum . . . . quod respicit malum punitionis pro culpa: sed secundum quod respicit ipsam divinam eminentiam, prout scilicet anima Christi quodam affectu reverentia movebatur in Deum, a Spiritu Sancto acta. Unde *Heb.* V dicitur quod in omnibus

56

exauditus est pro sua reverentia. Hunc enim affectum reverentiae ad Deum Christus, secundum quod homo, prae ceteris habuit
50 pleniorem. Et ideo ei attribuit Scriptura plenitudinem timoris doni. [9]

III. q. 7, a. 7. UTRUM IN CHRISTO FUERINT GRATIAE GRATIS DATAE

Respondeo dicendum quod . . . . gratiae gratis datae ordinantur ad fidei et spiritualis doctrinae manifestationem. Oportet autem eum qui docet, habere ea per quae sua doctrina manifestetur: aliter sua doctrina esset inutilis. Spiritua-
55 lis autem doctrinae et fidei primus et principalis Doctor est Christus: secundum illud *Heb.* II: *Cum initium accepisset enuntiari a Domino, per eos qui*

[9] Leonine edition: *Domini.*

wundern." Unde also ist offenbar, daz in Christo waren volkomenlichen alle gnad,

57 ━━━

die vergebens gegeben werdent, alse in dem ersten unde in dem vorderesten ortfrümmer des glouben.

5   Ez ist zemerken, ob in Christo were volheit der gnaden. Her zuo ist zesagen, daz daz ein vollen heizet gehabt, daz da gentzlichen unde volkomenlichen gehabt wirt. Aber gantzheit unde volkomenheit, daz mag man merken in zweier hande wis. Ein wis; nach sin grözi inwendlichen, alse ahte, ob ich sprich, daz etwer habe volkomenlichen wissede, ob er si hat in aller
10 der wis unde si geborn ist zehabenne. Aber in einer andern wis: daz ist, daz er si nach der crafte habe. Alse ahte, ob man spreche, daz etwer habe volleklichen daz leben, wan er hat [ez] nach aller der wirkung oder werken des lebens. Unde also so hat der menschen volkomenlichen daz leben. Aber daz unbesinte tier enhat sin also niht, oder die wahsenden ding.
15 Aber in ietwederre wis von dizen zwein so hat [Christus volheit] der gnaden. In der ersten wis so hatte er

58 ━━━

si, daz er si [hatte] in dem aller höchsten, nach der aller volkomster wis, in der si gehabt moht werden. Unde daz ist offenbar von der nacheit Christi zuo der sache der gnaden, alse daz er der sache der gnaden also nahe waz. Wan ez ist gesprochen, daz also vil
20 alse ein iekliches naher ist der sache, die da infliezet, daz den influz enphahende ist, also vil so enphaht ez den influze fölklicher. Unde [1] dar umbe die sele Jesuses Christi, die da waz zuo gotte aller nahst gefüeget under allen creaturen, die redelich sint, so enphahet ouch er die allermeisten infliezunge der gnaden.
25 Ez ist zemerken, [2] ob die volheit der gnaden eigentlichen wer Christi. Ez ist zesagen, daz volheit der gnaden ist zemerken in zweier hande wis. Ein wis: nach teile der gnaden selber. In einer andern wis: nach dem teile dez, [3] der die gnaden hat. Aber nach dem teile der gnaden selber so heizet volheit der gnade von dem, daz etwer anrüeret daz allerhöste der gnaden, unde daz
30 nach

59 ━━━

der wesung unde ouch nah der craft. Wan er hat die gnade, unde hat si in der aller höchsten wise, in der si gehabt mag werden, unde in einer aller gröster uzerbietunge zuo allen wirkunge der [4] gnaden. Unde ein ieklichü solichü volheit der gnade waz in Christo. Aber nah dem teile des habenden, so ist volheit der gnaden zemerkenne, swenne daz etwer die gnade volk-

---

[1] MS: "unde unde."
[2] MS: "merken."
[3] MS: "dz."
[4] MS: "den."

35 *audierunt in nos confirmata est, contestante Deo signis et prodigiis,* etc.
Unde manifestum est quod in Christo fuerunt ex-

━━━ 57

cellentissime omnes gra-
tiae gratis datae, sicut in primo et principali Doctore fidei.

III. q. 7, a. 9. UTRUM FUERIT IN CHRISTO GRATIAE PLENITUDO

Respondeo dicendum quod plene dicitur haberi quod totaliter et perfecte
40 habetur. Totalitas autem et perfectio potest attendi dupliciter. Uno modo,
quantum ad quantitatem eius intensivam : puta si dicam aliquem plene habere
albedinem, si habeat eam quantumcumque nata est haberi. Alio modo, secun-
dum virtutem : puta si aliquis dicatur plene habere vitam, quia habet eam
secundum omnes effectus vel opera vitae. Et sic plene habet vitam homo : non
45 autem brutum animal, vel planta.

Utroque autem modo Christus habuit gratiae plenitudinem. Primo quidem,
quia habuit eam in summo, secundum perfectissimum

━━━ 58

modum quo [5] potest
haberi. Et hoc quidem apparet primo, ex propinquitate animae Christi ad
causam gratiae. Dictum est enim quod, quanto aliquod receptivum propin-
50 quius est causae influenti, abundantius recipit. Et ideo anima Christi, quae
propinquius coniungitur Deo inter omnes creaturas rationales, recipit maxi-
mam influentiam gratiae eius.

III. q. 7, a. 10. UTRUM PLENITUDO GRATIAE SIT PROPRIA CHRISTI

Respondeo dicendum quod plenitudo gratiae potest attendi dupliciter; uno
55 modo, ex parte ipsius gratiae; alio modo, ex parte habentis gratiam. Ex
parte quidem ipsius gratiae, dicitur esse plenitudo ex eo quod aliquis per-
tingit ad summum gratiae et

━━━ 59

quantum ad essentiam et quantum ad virtutem :
quia scilicet habet gratiam et in maxima excellentia qua potest haberi, et in
maxima extensione ad omnes gratiae effectus. Et talis gratiae plenitudo
60 fuit in Christo. Ex parte habentis attenditur gratiae plenitudo [6] quando
aliquis habet plene gratiam secundum suam conditionem : sive secundum in-

---

[5] Leonine edition : *qui.*

[6] Leonine edition : *Et talis gratiae plenitudo est propria Christo. Ex parte vero subiecti,
dicitur gratiae plenitudo.*

lichen hat nah irre [1] eigenschaft: oder nah irre uzerbietung, [2] nach dem
unde in im ist ein uzerbietende gnade bis zuo einem ende, daz im von got
vorgesetzit ist, nah dem unde St. Paulus sprichet „Zuo den von Ephesien,"
in dem vierden capitele: „Unser ieklichem ist gnade gegeben nah der mazze
5 der gaben Christi"; oder ouch nah der craft, also vil also nah dem unde er
maht hat der gnaden zuo allen den dingen, die da behörent zuo siner orde-
nung oder zuo sinen ampten, alse St. Paulus sprichet „Zuo den Ephesien,"
in dem vierden capitele, „mir ist gegeben under allen heiligen dis minste [3]

60 ───

gnade, daz ist zerlühtenne die menschen." Unde ein solichü volheit der
10 gnaden, dü enwaz niht Christo eigen, sunder si wirt gemeinet den andern
übermitz Christum.

Ez ist zemerken, ob die gnade Christi were unentlicht. Ez ist zesagen,
daz in Christo zebetrahten ist zwiveltigü gnade. Ein gnade ist ein-gnade der
einung, daz ist, daz er selber geeinigt wart dem sun gotiz personlichen, daz
15 da vergebens verlühen ist der menschlicher naturen. Unde einer solicher
gnade ist, daz si unentlich ist, nach dem unde die persone dez wortes selber
unentliche ist.

Aber ein ander gnade ist ein heblichü gnade: Unde dü mag ouch in zweier
hande wis betrahtet werden. Ein wis: nach dem unde ez ist ein wesendes
20 ding. Unde also ist ez notdürftig, das ez si ein entliches [4] wesendes ding.
Wan si ist in der sele Christi alse in einem underwurf. Aber nu ist die sele
Christi ein geschaffen creature unde hat ein geendete begriffunge. Unde dar
umbe daz wesen der gnaden, nah dem unde

61 ───

es niht für sinen underwurf
kumet, also enmag si niht unentlich gesin.
25   In einer andern wis so mag si betrahtet werden nah der reden der gnaden.
Unde also mag die gnade der sele Christi heizen unentliche, umbe daz
wan si niht gezielet wirt, daz ist, daz er alles daz hat, daz da behört zuo
der reden der gnade, unde si wirt im niht gegeben nach dekeiner sichern
maze daz, daz da zuo der reden der gnade behört, umbe daz, daz die gnade
30 gegeben wirt Christo „nach der meinung der götlichen gnade," des da
mezzunge der gnaden ist, als einem ellichen beginne der begnadunge in der
menschlicher naturen, nach dem unde St. Paulus sprichet „Zuo den Ephe-
sien," in dem ersten capitel: „Er hat uns begnadet in sinen geminten sun."
Alse ob wir sprechen, daz liehte der sunnen ist unentlich, niht nah sime
35 wesen, sunder nach reden des liehtes, wan si hat, waz da behöret zuo der
reden des liehtes.

62 ───

1   Should be "siner," not "irre."
2   Translator read *intensionem* as *extensionem*.
3   *Minimo* misread as *minima*.
4   MS: "unentliches."

tensionem, prout in eo est intensa gratia usque ad terminum praefixum ei a Deo, secundum illud *Ephes. IV, Unicuique nostrum data est gratia secundum mensuram donationis Christi*; sive etiam secundum virtutem, inquantum
40 scilicet habet facultatem gratiae ad omnia quae pertinent ad suum statum sive officium, sicut Apostolus dicebat, *Ephes. III, Mihi autem, omnium sanctorum minimo,*

――― 60

data est gratia haec, illuminare homines, etc. Et talis gratiae plenitudo non est propria Christo, sed communicatur aliis per Christum.

III. q. 7, a. 11. UTRUM GRATIA CHRISTI SIT INFINITA

45 Respondeo dicendum quod . . . . in Christo potest duplex gratia considerari. Una quidem est gratia unionis: quae . . . . est ipsum uniri personaliter Filio Dei, quod est gratis concessum humanae naturae. Et hanc gratiam constat esse infinitam: secundum quod ipsa persona Verbi est infinita.
Alio vero est gratia habitualis. Quae quidem potest dupliciter considerari.
50 Uno modo, secundum quod est quoddam ens. Et sic necesse est quod sit ens finitum. Est enim in anima Christi sicut in subiecto, Anima autem Christi est creatura quaedam, habens capacitatem finitam. Unde esse gratiae, cum non

――― 61

excedat suum subiectum, non potest esse infinitum.
Alio modo potest considerari secundum propriam rationem gratiae. Et sic
55 gratia ipsa Christi [5] potest dici infinita, eo quod non limitatur: quia scilicet habet quidquid potest pertinere ad rationem gratiae, et non datur ei secundum aliquam certam mensuram id quod ad rationem gratiae pertinet; eo quod, *secundum propositum gratiae Dei*, cuius est gratiam mensurare, gratia confertur animae Christi sicut cuidam universali principio gratificationis in
60 humana natura, secundum illud *Ephes. I, Gratificavit nos in dilecto Filio suo.* Sicut si dicamus lucem solis esse infinitam, non quidem secundum suum esse, sed secundum rationem lucis, quia habet quidquid potest ad rationem lucis pertinere.

――― 62

[5] Leonine edition omits *Christi.*

Ez ist zemerken, ob die gnade Christi zuoneme. Ez ist zesagen, daz
etlich forme niht zuonemen mag, daz geschiht in zweier hande wis. Ein
wis, nah teile des underwurfes. Ein ander wis, nah teile siner forme. Aber
nah teile des underwurfes, daz ist swenne der underwurf rüeret zuo dem
5 jungsten in der teilnehmung der formen nach siner wise, also ob man spreche,
daz der luft niht zuonimt in hitze, wenne daz er rüeret den jungesten
grat der hitze, der da behalten mag werden in der naturen des luftes, wie
doch daz ist, daz ein grözer hitz möhte gesin in der dinge naturen, daz da
ist ein hitz des fürs. Aber nach dem teile der forme so wirt uzgeslozzen die
10 müglicheit dez zuonemens, swenne daz etlicher underwurf rüeret zuo dem
jungsten ende der volkomenheit, von der ein solichü forme gehabt mag
werden, alse wir sagen, daz die hitze dez fürs niht mag zuonemen, wan
ez enmag dekein volkomner grat gesin der hitz denne die hitze si, zuo

63 ───

der daz für komen ist.
15 Wan alse den andern formen von der gotlichen wisheit geendet ist ein
eigen mazze also ist ouch der gnade geendet ein eigen maz, nach dem unde
geschriben ist in dem andern capitel in „Der wisheit buoch," „Du hast
gemachet ellü ding in einer maze unde einer wage unde in einer zal." Nu
ist ein maze einer ieklicher formen fürgesteket übermitz zuo füegunge zuo
20 irem ende, wan dekein grözer swarheit ist denne der erden, wan ez mag
dekein niderre stat gesin denne die stat der erden. Aber daz ende der gnaden
daz ist die einung der redelicher creaturen zuo gotte, dü da ist in der per-
sonen. Unde dar umbe so hat die gnade Christi gerüeret zuo der hochster
mazze der gnaden. Unde also ist ez offenbar, daz die gnade Christi niht
25 mohte[1] zuo nemen nach dem teile der gnade selber, noch ouch nach dem
teile dez underwurfes.
Wan Christus, alse vil alse er ein mensche ist, so waz er voller gnaden
von anegenge siner enphahunge unde waz ein warre anschower gotlicher
wesunge. Unde dar umbe so

64 ───

moht in im niht gesin zuonemunge der gnaden,
30 alse ouch in den andern, die da selig sint, der gnade ouch niht zuonemen
enmag umbe daz wan si in dem ende sint.
Aber die menschen, die da luterlichen in dirre zit sint, der gnad mag zuo-
nemen, unde daz von teile der gnaden, wan er enrüeret niht den höchsten
grat der gnade; unde ouch von teile dez underwurfes, wan er noch niht
35 enkumen ist zuo dem ende.
Ez ist zemerken, ob die heblich gnade in Christo volge der gnaden der
einung. Ez ist zesagen, daz die einung der menschlicher naturen zuo der
gotlichen personen, alse wir da vor gesprochen haben, daz daz wesen der

---

1 MS: "Mohte."

III. q. 7, a. 12. UTRUM GRATIA CHRISTI POTUERIT AUGERI

40 Respondeo dicendum quod aliquam formam non posse augeri contingi
dupliciter: uno modo, ex parte ipsius subiecti; alio modo, ex parte illius
formae. Ex parte quidem subiecti, quando subiectum attingit ad ultimum in
participatione ipsius formae secundum suum modum: sicut si dicatur quod aer
non potest crescere in caliditate, quando pertingit ad ultimum gradum caloris
45 qui potest salvari in natura aeris; licet possit esse maior calor in rerum
natura, qui est calor ignis. Ex parte autem formae excluditur possibilitas
augmenti quando aliquod subiectum attingit ad ultimam perfectionem qua
potest talis forma haberi: sicut si dicamus quod calor ignis non potest augeri,
quia non potest esse perfectior gradus caloris quam ille ad quem pertingit

——————————————————————————————————— 63

50 ignis.
  Sicut autem aliarum formarum est ex divina sapientia determinata propria
mensura, ita et gratiae: secundum illud *Sap.* XI: *Omnia in numero, pondere
et mensura disposuisti.* Mensura autem unicuique formae praefigitur per
comparationem ad suum finem: sicut non est maior gravitas quam gravitas
55 terrae, quia non potest esse inferior locus loco terrae. Finis autem gratiae
est unio creaturae rationalis ad Deum.... quae est in persona. Et ideo gratia
Christi pertingit usque ad summam mensuram gratiae. Sic ergo manifestum
est quod gratia Christi non potuit augeri ex parte ipsius gratiae.
  Sed neque ex parte ipsius subiecti. Quia Christus, secundum quod homo,
60 a primo instanti suae conceptionis fuit verus et plenus comprehensor. Unde
in eo nun potuit esse gratiae

——————————————————————————————————— 64

                    augmentum, sicut nec in aliis beatis: quorum
gratia augeri non potest, eo quod sunt in termino.
  Hominum vero qui sunt pure viatores, gratia potest augeri et ex parte for-
mae, quia non attingunt summum gratiae gradum: et ex parte subiecti, quia
65 nondum pervenerunt ad terminum.

  III. q. 7, a. 13. UTRUM GRATIA HABITUALIS IN CHRISTO SUBSEQUATUR
UNIONEM

  Respondeo dicendum quod unio humanae naturae ad divinam personam,

gnaden einung [1] fürgat die heblichen gnaden in Christo, aber niht nah der
ordenung der zit, sunder nach der [der] naturen unde des verstans, alse
es offenbar ist nach der ordenunge ietweders beginne. Wan daz beginne
der einung ist die persone des sunes, der da an sich nam die menschlichen
5 naturen,

<hr>
65

      nach welher einunge man sprichet, daz er gesant si [2] in diz welt
umbe daz, wan er die menschlichen naturen an sich genomen hat. Aber daz
beginne der heblicher gnade, welche genade die da gegeben wirt mit der
minne, daz ist der heilige geist, der nach dem heizet daz [3] er gesant werde
durch daz, wan er übermitz die minne innewonet dem gemüet. Aber die
10 sendung edez sunes dü ist nach ordenunge der naturen vor der sendung des
heiligen geistes, alse nah der ordenunge der nature fürgat von dem sun als
ein minne der heilige geist. Unde dar umbe so ist die personlich einunge,
nach welher einunge man verstat sendunge dez sunes, dü ist nach ordenunge
der naturen vor der heblicher gnade, nach welher man verstat die sendunge
15 des heiligen geistes.
    Ez ist zemerken, ob Christus si ein houpt der cristenheit. Ez ist zesagen,
daz er ein houbet ist. Wan alse man sprichet übermitz glichnüsse, daz alle
die cristenheit si ein lip nah

<hr>
66

      dem natürlichen lip [4] des menschen, nach dem
unde die menschlichen gelidere habent misliche getete, alse St. Paulus leret
20 die Romer in dem zwelften capitel, unde er ouch sprichet „Zuo den von
Corinthini," in dem einliften capitel, also heizet [5] Christus ein houpt der
cristenheit nach glichnüsse dez menschlichen houptes. In dem wir drü ding
verstan mügen: daz ist die ordenunge unde die volkomenheit unde die craft.
Die ordenunge, wan daz houbt ist daz erste teile dez menschen, anvahende
25 von dem obersten. Unde dannen von ist, daz ein iekliches beginne gewönlich
geheizen ist ein houpt, nach dem unde Jeremias sprichet in dem andern capitel,
„Zuo einem ieklichen houpt hastu mich [6] gesast dir ze einem huorhus." Aber
die volkomenheit, wan in dem houpt grüenent [7] alle sinne, so die uzzern so
die inren. Wan in den andern glidern [8] niht wan berüerunge ist. Daz selbe
30 daz Isaias sprichet in dem zwelften

<hr>
67

[1] Did translator read *quod esse ipsae gratiae unionis?*
[2] Should read: "von welcher person man sprichet, daz si gesant si."
[3] MS: "der."
[4] MS: "houpt."
[5] MS: "heitzet."
[6] Translator took *viae* as personal pronoun.
[7] MS: "grüenet."
[8] MS: "berüerden glidern."
[9] Cf. p. 47, line 1.

quam supra diximus esse ipsam gratiam unionis, praecedit gratiam habitualem in Christo, non ordine temporis, sed naturae et intellectus. Et hoc ....
secundum ordinem principiorum utriusque. Principium enim unionis est
persona Filii assumens humanam naturam,

———————————————————————————————— 65

quae secundum hoc dicitur *missa*
35 *esse in mundum* quod humanam naturam assumpsit. Principium autem gratiae habitualis, quae cum caritate datur, est Spiritus Sanctus, qui secundum
hoc dicitur mitti quod per caritatem mentem inhabitat. Missio autem Filii,
secundum ordinem naturae, prior est missione Spiritus Sancti: sicut ordine
naturae Spiritus Sanctus procedit a Filio .... dilectio. [10] Unde et unio per-
40 sonalis, secundum quam intelligitur missio Filii, est prior, ordine naturae,
gratia habituali, secundum quam intelligitur missio Spiritus Sancti.

III, q. 8, a. I. UTRUM CHRISTO, SECUNDUM QUOD EST HOMO, COMPETAT
ESSE CAPUT ECCLESIAE

Respondeo dicendum quod, sicut tota Ecclesia dicitur unum corpus mysti-
45 cum per similitudinem ad naturale corpus hominis,

———————————————————————————————— 66

secundum quod diversa
membra habent [11] diversos actus, ut Apostolus docet, *Rom.* XII et I *Cor.*
XII; ita Christus dicitur caput Ecclesiae secundum similitudinem humani
capitis. In quo tria possumus considerare: scilicet ordinem, perfectio-
nem et virtutem. Ordinem, quia caput est prima pars hominis, inci-
50 piendo a superiori. Et inde est quod omne principium consuevit vocari
caput: secundum illud Ierem. II: *Ad omne caput viae posuisti lupanar tibi*.[12]
Perfectionem autem, quia in capite vigent omnes sensus et interiores et
exteriores: cum in ceteris membris sit solus tactus. Et inde est quod dicitur
Isaiae IX; *Senex et*

———————————————————————————————— 67

[10] Leonine edition has: *et a Patre dilectio.*
[11] Leonine edition has: *quod secundum diversa membra habet.*
[12] See notes to Leonine edition.

capitele; „Der alte unde der erber ist ein houpt." Aber die tugende, wan die craft unde die bewegung der andern glider unde die rihtunge in iren geteten, daz ist von dem houpt durch die sinnelichen unde beweglichen craft unde [1] die herschenden. Unde dar umbe [heizet] der richter des volkes ein houpte, als ez geschriben ist in „Der 5 künige buoch", in dem drizenden capitele: „Do du klein were in dinen ougen, do wurt du gemachet ein houpt dem geslehte von Israel."

Unde disü drü die behorten Christo zuo geistlichen. Des ersten, nach der nacheit zuo gotte so waz sin gnade die höchste und die vorderest, aber niht von der zit. Wan alle die andern enphiengen gnade übermitz daz ge- 10 sihte zuo sinen gnade, nach dem unde St. Paulus sprichet „Zuo [den] Romern," in dem ahtenden capitel: „Die, die er vorbereitet [2] hat, die hat er vorbereitet, daz si werden mitförmig mit dem bilde des gotis suns, daz er der erste geborne si under vil brüedern." Zuo dem

---

68

andern male, so hat er die volkomenheit, alse vil als zuo der volheit aller gnaden, alse ez 15 geschriben ist in dem ersten capitele in St. Johannis ewangeli: „Wir han in gesehen vol aller gnaden unde warheit," alse da vor bewiset ist. Zem dritten male, so hatte er infliezende gnade in ellü glidere der cristenheit, alse St. Johannes [3] sprichet: „Von siner volheit han wir enphangen alle gnade." Unde also ist es offenbar gemeinlich [4] zesprechenne, daz Christus ist ein 20 houpt der cristenheit.

Ez ist zemerken, ob Christus si ein houpte der menschen als nach dem libe. Ez ist zesagen, daz der menschlich lip hat ein natürlich ordenung zuo der redelichen selen die des libes ein eigen forme ist unde ein bewegde. [5] Unde nah dem unde si ein forme ist dez libes, nach dem so enphaht der 25 lip von der sele daz leben unde alle die andern behörlichen eigenschefte dez menschlichen libes nach sinem gesteltnüsse. Aber nach dem unde die sele ist ein bewegde [6] des libes, nach dem so dienet der lip gezoulichen

---

69

der sele. Unde also ist zesagen, daz die menscheit Christi hat ein infliezende craft, 30 nach dem unde si zuogefüeget ist dem ewigen worte, welchen worten ge- einiget wirt der lip übermitz die sele. Unde dar umbe die menscheit Christi, die inflüzet alzemale in die menschen, daz ist nach dem libe unde nach der sele, unde flüzet ouch in nach dez menschen libe und nach siner sele, aber doch nach der sele ze aller vorderoste, unde dar nach alse vil alse zuo 35 dem libe. In einer wis, alse vil alse „sich die glidere des libes erbietent zuo

---

1   *ibi* read as *et.*
2   Cf. page 290, line 26.
3   MS: "St. Paulus."
4   Should be "bekemlich." Translator read *convenienter* as *communiter.*
5   Cf. page 86, line 13 and page 91, line 13.

honorabilis ipse est caput. — Virtutem vero, quia virtus et motus ceterorum membrorum, et gubernatio eorum in suis actibus, est a capire, propter vim sensitivam et motivam ibi dominantem. Unde et rector dicitur caput populi: secundum illud I *Reg.* XV: *Cum esses parvulus in oculis tuis, caput in tribubus Israel factus es.*

40   Haec autem tria competunt Christo spiritualiter. Primo enim, secundum propinquitatem ad Deum gratia eius altior et prior est, etsi non tempore: quia omnes alii acceperunt gratiam per respectum ad gratiam ipsius, secundum illud *Rom.* VIII: *Quos praescivit, hos et praedestinavit conformes fieri imaginis Filii sui, ut sit ipse primogenitus in multis fratribus.* Secundo

_____ 68

45 vero, perfectionem habet quantum ad plenitudinem omnium gratiarum, secundum illud Ioan. I: *Vidimus eum plenum gratiae et veritatis,* ut supra ostensum est. — Tertio, virtutem habuit influendi gratiam in omnia membra Ecclesiae: secundum illud Ioan. I: *De plenitudine eius omnes accepimus.* — Et sic patet quod convenienter dicitur Christus caput Ecclesiae.

50   III. q. 8, a. 2. UTRUM CHRISTUS SIT CAPUT DOMINUM QUANTUM AD CORPORA

Respondeo dicendum quod corpus humanum habet naturalem ordinem ad animam rationalem, quae est propria forma eius et motor. Et inquantum quidem est forma eius, recipit ab anima vitam et ceteras proprietates con-
55 venientes humano corpori secundum suam speciem. Inquantum vero anima est motor corporis, corpus instru-

_____ 69

mentaliter servit animae.
Sic ergo dicendum quod habet vim influendi Christi humanitas inquantum est coniuncta Dei Verbo, cui corpus unitur per animam.... Unde tota Christi humanitas, secundum scilicet animam et corpus, influit in homines et
60 quantum ad animam et quantum ad corpus: sed principaliter quantum ad animam: secundario quantum ad corpus. Uno modo, inquantum *membra*

einem waffen der gerehtikeit," dü in der sele ist [1] übermitz Christum, alse
ez sprichet St. Paulus „Zuo den Romern," in dem sechsten capitel. Aber in
einer andern wis, als vil als daz leben der glorien nidergat [2] von der sele
zuo dem libe, alse St. Paulus sprichet in dem ahtenden capitel „Zuo den
5 Romern," „Der Jesum erkiket hat von dem tode, der hat lebende gemachet [3]
ouch unser tötlichen libe durch die inwonung sines

70 ───

geistes in uns."

Ez ist zemerken, ob Christus si ein houbet aller menschen. Es ist zesagen,
daz diz ist ein underscheit des natürlichen libes des menschen unde der
lib der cristenheit, daz in dem natürlichen libe ellü glidere glich sint, aber
10 dü glider des libes der critenheit dü ensint [4] niht ellü glich; noch zuo dem
wesen der naturen, wan der lip der cristenheit ist gesetzet von vil menschen,
die von anegenge waren der welt biz zuo dem ende; noch ouch zuo dem
wesen der gnade, wan dirre, die da sint in einer zit, der selber mangelt etlich
der gnaden unde die dar nach gewinnent, unde denne sint si ein lip [5] mit
15 den, die sie e hatten. Unde dar umbe so sint sie [5] glidere des libes der cristen-
heit unde werdent niht allein genomen, nach deme unde si sint in einer ge-
tat, sunder ouch nah dem unde si sint in einer maht. Doch sint etlichü in
der maht, die niemer uzgeleitet werdent in die getat; aber etlichü sint, die
etwenne

71 ───

geleitet werdent in die getat, unde nach disen drien greten: So
20 ist ir einer nach dem glouben, daz ander nach der minne diz zitlichen leben-
nes, das dritte übermitz die gebruchunge der selikeit.

Unde also so ist zesagen, als swenne man es gemeinlich nimet nach aller
der zit dirre welt, so ist Christus ein houpt alre menschen, aber nach mis-
lichen greten. Wan des ersten so ist er ein houpt der, die da geeiniget im
25 werdent mit der getat übermitz die glori. Zem andern male so ist [er] der
ein houbt, die mit im geeiniget werdent übermitz die minne mit der getat.
Zem dritten male dirre, die da mit getat zuo im geeiniget werdent übermitz
den glouben. Die vierden: die im [6] geeiniget werdent alleine mit der macht
unde noh niht uzgeleitet sint in die tat, unde daz [7] doch zemerken ist über-
30 mitz die götlichen fürbereitung. Die fünften: dirre, die [im] in der maht
geeiniget sint unde niemer uzgeleitet werdent in die getat, alse die menschen,
die da

72 ───

[1] Translator connected *existenti* with *justitia*.
[2] MS: "in der"; mistake of copyist.
[3] Translator read *vivificavit*.
[4] MS: "ein."
[5] Rather free translation.
[6] MS: "in."
[7] Faulty translation.

corporis exihibentur arma iustitiae in anima existenti per Christum: ut
Apostolus dicit, *Rom.* VI. Alio modo, inquantum vita gloriae ab anima deri-
35 vatur ad corpus: secundum illud *Rom.* VIII: *Qui suscitavit Iesum a mortuis,
vivificabit et mortalia corpora vestra, propter inhabitantem*

─── 70

Spiritum eius
in vobis.

III. q. 8, a. 3. UTRUM CHRISTUS SIT CAPUT OMNIUM HOMINUM

Respondeo dicendum quod haec est differentia inter corpus hominis natu-
40 rale et corpus Ecclesiae mysticum, quod membra corporis naturalis sunt om-
nia simul, membra autem corporis mystici non sunt omnia simul: neque
quantum ad esse naturae, quia corpus Ecclesiae constituitur ex hominibus qui
fuerunt a principio mundi usque ad finem ipsius; neque etiam quantum ad
esse gratiae, quia eorum etiam qui sunt in uno tempore, quidam gratia carent
45 postmodum habituri, aliis eam iam habentibus. Sic igitur membra corporis
mystici non solum accipiuntur secundum quod sunt in actu, sed etiam secun-
dum quod sunt in potentia. Quaedam tamen sunt in potentia quae nunquam
reducuntur ad actum: quaedam vero quae quando-

─── 71

que reducuntur ad actum,
secundum hunc triplicem gradum, quorum unus est per fidem, secundus
50 per caritatem viae, tertius per fruitionem patriae.
Sic ergo dicendum est quod, accipiendo generaliter secundum totum tem-
pus mundi, Christus est caput omnium hominum: sed secundum diversos
gradus. Primo enim et principaliter est caput eorum qui actu uniuntur sibi
per gloriam. Secundo, eorum qui actu uniuntur sibi per caritatem. Tertio,
55 eorum qui actu uniuntur sibi per fidem. Quarto vero, eorum qui sibi uniuntur
solum potentia nondum ad actum reducta, quae tamen est ad actum redu-
cenda, secundum divinam praedestinationem. Quinto vero, eorum qui in
potentia sibi sunt uniti quae nunquam reducetur ad actum: sicut homines
in hoc mundo viventes qui non sunt

─── 72

lebent in dirre welt, die da niht fürbereitet sint, die doch, so si von dirre welt scheident, alzemale lazent, daz si niht ensint glider Christi, wan si es niht ensint in der maht, daz si Christo geeiniget mügen werden.

Ez ist zemerken, ob Christus nah deme unde er ein mensche ist, ob er nach dem si ein houpt der engele. Es ist zesagen, alse gesprochen ist, daz swa ein lip ist, daz dar von not zesetzen ist ein houbet. Aber in einer glichnüsse so heizet ein [lib ein] menige, die da geordent ist in ein nach geunderscheideten getaten oder ampten. Aber nu ist diz offenbar, daz zuo einem ende, daz da ein ende ist der glorien der götlicher gebruchunge, daz dar zuogeordent werdent die menschen und die engele. Unde also ein lip der cristenheit bestat alleine niht von den menschen, sunder ouch von den engelen. Aber dirre menige aller ist Christus ein houpt, wan er heltet sich nacher zuo gotte unde enphahet volkomenlicher sin gaben niht alleine denne die menschen sunder

73

ouch denn [die] engele. St. Paulus sprichet „Zuo den Ephesien," in dem ersten capitel, daz got der vatter „in gesast hat" daz ist Christum, „zuo siner zeswen in den himelschen über alle fürsten engel unde gewaltigen [1] unde die tugenthaften engele unde die herschenden, [2] unde alle namen die genennet sint niht alleine in dirre zit, sunder in der künftigen zit"; unde ouch nach dem alse David sprichet, „ellü ding hastu geworfen under sine füeze." Unde dar umbe so ist Christus niht alleine ein houpt der menschen, sunder ouch der engele.

Ez ist zemerken, ob die selbe gnade, von der Christus ist ein houpt der cristenheit, si ein unde die selbe gnade mit der gnaden dis sünderlichen mensche. Ez ist zesagen, daz ein iekliches ding wirket alse vil, alse ez ein wesendez ding ist von der tat. Unde da von so muoz es sin, daz eins unde daz selbe si, van dem daz etwaz ist von der tat unde von dem ez wirket. Unde also ist ouch die hitze, von dem daz für heiz

74

ist, daz selbe von dem daz daz füre hitzet. Unde doch niht ein [ie]glichü tat, von der daz etwer ist von der tat, en ist niht dar zuo genuog zuo dem, daz si ein beginne si ze wirkenne in einem andern. Sit daz der wirkende vorstander ist denne der [3] lidende, als man sprichet in dem dritten capitel „Von der sele", [so muoz daz sin,] daz daz wirkende habe in dü andern ding ein tat nach etlicher hocheit. Nu ist da vor gesprochen, daz in der sele Jesu Christi enphangen ist gnade nach der aller meisten hocheit. Unde dar umbe nach hocheit der

---

[1] MS. "gewaltiger."

[2] Translator interpreted *principatus, potestas, virtus, dominatio* as the names of four of the ten angel choirs.

[3] MS: "den."

praedestinati. Qui tamen, ex hoc mun-
do recedentes, totaliter desinunt esse membra Christi: quia iam nec sunt in
35 potentia ut Christo uniantur.

III. q. 8, a. 4. UTRUM CHRISTUS, SECUNDUM QUOD HOMO, SIT CAPUT
ANGELORUM

Respondeo dicendum quod, sicut dictum est, ubi est unum corpus, necesse
est ponere unum caput. Unum autem corpus similitudinarie dicitur una
40 multitudo ordinata in unum secundum distinctos actus sive officia. Mani-
festum est autem quod ad unum finem, qui est gloria divinae fruitionis,
ordinantur et homines et angeli. Unde corpus Ecclesiae mysticum non solum
consistit ex homnibus, sed etiam ex angelis. Totius autem huius multitudinis
Christus est caput: quia propinquius se habet ad Deum, et perfectius parti-
45 cipat dona ipsius, non solum

73

quam homines, sed etiam quam angeli . . . .
Dicitur enim *Ephes.* I, quod *constituit eum,* scilicet Christum Deus Pater,
ad dexteram suam in cælestibus, supra omnem principatum et potestatem
et virtutem et dominationem, et omne nomen quod nominatur non solum in
hoc saeculo, sed etiam in futuro, et secundum illud Psalmi: *Omnia subiecisti* [4]
50 *sub pedibus eius.* Et ideo Christus non solem est caput hominum, sed etiam
angelorum.

III. q. 8, a. 5. UTRUM SIT EADEM GRATIA QUA CHRISTUS EST CAPUT ECCLE-
SIAE, CUM GRATIA SINGULARI ILLIUS HOMINIS

Respondeo dicendum quod unumquodque agit inquantum est ens actu.
55 Oportet autem quod sit idem quo [5] aliquid est actu, et quo agit: et sic
idem est calor quo ignis est calidus, et

74

quo calefacit. Non tamen omnis
actus quo aliquid est actu, sufficit ad hoc quod sit principium agendi in alia:
cum enim *agens sit praestantius patiente,* ut Augustinus dicit . . . . in III
de Anima, oportet quod agens in alia habeat actum secundum eminentiam
60 quandam. Dictum est autem supra quod in anima Christi recepta est gratia
secundum maximam eminentiam. Et ideo ex eminentia gratiae quam accepit,

---

[4] Leonine edition has: *et omnia subiecit* instead of *et secundum illud Psalmi: Omnia*
subiecisti. Certain Latin manuscripts make variation used by MHG translator.
[5] Leonine edition has *idem actu quo*; *actu* does not occur in certain manuscripts.

gnaden, die er enphangen hat, so ist im daz behörlich, daz die selbe gnade
niderkome [1] zuo den andern, daz da zuobehöret zuo der reden des houptes.
Unde dar umbe so ist ez eins nach der wesunge die personlich gnade, von der
daz Christi sele gerehtigt ist, unde sin gnade, von der er ein houpt der
5 cristenheit ist die andern gerehtzemachenne: doch underscheident si sich
nach redenne.

75

Ez ist zemerken, ob der tüvel si ein houbet aller böser dinge. Ez ist
zesagen, alse gesprochen ist, daz houbt enflüzet niht alleine innewendig in
dü glidere, sunder ez rihtet uzwendig, irü werk zerihtenne in etwaz endes.
10 Unde also mag etwaz geheizen sin ein houpt etlicher menige eintweder
nach ietwederm, daz ist eintweder nach dem inren infliesen oder [2] nach
der uzern rihte: unde so ist Christus ein houpt der cristenheit. Eintweder [3]
allein nihtwan nah uzzern rihtunge: unde also so ist ein ieklicher fürste
oder prelate ein houpt der menige, die im undertenig ist. Unde nach dirre
15 wise so heizet der tüvel ein houpt der bösen dinge, alse gescriben ist in
Jobs buoch in dem zwelfen capitele, „Er ist ein künig über alle kint der
hochfart." Aber aller meist so pint er sich, wie er die menschen abekere
von gote.
      Ez ist zemerken, ob in Christo were ein ander kunst denne die kunst
20 der gotlicheit. Ez ist zesagen, alse gesprochen ist da

76

vor, daz gotis sun
an sich nam die menschlichen nature ganze; daz ist, daz er niht alleine an
sich nam den lip, sunder ouch die sele; unde ouch niht alleine die sinlichen
sele, sunder ouch die redelichen. Unde da von so muost daz sin, daz er hatte
ein geschaffen kunste durch die volkomenheit der sele. Wan die sele, alse
25 si betrahtet ist nah ir selber, so ist si in der maht zuo den verstenlichen
dingen zebekenne: wan si ist alse ein ungeschriben tavel, „in der nihtes niht
geschriben ist"; unde doch müglich ist, daz man in si schriben müg, durch
daz müglich verstan, „in dem ellü ding müglich sint zegewerdenne", [4] alse
man sprichet in dem driten capitele in dem buoch „Von der sele." Daz, daz
30 da in der maht ist, daz ist unvolkomen, niht wan ez werde e braht in die tat.
Aber nu waz ez niht behörlich, daz gotis sun an sich neme die menschelichen
naturen unvolkomen, sunder volkomen daz übermitz mittel der volkomen-
heit der menschelichen nature

77

in Christo alles menschliche geslehte wurde
braht zuo der volkomenheit. Unde dar umbe so muost daz sin, daz die sele

[1]   MS: "in der," copyist's error.
[2]   Faulty translation: The MHG text should read "unde," not "oder."
[3]   Faulty translation: The MHG text should read "oder," not "eintweder."
[4]   Translator apparently took *omnia* to be the subject of *fieri,* instead of a predicate
noun.

35 competit sibi quod gratia illa ad alios derivetur. Quod pertinet ad rationem
capitis. Et ideo eadem est secundum essentiam gratia personalis qua anima
Christi est iustificata, et gratia eius secundum quam est caput Ecclesiae
iustificans alios: differt tamen secundum rationem.

_____ 75

III. q. 8, a. 7. UTRUM DIABOLUS SIT CAPUT MALORUM

40 Respondeo dicendum quod, sicut supra dictum est, caput non solum interius
influit membris, sed etiam exterius gubernat, eorum actus dirigendo ad
aliquem finem. Sic igitur potest dici aliquis caput alicuius multitudinis vel
secundum utrumque, scilicet secundum interiorem influxum et exteriorem
gubernationem: et sic est Christus caput Ecclesiae.... Vel secundum solam
45 exteriorem gubernationem: et sic quilibet princeps vel praelatus est caput
multitudinis sibi subiectae. Et per hunc modum dicitur diabolus caput omnium
malorum; nam, ut dicitur *Iob. XLI, ipse est rex super omnes filios super-
biae* .... Finis autem diaboli est aversio rationalis creaturae a Deo:....

III. q. 9, a. 1. UTRUM IN CHRISTO FUERIT ALIQUA SCIENTIA PRAETER
50 DIVINAM

Respondeo dicendum quod, sicut ex supra dictis patet,

_____ 76

Filius Dei huma-
nam naturam integram assumpsit; idest, non corpus solum, sed etiam ani-
mam; non solum sensitivam, sed etiam rationalem. Et ideo oportuit quod
haberet scientiam creatam, propter .... animae perfectionem. Anima enim,
55 secundum se considerata, est in potentia ad intelligibilia cognoscenda: est
enim *sicut tabula in qua nihil est scriptum*; et tamen possibile est in ea
scribi, propter intellectum possibilem, *in quo est omnia fieri,* ut dicitur in
III *de Anima.* Quod autem est in potentia, est imperfectum nisi reducatur
ad actum. Non autem fuit conveniens ut Filius Dei humanam naturam im-
60 perfectam assumeret, sed perfectam: utpote qua

_____ 77

mediante, totum humanum
genus erat ad perfectum reducendum. Et ideo oportuit quod anima Christi

Christi volkomen were übermitz etlich kunst, die ein eigen volkomenheit were ime. [1] Unde dar umbe so muost in Christo sin ein ander kunst ane die götlichen kunst. Anders so enwere die sele Christi unvolkomner denne dekein ander sele dekeines andern menschen.

5   Ez ist zemerken, ob in Christo were ein kunst, die mit brüefnüssen gewunnen wirde. Ez ist zesagenne, daz der dinge dekeines gebrast, „die got in unser nature gephlanzet hat", der nature, die da genomen waz von dem worte gotis. Nu ist dis offenbar, daz got in unser nature gephlanzet hat niht alleine ein mügliches verstan, sunder ouch ein wirkendes verstan.

10 Unde da von so ist daz von not zesagen, daz in der sele Jesu Christi niht alleine si ein mügliches verstan, sunder ouch ein wirkliches verstan. Sit denne „daz got unde die nature in den andern

78 ━━

nihtes niht vergebens getan hat," vil minre in der sele Christi waz dekein ding vergebens. Nu ist daz ding vergebens, daz da niht enhat ein eigen werke, sit daz „ellü ding sint

15 durch ir eignü werk." Nu ist daz eigen werk des wirkenden [2] verstans machenne [3] verstentlichü gesteltnüsse mit der tate, sü abziehende von der fantasiunge. Unde da von sprichet man in dem dritten capitel in dem buoch „Von der sele", daz daz daz wirkende verstan si von dem, daz allü ding zetüende sint. [4] Unde also ist daz von not zesagen, daz in Christo waren

20 etlichü verstentlichü gesteltnüsse übermitz tüewunge des wirkenden verstans, die er [5] in sinem müglichen verstan enphangen hat. Unde daz ist in Christo zesin ein gewunnen kunst die etlichü ein brüevelichü kunst nennent.

    Doch wie wol daz ist, daz anderswa ander gescriben han, [6] unde also ist zesagen, daz in Christo waz ein gewunnen kunst, dü da eigentlichen

25 ist ein kunst nach menschelicher wise, niht allein

79 ━━

von teile des enphahenden underwurfes, sunder ouch von [teile] der wirkenden sache. Wan ein solichü kunst dü sezzet man in Christo nach teile des liehtes des wirkenden verstans, daz da natürliche ist der menschlicher naturen. Aber die ingegozen kunst die gibet man der sele zuo nah dem lieht, daz von oben ingegozen ist, welchü bekentlichü wis geglichet ist der engelscher naturen. Aber die selige kunst, übermitz welhe die gotliche wesung selbe gesehen wirt, dü ist eigen unde mitnaturliche got.

    Es ist zemerken, ob die sele Jesu Christi begriffe oder begriffet daz

---

[1]   Translator took *eius* as referring to *Christus*.

[2]   MS: "daz eigen werkenden verstans."

[3]   For other examples of this form see "wissenne," p. 85, line 32; "machenne," p. 111, line 29, and p. 112, line 36; "bekennenne," p. 264, line 18.

[4]   Cf. p. 77, line 28.

[5]   MS: "ez."

[6]   The MHG is not clear, but is closer to the variant *quamvis aliter alii scripserint.*

esset perfecta per aliquam scientiam, quae esset proprie perfectio eius. Et
35 ideo oportuit in Christo esse aliquam scientiam praeter scientiam divinam.
Alioquin anima Christi esset imperfectior omnibus animabus aliorum ho-
minum.

III. q. 9, a. 4. UTRUM IN CHRISTO FUERIT ALIQUA SCIENTIA EXPERIMEN-
TALIS AQUISITA

40 Respondeo dicendum quod.... nihil eorum *quae Deus in nostra natura*
plantavit, defuit humanae naturae assumptae a Verbo Dei. Manifestum
est autem quod in humana natura Deus plantavit non solum intellectum
possibilem, sed etiam intellectum agentem. Unde necesse est dicere quod in
anima Christi non solum intellectus possibilis, sed etiam intellectus agens
45 fuerit. Si autem in aliis

—— 78

Deus et natura nihil frustra fecerunt.... multo
minus in anima Christi aliquid fuit frustra. Frustra autem est quod non
habet propriam operationem: cum *omnis res sit propter suam operatio-*
nem.... Propria autem operatio intellectus agentis est facere species intel-
ligibiles actu, abstrahendo eas a phantasmatibus: unde dicitur in III *de*
50 *Anima* quod intellectus agens est *quo est omnia facere.* Sic igitur necesse
est dicere quod in Christo fuerunt aliquae species intelligibiles per actionem
intellectus agentis in intellectu possibili eius receptae. Quod est esse in ipso
scientiam acquisitam, quam quidam experimentalem nominant.

Et ideo, quamvis aliter alibi scripserim, dicendum est in Christo scientiam
55 acquisitam fuisse. Quae proprie est scientia secundum modum humanum,
non solum ex parte recipientis

—— 79

subiecti, sed etiam ex parte causae agentis:
nam talis scientia ponitur in Christo secundum lumen intellectus agentis,
quod est humanae naturae connaturale. Scientia autem infusa attribuitur
animae humanae secundum lumen desuper infusum: qui modus cognoscendi
60 est proportionatus naturae angelicae. Scientia vero beata, per quam ipsa
Dei essentia videtur, est propria et connaturalis soli Deo:....

III. q. 10, a. 1. UTRUM ANIMA CHRISTI COMPREHENDERIT ET COMPRE-

worte gotiz oder die gotlichen wesunge. Ez ist zesagen, alse da vor ge-
sprochen ist, alse ist geschehen die einunge der naturen in die personen
Christi, daz doch die eigenschaft ietwedere naturen ungeschendet bleib,
also daz „daz ungeschaffen bleib ungeschaffen unde daz geschaffen bleib
5 nidewendig den zilen

80

der creaturen," als Damascenus sprichet in dem drit-
ten buoch. Aber diz ist unmüglich, daz dekein creature begrife die gotlichen
wesung, umbe daz wan daz unentliche niht begriffen mag werden von dem
entlichen. Unde also ist zesagen, daz die sele Christi in dekeiner wis begriffet
die gotlichen wesunge.

10   Ez ist zemerken, ob die sele Jesu Christi in dem worte ellü ding bekenne.
Ez ist zesagen, swenne daz man fraget, ob Christus ellü ding bekenne in
dem worte, her zuo ist zesagen: daz, daz wort „ellü ding" begrift, daz mag
man nemen in zweier hande wis. Ein wis, eigentlich: also daz man es
teilet für ellü ding in welher hande wis daz si sint oder werdent oder
15 warent, oder gesprochen sint oder geschehen oder erkant von welcher oder
nah welcher zit. Unde also ist zesagen, daz die sele Christi in dem worte
ellü ding erkennet. Wan ein iekliches verstan, daz da geschaffen ist, be-
kennet in dem worte, niht einvelticlichen ellu ding, sunder also vil vol-
komenlicher alse vil ez volko-

81

mener ansiht daz wort. Unde doch engebristet
20 ez dekeime seligen verstan, ez bekenne in dem wort ellü ding, die da zuo im
behorent. Aber zuo Christo unde zuo siner wirdikeit alzemale behörent [1] ellü
ding, nach dem unde si „im [2] undergeworfen sint ellü ding." Er ist ouch „allen
dingen ein rihter gesast von gotte, wan er ist ein sun des menschen", alse man
sprichet in St. Johannis ewangelij in dem fünften capitele. Unde dar umbe
25 so bekennet die sele Jesu Christi in dem worte ellü wesende ding nach einer
ieklichen zit, unde ouch der menschen gedenke, der er ein rihter ist; also
daz man von im sprichet in Johanni in dem dritten capitele: „Er wiste
wol waz in dem menschen was," daz man verstan mag niht alleine zuo aller
götlicher kunst, sunder ouch zuo der kunst siner [3] selen, die si hat in
30 dem worte.

    Aber in einer andern wis so mag man daz wort „ellü ding" verstan oder
nemen noch gemeinlicher; also daz man [ez] streket niht alleine zuo allen

82

den dingen, die [in] der getat sint nach einre ieklichen zit, sunder ouch
zuo allen den dingen, die da in der maht sint unde niemer werdent braht
35 zuo der tat. Dirre etliches sint allein in der gotlichen maht. Unde solichü

    [1] MS: "behöret."
    [2] Cf. page 28, note 2.
    [3] Ms: "sinen."

HENDAT VERBUM, SIVE DIVINAM ESSENTIAM

Respondeo dicendum quod, sicut ex supra dictis patet, sic facta est unio
naturarum in persona Christi quod tamen proprietas utriusque naturae
inconfusa permansit: ita scilicet quod *increatum mansit increatum, et crea-*
40 *tum mansit infra limites*

―――――――――――――――――――――――――――――――― 80

creaturae, sicut Damascenus dicit, in III libro. Est
autem impossibile quod aliqua creatura comprehendat divinam essentiam,
.... eo quod infinitum non comprehenditur a finito. Et ideo dicendum quod
anima Christi nullo modo comprehendit divinam essentiam.

III. q. 10, a. 2. UTRUM ANIMA CHRISTI IN VERBO COGNOSCAT OMNIA

45 Respondeo dicendum quod, cum quaeritur an Christus cognoscat omnia
in Verbo, dicendum est quod ly *omnia* potest dupliciter accipi. Uno modo,
proprie: ut distribuat pro omnibus quae quocumque modo sunt vel erunt
vel fuerunt, vel facta vel dicta vel cogitata a quocumque, secundum quodcum-
que tempus. Et sic dicendum est quod anima Christi in Verbo cognoscit omnia.
50 Unusquisque enim intellectus creatus in Verbo cognoscit, non quidem omnia
simpliciter, sed tanto plura quanto perfectius videt Verbum: nulli tamen in-

―――――――――――――――――――――――――――――――― 81

tellectui beato deest quin cognoscat in Verbo omnia quae ad ipsum spectant.
Ad Christum autem, et ad eius dignitatem, spectant quodammodo omnia:
inquantum *ei subiecta sunt omnia.* Ipse est etiam *omnium iudex constitutus*
55 *a Deo, quia Filius Hominis est,* ut dicitur Ioan. V. Et ideo anima Christi in
Verbo cognoscit omnia existentia secundum quodcumque tempus, et etiam
hominum cogitatus, quorum est iudex: ita quod de eo dicitur, Ioan. II,
Ipse enim sciebat quid esset in homine; quod potest intelligi non solum
quantum ad scientiam divinam, sed etiam quantum ad scientiam animae
60 eius quam habet in Verbo.
Alio modo ly *omnia* potest accipi magis large: ut extendatur

―――――――――――――――――――――――――――――――― 82

non solum
ad omnia quae sunt actu secundum quodcumque tempus, sed etiam
ad omnia quaecumque sunt in potentia nunquam reducta ad actum. Horum

ellü ding erkante die sele Christi niht in dem worte. Wan diz were, daz
si begriffe ellü ding, die got machen möchte; unde daz were daz si begriffen
die gotlichen wesunge unde die gotlichen craft, wan ein ieklichü craft wirt
erkant übermitz der bekennen, in dü daz man mag. [1] Aber etliche sint, die
5 niht alleine sint in der götlichen macht, sunder ouch in der maht der crea-
turen. Unde disü ellü ding erkennet die sele Jesu Christi in dem worte.
Wan si begriffet in dem worte aller creature wesungen, unde dar nah die
maht unde denne die craft, unde alles, daz da ist in der maht der creaturen.

Ez ist zemerken, ob die sele Christi erkenne die unentlichen ding. Ez
10 ist zesagen, daz die kunst dekeiner andern dinge ist niht wan der wesender
ding, umbe daz wan wesendü ding unde war

83 ────────────────────────────────────

sich mit einander kerent.
Aber in zweier hande wis so heizet eins ein [2] wesendes ding: Ein wis ein-
veltiklichen, daz ist, daz ez ist ein wesendes ding von der tat. Aber ein
ander wis, daz ist, daz ez ist ein wesendes ding in der maht. Unde als man
15 sprichet in dem einleften capitel in dem buoch, daz da heizet „Methaphisica."
ein iekliches ding erkennet man nach dem unde ez ist von der getat, unde
niht nach dem unde ez ist in der maht. Aber die kunst die ansicht ze aller
vorderest daz wesende ding in der tat. Zem andern male so sieht si [3] an
daz wesende ding in der maht, die da niht ensint erkentliche nach in selber,
20 sunder nach dem unde erkant ist daz, in welcher maht daz ez ist.

Nu also vil alse zuo der ersten wis der kunst, so enweis die sele Jesu
Christi die unentlichen ding niht. Wan die unentlichen ding ensint niht
in der tat, unde noh denne unde nimet man ouch ellü ding

84 ────────────────────────────────────

welchü daz si
sint in der getat nach einer ieklicher zit: umbe daz wan die ordenunge der
25 geberung unde der vergenklicheit volhertet niht biz in die unentlichkeit. Unde
da von ist dirre [4] ein gewissü zale, niht alleine dirre, die da sint ane ge-
berunge unde ane zergenklicheit, sunder ouch der vergenklichen ding unde
der geberlichen ding. Aber alse zuo einer andern wis des wissennes, so weis
die sele Jesu Christi in dem worte dü unentlichen ding. Wan si weiz ellü dü
30 ding, die da sint in der maht der creaturen. Wan in der maht der creaturen
sint unentlichü ding; unde nach dirre wise so bekennet si unentlichü ding
unde weis sü, alse von eime einveltigen wissenne des verstans, aber niht
von der kunst des gesihtes.

Ez ist zemerken, ob die sele Jesu Christi volkomenlicher sehe daz worte
35 gotis denne dekein ander creature. Ez ist zesagenne, daz daz gesihte der

---

[1] The phrase *in quae potest* apparently was not understood.
[2] MS: "an."
[3] MS: "ez."
[4] MS: "diree."

autem quaedam sunt solum in potentia divina. Et huiusmodi non omnia
cognoscit in Verbo anima Christi. Hoc enim esset comprehendere omnia
quae Deus potest facere; quod esset comprehendere divinam virtutem, et ....
divinam essentiam; virtus enim quaelibet cognoscitur per cognitionem eorum
40 in quae potest. — Quaedam vero sunt non solum in potentia divina, sed
etiam in potentia creaturae. Et huiusmodi omnia cognoscit anima Christi
in Verbo. Comprehendit enim in Verbo omnis creaturae essentiam: et per
consequens potentiam et virtutem, et omnia quae sunt in potentia creaturae.

III. q. 10, a. 3. UTRUM ANIMA CHRISTI POSSIT COGNOSCERE INFINITA ....

45 Respondeo dicendum quod scientia non est nisi entis: eo quod

—————————————————————————————————————— 83

ens et
verum convertuntur. Dupliciter autem dicitur aliquid ens: uno modo,
simpliciter, quod scilicet est ens actu; alio modo, secundum quid, quod
scilicet est ens in potentia. Et quia, ut dicitur in IX *Metaphys.*, unum-
quodque cognoscitur secundum quod est actu, non autem secundum quod
50 est in potentia, scientia primo et principaliter respicit ens actu. Secundario
autem respicit ens in potentia: quod quidem non secundum seipsum cog-
noscibile est, sed secundum quod cognoscitur illud in cuius potentia existit.
Quantum igitur ad primum modum scientiae, anima Christi non scit
infinita. Quia non sunt infinita in actu, etiam si accipiantur

—————————————————————————————————————— 84

omnia quae-
55 cumque sunt in actu secundum quodcumque tempus: eo quod status genera-
tionis et corruptionis non durat in infinitum; unde est certus numerus
non solum eorum quae sunt absque generatione et corruptione, sed etiam
generabilium et corruptibilium. —- Quantum vero ad alium modum sciendi,
anima Christi in Verbo scit infinita. Scit enim .... omnia quae sunt in po-
60 tentia creaturae. Unde, cum in potentia creaturae sint infinita, per hunc
modum scit infinita, quasi quadam scientia simplicis intelligentiae, non
autem scientia visionis.

III. q. 10, a. 4. UTRUM ANIMA CHRISTI PERFECTIUS VIDEAT VERBUM QUAM
QUAELIBET ALIA CREATURA

gotlicher wesunge bekümet allen seligen nach der teilnemung des liehtes, daz da niderkomen ist von dem burnen

85 ───

dez wort gottis zuo in, nach dem unde ez geschriben ist in dem buoch, daz da heizet „Ecclesiastes," in dem fünften [1] capitel: „Ein burne der wisheit ist daz wort gotis in der höchi."
5 Aber disem wort gotis dem wirt nacher zuo gefüeget die sele Christi, die da einiget ist deme worte in der personen, denne dekein ander creature. Unde dar umbe so enphaht si volkomenlicher den influz dez liehtez, in dem got gesehen wirt von ime, denne dekein andern creature. Unde dar umbe so sieht si volkomenlicher für alle ander creaturen die ersten warheit selber,
10 dü da gottis wesung ist. Unde da von so sprichet St. Johannes. „Wir sahen sin glorie alse eins eingebornen von dem vatter, vol gnaden unde warheit."

Ez ist zemerken, ob Christus ie iht gelernet von dem menschen. Ez ist zesagen, daz in einem ieklichen gleslehte, daz, daz da die erste bewegde ist, daz daz niht beweget wirt nach dem selben gesteltnüsse, alse die erste ande-
15 runge wirt niht geandert. Aber

86 ───

Christus der ist gesast ze einem houpt der cristenheit unde allen menschen, daz alle menschen niht alleine en-phiengen gnade übermitz Christum, sunder ouch daz si nemen von ime lere aller warheit. Unde dar umbe so sprichet St. Johannes in dem seht-zehenden capitele: „In dem so bin ich geborn, unde zuo dem so bin ich
20 komen in diz welt, daz ich gezüge gebe der warheit." Unde dar umbe so enbehorte ez siner wirdikeit nüt zuo, daz er von ieman gelert wurde.

Ez ist zemerken, ob die sele Christi hette allemehtikeit. Ez ist zesagen, alse da vor gesprochen ist von der infleischunge, daz die einung also geschehen ist in der person, daz doch da beleip underscheit der naturen
25 ir beider, daz ist, daz ietwederre naturen bleip, daz ir eigen waz. Aber die wirkende maht eines ieklichen dinges volget siner formen, dü da ist ein beginne dez wirkennes. Aber die forme die ist eintweder die nature des dinges, alse in den einveltigen dingen, oder si ist setzende die naturen des

87 ───

dinges selber, alse in den dingen, die da zesamengesast sint von materien
30 unde von formen. Unde dar umbe so ist daz offenbar, daz die wirkende maht eins ieklichen dinges ervolget sin naturen. Unde übermitz diz wise so heltet sich die almehtikeit gevolglichen zuo der gotlichen wesunge. Wan die gotlich nature ist daz wesen gotis selber ane abnemung, alse ez offenbar ist übermitz St. Dyonisium in dem dritten capitel „Von den gotlichen
35 namen." Unde dannan von ist daz [si] dis wirkende maht [hat] von ge-sihte aller ding, die da mügen haben reden der wesender dinge, daz da

---

[1] The passage quoted is from Ecclesiasticus I: 5, not from Ecclesiastes, chapter 5.

Respondeo dicendum quod divinae essentiae visio convenit omnibus beatis secundum participationem luminis derivati ad eos a

————————————————————————————————— 85

fonte Verbi Dei: secundum illud *Eccli.* I: *Fons sapientiae Verbum Dei in excelsis.* Huic autem
40 Verbo Dei propinquius coniungitur anima Christi, quae est unita Verbo in persona, quam quaevis alia creatura. Et ideo plenius recipit influentiam luminis in quo Deus videtur ab ipso Verbo, quam quaecumque alia creatura. Et ideo prae ceteris creaturis perfectius videt ipsam primam veritatem, quae est Dei essentia. Et ideo dicitur Ioan. I: *Vidimus gloriam eius, quasi Unige-*
45 *niti a Patre, plenum* non solum *gratiae,* sed etiam *veritatis.*

III. q. 12, a. 3. UTRUM CHRISTUS ALIQUID AB HOMINIS DIDICERIT

Respondeo dicendum quod in quolibet genere id quod est primum movens non movetur secundum illam speciem motus: sicut primum

————————————————————————————————— 86

alterans non
alteratur. Christus autem constitutus est caput Ecclesiae, quinimmo
50 omnium hominum .... ut non solum omnes homines per ipsum gratiam acciperent, sed etiam ut omnes ab eo doctrinam veritatis reciperent. Unde ipse dicit, Ioan. XVIII: *In hoc natus sum, et ad hoc veni in mundum, ut testimonium perhibeam veritati.* Et ideo non fuit conveniens eius dignitati ut a quocumque hominum doceretur.

55   III. q. 13, a. 1. UTRUM ANIMA CHRISTI HABUERIT OMNIPOTENTIAM

Respondeo dicendum quod, sicut supra dictum est, in mysterio incarnationis ita facta est unio in persona quod tamen remansit distinctio naturarum, utraque scilicet natura retinente id quod sibi est proprium. Potentia autem activa cuiuslibet rei sequitur formam ipsius, quae est principium
60 agendi. Forma autem vel est ipsa natura rei, sicut in simplicibus: vel est constituens ipsam rei

————————————————————————————————— 87

naturam, sicut in his quae sunt composita ex materia et forma. Unde manifestum est quod potentia activa cuiuslibet rei consequitur naturam ipsius. Et per hunc modum omnipotentia consequenter se habet ad divinam naturam. Quia enim natura divina est ipsum esse Dei incircumscrip-
65 tum, ut patet per Dionysium, V cap. *de Div. Nom.,* inde est quod habet potentiam activam respectu omnium quae possunt habere rationem entis, quod est habere omnipotentiam: sicut et quaelibet alia res habet potentiam

ist haben almehtikeit: alse ein ieklich ander creature hat ein wirkende maht von gesihte der, zuo den daz sich streket die volkomenheit siner naturen, alse daz heize zuo der hitzunge. Sit denne daz die sele Jesu Christi ist ein teile der menschlicher nature, so ist unmüglich, daz si
5 habe die almehtikeit.

Ez ist zemerken, ob Christus [1] liplich gebresten der menschen

88 ——

alle an sich neme. Ez ist zesagen, daz Christus alle menschlichen gebresten an sich nam ze gnuog zetüewenne für die sünde der menschlicher naturen, zuo dem daz man suochte, daz er volkomenheit hette der kunst under der
10 gnaden in der sele. Unde die selben gebresten solte Christus an sich nemen, die ervolget werdent von der sünde der gemeiner menschlicher nature, unde doch einwider stritent si niht der volkomenheit der kunst unde der gnaden.

Unde also so enwaz ez niht behörlich, daz er alle gebresten oder krankeit
15 an sich neme. Wan ez sint etlich gebresten, die widerkriegent der volkomenheit der kunst unde der gnade: alse unwissentheit unde neigunge ze übele unde unmüglich[eit] zuo guot.

Aber etlich gebresten sint, die niht gemeinlich ervolgent die menschlichen naturen gar durch die sünde des ersten vatters unde muoter, sunder si
20 werdent gesachet in etlichen menschen von etlichen teillichen sachen: alse die uzsetzikeit unde ander solich gebresten. Welche gebresten daz etwenne

89 ——

gesachet werdent von der schulde des menschen, alse ahte von unordenunge der notdurft; aber etwenne von gebresten der tugenden formelichen. [2] Aber dirre ieklich bekam Christo niht, wan sin fleische daz wart einphangen
25 von dem heiligen geist, der daz ist einre unentlichü wisheit unde craft, aber irren unde gebresten daz ist von unmügen. [3] Aber nu enhielte er nihtes niht unordenlich in siner rihtung sines lebens noch enuobete. [3]

Aber die dritten gebresten, die da sint, die vindet man gemeinlichen in allen menschen von der sünde [des ersten] vatter unde muoter, alse der
30 tot unde hunger unde turst unde endrü ding dez glichez. Unde diz gebresten alle emphieng Christus, die da Damascenus da heizent [4] „natürliche gebresten unde lidunge, die man niht hinderreden sol"; si sint naturlich, wan si volgent zemale die menschlichen naturen gantze; unde si sint ouch daz man niht hinderreden sol, wan si bringent niht weder gebresten der
35 gnaden noch der kunst.

90 ——

---

[1]   MS: "Christo."
[2]   *formativae* read as *formale*?
[3]   Mistranslation.
[4]   Cf. page 116, note 4.

activam respectu eorum ad quae se extendit perfectio suae naturae, sicut calidum ad calefaciendum. Cum igitur anima Christi sit pars humanae naturae, impossibile est quod habeat omnipotentiam.

40 III. q. 14, a. 4. UTRUM CHRISTUS OMNES DEFECTUS CORPORALES HOMINUM ASSUMERE DEBUERIT

Respondeo dicendum quod .... Christus humanos

————————————————————————————————— 88

defectus assumpsit ad satisfaciendum pro peccato humanae naturae: ad quod requirebatur quod perfectionem scientiae et gratiae haberet in anima. Illos igitur defectus 45 Christus assumere debuit qui consequuntur ex peccato communi totius naturae, nec tamen repugnant perfectioni scientiae et gratiae.

Sic igitur non fuit conveniens ut omnes defectus seu infirmitates humanas assumeret. Sunt enim quidam defectus qui repugnant perfectioni scientiae et gratiae: sicut ignorantia, pronitas ad malum, et difficultas ad bonum. 50 Quidam autem defectus sunt qui non consequuntur communiter totam humanam naturam propter peccatum primi parentis, sed causantur in aliquibus hominibus ex quibusdam particularibus causis: sicut lepra .... et alia huiusmodi. Qui quidem defectus

————————————————————————————————— 89

quandoque causantur ex culpa hominis, puta ex inordinatione victus: quandoque autem ex defectu virtutis formati- 55 vae. Quorum neutrum convenit Christo: quia caro eius de Spiritu Sancto concepta est, qui est infinitae sapientiae et virtutis, errare et deficere non valens; et ipse nihil inordinatum in regimine suae vitae exercuit.

Sunt autem tertii defectus qui in omnibus hominibus communiter inveniuntur ex peccato primi parentis: sicut mors, fames, sitis, et alia huiusmodi. 60 Et hos defectus omnes Christus suscepit. Quos Damascenus vocat *naturales et indetractibiles passiones;* naturales quidem, quia consequuntur communiter totam humanam naturam; indetractibiles quidem, quia defectum scientiae et gratiae non important.

————————————————————————————————— 90

Ez ist zemerken, ob in Christo were unwissentheit. Ez ist zesagen, alse in Christo waz volheit der gnaden unde der tugenden, also so waz ouch in Christo volheit aller kunst. Aber die volheit der gnaden unde der tugenden, die sliezent uz alle neigunge zesündenne. Also so slüzzet ouch volheit
5 der kunst alle unwissentheit uz, dü da widerwertig ist der kunst. Unde also, alse in 'Christo niht enwaz neigunge der sünden, also enwaz ouch in im niht unwissentheit.

Ez ist zemerken, ob in Christo were trurikeit. Ez ist zesagen, daz die fröde der gotlichen schouwunge also übermitz teilunge der gotlichen craft
10 alse behalten wart in dem gemüet Christi, daz si niht niderkomen [1] zu den sinlichen creften, daz da von iht benomen were übermitz daz der sinliche smertze. Wan also der sinlich smerze ist in der sinlicher begirde, also ist ouch die trurikeit. Aber daz ist underscheit zwischen der bewegung oder nah dem gegenwurf. Wan

91 ━━

der gegenwurf unde die bewegunge des leides,
15 daz ist smertzte, der da befunden wirt von den sinlichen berüerden, also so etwer gewundet wirt. Aber der gegenwurf unde die bewegede der trurikeit, daz ist die schedelich ding oder daz übel, daz da inwendig begriffen wirt, ez si übermitz die reden oder übermitz die bildunge, alse swenne daz etwer betrüebet wirt von verliesunge der gnaden oder von verliesunge des
20 guotes.

Nu moht Christus wol etwaz schedeliches inwendig begriffen. Unde daz zuo im selber, alse sin was, daz er liden muost unde sterben, unde ouch alse vil alse zuo den andern, alse zuo den sünden der apostelen oder ouch der Juden die in da toten. Unde darumbe, alse in Christo mohte gesin ein
25 wares leide, alse so mohte in im gesin ein trurikeit, doch in einer andern wis denne in uns.

Umbe daz zewissen ist, daz solich lidunge anders waren in Christo denne in uns alse vil als nach

92 ━━

drin dingen. Daz erst, alse vil als nach dem ge-
genwurf. Wan in uns so [werdent diz] lidunge dike getragen zuo unur-
30 louplichen dingen, die in im niht enwaren. Zuo dem andern male alse nah dem beginne. Wan diz lidunge fürkoment empziclichen in uns daz urteile der bescheidenheit; aber in Christo ensprungen nach der bereitunge der bescheidenheit alle bewegunge der sinlichen begirde. Unde da von so sprichet St. Augustinus in dem vierzehenden capitele in dem buoch „Von der got-
35 lichen stat," daz Christus diz bewegung sicherlichen von bereitunge der gnaden, swenne daz er wolt, so enphieng er si von menschlichen gemüete, [2] also do er wolt, do wart er mensche. Zuo dem dritte male alse nach der

---

[1] Certain Latin manuscripts have *derivabantur* instead of *derivabatur*.
[2] Mistranslation.

III. q. 15, a. 3. UTRUM IN CHRISTO FUERIT IGNORANTIA

Respondeo dicendum quod, sicut in Christo fuit plenitudo gratiae et vir-
40 tutis, ita in ipso fuit plenitudo omnis scientiae .... Sicut autem in Christo
plenitudo gratiae et virtutis excludit peccati fomitem, ita plenitudo scientiae
excludit ignorantiam, quae scientiae opponitur. Unde, sicut in Christo non
fuit fomes peccati, ita non fuit in eo ignorantia.

III. q. 15, a. 6. UTRUM IN CHRISTO FUERIT TRISTITIA

45 Respondeo dicendum quod .... delectatio divinae contemplationis ita per
dispensationem divinae virtutis retinebatur in mente Christi quod non
derivabatur ad vires sensitivas, ut per hoc dolor sensibilis excluderetur. Sicut
autem dolor sensibilis est in appetitu sensitivo, ita et tristitia : sed est diffe-
rentia secundum motivum, sive obiectum.

_____ 91

Nam obiectum et motivum dolo-
50 ris est laesio sensu tactus percepta : sicut cum aliquis vulneratur. Obiectum
autem et motivum tristitiae est nocivum seu malum interius apprehensum,
sive per rationem sive per imaginationem .... sicut cum aliquis tristatur de
amissione gratiae vel pecuniae.

Potuit autem anima Christi interius apprehendere aliquid ut nocivum,
55 et quantum ad se, sicut passio et mors eius fuit : et quantum ad alios, sicut
peccatum discipulorum, vel etiam Iudaeorum occidentium ipsum. Et ideo,
sicut in Christo potuit esse verus dolor, ita in eo potuit esse vera tristitia :
alio tamen modo quam in nobis est . . . .

III. q. 15, a. 4. c. Sciendum tamen quod huiusmodi passiones aliter
60 fuerunt in Christo quam in nobis, quantum ad

_____ 92

tria. Primo quidem, quan-
tum ad obiectum. Quia in nobis plerumque huiusmodi passiones ferun-
tur ad illicita : quae in Christo non fuerunt. [3] — Secundo, quantum
ad principium. Quia huiusmodi passiones frequenter in nobis prae-
veniunt iudicium rationis : sed in Christo omnes motus sensitivi appe-
65 titus oriebantur secundum dispositionem rationis. Unde Augustinus dicit,
XIV *de Civ. Dei,* quod *hos motus, certissimae dispensationis gratia, ita
cum voluit Christus suscepit animo humano, sicut cum voluit factus est*

[3] Leonine edition : *quod in Christo non fuit.*

wirkunge. Wan etwenne so sint diz bewegunge niht in uns in der sinlicher
begirde, sunder si ziehent die bescheidenheit. Unde des enwaz in Christo
niht, wan die bewegunge dez menschlichen fleischez

93

bekam im natürlich, [1]
unde also von siner bereitunge so beliben in der sinlicher begirde also, daz
5 sin bescheidenheit da [2] von niht gehindert wart, er tete, daz behörlich were.
Unde dar umb sprichet St. Jeronimus „Ueber Matheum" daz „unser herre,
umbe daz daz er beweret die angenomenheit des menschen in der warheit,
wan für war so wart betrüebet. Aber daz sin lidunge iht herschet [3] in sinem
gemüete, umbe die marter so sprichet man, daz er begunde zetruren", daz
10 daz liden volkomenlichen verstanden wirde, wenne daz ez herschete dem
gemüete, daz ist der bescheidenheit. Aber so daz liden waz er habende in
den sinlichen bewegde, aber doch enkerte ez sich niht fürbas.
    Ez ist zemerken, ob in Christo vorhte were. Ez ist zesagen, alse da
trurikeit gesachet wirt von begrifunge des gegenwertigen übels, wirt ouch
15 die vorhte gesachet von der begrifunge des künftigen übels. Aber daz dez
künftigen übels, unde ist daz selbe übel

94

alzemale sicher, so enbringet ez
dekeine vorhte, alse der philosophus sprichet in dem dritten capitele in
dem buoch, daz da heisset „Rectorica," daz niena vorht ist, denne daz
etwaz zuoversiht ist, daz man entwiche. Wan swenne dekein zuoversiht
20 ist dez entwichens, so begriffet man daz übele alse gegenwertig, unde also
so sachet ez mer die trurikeit denne die vorhte.
    Unde also so mag die vorhte betrahtet werden zuo zwein dingen. In ein
wis, also zuo dem daz die sinlich begirde natürlichen flühet den smertzen
des [4]libes, unde daz übermitz die trurikeit, ob ez gegenwertig ist, unde
25 übermitz die vorhte, ob ez künftig ist. Unde in dirre wis so waz vorhte in
Christo alse ouch die trurikeit. In einer andern wis so mag ez betrahtet
werden nach dem unde ez niht sicher enist, daz ez künftiklich [5] zuokome;
alse so wir des nahtes erfürhten [6] von etwaz dones, alse daz wir niht
enwissen, waz daz si. Unde solich vorhte waz niht in Christo.

95

30 Ez ist zemerken, ob in Christo were zorne. Ez ist zesagen, daz der zorne
ist ein werke der betrüebede oder der trurikeit. Wan die trurikeit, die etwem

---

    1 Translator took *convenientes* as a verb and *carni* as a genitive belonging to *motus*.
This leaves him without a subject for *manebant*. The entire remainder of the section
is badly translated.
    2 MS. "daz."
    3 MS: "herscheht."
    4 MS: "desi."
    5 MS: "küntiklich."
    6 MS: "erfürhtes."

homo. — Tertio, quantum ad effectum. Quia in nobis quandoque huius-
modi motus non sistunt in appetitu sensitivo, sed trahunt rationem. Quod
in Christo non fuit; quia motus naturaliter humanae carni

93

convenientes
35 sic ex eius dispositione in appetitu sensitivo manebant quod ratio ex his
nullo modo impediebatur facere quae conveniebant. Unde Hieronymus
dicit, *super Matth.,* quod *Dominus noster, ut veritatem assumpti pro-*
baret hominis, vere quidem . contristatus est: sed, ne passio in animo
illius dominaretur, per propassionem dicitur quod „coepit contristari": ut
40 passio perfecta intelligatur quando animo, idest rationi, dominatur; *pro-*
passio autem, quando est inchoata in appetitu sensitivo, sed ulterius non
se extendit.

III. q. 15, a. 7. UTRUM IN CHRISTO FUERIT TIMOR

Respondeo dicendum quod, sicut tristitia causatur ex apprehensione mali
45 praesentis, ita etiam timor causatur ex apprehensione mali futuri. Appre-
hensio autem mali futuri, si omnimodam

94

certitudinem habeat, non inducit
timorem. Unde Philosophus dicit, in II *Rhet.,* quod timor non est nisi ubi
est aliqua spes evadendi: nam quando nulla spes est evadendi, apprehenditur
malum ut praesens; et sic magis causat tristitiam quam timorem.
50 Sic igitur timor potest considerari quantum ad duo. Uno modo, quantum
ad hoc quod appetitus sensitivus naturaliter refugit corporis laesionem, et per
tristitiam, si sit praesens; et per timorem, si sit futura. Et hoc modo timor
fuit in Christo, sicut et tristitia. — Alio modo potest considerari secundum
incertitudinem futuri adventus: sicut quando nocte timemus ex aliquo sonitu,
55 quasi ignorantes quid hoc sit. Et quantum ad hoc, timor non fuit in Christo.

95

III. q. 15, a. 9. UTRUM IN CHRISTO FUERIT IRA

Respondeo dicendum quod . . . . ira est effectus tristitiae. Ex tristitia enim

zuokomen ist, ervolget in im bi den sinlichen teilen die begirden, wider
ze triben die unreht, die da geschehen sint eintweder im oder ieman andern.
Unde also so ist der zorn ein zesamengesaster lidunge von trurikeit unde
von einer begirde einer rache. Ez ist aber gesprochen, daz in Christo mochte
5 trurikeit gesin. Aber die begirde der rache die ist entwenne mit sünden.
Daz ist, so etwer etwenne suochet rache ane die ordenunge der bescheiden-
heit. Unde also so enmohte in Christo der zorn niht gesin, wan diz heizzet
„ein zorn übermitz gebresten". Aber etwenne so ist ein solichü begirde ane
sünde, sust noch denne löbliche: alse ahte, swenne etwer begeret der rache
10 nach ordenunge der gerehtikeit. Unde daz heizet

96 ──

ein zorn übermitz minne:
wan ez sprichet St. Augustinus „Über St. Johannin", daz „von minnen gottis
hus geessen wirt, wan ellü widerwertigen ding, dü er sicht, dü begert er
zerehtvertigen; unde enmag er sü niht gerehtvertigen, so lidet er unde
ersüfzet." Unde ein solich zorn waz in Christo.
15 Ez ist zemerken, ob Christus were ein wegman unde ein gebrucher got-
licher wesunge. Ez ist zesagen, daz etwer heiset ein wegman, von dem daz
er meinung hat in die selikeit, aber der gebrucher gotlicher wesunge der
heizet von dem, daz er ieze behabet hat die selikeit. Aber dez menschen
volkomnü selikeit die bestat in der sele unde in dem libe: Si bestat in der
20 sele alse vil alse zuo dem, daz im eigen ist, daz er mit dem gemüet sieht
unde gotis gebruchet; aber in dem libe nach deme unde der lip „erstat
geistlichen, unde in der tugent unde in der glori unde ouch in der unver-
kenklicheit," alse St. Paulus sprichet in dem fünfzehende capitel „Zuo den

97 ──

von Corinthin." Aber Christus der sach vor der marter nah dem gemüete
25 volkomenlichen' got. Unde also hatte er die selikeit alse vil alse zuo dem,
daz da eigen ist der sele. Aber alse vil alse zuo den andern dingen, so
enhatte er niht die selikeit, wan sin sele waz lidelich unde sin lip waz lide-
lich unde tötlich. [1] Unde also so waz er ein gebrucher gotlicher wesunge,
alse vil, alse er hatte die eigen selikeit der sele; unde mit einander so waz
30 er ein wegman, alse vil alse [er] meinte in die selikeit nach dem unde im
der selikeit gebrast.
Es ist zemerken, ob diz war si, daz man sprichet: „Got ist mensche."
Ez ist zesagen, daz ez underzewerfen ist nah der warheit dem glouben, [2]
wan die geware gotlich nature ist geeiniget der waren menschlicher nature,
35 niht alleine in der persone, sunder ouch in dem underwurf oder in der
selbestaunge. Wir sagen daz diz fürlegunge war si unde eigen, daz got
mensche ist, niht allein durch die warheit

98 ──

[1]   MS: "untötlich."
[2]   Translator made *fidei* a complement of *supponendo*.

alicui illata consequitur in eo, circa sensitivam partem, appetitus repellendi illatam iniuriam vel sibi vel aliis. Et sic ira est passio composita ex tristitia
40 et appetitu vindictae. Dictum est autem quod in Christo tristitia esse potuit. Appetitus etiam vindictae quandoque est cum peccato: quando scilicet aliquis vindictam quaerit sibi absque ordine rationis. Et sic ira in Christo esse non potuit: hoc enim dicitur *ira per vitium*. — Quandoque vero talis appetitus est sine peccato, immo est laudabilis: puta cum aliquis appetit vindic-
45 tam secundum ordinem iustitiae. Et hoc vocatur

───────────────────────────────── 96

ira per zelum: dicit enim Augustinus, *super Ioan.*, quod *zelo domus Dei comeditur qui omnia perversa quae videt cupit emendare; et, si emendare non possit, tolerat et gemit*. Et talis ira fuit in Christo.

III. q. 15, a. 10. UTRUM CHRISTUS FUERIT SIMUL VIATOR ET COMPREHENSOR

Respondeo dicendum quod aliquis dicitur viator ex eo quod tendit in beatitudinem, comprehensor autem dicitur ex hoc quod iam beatitudinem obtinet.... Hominis autem beatitudo perfecta consistit in anima et corpore.... in anima quidem, quantum ad id quod est ei proprium, secundum
55 quod mens videt et fruitur Deo; in corpore vero, secundum quod corpus *resurget spirituale, et in virtute et in gloria et in incorruptione,* ut dicitur I *Cor.* XV.

───────────────────────────────── 97

Christus autem, ante passionem, secundum mentem plene videbat Deum: et sic habebat beatitudinem quantum ad id quod est proprium animae. Sed quantum ad alia deerat ei beatitudo: quia et anima eius erat passibilis, et
60 corpus passibile et mortale.... Et ideo simul erat comprehensor, inquantum habebat beatitudinem animae propriam; et simul viator, inquantum tendebat in beatitudinem secundum id quod ei de beatitudine deerat.

III. q. 16, a. 1. UTRUM HAEC SIT VERA: *DEUS EST HOMO*

Unde, supponendo, secundum veritatem Catholicae fidei, quod vera natura
65 divina unita est cum vera natura humana, non solum in persona, sed etiam in supposito vel hypostasi, dicimus esse veram hanc propositionem et propriam, *Deus est Homo*: non solum propter

───────────────────────────────── 98

der ende wan Christus ist ein warer got unde ein warer mensche; unde daz ouch durch die warheit der sagunge. Wan der name, der da bezeichet die gemeinen gotlichen naturen in der gesamheit, der mag understan für ein iegliches, daz in der gemeinen naturen gehalten wirt; alse der name „mensche" der mag understan für
5 einen ieklichen sünderlichen menschen. Unde also ouch der nam „got," von der selber wis siner bezeichnunge, so mag er understan für die persone des sunes. Aber von einem ieklichen underwurf einer ieklichen naturen, von dem mag eigentlichen unde gewerlichen gesaget werden der nam, der da bezeichet die naturen in der gesamptheit; alse von dem, der da heiset
10 Socrates, [1] unde von dem, der da heizet Plato, von dem namen wirt eigentlichen gesaget „mensche". Unde dar umbe wan die person des sunes, für die man undersetzet den namen „got", ist ein underwurf der menschelicher naturen, unde eigentlichen unde gewerlichen so mag gesaget werden der nam

99 ——————————————————————————————

mensche von dem namen got, nach dem unde er understat für die personen
15 des sunes.

Ez ist zemerken, ob diz war si: mensche ist got. [2] Ez ist zesagen, daz die underwirfe von warheit [3] ietwederre nature oder gotlicher unde der menschlicher unde die einung unde der selberstaung unde in der personen, diz ist war unde eigen. „Mensche ist Got," alse ouch diz: „Got ist mensche."
20 Wan dirre name „mensche" mag undergesezzet werden für ein iekliche selbstaunge menschlicher naturen. Unde also mag er undergesetzet werden für die personen des sunes, die wir da heizen ein selbstaung der menschlicher naturen. Aber nu ist diz offenbar, daz von der personen des sunes gottis eigentlichen gesaget wirt der nam got. Unde dar umb so ist zehaltenne,
25 daz diz ein gewar unde ein eigen setzung ist: „Mensche ist got."

Ez ist zemerken, ob dü ding, die da zuobehörent der menschlicher naturen zuo, [4] ob man die von got gesprechen müge. Ez ist

100 ——————————————————————————————

zesagen daz nach den cristenlichen lereren, daz dü ding, dü man von Christo saget, ez si nach der gotlichen naturen oder ez si nach der menschlichen naturen, dü mag
30 man ellü also wol sagen von gotte alse von dem menschen. Unde da von so hat Cyrillus gesprochen: „Swer zwein personen oder zwein substantien," daz ist zwein selbstaungen, „dü [5] die da [in] den ewangelien oder von

---

[1] MS: "Sortes."

[2] MS: "got ist mensche", but compare line 25.

[3] By taking *supposita* to be the nominative plural of the noun *suppositum*, the translator has garbled the entire passage.

[4] The double "zuo" probably not a mistake. Cf. an eine Sache herantreten, mit jemandem mitgehen.

[5] Translator read *eas* as *ea*, and therefore failed to connect *eas* with *voces*. By inserting "wort" after "dü" and leaving out "die stimme" the error could be corrected.

veritatem terminorum, quia
scilicet Christus est verus Deus et verus homo; sed etiam propter veritatem
praedicationis. Nomen enim significans naturam communem in concreto
35 potest supponere pro quolibet contentorum in natura communi: sicut hoc
nomen *homo* potest supponere pro quolibet homine singulari. Et ita hoc
nomen *Deus*, ex ipso modo suae significationis, potest supponere pro per-
sona Filii Dei .... De quolibet autem supposito alicuius naturae potest vere
et proprie praedicari nomen significans illam naturam in conreto: sicut
40 de Socrate et Platone proprie et vere praedicatur *homo*. Quia ergo persona
Filii Dei, pro qua supponit hoc nomen *Deus*, est suppositum naturae huma-
nae, vere et proprie hoc nomen

—————————————————————————————————————— 99

homo potest praedicari de hoc nomine *Deus*,
secundum quod supponit pro persona Filii Dei.

III. q. 16, a. 2. UTRUM HAEC SIT VERA: *HOMO EST DEUS*

45   Respondeo dicendum quod, supposita veritate utriusque naturae, divinae
scilicet et humanae, et unione in persona et hypostasi, haec est vera et pro-
pria, *Homo est Deus*, sicut et ista, *Deus est homo*. Hoc enim nomen *homo*
potest supponere pro qualibet hypostasi humanae naturae: et ita potest sup-
ponere pro persona Filii, quam dicimus esse hypostasim humanae naturae.
50 Manifestum est autem quod de persona Filii Dei vere et proprie praedi-
catur hoc nomen *Deus* .... Unde relinquitur quod haec sit vera et propria:
Homo est Deus.

III. q. 16, a. 4. UTRUM EA QUAE SUNT HUMANAE NATURAE DE DEO DICI
POSSINT

—————————————————————————————————————— 100

55   Catholici vero posuerunt huiusmodi quae dicuntur de Christo, sive secun-
dum divinam naturam sive secundum humanam, dici posse tam de Deo quam
de homine. Unde Cyrillus dixit: *Si quis duabus personis seu substantiis,*
idest hypostasibus, *eas quae in Evangelicis et Apostolicis sunt conscriptioni-*

den zwelf boten sint geschriben, ie teilet [1] die stimme, [2] oder dü ding, die da von Christo gesaget sint von den heiligen, oder die Christus von im selber gesaget hat, unde welche man von disen dem menschen zuoleit unde etlichü dem worte abnimet, der si verbannen." Unde daz ist da von, wan

5 ein selbstaunge ist ietwederre naturen; unde dar umbe so wirt ouch undergesast die selbestaunge ietwederre nature. Unde dar umbe, man spreche „mensche" oder man spreche „got", so wirt undergesast die selbstaunge der [gotlicher unde der] menschlicher nature. Unde

101 ────────────────────────────────

dar umbe so mag man sprechen von dem menschen ellü ding, dü man sprichet von der gotlicher

10 naturen; unde dü ding mag man ellü sprechen von gotte, dü da sint der menschlichen naturen.

Aber doch so ist zewissen, daz in der fürlegung, in der daz etwaz von etwem gesaget wirt, so ist niht alleine zemerken, waz daz daz si, von dem daz gesetzet wirt daz gesaget, sunder ez wirt ouch nach etwaz von im ge-

15 saget. Unde dar umbe, wie doch daz ist, daz dü ding niht undergescheident, die von Christo gesaget werdent, so werdent si doch underscheiden alse vil alse zuo dem, nah dem daz ietweders gesast wirt. Wan dü ding, die da der gotlichen naturen sint, die werdent gesaget von Christo nah der götlichen naturen; aber die, die da der menschlicher naturen sint, die werden gebredi-

20 ge[t] von ime nach der menschlichen naturen. Unde dar umb sprichet St. Augustinus in dem ersten capitele „Von der driveltikeit": „Wir underschei-

102 ────────────────────────────────

den, daz da in der schrift hillet nach der forme gotiz, unde daz da hillet nach der forme des knehtes."

Ez ist zemerken, ob die ding, die da der menschelicher naturen sint, ob

25 man die sagen müge von der gotlichen naturen. Ez ist zesagen, daz dü ding, die da eigen eins sint, daz dü niht gesaget mügen werden von dem andern, niht wan denne von dem, daz daz selbe ime ist, alse „daz lachen" daz enbekumet anders niht, denne nach dem unde er mensche ist. Wan in der infleischunge, in der enist niht ein die gotliche nature unde die menschlich

30 nature, sunder ez ist ein selbstaunge ietwederre naturen. Unde dar umbe dü ding, dü einre naturen sint, die enmügen niht gesaget werden von der andern naturen, nach dem ez bezeichent wirt in der abgezogenheit. Wan die gesamneten namen, die undersetzent die selbstaunge der naturen. Unde dar umbe so mügen si ane underscheit gesaget werden, dü ding, dü da

35 behörent zuo

103 ────────────────────────────────

ietwederre naturen, von den gesamneten namen: ez si ob

---

1 MS: teileit.
2 See page 94, note 5.

*bus dividit voces, vel ea quae de Christo a Sanctis dicuntur, vel ab ipso
Christo de semetipso; et aliquas quidem ex his homini applicandas crediderit,
aliquas soli Verbo deputaverit: anathema sit.* Et huius ratio est quia, cum
sit eadem hypostasis utriusque naturae, eadem hypostasis supponitur
40 nomine [3] utriusque naturae. Sive ergo dicatur *homo*, sive *Deus*, supponitur
hypostasis divinae et humanae naturae.

——————————————————————————— 101

Et ideo de homine dici possunt ea
quae sunt divinae naturae: et de Deo possunt dici ea quae sunt humanae
naturae.
Sciendum tamen quod in propositione in qua aliquid de aliquo praedicatur,
45 non solum attenditur quid sit illud de quo praedicatur praedicatum, sed etiam
secundum quid de illo praedicetur. Quamvis igitur non distinguantur ea quae
praedicantur de Christo, distinguuntur tamen quantum ad id secundum quod
utrumque praedicatur. Nam ea quae sunt divinae naturae, praedicantur de
Christo secundum divinam naturam: ea autem quae sunt humanae naturae,
50 praedicantur de eo secundum humanam naturam. Unde Augustinus dict, in I
de Trin.: Distinguamus quod

——————————————————————————— 102

*in Scripturis sona secundum formam Dei, et
quod secundum formam servi.*

III. q. 16, a. 5. UTRUM EA QUAE SUNT HUMANAE NATURAE POSSINT DICI
DE NATURA DIVINA

55 Respondeo dicendum quod ea quae sunt propria [4] unius, non possunt vere
de alio [5] praedicari nisi de eo quod est idem illi: sicut *risibile* non convenit
nisi ei quod est homo. In mysterio autem incarnationis non est eadem divina
natura et humana; sed est eadem hypostasis utriusque naturae. Et ideo ea
quae sunt unius naturae, non possunt de alia praedicari, secundum quod in
60 abstracto significantur. Nomina vero concreta supponunt hypostasim naturae.
Et ideo indifferenter praedicari possunt ea quae ad utramque

——————————————————————————— 103

naturam per-

[3] Missed by translator.
[4] Leonine edition: *proprie.*
[5] Leonine edition: *aliquo.*

der name, von dem [man disü ding] saget, ze verstan gebe ietweder nature,
alse der name „Christus", in dem [man] verstat die gotheit, die da salbet,
unde die gesalbten menscheit; oder alleine die gotlichen naturen, als der
nam „got" oder der nam „gotis sun"; oder allein die menschliche naturen,
5 alse der nam „mensche" oder der nam „Jesus". Unde dar umbe so sprichet
der babest Leo „Zuo den Palestinen": „Dar entzwischen enist niht, von dem
Christus geheizen ist ein substantien mit unscheidenliheit blibender einikeit
der personen unde dez menschen sun zemale durch daz fleische unde gar
gottis sun durch die einen naturen, die er mit dem vatter hat." [1]
10   Ez ist zemerken, ob diz war si, daz Christus si ein creature. Ez ist ze-
sagen, alse St. Jeronimus sprichet, „Von ungeordneten fürbrahten worten
von den so kumet gern ketzerie." Unde dar umbe so sülen wir mit den
ketzern der nature namen [2] haben gemein, daz wir

104 ——————————————————————————————

iht geahtet werden, daz
wir irre irrunge iht günner sien. Wan die meister, die da heizen die Arriani,
15 die da ketzer waren, die sprachen, daz Christus were ein creature, unde
minre were denne der vatter, unde niht daz alleine von der bescheidenheit
der menschlicher naturen, sunder auch von reden gotlicher persone. Unde da
von so enist niht blöslich zesprechen, daz Christus si ein „creaturen" oder
„minre denne der vatter", sunder mit beterminierunge, daz ist „nach mensch-
20 licher nature." Aber dü ding, die da niht übergesehen mügen werden, daz si
zuobehören der gotlichen personen nach ir [3] selber, die mag man einveltik-
lich sagen von Christo von der rede der menschlicher naturen; alse wir ein-
velticlichen sprechen Christus si „gemarteret unde begraben." Alse ouch
under den liplichen dingen unde under menschlichen dingen dü ding, dü da
25 in zwivel niht komen mügen, ob si bekomen der ganztheit oder dem teile,
sunder si sint in einem teile,

105 ——————————————————————————————

daz enlegen wir niht einvelticlichen zuo der
gantzheit, daz ist ane beterminierunge; wan wir ensprechen niht daz „der
more si wisse", sunder daz er habe wisse zene oder daz er „wisse si nach
den zenen." Aber wir sprechen ane beterminierunge, daz er „reide" si, wan
30 daz es mag im niht bekomen niht wan nach dem hare.
    Ez ist zemerken, ob diz war si, daz „Christus, alse ein mensche, ist ein
creature." Ez ist zesagen, alse man sprichet, „Christus nach dem unde er
mensche ist", disen namen „mensche", den mag man nemen in einer zwival-
tigung; eintweder von der rede dez underwurfes, oder von der rede der
35 naturen. Swer aber in nimet von der reden dez underwurfes, sit denne daz
der underwurf in Christo der menschlichen naturen ungeschaffen ist unde

---

[1] The entire passage from Leo's letter is misunderstood.
[2] Was the *nec nomina* misread as *naturae nomina*?
[3] MS: "in."

tinent, de nominibus concretis; sive illud nomen de quo dicuntur det intelli-
gere utramque naturam, sicut hoc nomen *Christus,* in quo intelligitur *et
divinitas ungens et humanitas uncta;* sive solum divinam naturam, sicut
40 hoc nomen *Deus,* vel *Filius Dei;* sive solum naturam humanam, sicut hoc
nomen *homo,* vel *Iesus.* Unde Leo Papa dicit, in Epistola *ad Palaestinos:
Non interest ex qua Christus substantia nominetur: cum, inseparabiliter
manente unitate personae, idem sit et totus hominis Filius propter carnem, et
totus Dei Filius propter unam cum Patre divinitatem.*

45   III. q. 16, a. 8. UTRUM HAEC SIT VERA: *CHRISTUS EST CREATURA*

Respondeo dicendum quod, sicut Hieronymus dicit, *ex verbis inordinate
prolatis incurritur haeresis.* Unde cum haereticis nec nomina debemus habere
communia:

─── 104

ne eorum errori favere videamur. Ariani autem haeretici Chris-
tum dixerunt esse creaturam, et minorem Patre, non solum ratione huma-
50 nae naturae, sed etiam ratione divinae personae. Et ideo non est absolute
dicendum quod Christus sit *creatura,* vel *minor Patre*: sed cum determina-
tione, scilicet, *secundum humanam naturam.* Ea vero de quibus suspicari non
potest quod divinae personae conveniant secundum seipsam, possunt simpli-
citer dici de Christo ratione humanae naturae; sicut simpliciter dicimus
55 Christum esse *passum, mortuum,* et *sepultum.* Sicut etiam in rebus corpora-
libus et humanis, ea quae in dubitationem venire non [4] possunt an conveniant
toti vel parti, si insunt alicui parti,

─── 105

non attribuimus toti simpliciter, idest
sine determinatione: non enim dicimus quod *aethiops est albus,* sed quod
est albus secundum dentem. Dicimus autem absque determinatione quod est
60 *crispus*: quia hoc non potest ei convenire nisi secundum capillos.

III, q. 16, a. 10. UTRUM HAEC SIT VERA: *CHRISTUS, SECUNDEM QUOD
HOMO, EST CREATURA; VEL, INCOEPIT ESSE.*

Respondeo dicendum quod, cum dicitur, *Christum secundum quod homo,*
hoc nomen *homo* potest resumi in reduplicatione vel ratione suppositi, vel
65 ratione naturae. Si quidem resumatur ratione suppositi, cum suppositum

[4] This *non* occurs in several Latin manuscripts.

ewig ist, so ist diz setzung falsche: „Christus, nah dem unde er mensche
ist, so ist er ein creature." Aber nimet man in nah der reden der mensch-
licher nature, also ist ez war, wan von

106 ──

der reden der menschlicher naturen
oder nach der menschlicher naturen, so bekumet im daz, daz er ein crea-
5 ture ist. Unde doch ist daz zewissen, daz der name, der also genomen ist
in der zwiveltikeit, daz er eigentliche mer genomen ist für die nature
denne für den gegenwurf; wan er wirt genomen in der craft der sagten
ding, daz da förmelichen gehabt wirt, wan ez ist also vil gesprochen, daz
man sprichet: „Christus nach dem unde ein mensche," alse ob man spreche:
10 „Christus nach menschlicher naturen." Unde dar umbe so ist ez mer zever-
jehenne denne zuo verloukenne: „Christus, nach dem unde er mensche ist,
so ist ⌊er⌋ ein creature." Aber unde were, daz man im dekein ding zuoleit,
daz zuo dem underwurf gezogen wurde, also so were die fürlegung mer
zeloukenne denne zuo verjehenne, alse ahte ob man spreche: „Christus,
15 nach dem unde man sprichet ,dirre mensche' ist creature."
Ez ist zemerken, ob in Christo zwene willen weren. Ez

107 ──

ist zesagen, daz
Apollinaris und Nestorijs unde ouch etliche andern, die sasten in Christo
nihtwan einen willen. Unde dar umbe in dem sechsten concilie, daz da be-
begangen wart ze constantinopolim, da wart beterminieret, daz si muosten
20 sprechen, daz in Christo weren zwen willen: unde da liset man also: „Bi
dem, daz wilent die propheten von Christo sagten unde daz er uns geleret
hat, unde der heiligen vetere glouben hat uns gegeben, daz in im sien zwene
willen natürlichen, [1] und predigen in im zwei natürlichen werken."
Unde daz waz notdurfticlichen zesagenne. Nu ist daz offenbar, daz gotiz
25 sun an sich nam ein volkomen menschlich nature. Aber zuo volkomenheit
der menschlicher naturen, da behört zuo ein wille, der da naturlichen ist
siner macht, alse ouch daz verstan. Unde da von ist daz von not zesagen,
daz der sun gottiz an sich einen menschlichen willen in der menschlichen
naturen nam. Aber übermitz annemunge

108 ──

menschlicher naturen so enhat der
30 sun in den dingen, die da behörent zuo der gotlicher naturen, dekein min-
runge geliten, [2] der da zuo gehört, ein wille zehabenne. Unde da von ist
von not zesagen, daz in Christo sin zwen willen, daz ist der menschliche
wille unde der götliche wille.
Ez ist zemerken, ob in Christo sin alleine niht wan ein wirkunge der göt-

---

[1] Translator took *voluntates* to be the object of *tradidit*.
[2] MS: "geliten hat."

35 humanae naturae in Christo sit aeternum et increatum, haec erit falsa: *Christus, secundum quod homo, est creatura.* Si vero resumatur ratione humanae naturae, sic est vera: quia

———————————————————————————— 106

ratione humanae naturae, sive secundum humanam naturam, convenit sibi esse creaturam, ...

Sciendum tamen quod nomen sic resumptum in reduplicatione magis pro-
40 prie tenetur pro natura quam pro supposito: resumitur enim in vi praedicati, quod tenetur formaliter; idem enim est dictu, *Christus secundum quod homo,* ac si diceretur, *Christus secundum quod est homo.* Et ideo haec est magis concedenda quam neganda: *Christus, secundum quod homo, est creatura.* — Si tamen adderetur aliquid per quod pertraheretur ad suppositum, esset pro-
45 positio magis neganda quam concedenda: puta si diceretur: *Christus, secundum quod hic homo, est creatura.*

III. q. 18, a. 1. UTRUM IN CHRISTO SINT DUAE VOLUNTATES

———————————————————————————— 107

Respondeo dicendum quod quidam posuerunt in Christo esse unam solam voluntatem ....
50 — Et ideo in Sexta Synodo, apud Constantinopolim celebrata, determinatum est oportere dici quod in Christo sint duae voluntates: ubi sic legitur: *Iuxta quod olim prophetae de Christo, et ipse nos erudivit, et sanctorum Patrum nobis tradidit Symbolum, duas voluntates naturales in eo, et duas naturales operationes praedicamus.*
55 Et hoc necessarium fuit dici. Manifestum est enim quod Filius Dei assumpsit humanam naturam perfectam: .... Ad perfectionem autem humanae naturae pertinet voluntas, quae est naturalis eius potentia, sicut et intellectus .... Unde necesse est dicere quod Filius Dei humanam voluntatem assumpserit in natura humana. Per assumptionem autem

———————————————————————————— 108

humanae naturae
60 nullam diminutionem passus est Filius Dei in his quae pertinent ad divinam naturam, cui competit voluntatem habere .... Unde necesse est dicere quod in Christo sint duae voluntates, una scilicet divina et alia humana.

III. q. 19, a. 1. UTRUM IN CHRISTO SIT TANTUM UNA OPERATIO DIVINITA-

heit unde der menscheit. Ez ist zesagen, daz die ketzer, die da in Christo
sasten nihtwan einen willen, die sasten ouch in Christo nihtwan ein wur-
kunge. Unde umb daz, daz ir irrender [1] wan baz verstanden wirde, so
ist zebetrahten, daz, swa vil wirkende geordente sint, da wirt daz niderste
5 beweget von dem obersten: alse in dem menschen beweget wirt der lip von
der sele unde die nidern creft werdent beweget von der bescheidenheit. Unde
dar umbe: die tüewunge oder die bewegde der nidern beginne sint mer
etliche geworhten ding

109

denne daz si wurkung sin. Aber daz, daz da behöret
zuo dem öbersten beginne, daz ist eigenlichen ein wirkung. Alse aht ob
10 wir sprechen in dem menschen: gan, daz da der füeze ist, unde griffen, daz
da der hende ist, dü sint etlich geworhten ding dez menschen, welher eins
daz dü sele wirket übermitz die füeze unde daz ander übermitz die hende.
Unde wan die sele ist daz ein wirkende übermitz sü beidü; nach teile des
wirkenden, daz daz erste beginne bewegende ist, so ist si ein ununderschei-
15 denlichü wirkunge. Aber nah teile der geworhten ding so vindet man under-
scheide. Alse aber in dem lutern menschen der lip beweget wirt von der
sele, unde die sinlich begirde von der bescheidenheit, unde also ouch in
dem herren Jesu Christo wart beweget die menschliche nature von der
götlichen. Unde dar umbe sprechen si, daz ez ein wirkunge ist ane under-
20 scheit nach teile der wirkender gotheit; doch sint si mislichü geworhten

110

nach dem unde die gotheit Christi etwaz worhte übermitz sich selber, also
daz er „ellü ding truog in der craft sines wortes", aber ein anders übermitz
sin menschlich nature, als daz er gie.
Aber in diseme wurden si betrogen. Wan des wirkunge, daz da beweget
25 wirt von einem andern, ist zwiveltig: ein wirkunge, die ez hat nach siner
eigener formen, aber die ander wirkunge hat ez von dem, daz ez beweget
wirt von einem andern. Alse der akese wirkung nach irre eigener forme ist
houwen, aber nah dem unde si beweget wirt von dem kunstmeister, so ist
ir wirkunge machenne einen bank. Unde dar umbe: die wirkunge, die et-
30 lichez dinges ist nah siner eigener forme, dü ist im eigen, noch behört niht
zuo dem bewegenden niht wan nach dem, unde er, der bewegende, dez
dinges gebruchet zuo siner wurkungen, alse hitzenne ein eigen wirkunge ist
dez füres,

111

unde niht dez smidez, niht wan also vil alse er des füres ge-
bruchet zehitzenne dez isens. Aber dü wirkunge, dü dez dinges alleine ist
35 nach dem unde ez beweget wirt von einem andern, daz enist dekein ander
wirkunge ane die wirkunge dez, der ez beweget, alse machenne einen bank
enist niht ein sunderlichü wirkunge [der akese] ane die wirkunge dez künste-

---

[1] Translator took *erronea* to be attributive adjective.

Respondeo dicendum quod .... haeretici qui posuerunt in Christo unam
40 voluntatem, posuerunt etiam in ipso unam operationem. Et ut eorum opinio
erronea melius intelligatur, considerandum est quod, ubicumque sunt plura
agentia ordinata, inferius movetur a superiori: sicut in homine corpus move-
tur ab anima, et inferiores vires a ratione. Sic igitur actiones et motus in-
ferioris principii sunt magis operata quaedam

—— 109

quam operationes: id autem
45 quod pertinet ad supremum principium, est proprie operatio. Puta si dicamus
in homine quod ambulare, quod est pedum, et palpare, quod est manuum, sunt
quaedam hominis operata, quorum unum operatur anima per pedes, aliud
per manus: et quia est eadem anima operans per utrumque, ex parte ipsius
operantis, quod est primum principium movens, est una et indifferens opera-
50 tio; ex parte autem ipsorum operatorum differentia invenitur. Sicut autem
in homine puro corpus movetur ab anima, et appetitus sensitivus a rationali,
ita in Domino Iesu Christo humana natura movebatur et regebatur a divina.
Et ideo dicebant quod eadem est operatio et indifferens ex parte ipsius
divinitatis operantis: sunt tamen diversa operata,

—— 110

inquantum scilicet divi-
55 nitas Christi aliud agebat per seipsam, sicut quod *portabat omnia verbo
virtutis suae*; aliud autem per naturam humanam, sicut quod corporaliter
ambulabat ....
Sed in hoc decipiebantur. Quia actio eius quod movetur ab altero, est du-
plex: una quidem quam habet secundum propriam formam; alia autem quam
60 habet secundum quod movetur ab alio. Sicut securis operatio secundum pro-
priam formam est incisio; secundum autem quod movetur ab artifice, opera-
tio eius est facere scamnum. Operatio igitur quae est alicuius rei secundum
suam formam, est propria eius; nec pertinet ad moventem, nisi secundum
quod utitur huiusmodi re ad suam operationem: sicut calefacere est propria
65 operatio ignis;

—— 111

non autem fabri, nisi quatenus utitur igne ad calefaciendum
ferrum. Sed illa operatio quae est rei solum secundum quod movetur ab alio,
non est alia praeter operationem moventis ipsum: sicut facere scamnum non
est seorsum operatio securis ab operatione artificis. Et ideo, ubicumque

meisters. Unde dar umb, so wa daz der bewegende unde daz bewegete habent zwo formen oder [1] zwo crefte wirklichen, da muoz daz sin, daz ein ander eigen wurkunge si dez bewegenden, unde ein ander eigen wirkung dez bewegten; wie doch daz ist, daz daz bewegete teilehaftig wirt der wirkunge des
5 bewegenden, unde der bewegende gebruchet [der wirkunge des bewegeten]; unde also wirket ietweders mit gemeinsamunge dez andern.

Unde also ouch in Christo so hat die menschlich nature ein eigen forme unde ein eigen craft, übermitz die er wirket, unde alse ouch

112 ━━

die gotlichü na-
ture. Unde dar umbe so hat die menschlich nature ein eigen wirkunge, dü
10 da gescheiden ist von der gotlicher wirkunge, unde also ouch die gotliche nature hin wider. Unde doch so gebruchet die gotliche nature der wirkunge der menschlicher nature alse ein wurkunge sines gezouwes, unde alse ouch
.... [2] dez ersten wirkenden, wan unde were nihtwan ein wirkunge der gotheit unde der menscheit in Christo, so muost man sprechen, eintweder daz
15 die menscheliche nature niht enhatte ein eigen forme oder ein eigen craft — aber diz ist unmüglich zesprechenne von der gotlichen naturen — wan von dem so volget daz dar nach, daz in Christo niht wan gotliche wirkunge were; oder man müeste sprechen, daz von der gotlichen craft unde von der menschelichen craft in Christo zesamengesmeltzet si ein craft. Aber dirre
20 ietweders ist unmüglich, wan übermitz daz erste von disen so ist die menschlich nature in Christo gesast, daz si

113 ━━

unvolkomen si. Aber übermitz daz ander
so sast man ein unere [3] den naturen.

Unde dar umbe so ist bescheidenlichen in dem sechsten concilie dirre wan verdampnet; in welcher beterminierun [4] man sprichet: „Zwo naturlich wir-
25 kunge ungeteilt unde ungewandelich unde [an] unere [3] und an teilunge in dem selben herren Jesu Christo, unsern gewarn got, wir eren,” daz ist die gotlichen wirkunge unde die menschlich.

Ez ist zemerken, ob die menschliche wirkunge Christi möhte gesin lonber. Ez ist zemerken, daz etwaz guotes zehabenne übermitz sich selber, daz ist
30 edeler denne zehabenne daz selbe übermitz ein anders. Wan „alle zit so ist die sache bezzer, die da übermitz sich selber ist denne die sache, die da ist übermitz ein anders,” alse man sprichet in dem ahtenden capitel der phylosophien. Aber daz heizet man, daz ez etwer habe übermitz sich selber, dez er im in etlicher wis ein sache ist. Aber unserre guoten ding alre der ist got ein
35 sache

114 ━━

[1] MS: “der.”
[2] Copyist seems to have skipped a passage.
[3] Translator took *confusio* in the sense of “Schmach.” Cf. English “confounded.”
[4] Cf. page 52, note 4.

movens et motum habent diversas formas seu virtutes operativas, ibi oportet
quod sit alia propria operatio moventis, et alia propria operatio moti: licet
motum participet operationem moventis, et movens utatur operatione moti,
et sic utrumque agit cum communione alterius.

40   Sic igitur in Christo humana natura habet propriam formam et virtutem
per quam operatur, et similiter

───────────────────────────────────── 112

divina. Unde et humana natura habet pro-
priam operationem distinctam ab operatione divina, et e converso. Et tamen
divina natura utitur operatione naturae humanae sicut operatione sui instru-
menti: et similiter humana natura participat operationem divinae naturae,
45 sicut instrumentum participat operationem principalis agentis....

Si vero esset una tantum operatio divinitatis et humanitatis in Christo,
oporteret dicere vel quod humana natura non haberet propriam formam et
virtutem (de divina enim hoc dici est impossibile), ex quo sequeretur quod
in Christo esset tantum divina operatio: vel oporteret dicere quod ex virtute
50 divina et humana esset conflata in Christo una virtus. Quorum utrumque
est impossibile: nam per primum horum ponitur natura humana in Christo
esse

───────────────────────────────────── 113

imperfecta; per secundum vero ponitur confusio naturarum..
Et ideo rationabiliter in Sexta Synodo haec opinio est condemnata: in
cuius determinatione dicitur: *Duas naturales operationes indivise, incon-*
55 *vertibiliter, inconfuse, inseparabiliter, in eodem Domino Iesu Christo, vero*
Deo nostro, glorificamus, hoc est, divinam operationem et humanam.

III. q. 19, a. 3. UTRUM ACTIO HUMANA CHRISTI POTUERIT EI ESSE
MERITORIA

Respondeo dicendum quod habere aliquod bonum per se est nobilius quam
60 habere illud per aliud: *semper* enim *causa quae est per se, potior est ea quae*
est per aliud, ut dicitur in VIII *Physic.* Hoc autem dicitur aliquis habere
per seipsum, cuius est sibi aliquo modo causa. Prima autem causa omnium
bonorum nostrorum per

───────────────────────────────────── 114

übermitz die ortfrümunge. Unde in dirre wis so hat dekein creature
nihtes niht [guotes] übermitz sich selber, nach dem unde St. Paulus sprichet
in dem ersten capitele „Zuo den Corinthin": „Waz hastu, daz du niht
enphangen hast?" Doch mag etwer in einer andern wis, daz etwer si ein
sache im selber etlichez guotes zehabenne, in dem unde er in im selber mit
5 gotte wirket. Unde dar umbe der, der da etwaz hat übermitz sin eigen ver-
diente, daz selbe daz hat er durch sich selber. Unde da von so hat man daz
edelicher, [1] daz man da übermitz daz verdiente hat, denne daz man ane daz
verdiente hat.

Nu wan Christo zuo zelegen ist alle volkomenheit unde edelkeit, so volget
10 daz dar nach, daz Christus [2] daz selbe hatte übermitz verdiente, daz ouch die
andern hatten übermitz verdiente, ez si denne, daz ez ein solichez ding si,
welches darbung mer der wirdikeit Christi unde siner volkomenheit unrehte
tuowe, denne er [3] übermitz daz verdiente wachse. Unde da von so verdiente

115 ──────────────────────────────────

er weder die gnade noch die kunst noch die selikeit noch die gotheit. Wan
15 daz verdiente ist dekeiner andern dinge [4] denne der alleine, der man niht
enhat. Wan anders so müeste daz sin, daz Christus dirre etwenne gedarbet
hette; von welher darbung mer geminret were die wirdikeit Christi denne
si gemeret hette die verdiente. Aber die glori dez libez, oder etwaz anders
dez gliches, dü sint minre denne die wirdikeit der verdiente, die da behöret
20 zuo der tüegende der minne. Unde dar umbe ist zesagen, daz Christus die
glori dez libes unde dü ding, dü da behörent zuo siner uzzern wirdikeit, alse
die ufart unde die erbietung der erwirdikeit, unde solichü des gliches, die
hatte er übermitz die verdiente. Unde also ist ez offenbar, daz er im etwaz
verdienen mohte.
25 Ez ist zemerken, ob Christus den andern iht verdiente. Ez ist zesagen,
daz in Christo niht alleine gnade waz als [5] in einem ieklichen

116 ──────────────────────────────────

sunderlichen
menschen, sunder als in einem haupt aller cristenheit, dem alle menschen
geeiniget werdent alse die glider dem houpt, von den daz gesast wirt ein
persone in einer glichnüsse. Unde dannan von ist, daz daz verdiente Christi
30 sich streket zuo den andern, nach dem unde si sin glidere sint, alse in einem
menschen die wirkunge des houptez in etlicher wise zuobehöret den glidern
allen, wan er bevant im nit alleine, sunder er bevant ouch alle den andern ge-
lidern.

Ez ist zemerken, ob Christus undertenig were dem vatter. Ez ist zesagen,

---

1   MS: "etlicher."
2   MS: "Christo."
3   MS: "ez."
4   MS: "dinge ist."
5   MS: "daz."

auctoritatem est Deus: et per hunc modum nulla
35 creatura habet aliquid boni per seipsam, secundum illud I *Cor.* IV: *Quid
habes quod non accepisti?* Potest tamen secundario aliquis esse causa sibi
alicuius boni habendi: inquantum scilicet in hoc ipse [6] Deo cooperatur. Et
sic ille qui habet aliquid per meritum proprium, habet quodammodo illud
per seipsum. Unde nobilius habetur id quod habetur per meritum quam id
40 quod habetur sine merito.

Quia autem omnis perfectio et nobilitas Christo est attribuenda, con-
sequens est quod ipse per meritum habuit illud quod alii per meritum habent,
nisi sit tale quid cuius carentia magis dignitati Christi et perfectioni praeiu-
dicet quam per meritum accrescat. Unde nec gratiam,

──────────────────────────────────── 115

nec   scientiam,   nec
45· beatitudinem animae, nec divinitatem meruit: quia, cum meritum non sit
nisi eius quod nondum habetur, oportet quod Christus aliquando istis caruis-
set; quibus carere magis diminuit dignitatem Christi quam augeat meritum.
Sed gloria corporis, vel si quid aliud huiusmodi est, minus est quam dignitas
merendi, quae pertinet ad virtutem caritatis. Et ideo dicendum est quod
50 Christus gloriam corporis, et ea quae pertinent ad exteriorem eius excellen-
tiam, sicut est ascensio, veneratio, et alia huiusmodi, habuit per meritum. Et
sic patet quod aliquid sibi mereri potuit.

III. q. 19, a. 4. UTRUM CHRISTUS ALIIS MERERI POTUERIT

Respondeo dicendum quod . . . . in Christo non solum fuit gratia sicut in
55 quodam

──────────────────────────────────── 116

homine singulari, sed sicut in capite totius Ecclesiae, cui omnes
uniuntur sicut capiti membra, ex quibus constituitur mystice una persona.
Et exinde est quod meritum Christi se extendit ad alios, inquantum sunt
membra eius: sicut etiam in uno homine actio capitis aliqualiter pertinet ad
omnia membra eius, quia non solum sibi sentit, sed omnibus membris.

60   III. q. 20, a. 1. UTRUM SIT DICENDUM CHRISTUM ESSE SUBIECTUM PATRI

[6]   Leonine edition: *ipso.*

|107]

daz ein ieklicher, der ein nature hat, dem bekoment dü ding, dü da behörent
zuo siner nature unde eigen sint si siner nature. Aber die menschlich nature
nah irre eigenschaft so hat si driveltig undertenikeit zuo got. Ein under-
tenikeit nach dem grat der guotheit, umbe daz wan die gotliche nature selber
5 ist die wesunge der guotheit, alse ez offenbar ist übermitz St. Dyonisium in
dem ersten capitel „Von

117

     den gotlichen namen." Die menschlich nature die
hat etlich teilhaftekeit der gotlichen guotheit, [1] alse [2] si den schinen der got-
licher guotheit undergeworfen si. Zem andern male so wirt die menschlich
nature underworfen gotte alse vil als zuo gotlichem gewalt, umbe daz wan
10 die menschliche nature, alse ein ieklich ander creature, undergeworfen ist
der wirkunge der gotlicher teilunge. In der dritten wis, nach dem unde die
menschlich nature sunderlich undergeworfen ist übermitz ir eigen tat, daz ist
also vil, alse daz si von irem eigenen willen got gehorsam ist unde den ge-
boten gotiz.
15   Unde dis driveltig underwerfunge veriach [Christus] von im selber, daz er
si hette zuo dem vatter. Von der ersten undertenikeit oder underwerfunge
schribet St. Matheus in dem nünzehenden capitel: „Waz fraget du mich von
guot? [3] Einre ist guot: got."
    Aber die ander undertenikeit oder underwerfunge die leit man Christo zuo,
20 in dem unde ellü dü ding,

118

     dü da geschehen sint bi der menscheit Christi, daz
gloubet man, daz die ellü geschehen ·sin von gotlicher bereitunge.
    Die dritten underwerfung die leit er im aber selber [zuo], alse er sprichet
in St. Johanni ewangelij in dem ahtenden capitele: „Dü im bevellich sint, die
tuon ich alle zit." Unde diz ist die underwerfung der gehorsami dez vatters
25 bis in den tot. Unde da sprichet [4] St. Paulus in dem andern capitele „Zuo
den Philypensen", daz „er dem vatter gehorsam worden ist biz in tot."
    Ez ist zemerken, ob Christo zimlich were zebittenne oder zebettenne. Ez
ist zesagen, daz daz gebette ist ein uzlegung dez eigenen willen bi got, daz er
in erfülle. Unde dar umb: wer daz, daz in Christo niht wan alleine ein wille,
30 daz ist, daz da niht enwere denne der gotlich wille, so were im in dekeiner wis
zimliche zebittenne oder zebettende. Wan der wille gottis der ist übermitz
sich selber wirklich der dinge, die er wil, nah dem unde David sprichet:
„Allez, daz got wolt, daz tet er." Aber sit daz in Christo

119

     ist ein ander wille

---

[1]   MS: "gotheit."
[2]   We have omitted before alse: "alse si den schinen der gotheit."
[3]   MS: "got."
[4]   MS: spricheh."

Respondeo dicendum quod cuilibet habenti aliquam naturam conveniunt
35 ea quae sunt propria illius naturae. Natura autem humana ex sui conditione
habet triplicem subiectionem ad Deum. Unam quidem secundum gradum
bonitatis: prout scilicet natura divina est ipsa essentia bonitatis, ut patet per
Dionysium, I cap. *de Div. Nom.*;

——————————————————————————————————— 117

natura autem creata habet quandam parti-
cipationem divinae bonitatis, quasi radiis illius bonitatis subiecta. — Secundo,
40 humana natura subiicitur Deo quantum ad Dei potestatem: prout scilicet
humana natura, sicut et quaelibet creatura, subiacet operationi divinae dis-
positionis. — Tertio modo, specialiter humana natura Deo subiicitur per
proprium suum actum: inquantum scilicet propria voluntate obedit mandatis
eius.
45 Et hanc triplicem subiectionem ad Patrem Christus de seipso confitetur.
Primam quidem, Matth. XIX: *Quid me interrogas de bono? Unus est
bonus Deus.*
Secunda autem subiectio Christo attribuitur, inquantum omnia

——————————————————————————————————— 118

quae circa
humanitatem Christi acta sunt, divina dispositione gesta creduntur.
50 Tertiam etiam subiectionem attribuit sibi ipsi, Ioan. VIII, dicens: *Quae
placita sunt ei, facio semper.* Et haec est subiectio obedientiae Patris usque
ad mortem. 5 Unde dicitur *Philipp.* II quod *factus est obediens Patri usque
ad mortem.*

III. q. 21, a. I. UTRUM CHRISTO COMPETAT ORARE

55 Respondeo dicendum quod.... oratio est quaedam explicatio propriae
voluntatis apud Deum, ut eam impleat. Si igitur in Christo esset una tantum
voluntas, scilicet divina, nullo modo sibi competeret orare: quia voluntas
divina per seipsam est effectiva eorum quae vult, secundum illud Psalmi:
Omnia quaecumque voluit Dominus fecit. Sed quia in Christo

——————————————————————————————————— 119

est alia vo-

5 Leonine edition omits: *Patris usque ad mortem.*

der gotliche wille unde ein ander der menschlich wille, der niht übermitz sich selber creftig ist zefüllenne dü ding, die er da wil, niht wan übermitz die gotlichen craft: unde dannan von ist, daz Christus, nah dem unde er mensche ist unde er einen menschlichen willen hat, so waz im zimlich zebettende.

5   Ez ist zemerken, ob Christo gezam zebetten nach der sinlicheit. Ez ist zesagen, daz betten nach der sinlicheit mag man verstan in zweier hande wis. Ein wis: daz daz gebette si ein getat der sinlicheit. Unde in dirre wis so bettot Christus niht nach der sinlicheit. Wan die sinlicheit waz [1] der selber naturen in Christo unde in uns. Aber in uns so enmag die sinlicheit niht

10   enbetten, wan die bewegede [der sinlicheit], die enmag niht übergan die sinlichen ding, unde dar umbe so mag si niht in got gan, daz man zuo dem gebette suochet. Zem andern male, wan daz gebette innetreit etlich

120 ───────────────────────────────────────

ordenunge,
umb daz wan etwer etwaz bittet alse [2] von got zerfüllen; unde diz ist alleine der bescheidenheit. Unde da von ist daz gebet ein getat der bescheidenheit.

15   In einer andern wis so mag man von etwem sprechen, daz er bette nach der sinlicheit, daz ist wan [3] sin gebette gotte usleit bittende, daz da waz in der begirde der sinlicheit. Unde nach dem so bettot Christus nach der sin-licheit, nach dem unde sin gebette offenbarte die sinlichen begirde alse ein vorsprecher der sinlicheit. Unde daz dar umbe, daz er uns leret von dem

20   gesleht. [4] Dez ersten: daz er zeigte, daz er an sich genomen hette die waren menschlichen naturen mit allen natürlichen begirden. Zuo dem andern male: daz er zeigete, daz der mensche nah natürlicher begirde etwaz welle, daz got niht enwelle. Zem dritten male: daz er zeigte, daz der mensche sin eigen be-girde under sol werfen dem gotlichen willen.

121 ───────────────────────────────────────

25   Ez ist zemerken, ob Christo [5] behörliche were zebittenne für sich selber. Ez ist zesagen, daz Christus für sich bat in zwier hande wis: In einer wis, daz er offenbart die begirde der sinlicheit, alse da vor gesprochen ist, oder ez ist dez einveltigen willen, den man da betrahtet alse die nature, alse do er bat, daz der kelche der martere von im genomen wirde. Aber in einer

30   andern wis: ze offenbaren den frigen [6] willen, der da betrahtet wirt alse die bescheidenheit, alse do er bat die glori der urstende. Unde daz beschei-denlichen. Wan Christus wolte dar zuo gebettez gebruchen zuo dem vatere, daz er uns gebe ein bilde zebettende, unde daz er zeigte, daz sin vater were ein gewaltiger, von dem er ouch ewiclichen fürgegangen waz nach der

---

[1]   MS: "wan."
[2]   MS: "alle."
[3]   MS: "wan er."
[4]   Translator understood *tribus* as *tribubus.*
[5]   MS. "Christus."
[6]   Translator may have understood *deliberatae* as *liberae.*

35 luntas divina et alia humana; et voluntas humana non est per seipsam efficax
ad implendum ea quae vult, nisi per virtutem divinam; inde est quod Christo,
secundum quod est homo et humanam voluntatem habens, competit orare.

III. q. 21, a. 2. UTRUM CHRISTO CONVENIAT ORARE SECUNDUM SUAM
SENSUALITATEM

40 Respondeo dicendum quod orare secundum sensualitatem potest dupliciter
intelligi. Uno modo, sic quod oratio sit actus sensualitatis. Et hoc modo
Christus secundum sensualitatem non oravit. Quia eius sensualitas eiusdem
naturae et speciei fuit in Christo et in nobis. In nobis autem non potest
orare .... quia motus sensualitatis non potest sensualia transcendere: et ideo
45 non potest in Deum ascendere, quod requiritur ad orationem. — Secundo,
quia oratio importat quandam ordina-

_____ 120

tionem, prout aliquis desiderat aliquid
quasi a Deo implendum: et hoc est solius rationis. Unde oratio est actus
rationis.
Alio modo potest dici aliquis orare secundum sensualitatem, quia scilicet
50 eius oratio [7] orando Deo proposuit quod erat in appetitu sensualitatis ipsius.
Et secundum hoc, Christus oravit secundum sensualitatem: inquantum scilicet
eius oratio exprimebat sensualitatis affectum, tanquam sensualitatis advocata.
Et hoc, ut nos de tribus instrueret. Primo, ut ostenderet se veram humanam
naturam assumpsisse, cum omnibus naturalibus affectibus. Secundo, ut
55 ostenderet quod homini licet, secundum naturalem affectum, aliquid velle
quod Deus non vult. Tertio, ut ostendat quod proprium affectum debet homo
divinae voluntati subiicere.

_____ 121

III, q. 21, a. 3. UTRUM CHRISTO CONVENIENS FUERIT PRO SE ORARE

Respondeo dicendum quod Christus pro se oravit dupliciter. Uno modo,
60 exprimendo affectum sensualitatis, ut supra dictum est; vel etiam voluntatis
simplicis, quae consideratur ut natura; sicut cum oravit a se calicem passionis
transferri. Alio modo, exprimendo affectum voluntatis deliberatae, quae
consideratur ut ratio: sicut cum petiit gloriam resurrectionis. Et hoc rationa-
biliter. Sicut enim dictum est, Christus ad hoc uti voluit oratione ad Patrem,
65 ut nobis daret exemplum orandi; et ut ostenderet Patrem suum esse auctorem

[7] Leonine edition: *ratio*.

[111]

gotlichen naturen, unde nach der menschlichen von im haben,[1] waz er
guotes habe. Wan alse er ouch in der menschlichen naturen ouch etlichü guot
hatte von dem [vater], die er ieze

122

vernomen hatte, unde also waz er ouch
wartende etlicher guot, die er noch niht enhatte, sunder die er vernemen
5 solte. Unde dar umbe, alse für daz guot, daz er nu vernumen hatte in der
menschlicher nature, der umbe so dankot er gnade dem vatter, in erkennende
für einen ortrümer, alse ez offenbar ist in Matheo in dem sechs unde
zweintzigstein capitele unde in St. Johannis ewangeli in dem einliften capi-
tele, unde ouch, daz er in gewaltigen erkant, den vattere, so hiesche er von
10 im bittende, dez im gebrast nach menschlicher nature, alse ahte die glori dez
libes unde ander ding dez gliches. Unde in dem so hat er uns ouch ein bilde
gegeben, daz wir[2] von den gaben, die wir enphangen haben, got gnade
sagen, unde, die wir niht enhaben, dâz wir der houschen unde bitten.

Ez ist zemerken, ob Christi gebet alle zit erhört wirde. Ez ist zesagen, alse
15 gesprochen ist, gebette ist,

123

in alle wis ze versten zegeben den menschlichen
willen. Denne so wirt etliches gebet erhört, wenne daz sin wille erfüllet wirt.
Aber der wille einvelticlichen dez menschen, daz ist der wille der beschei-
denheit. Wan daz wellen eigentlichen wir unde blöslichen, daz wir nach der
frigen[3] bescheidenheit wellen. Aber daz ander, daz wir wellen nah der
20 bewegung der sinlicheit oder von der bewegunge dez einveltigen willen, der
da angesehen wirt alse die nature, daz enwellen wir niht einveltiklichen,
sunder nach etwaz, daz ist, daz nihtez niht darwider ist denne[4] daz, über-
mitz dü frige[3] bescheidenheit funden wirt. Unde da von ist ein solicher wille
mer zesagen, daz er ein wille si denne der blosse wille; daz ist, daz der
25 mensche daz[5] wolte, ob nihtes niht dar wider were.

Aber nah dem willen der bescheidenheit, so wolte Christus nihtes niht
anders, denne er got wiste wellen. Unde dar umbe alle

124

der wille, noch denne
[in] menschlich wille Christi, der waz erfüllet, wan er waz got mitformig.
Unde dar nach so waren alle sin gebet erhört. Aber umb daz so sint der
30 andern gebet erhört unde erfüllte, daz ir wille einformig ist dem willen gotis;
nach dem St. Paulus sprichet „Zuo den Romeren," in dem ahtenden capitele:

---

1 This should be either "habet" or "habende was"; see the next sentence.
2 MS: "dz wir dz wir."
3 Cf. p. 110, note 6.
4 Faulty translation.
5 MS: "dar."

a quo et aeternaliter processit secundum divinam naturam, et secundum humanam naturam ab eo habet quidquid boni habet. Sicut autem in humana natura quaedam bona habebat a Patre iam

———————————————————————————————————— 122

percepta, ita etiam expectabat
35 ab eo quaedam bona nondum habita, sed percipienda. Et ideo, sicut pro bonis iam perceptis in humana natura gratias agebat Patri, recognoscendo eum auctorem, ut patet Matth. XXVI et Ioan. XI: ita etiam, ut Patrem auctorem recognosceret, ab eo orando petebat quae sibi deerant secundum humanam naturam, puta gloriam corporis et alia huiusmodi. Et in hoc etiam nobis
40 dedit exemplum ut de perceptis muneribus gratias agamus, et nondum habita orando postulemus.

III. q. 21, a. 4. UTRUM CHRISTI ORATIO FUERIT SEMPER EXAUDITA

Respondeo dicendum quod, sicut dictum est,

———————————————————————————————————— 123

oratio est quodammodo inter-
pretativa voluntatis humanae. Tunc ergo alicuius orantis exauditur oratio,
45 quando eius voluntas adimpletur. Voluntas autem simpliciter hominis est voluntas rationis: hoc enim absolute volumus quod secundum deliberatam rationem volumus. Illud autem quod volumus secundum motum sensualitatis, vel etiam secundum motum voluntatis simplicis, quae consideratur ut natura, non simpliciter volumus, sed secundum quid: scilicet, si aliud non obsistat
50 quod per deliberationem rationis invenitur. Unde talis voluntas magis est dicenda *velleitas* quam absoluta voluntas: quia scilicet homo hoc vellet si aliud non obsisteret.
    Secundum autem voluntatem rationis, Christus nihil aliud voluit nisi quod scivit Deum velle. Et ideo omnis

———————————————————————————————————— 124

absoluta voluntas Christi, etiam humana,
55 fuit impleta, quia fuit Deo conformis: et per consequens, omnis eius oratio fuit exaudita. Nam et secundum hoe aliorum orationes adimplentur, quod sunt eorum voluntates Deo conformes: secundum illud *Rom.* VIII: *Qui*

[113]

„Der da durch süechet die herzen, der weis," daz ist, er versuochet, [1] „waz der geiste begere," daz ist, waz der heilig [1] tuo begerenne, „wan nach gotte," daz ist nach der einförmikeit des gotlichen willen, „so heischet er für die heiligen."

5   Ez ist zemerken, ob Christus, nach dem unde er ein mensche ist, si ein gewunscheter sun gotis. Ez ist zesagen, daz die sünlicheit eigenlichen bekümet der selbestaunge oder der personen unde niht der naturen. Unde da von ist in dem ersten buoch gesagt, daz die sünlicheit ist ein personlichü eigenschaft. Nu ist in Christo dekein ander person oder selbestaung

125 ───

denne
10   die ungeschaffen, der da behöret, daz si sun si übermitz die nature. Aber ez ist gesaget, daz die sünlicheit der wunschung ist ein teilgenomenü glicheit der naturlicher sünlicheit. Nu enheizet dekein ding teilhaftig, daz übermitz sich selber ist. Unde dar umbe Christus, der da ist ein natürlicher sun gotis, der enmag in dekeiner wis ein gewinscheter sun geheizen.

15   Aber nach den, die da in Christo settent zwo personen oder zwo selbestaunge oder zwene underwurfe, nach dem so enwert nihtes niht redelichen Christum zesin einen gewinscheten sun.

    Ez ist zemerken, ob Christus were fürbereitet, daz ist alse vil gesprochen, alse fürgesehen. Ez ist zesagen, daz fürbereitunge, so man si eigentlichen
20 nimet, so ist si etwaz gotlichü fürordenung von der ewikeit von den dingen, die da übermitz die gnade geschehen sülen in der zit. Aber nu ist diz in dirre zit geschehen übermitz die gnade der einunge

126 ───

von gotte, daz der menschen got were unde got der mensche were. Noch man ez niht gesagen mag, daz got niht von anegenge diz geordent habe, daz er diz tuon wolt in
25 der zit, wan anders so volget daz dar nach, daz dem gotlichen gemüete etwaz nüwes zuogevallen were. Unde dar umbe so muoz [man] daz sagen, daz die natürlich einunge selber valle in der personen Christi under die ewigen gotlichen fürbereitunge. Unde dar umbe so heizet Christus also vorbereitet.

    Ez ist zemerken, ob Christi fürbereitunge si ein sach unserre fürbereitunge. Ez ist zesagen, unde betrahtet man die fürbereitunge nah der getat der
30 fürbereitung selber, so enist die fürbereitunge Christi niht ein sache unserre fürbereitunge. Wan er in unde uns [2] mit einer getat fürbereitet hat. Aber unde betrahtet man die fürbereitung nach dem ende des fürbereitens, also so ist die fürbereitung Christi ein sache unserre vorbereitunge. Wan

127 ───

also
35 got vorgeordent unser selikeit hat vorbereitende, daz [3] er ez erfulte übermitz

[1] Faulty translation.
[2] MS: "us."
[3] MS: "dez."

autem scrutatur corda, scit, idest, approbat, *quid desideret Spiritus,* idest,
quid faciat sanctos desiderare: *quoniam secundum Deum,* idest, secundum
conformitatem divinae voluntatis, *postulat pro sanctis.*

III. q. 23, a. 4. UTRUM CHRISTUS, SECUNDUM QUOD HOMO, SIT FILIUS
40 DEI ADOPTIVUS

Respondeo dicendum quod filiatio proprie convenit hypostasi vel personae,
non autem naturae: unde in Prima Parte dictum est quod filiatio est proprie-
tas personalis. In Christo autem non est alia persona vel hypostatis

——————————————————————————————————— 125

quam
increata, cui convenit esse Filium per naturam. Dictum est autem supra
45 quod filiatio adoptionis est participata simititudo filiationis naturalis. Non
autem dicitur aliquid participative quod per se dicitur. Et ideo Christus,
quo est Filius Dei naturalis, nullo modo potest dici filius adoptivus.
Secundum autem illos qui ponunt in Christo duas personas, vel duas
hypostases, seu duo supposita, nihil rationabiliter prohibet Christum homi-
nem dici filium adoptivum.

III. q. 24, a. 1. UTRUM CHRISTO CONVENIAT PRAEDESTINATUM ESSE

Respondeo dicendum quod . . . .praedestinatio, proprie accepta, est quaedam
divina praeordinatio ab aeterno de his quae per gratiam Dei sunt fienda in
tempore. Est autem hoc in tempore factum per gratiam unionis

——————————————————————————————————— 126

a Deo,
55 ut homo esset Deus et Deus esset homo. Nec potest dici quod Deus ab
aeterno non praeordinaverit hoc se facturum in tempore: quia sequere-
tur quod divinae menti aliquid accideret de novo. Et oportet dicere quod
ipsa unio naturarum in persona Christi cadat sub aeterna Dei praedestina-
tione. Et ratione huius Christus dicitur esse praedestinatus.

60 III. q. 24, a. 4. UTRUM PRAEDESTINATIO CHRISTI SIT CAUSA NOSTRAE
PRAEDESTINATIONIS

Respondeo dicendum quod, si consideretur praedestinatio secundum ipsum
praedestinationis actum, praedestinatio Christi non est causa praedestinatio-
nis nostrae: cum uno et eodem actu Deus praedestinaverit Christum et nos.
65 — Si autem consideretur praedestinatio secundum terminum praedestinatio-
nis, sic praedestinatio Christi est causa nostrae praedestinationis:

——————————————————————————————————— 127

sic enim
Deus praeordinavit nostram salutem, ab aeterno praedestinando, ut per

Jesum Christum. Wan under der ewiger vorbereitunge envellet niht allein daz, daz da zegeschehen ist in dirre zit, sunder ouch die wis unde die ordenung, übermitz die ez zerfüllende ist in der zit.

Ez ist zemerken, ob von einer anbettunge anzebetten si die menscheit
5 Christi unde sin gotheit. Ez ist zesagen, daz in dem, der da geeret wirt, zweien dinge inne zebetrahtenne sin: daz ist, der dem [1] man ere erbütet unde die sache der eren. Nu erbütet man eigentlichen allen selbestanden dingen [2] ere. Wir sprechen niht, daz die hant des menschen geeret werde, sunder daz der mensche geeret werde. War unde geschiht daz etwenne, daz man sprichet,
10 daz die hant geeret werde oder der fuoz, daz enheizet niht von der reden, daz disü teile übermitz sich selber ze eren sin, [3] aber doch so eret man in diesen teilen die ganzheit.

128 ━━━

Uebermitz welichü wis etlicher mensche geeret mag werden in etlicheren uzzern dingen, alse ahte in den kleidern oder in dem bilde oder in dem boten.

15 Aber die sach der erung ist von dem, daz der, der geeret wirt, etwaz wirdikeit hat. Wan die ere ist etwaz wirdikeit, die etwem erbotten ist durch siner erberkeit willen. Unde sint in einem menschen vil sache der eren, alse ahte prelatschaft, kunst unde tugende, so wirt dises menschen ein ere von sinen wegen, der da geeret wirt; unde doch wirt ir vil von der sache der erunge.
20 Wan der mensche ist, der da geeret wirt, unde durch sin kunst unde durch sin tugent.

Sit denne in Christo niht wan ein persone ist der gotlicher unde menschlicher naturen, unde ein selbestaunge unde ein understant, so ist sin ouch nihtwan ein anbettunge unde ein ere von teile dez, der da angebetten wirt.
25 Aber von teile der sache, von der man anbettet, so mag man daz spre-

129 ━━━

chen, daz vil anbettunge sien, daz ist, daz er von einre anderre ere geeret wirt durch die wisheit, die da ungeschaffen ist, unde von einer anderre ere durch die geschaffenen wisheit.

Aber unde saste man in Christo vil personen unde vil selbestadunge, so
30 volget daz dar nach, daz einveltiklich weren vil anbettung. Unde daz ist verworfen.

Ez ist zemerken, ob die muoter gotis anzebetten si mit der anbettunge, die da heizet ein anbettung in dienstlicher wis. Ez ist zesagen, wan die dienstliche anbetunge alleine got zuobehörent, [4] so enbehörent [4] dekeiner

---

[1] MS: "dem dem."
[2] Faulty translation.
[3] MS: "si."
[4] Repeated errors of this type suggest scribal insecurity as to the distribution of the endings -et, -en, and -ent. Cf. Hans Reis, *Die deutschen Mundarten,* p. 109. Cf. also "werdent," p. 144, line 16, and "behörent," p. 164, line 2.

35 Iesum Christum compleretur. Sub praedestinatione enim aeterna non solum cadit id quod est fiendum in tempore, sed etiam modus et ordo secundum quod est complendum ex tempore.

III. q. 25, a. 1. UTRUM EADEM ADORATIONE ADORANDA SIT HUMANITAS CHRISTI ET EIUS DIVINITAS

40   Respondeo dicendum quod in eo qui honoratur, duo possumus considerare; scilicet eum cui honor exhibetur, et causam honoris. Proprie autem honor exhibetur toti rei subsistenti: non enim dicimus quod manus hominis honoretur, sed quod homo honoretur. Et si quandoque contingat quod dicatur honorari manus vel pes alicuius, hoc non dicitur ea ratione quod huiusmodi
45 partes secundum se honorentur: sed quia in istis partibus honoratur totum.

128

Per quem etiam modum aliquis homo potest honorari in aliquo exteriori: puta in veste, aut in imagine, aut in nuntio.
    Causa autem honoris est id ex quo ille qui honoratur habet aliquam excellentiam: nam honor est reverentia alicui exhibita propter sui excellentiam . . . .
50 Et ideo, si in uno homine sunt plures causae honoris, puta praelatio, scientia et virtus, erit quidem illius hominis unus honor ex parte eius qui honoratur, plures tamen secundum causas honoris: homo enim est qui honoratur et propter scientiam, et propter virtutem.
    Cum igitur in Christo una sit tantum persona divinae et humanae naturae,
55 et etiam una hypostasis et unum suppositum, est quidem una eius adoratio et unus honor ex parte eius qui adoratur: sed ex parte causae qua honoratur, possunt dici esse plures

---

129

            adorationes, ut scilicet alio honore honoretur propter sapientiam increatam, et alio [5] propter sapientiam creatam.
    Si autem ponerentur in Christo plures personae seu hypostases, sequeretur
60 quod simpliciter essent plures adorationes. Et hoc . . . . reprobatur.

III. q. 25, a. 5. UTRUM MATER DEI SIT ADORANDA ADORATIONE LATRIAE

Respondeo dicendum quod, quia latria soli Deo debetur, non debetur

---

[5]   Leonine edition omits *alio*.

creaturen zuo, umbe daz daz wir die creaturen übermitz sich selber eren. Wie doch daz ist, daz die umbesinten creaturen niht begriflich sint der ere nah in selber, so ist doch die redelich creature begriflich der ere übermitz sich selber. Unde dar umbe so behöret dekeiner lutern creaturen zuo die an-

130

5 bettunge in der dienstlicher wise, sunder allein die anbettunge in einer erbietung der eren. Doch so behöret die selbe anbettunge zuo der muoter gottis in einer höchern wis denne den andern creature, indem unde si die muoter gottis ist. Unde dar umbe so sprichet man, daz ir niht alleine zuobehöre die anbettung der erbietung der eren, sunder ouch die übererbietung.

10 Ez ist zemerken, ob Christus si ein mitteler [1] zwischen got unde dem menschen. Ez ist zesagen, daz wir [in] dem mitteler zwei ding betrahten mügen. Daz erste: die wis des mittelers; daz ander: daz ampte der zesamenfüegunge. Aber nu ist daz von der wise dez mitteles, daz ez von ietwederme der uzzersten stat. Aber der mitteler der füeget zesamen übermitz daz, daz

15 er dü ding, dü da dez [2] einen sint, bringet zuo dem andern. Aber dirre eintweders behöret [niht] zuo Christo, nach dem unde er got ist, [3] sunder alleine nach dem unde er mensche ist. Wan nach dem

131

unde er got ist, so enist er niht gescheiden von dem vattere unde von dem heiligen geiste in der naturen unde in dem gewalte der herschunge; noch ouch der vatter noch der sun [4]

20 enhabent nihtes niht, daz des sunes niht ensi, also daz er daz, daz dez vaters ist unde dez heiligen geistes, alse daz da ist der andern, bringe zuo den andern. Aber ietweders bekümet im nach dem unde er mensche ist. Wan also stat er von gotte in der naturen unde von dem menschen in der wirdikeit der gnaden unde der glorien. Unde ouch in dem unde er mensche ist,

25 so behört im zuo, daz er zesamenfüege die mensche gotte, den menschen zerbietende die gebote unde die gaben, unde für si genuogzetüenne [5] unde für si zevehtenne. Unde dar umbe so heizet [er] gewarlich ein mittelere, nah dem unde er mensche ist, unde niht nach dem unde er got ist.

Ez ist zemerken, ob die muoter gotis geheiliget

132

wirde vor der geburt. Ez
30 ist zesagen, daz von dem, ob die muoter gottis [6] geheiliget were in der muoter libe, von dem enhaltet man nihtes niht in der heiligen schrift; welche schrift ouch dekein rede hat von irre gebürte. Aber doch: also St. Augustinus, „Von

---

[1] MS: "miteteler."
[2] MS: "ez."
[3] MS: "alleine ist sunder" instead of "ist sunder alleine."
[4] This should be: "der heiliger geist."
[5] MS has u with superscript e, cf. Michels, § 282, *Anm.*
[6] MS: "gotti."

creaturae prout creaturam secundum se veneramur. Licet autem creaturae insensibiles non sint capaces venerationis secundum seipsas, creatura tamen
35 rationalis est capax venerationis secundum scipsam. Et ideo nulli purae creaturae rationali debetur

130

cultus latriae. Cum ergo beata Virgo sit pure creatura rationalis, non debetur ei adoratio latriae, sed solum veneratio duliae: eminentius tamen quam ceteris creaturis, inquantum ipsa est mater Dei. Et ideo dicitur quod debetur ei, non qualiscumque dulia, sed *hyperdulia*.

40 III. q. 26. a. 2. UTRUM CHRISTUS SIT MEDIATOR DEI ET HOMINUM

Respondeo dicendum quod in mediatore duo possumus considerare: primo quidem, rationem medii; secundo, officium coniungendi. Est autem de ratione medii quod distet ab utroque extremorum: coniungit autem mediator per hoc quod ea quae unius sunt, defert ad alterum. Neutrum autem horum
45 potest convenire Christo secundum quod Deus, sed solum secundum quod homo. Nam secundum

131

quod Deus, non differt a Patre et Spiritu Sancto in natura et potestate dominii: nec etiam Pater et Spiritus Sanctus aliquid habent quod non sit Filii, ut sic possit id quod est Patris vel Spiritus Sancti, quasi quod est aliorum, ad alios deferre. Sed utrumque convenit ei inquan-
50 tum est homo. Quia, secundum quod est homo, distat et a Deo in natura, et ab hominibus in dignitate et gratiae et gloriae. Inquantum etiam est homo, competit ei coniungere homines Deo, praecepta et dona hominibus exhibendo, et pro hominibus ad Deum satisfaciendo et interpellando. Et ideo verissime dicitur mediator secundum quod homo.

55 III. q. 27, a. I. UTRUM BEATA VIRGO FUERIT SANCTIFICATA ANTF NATI-VITATEM

132

Respondeo dicendum quod de sanctificatione Beatae Mariae, quod scilicet fuerit sanctificata in utero, nihil in Scriptura canonica traditur: quae etiam nec de eius nativitate mentionem facit. Sed sicut Augustinus, *de Assumptione*

der himelvart," unsere frowen redelichen [1] brüevet, daz si ufenphangen si mit dem libe in den himele, daz doch die schrift niht enseit; unde also so mügen ouch wir [2] redelichen brüeven, daz si geheiliget were in irre muoter libe. Wan ez redeliche zeglouben ist, daz dü, die do gebar den „eingebornen
5 von dem vatter, vol gnaden unde warheit," daz dü vor allen andern ein sünderliche ere einre grözern gnade enphangen habe. Wan alse man liset in St. Lucas ewangelij in dem ersten capitel, daz der engel sprach: „Gegrüeset sist du vol gnaden, der herre ist mit dir." Wir vinden daz, daz ez etlichen andern verlihen ist, diz sünderlich wirdikeit, daz si in der muoter lip geheiliget

133 ────────────────────────────────

10 wurden, [3] alse Jeremias, dem gesaget ist, in dem ersten capitel sines buoches, „E daz du gienget von diner muoter lip, do heiliget ich dich"; unde St. Johannes baptisten, von dem daz gesaget ist in St. Lucas ewangelij in dem ersten capitel, „Er wirt erfüllet von dem heiligen geiste noch denne in dem libe siner muoter." Unde dar umbe gloubet man redelichen, daz unser frowe
15 geheiligt wurde, e si geboren wurde von irre muoter libe.

Ez ist zemerken, ob unser frowe geheiliget were von der neigung oder von der füetunge der sünden. Von disem so sint mislich rede. Doch so dunket ez besser zesagen zesin, daz übermitz die heiligunge in der muoter lip ir niht benomen würde die füetunge des gebresten nah der wesung, sunder si blibe
20 gebunden: niht übermitz die tat der redelicheit, also in den [4] heiligen mannen, wan si enhatte dennoch niht, die wil si in der muoter libe waz, gebruchunge des

134 ────────────────────────────────

frigen willen, wan diz waz ein sünderlich fürteil Christi, aber doch übermitz die überflüzigen gnaden, die si enphienk in der muoter lip; unde ouch volkomenlicher übermitz die gotlichen fürsihtikeit so wart behüetet ir sin-
25 lich bewegung von aller unordenlicher bewegede. Aber dar nach, unde si enphienk daz fleische Christi, in der des ersten erschinen solt der sünden unschulde, so ist daz zeglouben, daz von dem kinde überflüzze gentziclichen in die muoter die enziehung von der neigunge. Unde daz bezeichent [5] Ezechias in dem vierundevierzgesten capitele, „Sehent die glori gottis dü ist
30 komen in Israel übermitz den weg des ufganges der sunnen," daz ist übermitz die magt Marien, „unde die erde," [6] daz ist ir fleische, „erschein von siner maiestat," daz ist von Christi magencraft.

Ez ist zemerken, ob unser frowe gelübde tet von irem magtuom. Ez ist zesagen, daz dü werke der volkomenheit mer zeloben sint, ob si geschehen

135 ────────────────────────────────

---

[1] MS: "redelicher."
[2] Ms: "wirt."
[3] MS: "wrde."
[4] MS: "dem."
[5] MS: "beziechent."
[6] MS: "rede."

35 ipsius Virginis, rationabiliter argumentatur quod cum corpore sit assumpta in caelum, quod tamen Scriptura non tradit; ita etiam rationabiliter argumentari possumus quod fuerit sanctificata in utero. Rationabiliter enim creditur quod illa quae genuit *Unigenitum a Patre, plenum gratiae et veritatis,* prae omnibus aliis maiora gratiae privilegia accepit: unde legitur, Luc.
40 I, quod Angelus ei dixit: *Ave, gratia plena.* Invenimus autem quibusdam aliis hoc privilegialiter esse concessum ut in utero sanctificarentur,

————————————————————————————— 133

sicut

Ieremias, cui dictum est, Ierem. I, *Antequam exires de vulva, sanctificavi te*; et sicut Ioannes Baptista, de quo dictum est, Luc. I, *Spiritu Sancto replebitur adhuc ex utero matris suae.* Unde rationabiliter creditur quod
45 Beata Virgo sanctificata fuerit antequam ex utero nasceretur.

III. q. 27, a. 3. UTRUM BEATA VIRGO FUERIT EMUNDATA AB INFECTIONE FOMITIS

Respondeo dicendum quod circa hoc sunt diversae opiniones .... Et ideo melius videtur dicendum quod per sanctificationem in utero non fuit sublatus
50 Virgini fomes secundum essentiam, sed remansit ligatus: non quidem per actum rationis suae, sicut in viris sanctis, quia non statim habuit usum liberi arbitrii adhuc in ventre

————————————————————————————— 134

matris existens, hoc enim speciale privilegium Christi fuit; sed per gratiam abundantem quam in sanctificatione recepit; et etiam perfectius per divinam providentiam sensualitatem eius ab omni
55 inordinato motu prohibentum. Postmodo vero, in ipsa conceptione carnis Christi, in qua primo debuit refulgere peccati immunitas, credendum est quod ex prole redundaverit in matrem totaliter a fomite subtractio. Et hoc significatur Ezech. XLIII, ubi dicitur: *Ecce, gloria Dei Israel ingrediebatur per viam orientalem,* idest per Beatam Virginem, *et terra,* idest caro ipsius, *splen-*
60 *debat a maiestate eius,* scilicet Christi.

III. q. 28, a. 4. UTRUM MATER DEI VIRGINITATEM VOVERIT

Respondeo dicendum quod .... perfectionis opera magis sunt laudabilia si ex

————————————————————————————— 135

von dem glübede. Unde dar umbe so solt der magtuom in der muoter gottis
ze aller vorderest gelobt werden. Unde dar umbe so waz daz behörlich, daz
der magtuom in unserre frouwen geheiliget wurde von dem [1] gelübde gotte.
Wan in der zit e so muost man der geberunge bisin, so wip so man, wan von
5 dem ursprunge dez fleisches so wart ervolt gottes dienst, e daz von disem
volke Christus geborn würde. Man gloubet, daz die muoter gottis niht hatte
e den magtuom gelübt, e daz si gemehelt wart Josephen, blöslichen, wie
doch daz si ez in irre begirde hatte, aber doch so liez si über daz iren willen
gotlichen willen. Aber dar nach unde si einen brütigom genam, nach deme
10 unde do der sitte houschende waz, so glübte er mit ir die küscheit.

Ez ist zemerken, ob Christus solte geborn werden von einer gemehelten
magt. Ez [ist] zesagen, daz ez behörlich waz, so durch sinen willen, so ouch
durch der muoter willen; unde

136 ──

ouch durch unsern willen. Aber durch sinen
willen, daz ist durch Christi [2] willen, daz ist durch vierslaht rede. Dü erste
15 sache: daz er von den ungeloubigen iht verworfen wirde alse unelich geborn.
Zuo dem andern male: daz sin übergeburt in einer gewonlicher wis über-
mitz den man beschriben würde. Zem dritten male: durch sicherheit dez ge-
bornen kindes, daz der tüfel iht wider in schaden schüfe freislichen. Zuo dem
vierden male: daz er von Joseph gespiset wirde.
20 Ez waz ouch behörlich von teile der magt. Dez ersten: wan übermitz daz
so wirt si unschuldig geantwurtet von der pine, „daz si iht versteinet wirde
von den Juden." Zem andern male: daz si von dem bösen lümunt erlediget
wurde. Zem dritten male: daz ir von Joseph dienst erbotten wirde, alse St.
Jeronimus sprichet.
25 Aber von unserm teile so waz es behörlich. Dez ersten: daz von dem
gezüknüsse Josephes bewert wirde, daz Christus geborn were von einer magt.
Zem andern

137 ──

male: daz den worten der megde mer zeglouben were, die
veriach irz magtuomes. Zem dritten male, daz abgenomen wirde die ent-
schuldegung der megede, die durch irre umbehuotheit willen sich niht be-
30 hüetent vor dem unlümunt.

Ez ist zemerken, ob daz behörlichen were unde ouch notdürfticlichen,
unserre frouwen zekündenne, daz in ir ze geschehen waz. Ez ist zesagen,
daz ez behörlichen waz der magt Marien, gekündet ze werdenne, daz si
Christum enphahen solte. Dez ersten: daz behalten wirde dü behorlich wise
35 der zuofüegunge gottis sunes von [3] der magt, daz ist, daz dez ersten ir gemüet
von im gelert wurde, von welchem gemüete [3] si in nach dem fleische en-

[1] MS: "den."
[2] MS: "Christo."
[3] Mistranslation.

voto celebrantur. Virginitas autem in Matre Dei praecipue debuit pol-
lere .... Et ideo conveniens fuit ut virginitas eius ex voto esset Deo conse-
crata. Verum quia tempore legis oportebat generationi insistere tam mulieres
quam viros, quia secundum carnis originem cultus Dei propagabatur antequam
40 ex illo populo Christus nasceretur, Mater Dei non creditur, antequam despon-
saretur Ioseph, absolute virginitatem vovisse, licet eam in desiderio habuerit,
super hoc tamen voluntatem suam divino commisit arbitrio. Postmodum vero,
accepto sponso, secundum quod mores illius temporis exigebant, simul cum eo
votum virginitatis emisit.

45   III. q. 27, a. 1.   UTRUM CHRISTUS DEBUERIT DE VIRGINE DESPONSATA
NASCI

Respondeo dicendum quod conveniens fuit Christum de desponsata vir-
gine nasci, tum propter ipsum; tum propter matrem;

————————————————————————————————————— 136

tum etiam propter nos.
Propter ipsum quidem Christum, quadruplici ratione. Primo quidem, ne ab
50 infidelibus tamquam illegitime natus abiiceretur .... Secundo, ut consueto
modo eius genealogia per virum describeretur .... Tertio, ad tutelam pueri
nati: ne diabolus contra eum vehementius nocumenta procurasset .... Quarto,
ut a Ioseph nutriretur ....
Fuit etiam conveniens ex parte Virginis. Primo quidem, quia per hoc
55 redditur immunis a poena: ne scilicet lapidaretur a Iudaeis .... Secundo, ut
per hoc ab infamia liberaretur .... Tertio, ut ei a Ioseph ministerium exhi-
beretur: ut Hieronymus dicit.
Ex parte etiam nostra hoc fuit conveniens. Primo quidem, quia testimonio
Ioseph comprobatum est Christum ex virgine natum .... Secundo,

————————————————————————————————————— 137

quia ipsa
60 verba Virginis magis credibilia redduntur, suam virginitatem asserentis ....
Tertio, ut tolleretur excusatio virginibus quae, propter incautelam suam,
non vitant infamiam.

III. q. 30, a. 1. UTRUM FUERIT NECESSARIUM BEATAE VIRGINI ANNUNTIARI
QUOD IN EA FIENDUM ERAT

65   Respondeo dicendum quod congruum fuit Beatae Virgini annuntiari quod
esset Christum conceptura. Primo quidem, ut servaretur congruus ordo coni-
unctionis Filii Dei ad Virginem; ut scilicet prius mens eius de ipso instrue-

phahen solte. Unde da von sprichet St. Augustinus in dem buoch „Von dem magtuom": „Maria dü ist dar umbe seliger ze ahtenne, daz si gloubte, denne daz si Christi fleisch enphieng." Unde dar nach wirfet [er] ein ander rede under, unde sprichet: „Die müeterlich

138 ——————————————————————————

nacheit, die enhette unser frowen
5 nihtes geholfen, unde enhette si [Christum] niht selicher getragen in dem herzen denne von dem fleische."

Zem andern male: daz si deste sicherlicher ein gezüge möhte gesin dises sacramentes, über welches daz si gotlichen geleret waz.

Zem dritten male: daz si williclichen gabe brehte sinem dienste,[1] zuo
10 welchem dienste daz si sich bereite brahte, sprechende: „Sich die dirne dez herren."

Zem vierden male: daz gezeiget wirde ein geistliche[2] e zwischen dem sun gottis unde der menschlicher naturen. Unde dar umbe so hiesche man übermitz die kundunge verhenknüsse der maget an der stat aller menschlicher
15 naturen.

Ez ist zemerken, war umbe daz der engele erschin in einer liplichen ge-sihte der maget Marien. Ez ist zesagen, daz ez behörlich waz. Dez ersten: alse zuo dem, daz da gekündet wart. Wan der engele der kam gesichtichen[3] zekündenne die infleischunge gottiz. Unde dar umbe

139 ——————————————————————————

so waz daz behörlich,
20 daz zuo dises dinges verklerunge ein unsihtigü creature ein forme an sich neme, ın der si sihtiklichen erschine.

Zem dritten male . . . .[4] siner sicherheit, daz er kunte. Wan dü ding, dü da den ougen undergeworfen sint, die begrifen wir dester sicherlicher, denne die wir bilden.

25 Ez ist zemerken, ob Christus in dem ersten nu, in dem er enphangen wart, möhte verdienen. Ez ist zesagen, daz Christus in dem ersten nu, do er enphangen wart, do wart er geheiliget übermitz die gnaden. Aber ez ist zwiveltige heiligung: Ein heiligunge der gewachsenner, die da geheiliget werden übermitz ir eigen tat; aber ein ander heiligunge ist der kinder, die
30 da niht geheiliget werden übermit die [eigen] tat dez glouben, sunder übermitz den glouben vatter unde muoter oder der heiligen cristenheit. Aber die erste heiligunge dü ist volkomener denne die anderre, alse die tat volkominer ist denne

140 ——————————————————————————

die habunge, unde „daz, daz da übermitz sich selber

---

[1] Should be "ires dienstes."
[2] MS: "geiscliche."
[3] Should be "des unsihtigen gottiz"; cf. page 140.
[4] Probably omission by copyist.

retur quam carne eum conciperet. Unde Augustinus dicit, in libro *de Virgi-*
35 *nitate: Beatior Maria est percipiendo fidem Christi, quam concipiendo car-*
nem Christi. Et postea subdit: *Materna*

—— 138

propinquitas nihil Mariae profuis-
set, nisi felicius Christum corde quam carne gestasset.

Secundo, ut posset esse certior testis huius sacramenti, quando super
hoc divinitus erat instructa.
40 Tertio, ut voluntaria sui obsequii munera Deo offerret: ad quod se promp-
tam obtulit, dicens: *Ecce ancilla Domini.*

Quarto, ut ostenderetur esse quoddam spirituale matrimonium inter Filium
Dei et humanam naturam. Et ideo per annuntiationem expetebatur consensus
Virginis loco totius humanae naturae.

45 III. q. 30, a. 3. UTRUM ANGELUS ANNUNTIANS DEBUERIT VIRGINI APPA-
RERE VISIONE CORPORALI

Respondeo dicendum quod . . . . hoc conveniens fuit, primo quidem, quan-
tum ad id quod annuntiabatur. Venerat enim angelus annuntiare incarnatio-
nem invisibilis Dei. Unde etiam

—— 139

conveniens fuit ut ad huius rei declaratio-
50 nem invisibilis creatura formam assumeret in qua visibiliter appareret; . . . .
Tertio, congruit certitudini eius quod annuntiabatur. Ea enim quae sunt
oculis subiecta, certius apprehendimus quam ea quae imaginamur.

III. q. 34, a. 3. UTRUM CHRISTUS IN PRIMO INSTANTI SUAE CONCEPTIONIS
MERERI POTUERIT

55 Respondeo dicendum quod, sicut supra dictum est, Christus in primo
instanti conceptionis suae sanctificatus fuit per gratiam. Est autem duplex
sanctificatio: una quidem adultorum, qui secundum proprium actum sanctifi-
cantur; alia autem puerorum, qui non sanctificantur secundum proprium
actum fidei, sed secundum fidem parentum vel Ecclesiae. Prima autem
60 sanctificatio est perfectior quam secunda: sicut actus est perfectior quam

—— 140

habitus: et *quod est per se, eo quod est per aliud.* Cum ergo sanctificatio

ist, denne daz, daz da übermitz ein anders ist." Sit denne daz die heiligunge
Christi aller volkomenest waz, wan also ist er geheiliget daz er die andern
heilig mahte, der nach so ist daz, daz er selber nach siner eigener bewegede
sines frigen willen geheiliget waz. Welhe bewegung dez frigen willen lon-
5 berliclich ist. Unde dar umbe so waz behörlich, [1] daz Christus in dem ersten
nu, in dem er enphangen wart, verdiente.

Ez [ist ze]merken, war umbe daz Christus wolte besniten werden. Dez
ersten: durch daz, daz er die warheit dez fleisches zeigte der menschlicher
naturen.

10 Zem andern male; daz er beweret die besnidunge, die got wilent lerte.

Zem dritten male: daz er bewiset, daz er were von dem [2] geslehte Abra-
hams, der der besnidunge gebotte enphien [3] ze einem zeichen dez gelouben,
den er von im enphieng.

Zem vierden male: daz er von

141 ━━

den Iuden entschuldigunge abneme, daz
15 si in niht enphiengen, unde wer er unbesniten.

Zem fünften male: „daz er die tugent der gehorsam uns lobte mit sinem
bilde." Unde da von so wart er dez ahtenden tages besniten, alse ez in der e
gebotten waz.

Zem sechsten male: „daz der, der da in glichnüsse dez fleisches sünden
20 komen waz, daz er die arzenien mit der die sünde des fleischez gewon was
gereiniget zewerdenne, iht versmahte."

Zem sibenden male: alse er der e burden vertragende waz, daz er die
andern von der bürden der e erlidiget, nach dem unde St. Paulus sprichet
„Zuo den von Galathen," in dem vierden capitel: [4] „Er sante sinen sun,
25 gemacht under der e, daz er die, die da under der e warent, erlösti."

Ez ist zemerken, war umbe daz Christo weren, do er getouffet wart, die
himele offen. Ez ist zesagen, daz Christus getouft wolt werden, daz er von
siner touffe den touffe

142 ━━

gesegente, von dem daz wir getoufte [5] solten werden.
Unde dar umbe solte in dem touffe Christi dü ding gezeiget werden, die da
30 behörten zuo der craft unserre touffe. Unde bi dem so sint drü ding ze
merkenne. Zem ersten: dü vorderlichest tugent, von der die touffe craft
hat, dü da ist ein himelsche tugent. Unde dar umbe so wart der himel ufgetan,
do Christus getouft wart, [daz gezeiget wirde,] [6] daz dar nach die himelsche
tugent den touffe gesegente.

1 Translator was thinking of *conveniens.*
2 MS. "den."
3 Cf. page 52, note 4.
4 MS: "capite."
5 Cf. similar form, p. 128, line 23.
6 Cf. p. 124, line 12.

35 Christi fuerit perfectissima, quia sic sanctificatus est ut esset aliorum sancti-
ficator; consequens est quod ipse secundum proprium motum liberi arbitrii
in Deum fuerit sanctificatus. Qui quidem motus liberi arbitrii est meritorius.
Unde consequens est quod in primo instanti suae conceptionis Christus
meruerit.

40 III. q. 37, a. 1. UTRUM CHRISTUS DEBUERIT CIRCUMCIDI

Respondeo dicendum quod . . . . Primo quidem, ut ostendat veritatem carnıs
humanae : . . . .
Secundo, ut approbaret circumcisionem, quam olim Deus instituerat.
Tertio, ut comprobaret se esse de genere Abrahae, qui circumcisionis man-
45 datum acceperat in signum fidei quam de ipso habuerat.
Quarto, ut

───────────────────────────────────── 141

Iudaeis excusationem tolleret ne eum reciperent, si esset in-
circumcisus.
Quinto, *ut obedientiae virtutem nobis suo commendaret exemplo.* Unde et
octava die circumcisus est, sicut erat in lege praeceptum.
50 Sexto, *ut qui in similitudinem carnis peccati advenerat, remedium quo,
caro peccati consueverat mundari, non respueret.*
Septimo, ut, legis onus in se sustinens, alios a legis onere liberaret: secun-
dum illud Galat. IV: *Misit Deus Filium suum factum sub lege, ut eos qui
sub lege erant redimeret.*

55 III. q. 39, a. 5. UTRUM CHRISTO BAPTIZATO DEBUERINT CAELI APERIRI

Respondeo dicendum quod . . . . Christus baptizari voluit ut suo baptismo
consecraret

───────────────────────────────────── 142

baptismum quo nos baptizaremur. Et ideo in baptismo Christi
ea demonstrari debuerent quae pertinent ad efficaciam nostri baptismi. Circa
quam tria sunt consideranda. Primo quidem, principalis virtus ex qua
60 baptismus efficaciam habet: quae quidem est virtus caelestis. Et ideo bapti-
zato Christo apertum est caelum, ut ostenderetur quod de cetero caelestis
virtus baptismum sanctificaret.

Zem andern male: so wirket er [1] zuo der craft dez touffes, der gloube der cristenheit, unde des glouben, der da getouffet wirt; unde dar umbe vergiht man den getouffenten des glouben, [2] unde die touffe heizzet ein sacramente dez glouben. Aber übermitz den glouben so sehen wir an dü himelschen ding, die da vorgant den sinnen unde der menschlicher bescheidenheit. Unde diz zebezeichenne, do wurden die himele ufgetan, do Christus getouffet wart.

Zem dritten male: wan übermitz den touf

143 ────────────────────────────────────

Christi so wart uns sunder- lingen ufgetan der ingank dez riches des himeles, der dem ersten menschen beslozzen waz übermitz die sünden. Unde dar wurden die himel ufgetan, do Christus getouffet wart, daz er zeigete, den getouften der wege des himels offen were.

Ez ist zemerken, war umbe daz der heilig geist erschine in dem touffe Christi. Ez ist zesagen daz daz, daz da mit Christo geschach in dem touffe, alse St. Crisostomus sprichet „Über St. Matheum" in dem iungesten capitele, „daz behöret zuo dem dienste [3] der aller, die da nah im getouffet solten werdent." Wan alle, die da in dem touffe Christi getouffet wirdent, daz . . . . die enphahen den heiligen geist, nach St. Mathei ewangelij in dem dritten capitele: „Er wirt üch touffent in dem heiligen geiste." Unde dar umbe so waz daz behörlich, daz über den touffe Christi solte niderkomen der heilige geist .

Ez ist zemerken, war umbe daz

144 ────────────────────────────────────

der vatter erschine. Ez ist zesagen, alse gesprochen ist, daz in dem touffe Christi, der da waz ein bilderinne unsers touffes, solte geoffenbarte werden, die da vollebraht werdent in unserm touf. Nu wirt der touffe, mit dem daz die gloubigen getouffet werdent, geheiliget [4] in der anrüefunge unde in der craft der driveltikeit, nach dem, alse St. Matheus sprichet in dem iungsten capitel: „Gant unde lerent alle heidene, unde touffent sü in dem namen dez vatters unde des sunes unde des heiligen geistes." Unde dar umbe, alse St. Jeronimus sprichet, so wirt „in dem touffe [Christi] gezeiget die heimelicheit [5] der driveltikeit: „Der herre wirt ge- touffet in der menschlicher naturen, unde der heilig geist kam nider in einem kleit einer tuben, unde dez vatters stimme, die dem sun gezüknüsse gebende waz, die wart erhört." Unde da von waz ez behörlich, daz der vatter da vercleret.

---

[1] Cf. p. 28, note 2.
[2] Faulty translation.
[3] Translator may have misread *mysterium* as *ministerium*; cf. p. 145.
[4] MS: "die gloubigen geheiliget werdent" instead of "die gloubigen getouffet wer- dent, geheiliget."
[5] MS: "himelicheit."

Secundo, operatur ad efficaciam baptismi fides Ecclesiae et eius qui
35 baptizatur: unde et baptizati fidem profitentur, et baptismus dicitur *fidei*
sacramentum. Per fidem autem inspicimus caelestia, quae sensum et ratio-
nem humanam excedunt. Et ad hoc significandum, Christo baptizato aperti
sunt caeli.
Tertio, quia per baptismum

———————————————————————————————————— 143

Christi specialiter aperitur nobis introitus
40 regni caelestis, qui primo homini praeclusus fuerat per peccatum. Unde bap-
tizato Christo aperti sunt caeli, ut ostenderetur quod baptizatis patet via in
caelum.

III, q. 39, a. 6. UTRUM CONVENIENTER SPIRITUS SANCTUS SUPER CHRISTUM
BAPTIZATUM DICATUR . . . . DESCENDISSE

45 Respondeo dicendum quod hoc quod circa Christum factum est in eius
baptismo, sicut Chrysostomus dicit, *super Matth., pertinet ad mysterium*
omnium qui postmodum fuerant baptizandi. Omnes autem qui baptismo
Christi baptizantur, Spiritum Sanctum recipiunt, nisi ficti accedant: secun-
dum illud Matth. III: *Ipse vos baptizabit in Spiritu Sancto.* Et ideo con-
50 veniens fuit ut super baptizatum Dominum Spiritus Sanctus descenderet.

III. q. 39, a. 8. UTRUM CONVENIENTER, CHRISTO BAPTIZATO,

———————————————————————————————————— 144

FUERIT VOX
PATRIS AUDITA FILIUM PROTESTANTIS

Respondeo dicendum quod, sicut supra dictum est, in baptismo Christi,
qui fuit exemplar nostri baptismi, demonstrari debuit quod in nostro baptis-
55 mo perficitur. Baptismus autem quo baptizantur fideles, consecratur in in-
vocatione et virtute Trinitatis: secundum illud Matth. ult.: *Euntes, docete*
omnes gentes, baptizantes eos in nomine Patris et Filii et Spiritus Sancti. Et
ideo *in baptismo Christi,* ut Hieronymus dicit, *mysterium Trinitatis demon-*
stratur: Dominus ipse in natura humana baptizatur; Spiritus Sanctus descen-
60 *dit in habitu columbae; Patris vox testimonium Filio perhibentis auditur.*
Et ideo conveniens fuit ut in illo baptismo Pater declararetur in voce.

Ez ist zemerken, ob die verklerung, die da geschach in der verwandelunge Christi uf dem berge, ob daz were die glorificierte clarheit.

145

Ez ist zesagen, daz die clarheit waz ein clarheit der glorien, alse nach der wesung, aber niht nach der wise des wesennes. Wan die clarheit dez glorificierten libes kümit
5 nider [1] von der verglorificierten sele: alse St. Augustinus sprichet in einer epistelen „Zuo deme Dyascori." Unde also des gliches die clarheit Christi libes in der verwandelunge kom nider von siner gotheit, alse Damaschenus sprichet, unde von der glori siner selen. Wan daz von dem beginne, daz Christus entphangen wart, die glori siner sele niht überfloz in den lip, daz
10 geschach von einer gotlichen teilung, daz in dem lidelichen libe unser erlösunge erfulte die heimlicheit gottis. [2] Doch enist niht übermitz daz Christo genumen [3] der gewalt, daz die glori siner sele nidergienge in sinen lip. Unde ouch daz selbe tet er, alse vil alse zuo der clarheit, in der verwandelunge, aber doch anders denne in dem glorificierten libe. Wan zuo dem geglorifi
15 cierten [libe] überflüzzet die clarheit von

146

der sele alse etlichü wielichi belibet den lip zewirkenne. Unde dar umbe liplich schinen enist dekein zeichen in dem glorificierten libe. Aber zuo dem libe Christi in der verwandelunge waz nidergande die clarheit von der gotheit unde von siner sele niht übermitz wise der wielichi innebelibende unde inne würkende den lip selber, sunder
20 mer übermitz wise der lidunge unde fürgande, alse so der luft erlühtet wirt von der sunnen. Unde dar umbe so waz der schin, der do offenbar waz in Christi [4] lip, zeichenlich: alse ouch daz waz, daz er gie uf den enden dez meres.

Ez ist zemerken, waz ein sacramente si. Ez ist zesagen, daz man den
25 menschen zeichen gibit der dinge, welcher [5] zekommen ist übermitz die erkanten zuo den unerkanten. Unde dar umbe so heizzet ez eigen ein sacramente, daz da ein zeichen ist etlichez heiligen dinges, die da behörent zuo den menschen; alse daz daz eigen heizet ein sacramente, nach dem unde wir nu sprechen von

147

den sacramenten, daz da „ein zeichen ist des
30 heiligen dinges, alse vil alse ez heiligende ist den menschen."

[1] MS: "inder."
[2] Faulty translation; it should read: "daz er in dem lidelichen libe erfulte die heimlicheit unserre erlösunge."
[3] MS: "gewunen," probably copied from "genumen"; possibly the translator read *adempta* as *adepta*.
[4] MS: "Christo."
[5] Translator failed to refer *quorum* to *hominibus.*

III. q. 45, a. 2. UTRUM CLARITAS TRANSFIGURATIONIS FUERIT CLARITAS GLORIOSA [6]

Respondeo dicendum quod claritas illa quam

——————————————————————————————————— 145

Christus in transfiguratio-
ne assumpsit, fuit claritas gloriae quantum ad essentiam, non tamen quan-
35 tum ad modum essendi. Claritas enim corporis gloriosi derivatur ab animae
claritate: sicut Augustinus dicit, in Epistola *ad Dioscorum*. Et similiter
claritas corporis Christi in transfiguratione derivata est a divinitate ipsius,
ut Damascenus dicit, et a gloria animae eius. Quod enim a principio con-
ceptionis Christi gloria animae non redundaret ad corpus, ex quadam dispen-
40 satione divina factum est, ut in corpore passibili nostrae redemptionis expleret
mysteria . . . . Non tamen per hoc adempta est potestas Christo derivandi glo-
riam animae ad corpus. Et hoc quidem fecit, quantum ad claritatem, in trans-
figuratione: aliter tamen quam in corpore glorificato. Nam ad corpus glorifi-
catum redundat claritas ab

——————————————————————————————————— 146

anima sicut quaedam qualitas permanens corpus
45 afficiens. Unde fulgere corporaliter non est miraculosum in corpore glorioso.
Sed ad corpus Christi in transfiguratione derivata est claritas a divinitate
et anima eius, non per modum qualitatis immanentis et afficientis ipsum
corpus: sed magis per modum passionis transeuntis, sicut cum aer illuminatur
a sole. Unde ille fulgor tunc in corpore Christi apparens miraculosus fuit:
50 sicut et hoc ipsum quod ambulavit super undas maris.

III. q. 60. QUID SIT SACRAMENTUM

Art. 2. c. Respondeo dicendum quod signa dantur hominibus, quorum est
per nota ad ignota pervenire. Et ideo proprie dicitur sacramentum quod est
signum alicuius rei sacrae ad homines pertinentis: ut scilicet proprie dicatur
55 sacramentum, secundum quod nunc de

——————————————————————————————————— 147

sacramentis loquimur, quod est *sig-
num rei sacrae inquantum est santificans homines.*

[6] Heading of this article was taken from introduction to Question 45

Ez ist zemerken, daz ez einveltiklich zesprechen ist, daz daz sacramente unsers herren lichamen mehtiger si denne die andern sacramente, daz an dem offenbar ist, wan in im wirt gehalten Christus substentilichen. Aber in den andern sacramenten wirt gehalten etlich gezouliche craft, die von
5 Christo teilhaftig ist. Aber alle zit so ist daz, daz da übermitz die wesunge ist, [1] bezzer denne daz, daz da übermitz die teilheftikeit ist.

Ez ist zemerken, daz etlich gesprochen habent, daz in disem sacramente nach der consacrierunge belibe die substancie dez brotes unde dez wines. Aber daz enmag niht bestan. Wan übermitz daz wirde abgenomen die
10 warheit diz sacramentes, zuo dem daz behöret, daz der war lip Christi in disem sacramente si, daz da niht enist vor der consacrierung.

148 _____

Wan dekein ding mag gesin an einer stat, da ez vor niht enwaz, niht wan übermitz wandelung der stat oder daz daz ander in ez verwandelt würde. Alse von etlichem huse, in dem von nüwes anhebet zesin ein für, oder daz ez braht
15 wirt oder daz es·dar geborn wirt. Aber nu ist diz offenbar, daz der lip Christi niht anhebet zesin in disem sacramente übermitz bewegunge von einer stat zuo der andern, wan anders so volget daz dar nach, daz er liez sin in dem himele; wan er enkom niht von dem, daz [2] er beweget wirde von einer stat, von nüwens zuo einer andern stat, nihtwan er habe denne
20 gelazen die erste stat.

Ez ist zemerken, daz dekein creature, in welcher guotheit [3] daz si ge-schaffen si, daz ir dar inne genuog si, widerzebringen die menschlichen krankeit oder die menschlichen vergenklichi [4] übermitz wise der genuog-tuowunge. Unde dez ist ein driveltig bewisunge. Dü erste bewisunge ist,

149 _____

25 daz alles daz, daz ein ieklich creature vermag, daz ist si got schuldig. Unde dar umbe so wirt ir nihtes niht gelazen, daz er für einen andern müge genuogtuon. Zem andern male, wan daz suochet man in der gnuogetuowunge, daz der, der da gnuogtuot, daz er, mit dem er gnuogtuot, deme daz wider-wege, daz übermitz die schulde benomen ist, oder villiht, daz ez im doch
30 glich si. Wie doch daz ist, [daz] etlich creature si oder müge gesin bezzer denne die menschlich nature, doch niht die nature in etlicher geschaffener personen betrahtet, mag sich geglichen der guotheit der menschlich naturen zemale. Aber die guotheit der menschlicher naturen dü ist zemale unentlich übermitz die zuofügung [5] zuo den underwürfen, in dem unde die mensch-
35 liche nature übermitz die geberunge biz in die unentlicheit sich gemeinende

---

1 MS: "ist ist."
2 Translator read *quod* as *eo quod.*
3 MS: "gotheit."
4 For this meaning of *corruptio,* cf. I Cor. 15: 42: *Seminatur in corruptione, surget in incorruptione.*
5 MS: "zuofüguog."

III. q. 65, a. 3. c. Respondeo dicendum quod, simpliciter loquendo, sacramentum Eucharistiae est potissimum inter alia sacramenta. Quod . . . . apparet . . . . ex eo quod in eo continetur ipse Christus substantialiter: in aliis autem sacramentis continetur quaedam virtus instrumentalis participata a
40 Christo . . . . Semper autem quod est per essentiam, potius est eo quod est per participationem.

III. q. 75, a. 2. c. Respondeo dicendum quod quidam posuerunt post consecrationem substantiam panis et vini in hoc sacramento remanere. — Sed haec positio stare non potest. Primo quidem, quia per hanc positionem
45 tollitur veritas huius sacramenti, ad quam pertinet ut verum corpus Christi in hoc sacramento existat. Quod quidem ibi non est ante consecrationem.

———————————————————————————— 148

Non autem aliquid potest esse alicubi ubi prius non erat, nisi per loci mutationem, vel per alterius conversionem in ipsum: sicut in domo aliqua de novo incipit esse ignis aut quod illuc deferetur, aut quod ibi generatur. Manifestum
50 est autem quod corpus Christi non incipit esse in hoc sacramento per motum localem . . . . quia sequeretur quod desineret esse in caelo: non enim quod localiter movetur, pervenit de novo ad aliquem locum, nisi deserat priorem . . . .

Ad [6] nonum dicendum, quod nulla creatura, in quantacumque bonitate
55 crearetur, potest sufficere ad reparationem corruptionis humanae naturae per modum satisfactionis: cuius ratio potest esse triplex. Prima est,

———————————————————————————— 149

quia omnis creatura totum quod potest, pro se Deo debet: unde non relinquitur sibi ut pro alio satisfacere possit. Secunda, quia hoc requiritur in satisfactione, ut quod satisfaciens reddit, praeponderet ei quod per culpam
60 ablatum est, vel saltem si aequale illi. Quamvis autem alique natura creata sit vel possit esse melior natura humana; non tamen natura in aliqua persona creata considerata potest adaequare bonitatem totius naturae humanae; bonum enim humanae naturae quodammodo infinitum est per comparationem ad supposita, inquantum natura humana in infinitum per generationem

---

[6] The following passage is taken from the Parma edition: 3 Sent. 1 Dist. Q. 1, a. 2, ad 9.

ist. Aber daz guot einer ieklicher geschaffener creature unde in ir selber so ist si [un]entliche unde wirt geendet, nach deme unde ez betrahtet wirt

150

in eime underworf, der beterminiert ist. Unde dar umbe, wan die getat ist der underwurf, so enmag daz niht gesin, daz die würkunge etlicher creaturen
5 vermügent si, alse vil ez ein guot ist der menschlicher nature, [1] daz ez were ein wirdigü gnuogtuowunge für sin widerbringunge. Zem dritten male, wan, als in dem andern buoch der sentencien gesaget ist, daz die menschliche nature in dem ersten, do si geschaffen wart, do enphieng si etlichü ding, übermitz die er erhaben wirt über die ordenung siner bevellichen [2] beginne,
10 alse etlich untötlicheit, die da der gnaden was unde nit der naturen, unde ander des gliches, die im gegeben warn von der götlichen luterre friheit, die er übermitz die sünden verlos. Unde dar umbe si widerzebringenne, so muost si übererhaben werden zuo einem höchern grat, in den si dez ersten gemachet wart. Aber ez enist niht müglich, daz dekein creature oder
15 nature erhaben

151

müge werden zuo einem höchern grat, ez si denne, der die nature gemachet hat unde geordent hat, daz ez der tuowe. Dar umbe so waz ez got alleine müglich, daz er den menschen widerbreht. Unde man mag dar zuo leggen die vierden sache. Wan were daz gewesen, daz ez übermitz dekein creature müglich were gewesen, daz were ouch über einen engel
20 müglich gewesen. Aber daz enmag niht gesin. Wan unde were diz geschehen übermitz einen engel, so were der alle zit dem engel schuldig. Unde also so enmohte er dem engel niemer gliche werden. Aber daz ist falsche. Hie vahet an daz vierde buoch der sententie. [3]

Ez ist zemerken, ob zuo der selikeit behör begriffung. Ez ist zesagen, sit
25 daz die selikeit bestat in einer ervolgunge dez iungsten ende, so sint dü ding, dü man da suochet zuo der selikeit, zebetrahtenne von der ordenung selber dez menschen zuo dem ende. Aber zuo dem vernünftigen

152

ende [4]
wirt der mensche geordent ein teil von dem verstan unde ein teil von dem willen. Aber übermitz daz verstan, daz ist alse vil, alse dem
30 verstan etlich bekentnüsse vorstat alse unvolkomen. Aber dur den willen, so ist ez in zweier hande wis. In der ersten wis: übermitz die minne, dü da ist ein erste bewegde dez willen in etwaz. Aber zem andern male: nah einer dinklicher habunge dez minnenden zuo dem geminten, welche dinkliche habunge mag gesin in drier hande wis. Zem ersten: so mag etwenne daz ge-
35 minte gegenwertig sin dem minnenden, unde denne so ensuochet itze niht die

---

[1] Translator may have read the Latin as: *in quantum est bonum naturae humanae.*
[2] From MHG "befallen," doublet of "gefallen." Translator connected *congruentem* with *principiis.*
[3] This last sentence is written with red ink.   [4] MS: "en."

communicabilis est; bonum autem cuiuslibet naturae creatae et in se infini-
tum est, et finitur secundum quod consideratur

━━━ 150

in uno supposito determina-
to: et ideo cum actus sint suppositorum, non potest esse ut operatio alicuius
creaturae valeat tantum quantum est totum bonum naturae humanae, ut pos-
40 sit esse digna satisfactio pro eius reparatione. Tertia est, quia, ut in 2 lib.,
dist. 19, quaest. 1, art. 4, dictum est, humana natura in prima sua conditione
accepit quaedam per quae supra statum suis principiis congruentem elevaba-
tur, sicut immortalitatem quamdam, quae erat gratiae, non naturae, et alia
huiusmodi sibi ex pura liberalitate divina collata, quae per peccatum amisit.
45 Unde eam reparare erat ad gradum superiorem ipsam elevare, in quo prius
condita fuerat. Non est autem possibile elevare aliquam naturam

━━━ 151

ad gradum
superiorem nisi ei qui naturas condidit, et earum gradus ordinavit: et ideo
soli Deo possibile fuit naturam humanam reparare.
3. Sent. 1. Dist. q. 1, a. 2. Solutio.... Si autem hominem per angelum
50 repararet, non integra esset reparatio: quia semper homo Angelo salutis
suae debitor esset; et ita ei in beatitudine adaequari non posset....

I-II, q. 4, a. 3. UTRUM AD BEATITUDINEM REQUIRATUR COMPREHENSIO

Respondeo dicendum quod, cum beatitudo consistat in consecutione ul-
timi finis, ea quae requiruntur ad beatitudinem sunt consideranda ex ipso
55 ordine hominis ad finem. Ad finem autem intelligibilem

━━━ 152

ordinatur homo
partim quidem per intellectum, partim autem per voluntatem. Per intellectum
quidem, inquantum in intellectu praeexistit aliqua cognitio finis imperfecta.
Per voluntatem autem dupliciter [5]: primo quidem per amorem, qui est primus
motus voluntatis in aliquid: secundo autem, per realem habitudinem amantis
60 ad amatum, quae quidem potest esse triplex. Quandoque enim amatum est
praesens amanti; et tunc iam non quaeritur. Quandoque autem non est prae-

[5] *dupliciter* occurs in some Latin manuscripts.

begriffunge. Aber etwenne so enist ez niht gegenwertig aber ist wol in der müglichi, [1] ez zegewinnen, unde denne so ensuochet ez sin ouch niht. Aber etwenne so ist ez im müglich zegewinnen, aber ez ist erhaben über die müglichi dez gewinnenden, also daz er ez niht zehant mag gehaben. Unde daz

5 ist die habunge dez, der da zuoversiht hat zuo dem, dar zuo er zuoversicht

153

hat, unde des habunge machet alleine ende der suochunge. [2] Unde in disen drin wisen antwert etwaz in der selikeit. Wan daz volkomen bekentnüsse dez endes antwert unvolkomenlichen, [3] aber die gegenwertikeit dez endes antwürtet der habung der zuoversiht. Aber der [4] lust in dem ende, der da

10 nu gegenwertig ist, der ervolget die würkunge. [5] Unde dar umbe so ist notdurftig, daz disü drü zesamenkoment zuo der selikeit, daz ist dü gesihte, dü da ist ein volkomen bekennen dez verstans dez endes, [6] die begriffunge, die da innetreit die gegenwürtikeit des endes, aber die lust, oder die gebruchunge, die da innetreit die ruowe dez minnenden dinges in dem geminten.

15 Ez ist zemerken, ob man zuo der selikeit suoche den lip. Ez ist zesagen, daz zweier hande selikeit ist. Ein selikeit ist unvolkomen, unde die hat man in diseme leben, unde die ander ist volkomen, die bestat in der gesiht gottis. Aber nu ist daz offenbar, daz zuo der selikeit dises

154

lebens gesuochet wirt der lip. Nu ist selikeit dises lebennes würkunge des verstans, eintweder des

20 schoulichen verstans oder des würklichen verstans. Aber die würkunge des verstans in diseme leben enmag niht bestan ane fantasiunge, unde daz en ist niht denne in den liplichen organen. Unde alse die selikeit, [die] in disem leben gehabt mag werden, die hanget alzemale von dem libe.

Aber bi der selikeit, die da volkomen ist, die da bestat in der gesiht gottis,

25 die sasten etlich, daz si der sele zuokömen möhten [7] ane den lip. Unde sprachen, daz die sele der heiligen, die da gescheiden ist von dem lip, die enkoment niht zuo diser selikeit bis an dem iungsten tag, so si den lip widernement. Unde diz schinet, daz es falsche si, unde daz von der heiligen lere unde von der rede. Der heiligen [lere:] wan St. Paulus der sprichet „Zuo

30 den Corinthin": „Alle die wile unde wir in disem libe sin, so sin' [wir] ellende von got." Unde welches die rede der ellendikeit si, daz bewiset er an dem, daz er underwirfet, so er sprichet: „Wir wandelen übermitz

· 155

---

[1] Translator read *impossibile* as *possibile.*
[2] Should be "suochunge dez endes."
[3] Translator read *perfectae* (probably spelled *perfecte* in his MS) as *perfecte.*
[4] MS: "den."
[5] Translator confused *dilectio* with *diligens, diligentia,* which can mean both industry and "love."
[6] Probably mistake for: "verstandenez endez."
[7] Translator overlooked the *non*; as to the unusual ending, cf. p. 142, note 1.

sens, sed impossibile est ipsum adipisci : et tunc etiam non quaeritur. Quandoque autem possibile et ipsum adipisci, sed est elevatum supra facultatem
35 adipiscentis, ita ut statim haberi non possit : et haec est habitudo sperantis ad speratum,

---

153

quae sola habitudo facit finis inquisitionem. Et istis tribus respondent aliqua in ipsa beatitudine. Nam perfecta cognitio finis respondet imperfectae ; praesentia vero ipsius finis respondet habitudini spei ; sed delectatio in fine iam praesenti consequitur dilectionem . . . . Et ideo necesse est ad beatitu-
40 dinem ista tria concurrere : scilicet visionem, quae est cognitio perfecta intelligibilis finis ; comprehensionem, quae importat praesentiam finis ; delectationem, vel fruitionem, quae importat quietationem rei amantis in amato.

I-II. q. 4, a. 5. UTRUM AD BEATITUDINEM HOMINIS REQUIRATUR CORPUS

Respondeo dicendum quod duplex est beatitudo : una imperfecta, quae
45 habetur in hac vita ; et alia perfecta, quae in Dei visione consistit. Mani-
· festum est autem quod ad beatitudinem huius

154

vitae, de necessitate requiritur corpus. Est enim beatitudo huius vitae operatio intellectus, vel speculativi vel pratici. Operatio autem intellectus in hac vita non potest esse sine phantasmate, quod non est nisi in organo corporeo . . . . Et sic beatitudo quae in
50 hac vita haberi potest, dependet quodammodo ex corpore.

Sed circa beatitudinem perfectam, quae in Dei visione consistit, aliqui posuerunt quod non potest animae advenire sine corpore existenti ; dicentes quod animae Sanctorum a corporibus separatae, ad illam beatitudinem non perveniunt usque ad diem Iudicii, quando corpora resument. — Quod quidem
55 apparet esse falsum et auctoritate, et ratione. Auctoritate quidem, quia Apostolus dicit, II *ad Cor.* v : *Quandiu sumus in corpore, peregrinamur a Domino* ; et quae sit ratio peregrinationis ostendit, subdens : *Per fid^m enim*

155

den glouben,
unde niht übermitz die zuoversiht." [1] Von dem daz diz offenbar ist, daz alse
lang etlicher wandelt übermitz den glouben unde nüt übermitz die zuover-
siht, [1] unde darbende der gotlicher wesunge angesiht, so enist er noch nit got
gegenwertig. Aber die sele der heiligen, die da gescheiden sint von dem libe,
5 die sint got gegenwertige; unde dar umbe so underwirfet er: „Wir sülen
künsch sin, unde guoten willen . . . . von disem libe unde gotte gegenwertig
sin." Unde da von ist offenbar, daz die selen der heiligen, die da gescheiden
sint von dem libe, daz die übermitz die gesteltnüsse götlicher wesunge sint
got ansehenden, in dem die gewar selikeit ist.
10 Unde diz ist ouch offenbar übermitz reden. Wan daz verstan daz enbedarf
niht zuo siner wirkunge des libes nihtwan durch die fantasiunge, in dem man
ansiht die verstentlichen [2] warheit. Aber nu ist diz offenbar, daz man gotlichü
wesung niht angesehen mag übermitz fantasiung. Wan sit

156 ━━━

daz in der got-
lichen wesung angesiht die volkomen selikeit des menschen bestat, so en-
15 hanget die volkomen selikeit dez menschen [niht] von dem libe. Unde dar
umbe so mag die sele selig sin ane den lip.
Aber ez ist zewissen, daz zuo der volkomenheit etliches dinges etwaz be-
höret in zweier hande wis. In einer wis: zesetzenne die wesunge des dinges,
. . . . [3] unde daz behört zuo wol zesin dem, alse die schonheit des libes unde
20 die snelheit dez sinnes, die behört zuo der volkomenheit dez menschen. Unde
wie doch daz ist, daz der lip in der ersten wis niht behöre zuo der selikeit
dez menschen, doch so behöret er dar zuo in der andern wis. Wan sit daz
die würkunge hanget von der naturen dez dinges, unde dar umb alse vil
alse die sele volkomener wirt in irre nature, also vil so hat die sele ir eigen
25 würkunge volkomenlicher, in welcher wirkung die selikeit bestat.
Ez ist zemerken, ob die selikeit hie müge gehabt

157 ━━━

werden. Ez ist zesagen,
daz etlicher teilheftikeit der selikeit in disem leben gehabt mag werden. Aber
die volkomen unde die gewar selikeit die enmag man in dekeiner wis hie
gehaben. Unde daz ist also offenbar, wan sit die selikeit ist „ein volkomen
30 unde ein gnüeglich guot," so slüzzet si uz alles übel unde erfüllet alle begirde.
Aber in disem leben so mag man niht uzsliezen allez übele. Wan manigen
übele lit diz gegenwertig leben under, die man niht verwinnen mag. Unde also
ouch so mag die begirde niht gesettet werden in dem leben dirre zit. Aber
nu begeret der mensche natürlichen in disem lebenne eins blibens des guotes,
35 dez er da hat. Aber die guoten ding in disem lebenne die sint fürvarende,

---

[1] Translator took *species* as *spes.*
[2] MS: "verstentlicher."
[3] Either translator jumped from *rei* to *rei,* or copyist jumped from "dinges" to
"dinges".

ambulamus, et non per speciem. Ex quo apparet quod quandiu aliquis am-
bulat per fidem et non per speciem, carens visione divinae essentiae, non-
dum est Deo praesens. Animae autem Sanctorum a corporibus separatae,
sunt Deo praesentes: unde subditur: *Audemus autem, et bonam voluntatem*
40 *habemus peregrinari a corpore, et praesentes esse ad Dominum.* Unde mani-
festum est quod animae Sanctorum separatae a corporibus, ambulant per
speciem, Dei essentiam videntes, in quo est vera beatitudo.

Hoc etiam per rationem apparet. Nam intellectus ad suam operationem
non indiget corpore nisi propter phantasmata, in quibus veritatem intelligi-
45 bilem contuetur .... Manifestum est autem quod divina essentia per phan-
tasmata videri non potest ....

_____ 156

Unde, cum in visione divinae essentiae per-
fecta hominis beatitudo consistat, non dependet beatitudo perfecta hominis
a corpore. Unde sine corpore potest anima esse beata.

Sed sciendum quod ad perfectionem alicuius rei dupliciter aliquid pertinet.
50 Uno modo, ad constituendam essentiam rei: sicut anima requiritur ad per-
fectionem hominis. Alio modo requiritur ad perfectionem rei quod pertinet
ad bene esse eius: sicut pulchritudo corporis, et velocitas ingenii pertinet
ad perfectionem hominis. Quamvis ergo corpus primo modo ad perfectionem
beatitudinis humanae non pertineat, pertinet tamen secundo modo. Cum
55 enim operatio dependeat ex natura rei, quanto anima perfectior erit in sua
natura, tanto perfectius habebit suam propriam operationem, in qua felicitas
consistit.

I-II. q. 5, a. 3. UTRUM ALIQUIS IN HAC VITA POSSIT ESSE BEATUS

_____ 157

Respondeo dicendum quod aliqualis beatitudinis participatio in hac vita
60 haberi potest: perfecta autem et vera beatitudo non potest haberi in hac
vita. Et hoc quidem considerari potest dupliciter. Primo quidem, ex ipsa
communi beatitudinis ratione. Nam beatitudo, cum sit *perfectum et suffi-
ciens bonum,* omne malum excludit, et omne desiderium implet. In hac
autem vita non potest omne malum excludi. Multis enim malis praesens
65 vita subiacet, quae vitari non possunt: .... Similiter etiam desiderium boni
in hac vita satiari non potest. Naturaliter enim homo desiderat permanen-
tiam eius boni quod habet. Bona autem praesentis vitae transitoria sunt:

wan diz leben ist selber fürvarende, dez wir naturlichen begeren, unde wir wolten, daz ez ewiklichen blibe, wan der menschen flühet natürlichen den tot.

Zuo dem andern male so bewiset er ez also: unde

158 ─────────────────────────────────

ist daz man begert [1] dez, in dem sünderlichen bestat die selikeit, daz ist die anschouwunge der gotlichen wesunge, die dem menschen niht fürkomen mag in disem leben, alse
5 ez in dem ersten bewiset ist. Unde dar umbe so enmag si niht in disem leben gehabt werden.

Ez ist zemerken, ob man dekein wirkung der menschen dar zuo suoche zuo dem, daz man die selikeit ervolge von gotte. Ez ist zesagen, daz man
10 die rehtikeit dez willen dar zuo suochet, daz man die selikeit ervolge, welche rechtikeit nihtes niht anders enist denne ein schuldig ordenunge dez willen zuo dem iungsten ende. Unde also wirt si gehouschen zuo der volgunge dez iungsten endes, alse ein schuldigü bereitunge der materien ze ervolgenne die förmen. Aber von dem so bewiset ez [2] niht daz dekein wirkunge dez men-
15 schen vorgan sülen siner selikeit; aber man möh mit einander machen, daz der wille die rihte in daz [ende] sich

159 ─────────────────────────────────

füegende were, unde daz ende zervolgenne rehte; alse etwenne mit einander bereitet wirt die materie unde ouch die forme ingeleitet wirt. Aber die ordenunge der gotlicher wisheit, daz diz niht gesche, daz heischet si; alse man sprichet in dem andern capitel „Von
20 den himelschen": „Dirre, der da geborn sint, daz si haben sülen volkomens guot, daz hat etwaz ane die bewegunge, unde hat etwaz von einre bewegunge." Aber zehabenne volkoment [3] guot ane bewegunge, daz behört dem zuo, daz daz guot natürlichen hat. Aber zehabenne die selikeit natürlichen, daz behö[ret] got alleine zuo. Unde dar umbe so ist daz got alleine eigen, daz er
25 zuo der selikeit niht beweget werde übermitz dekein wirkunge, die vorgegangen ist. Aber umbe daz wan die selikeit fürgat alle geschaffen naturen, so enmag dekein luter creature behörlich ervolgen ir selikeit ane bewegung der wirkunge

160 ─────────────────────────────────

übermitz welche bewegunge die creature sich keret in ir selikeit. Aber der engel, der da höher ist in der ordenung [der] nature denne
30 der mensche, der hat die selikeit ervolget von der ordenunge der gotlicher wisheit von einer bewegung der lonberre wirkunge. Aber die menschen ervolge[n]t si von vil bewegunge der wirkunge, [4] die da lonber heizzent.

---

[1] Translator read *consideretur* as *desideretur*.
[2] MS: "er."
[3] This may be a Ripuarian form. Cf. Reis, *Die deutschen Mundarten*, p. 94.
[4] MS: "der wirkunge der wirkunge."

cum et ipsa vita transeat, quam naturaliter desideramus, et eam perpetuo permanere vellemus, quia naturaliter homo refugit mortem ....
35 Secundo, si consideretur id in quo

——————————————————————————————— 158

specialiter beatitudo consistit, scilicet visio divinae essentiae, quae non potest homini provenire in hac vita, ut in Primo ostensum est. Ex quibus manifeste apparet quod non potest aliquis in hac vita veram et perfectam beatitudinem adipisci.

I-II. q. 5, a. 7. UTRUM REQUIRANTUR ALIQUA OPERA BONA AD HOC QUOD
40 HOMO BEATITUDINEM CONSEQUATUR A DEO

Respondeo dicendum quod rectitudo voluntatis .... requiritur ab beati-
tudinem, cum nihil aliud sit quam debitus ordo voluntatis ad ultimum finem; quae ita exigitur ad consecutionem ultimi finis, sicut debita dispositio materiae ad consecutionem formae. Sed ex hoc non ostenditur quod aliqua
45 operatio homonis debeat praecedere eius beatitudinem: possit enim Deus simul facere voluntatem recte ten-

——————————————————————————————— 159

dentem in finem, et finem consequen-
tem; sicut quandoque simul materiam disponit, et inducit formam. Sed ordo divinae sapientiae exigit ne hoc fiat; ut enim dicitur in II *de Caelo, eorum quae nata sunt habere bonum perfectum, aliquid habet ipsum sine motu,*
50 *aliquid uno motu* .... Habere autem perfectum bonum sine motu, convenit ei quod naturaliter habet illud. Habere autem beatitudinem naturaliter est solius Dei. Unde solius Dei proprium est quod ad beatitudinem non moveatur per aliquam operationem praecedentem. Cum autem beatitudo excedat omnem naturam creatam, nulla pura creatura convenienter beatitudinem consequitur absque motu operationis,

——————————————————————————————— 160

per quam tendit in ipsam. Sed angelus, qui est su-
perior ordine naturae quam homo, consecutus est eam, ex ordine divinae sapientiae, uno motu operationis meritoriae .... Homines autem consequun-
tur ipsam multis motibus operationum, qui merita dicuntur. Unde etiam,

Unde dar umbe, nach dem unde der philosophus sprichet, die selikeit ist ein lon der tugentlicher wirkung.

Ez ist zemerken, ob die gebruchunge alleine si des iungesten endes. Ez ist zesagen, daz zuo der früht redenne zwei ding behörent, daz ist, daz ez si daz iungste, unde ouch daz ez rüewige die begirde mit etlicher süezikeit unde lustlicheit. Aber daz iungste daz ist einvelticlich unde ist ouch nach etwaz. Aber einvelticlichen so heizet daz, daz zuo einem andern niht widertragent ist, aber nach deme unde ez nach etwaz ist, daz ist nach dem unde ez etlicher ende ist. Unde dar umbe, daz einvelticlichen daz

161 ——

iungste ist, in dem daz etlicher gelustiget wirt alse in dem iungesten ende, unde diz heizet eigenlichen die fruht. Unde von dem so heizet etlicher eigentlichen, daz er gebruchen. [1] Aber daz, daz in im selber niht lustlichen enist, sunder sin wirt allein begert in ordenunge zuo etwaz, alse daz bitter trank begeret wirt zuo der gesuntheit, unde diz enmag in dekeiner wis ein fruht gesin. Aber daz in im selber etliche lustlichi hat, zuo welcher lustilichi daz die vorganden getragen werdent, daz mag in etlicher wis heizen ein fruht: aber niht eigentlichen unde ouch niht nach voller reden so heizen wir davon gebruchen. Unde dar umbe so sprichet St. Augustinus in dem zehenden capitele „Von der driveltikeit," „daz wir der erkanten dinge gebruchen, in dem der gelustigt wille ruowet." Aber er enruowet niena einvelticlichen denne in dem iungsten, wan alse lange alse etwaz gebetten wirt, alse lang blibet bewegunge dez willen in dem, daz da

162 ——

ufgezogen [2] ist, wie doch daz ist, daz ez nu [zuo] etwaz komen ist. Als in der bewegung von einer stat zuo der andern, wie [doch] daz ist, daz daz, daz da ein mittel ist in der grözi, si ein beginnen unde ein ende; doch nimet man ez niht alse ein ende in der tat, nihtwan ez si denne, daz ez in im ruowet.

Ez ist zemerken, ob die gebruchunge si [von] ein ende, daz man iez habe. Ez ist zesagen, daz die gebruchunge innetreit etliche wirkunge [3] des willen zuo dem iungesten ende, nach dem unde der wille etwaz hat für daz iungste ende. Aber nu wirt daz ende gehabet in zweier hande wis. In einer wis: volkomenlichen, daz ist swenne daz man ez niht alleine hat in der meinunge, sunder ouch in dem dinge. In einer andern wis: unvolkomenlichen, daz ist so man ez alleine hat in der meinunge. Unde dar umbe so ist ein volkomen gebruchunge dez endes, daz da nu dinklichen gehabt wirt. Aber

163 ——

[1]   Subjunctive singular ending in -*n* is not uncommon; cf. p. 136, note 7.
[2]   Faulty translation.
[3]   Translator took *comparationem* as *operationem*.

35 secundum Philosophum, beatitudo est praemium virtuosarum operationum.

I-II. q. 11, a. 3. UTRUM FRUITIO SIT TANTUM ULTIMI FINIS

Respondeo dicendum quod, sicut dictum est, ad rationem fructus duo pertinent: scilicet quod sit ultimum; et quod appetitum quietet quadam dulcedine vel delectatione. Ultimum autem est simpliciter, et secundum
40 quid: simpliciter quidem, quod ad aliud non refertur, sed secundum quid, quod est aliquorum ultimum. Quod ergo est simpliciter

—————————————————————————————— 161

ultimum, in quo aliquid delectatur sicut in ultimo fine, hoc proprie dicitur fructus: et eo proprie dicitur aliquis frui. — Quod autem in seipso non est delectabile, sed tantum appetitur in ordine ad aliud, sicut potio amara ad
45 sanitatem; nullo modo fructus dici potest. — Quod autem in se habet quandam delectationem, ad quam quaedam praecedentia referuntur, potest quidem aliquo modo dici fructus: sed non proprie, et secundum completam rationem fructus, eo dicimur frui. Unde Augustinus, in X *de Trin.*, dicit quod *fruimur cognitis in quibus voluntas delectata conquiescit.* Non autem quiescit simpli-
50 citer nisi in ultimo: quia quandiu aliquid expectatur, motus voluntatis remanet in

—————————————————————————————— 162

suspenso, licet iam ad aliquid pervenerit. Sicut in motu locali, licet illud quod est medium in magnitudine, sit principium et finis; non tamen accipitur ut finis in actu, nisi quando in eo quiescitur.

I-II. q. 11, a. 4. UTRUM FRUITIO SIT SOLUM FINIS HABITI

55 Respondeo dicendum quod frui importat comparationem quandam voluntatis ad ultimum finem, secundum quod voluntas habet aliquid pro ultimo fine. Habetur autem finis dupliciter: uno modo, perfecte .... quidem, quanda habetur non solum in intentione, sed etiam in re: imperfecte autem, quando habetur in intentione tantum. Est ergo perfecta fruitio finis iam habiti realiter. Sed

—————————————————————————————— 163

daz ende, [1]

daz nu niht gehabt ist dinklichen, sunder alleine in der meinunge, daz ist unvolkomen.

Ez ist zemerken, ob die erwellung si ein tat dez willen oder der bescheidenheit. Ez ist zesagen, daz in dem namen der erwellunge etwaz innegetragen wirt, daz da zuo der bescheidenheit behöret oder zuo dem verstan, unde etwaz, daz da zuo dem willen behöret. Wan ez sprichet der philosophus in dem sechsten capitel in dem buoch, daz da heizet „Hetticori,” daz die erwellunge ist „des begerlichen verstan, oder der begirde der verstenlichen dinge.” [2] Aber swenne daz zwei zesamenloufent, umbe daz si eins setzen, so ist eins förmelichen in einer gegenwertikeit dez anderen. Unde dar umbe so sprichet Gregorius Nissenus, [3] daz die erwellung „niht enist weder die begerunge nach ir selber, noch ein rat allein, sunder von disen zwein ist ez etwaz zesamengesetzet. Wan alse wir

164 ━━━━━━━━━━━━━━━━━━━━━━━━━━━━━━━━━

sprechen, daz daz tiere si etwaz zesamengesast von sele unde von lip, ... [4] noch ez enist ouch niht die sele übermitz sich selber, sunder si beidü; also so ist ouch umbe die erwelunge.” Aber nu ist ez zebetrahten in den geteten der sele : dü da getat, die da wesenlichen ist einer maht oder einer habung, dü nimet die forme oder daz gesteltnüsse von der obersten maht oder von der obersten habunge, nach dem unde daz niderste geordent wirt von dem obersten. Wan unde ist, daz dekeiner üebet ein getat der sterki durch die gotlichen minne, so ist dü selbe getat materilichem der sterki unde förmelichen der minnen. Nu ist diz offenbar, daz die bescheidenheit in aller wis dem willen vorgat unde ordent dez willen getat, nah dem unde der wille in sinen gegenwurf merket nah der ordenunge der bescheidenheit, umbe daz wan die begriflich craft [der] begerlichen offebaret iren gegenwurf. Unde also die getat, von der daz der wille sich keret in etwaz, daz

165 ━━━━━━━━━━━━━━━━━━━━━━━━━━━━━━━━━

im fürgeleit wirt alse etwaz guotes, von dem unde ez übermitz die bescheidenheit geordent ist in daz ende, daz [5] ist materilich dez willen unde förmelichen der bescheidenheit. Unde dar umbe in der substancien so heiltet [6] sich die getat materilichen zuo der ordenunge,

---

[1] *Imperfecta* taken as modifying *finis.*
[2] Faulty translation.
[3] MS: "inssenus."
[4] Copyist jumped from the first to the second "lip."
[5] This *daz* refers to "die getat."
[6] The spelling with *ei* may be just a mistake, but compare Michels, § 265. The form recurs, p. 246, line 22.

30 imperfecta est etiam finis non habiti realiter, sed in intentione tantum.

I-II. q. 13, a. 1. UTRUM ELECTIO SIT ACTUS VOLUNTATIS, VEL RATIONIS

Respondeo dicendum quod in nomine electionis importatur aliquid per-
tinens ad rationem sive intellectum, et aliquid pertinens ad voluntatem: dicit
enim Philosophus, in VI *Ethic.*, quod electio est *appetitivus intellectus, vel*
35 *appetitus intellectivus.* Quandocumque autem duo concurrunt ad aliquid unum
constituendum, unum eorum est ut formale respectu alterius. Unde Gregorius
Nyssenus dicit quod electio *neque est appetitus secundum seipsam, neque*
consilium solum, sed ex his aliquid compositum. Sicut enim

── 164
dicimus animal
ex anima et corpore compositum esse, neque vero corpus esse secundum
40 *seipsum, neque animam solam, sed utrumque; ita et electionem.* Est autem
considerandum in actibus animae, quod actus qui est essentialiter unius
potentiae vel habitus, recipit formam et speciem a superiori potentia vel
habitu, secundum quod ordinatur inferius a superiori: si enim aliquis actum
fortitudinis exerceat propter Dei amorem, actus quidem ille materialiter est
45 fortitudinis, formaliter vero caritatis. Manifestum est autem quod ratio
quodammodo voluntatem praecedit, et ordinat actum eius: inquantum scilicet
voluntas in suum obiectum tendit secundum ordinem rationis, eo quod vis
apprehensiva appetitivae suum obiectum repraesentat. Sic igitur ille actus
quo voluntas tendit in aliquid quod

── 165
proponitur ut bonum, ex eo quod per
50 rationem est ordinatum ad finem, materialiter quidem est voluntatis, forma-
liter autem rationis. In huiusmodi autem substantia actus materialiter se habet

die da ingesetzet wirt von der oberresten mach. [1] Unde dar umbe so ist
die erwelunge niht ein getat der bescheidenheit substencilichen, sunder dez
willen, wan die erwelung wirt volmachet in der bewegung der sele zuo etwaz
guotes, daz er erwelt. Unde also so ist ez offenbar, daz si ist ein getat der
5 begerlicher maht.

Ez ist zemerken, ob der rat si ein vorschunge. Ez ist zesagen, alse ge-
sprochen ist, daz die erwellung, alse da vor gesaget ist, ervolget daz ge-
rihte der bescheidenheit von den wirklichen dingen. Aber von den wirk-
lichen dingen vindet man vil unsichercheit. Wan die tüewung sint bi den
10 sünderlichen geschihten, die durch

166 ──

ir wandelberkeit unsiher sint. Aber in
den zwifellichen dingen unde in den unsichern, in den so bringet dü beschei-
denheit dekein urteile für ane vorgande vorschunge. Unde dar umbe so ist
notdürftig ein ervorschunge der bescheidenheit vor dem urteile von der er-
welunge; unde diz vorschunge heizet ein rat durch daz, daz der philosophus
15 sprichet in dem dritten capitel in dem buoche, daz da heizet „Etlicori," daz
die erwellung ist ein „begerunge dez, daz vorgeraten ist."

Ez ist zemerken, ob der rat alleine si von den dingen, die da von uns
geworht werdent. Ez ist zesagen, daz der rat innetreit eigentlichen ein gehabte
versamenunge under vil einer menigi. Daz den namen [2] selbe bezeiche[n]t.
20 Wan rat daz heizet alse vil alse ein zesamensitzung, umbe daz wan ir vil ze-
samensitzent, daz si etwaz under einander tragent. Aber nu ist zebetrahtenne,
daz, in den geschichtigen teilen, [3] zuo dem daz etwaz sicherlichen

167 ──

bekant werde,
dar zuo muoz man betrahten vil eigenschefte oder vil dinges, die allumbe [4]
sint, die von eime niht liederlich betrahtet werdent, sunder man vernimet ez
25 von vil sicherlicher, wan einre betrahtet etwaz, daz einem andern niht be-
gegent. Aber in den notdürftigen dingen unde in den ellichen, in den so ist
blöslicher unde einvelticlicher die betrahtunge, alse zuo der einer betrahtung
eins gnuog ist übermitz sich selber. Unde dar umbe die forschunge dez
rattes eigentlichen behöret zuo den geschihtilichen sünderlichen dingen. Aber
30 die bekentnüsse der warheit in solichen dingen enhat niht etwaz grozzes,
daz si übermitz sich selber begerlichen si, als daz bekentnüsse der ellichen
dinge unde der notdürftigen, sunder man begert sin nah dem unde ez
nütze ist zuo der wirkung; wan die tüewunge sint bi den geschihtlichen

---

    [1] In a number of words in our MS final -*t* has been assimilated to -*h*-. This pheno-
menon, peculiar to Ripuarian dialects, suggests some connection with the Cologne
school. Cf. "sich," p. 164, line 13; "nih," p. 268, line 28; "lieh," p. 324, line 32. See Reis
op. cit. p. 58.
    [2] Did translator take *nomen* to be the accusative?
    [3] Cf. line 29 below.
    [4] MS: "allunbe."

ad ordinem qui imponitur a superiori potentia. Et ideo electio substantialiter
35 non est actus rationis, sed voluntatis: perficitur enim electio in motu quodam
animae ad bonum quod eligitur. Unde manifeste actus est appetitivae po-
tentiae.

I-II. q. 14, a. 1. UTRUM CONSILIUM SIT INQUISITIO

Respondeo dicendum quod electio, sicut dictum est, consequitur iudicium
40 rationis de rebus agendis. In rebus autem agendis multa incertitudo inveni-
tur: quia actiones sunt circa singularia contingentia, quae propter sui varia-

————————————————————————————— 166

bilitatem incerta sunt. In rebus autem dubiis et incertis ratio non profert
iudicium absque inquisitione praecedente. Et ideo necessaria est inquisitio
rationis ante iudicium de eligendis: et haec inquisitio consilium vocatur.
45 Propter quod Philosophus dicit, in III *Ethic.*, quod electio est *appetitus
praeconsiliati.*

I-II. q. 14, a. 3. UTRUM CONSILIUM SIT SOLUM DE HIS QUAE A NOBIS
AGUNTUR

Respondeo dicendum quod consilium proprie importat collationem inter
plures habitam. Quod et ipsum nomen designat; dicitur enim consilium
quasi *considium,* eo quod multi consident ad simul conferendum. Est autem
considerandum quod in particularibus contingentibus, ad hoc quod aliquid

————————————————————————————— 167

certum cognoscatur, plures conditiones seu circumstantias considerare opor-
tet, quas ab uno non facile est considerari, sed a pluribus certius percipiuntur,
55 dum quod unus considerat, alii non occurrit: in necessariis autem et univer-
salibus est absolutior et simplicior consideratio, ita quod magis ad huiusmodi
considerationem unus per se sufficere potest. Et ideo inquisitio consilii pro-
prie pertinet ad contingentia singularia. Cognitio autem veritatis in talibus
non habet aliquid magnum, ut per se sit appetibilis, sicut cognitio universa-
60 lium et necessariorum: sed appetitur secundum quod est utilis ad operatio-

sünderlichen dingen. Unde dar umbe so ist daz zesagen, daz der rat ist bi
den dingen, dü da von uns getan werdent.

168 ──

Ez ist zemerken, ob gevolgen allein behöre zuo dem begriflichen teile der
sele. Ez ist zesagen, daz gevolgen innetreit gemeinunge der sinnen zuo etwaz.
5 Aber daz ist eigen dez sinnes, daz ez bekentlichen ist der dinge gegenwerti-
keit; [1] aber die biltlichü craft ist begriffeliche der liplicher glichnüsse, ouch
der dinge, die da niht gegenwertige sint, von welchen daz glichnüsse sint.
Aber daz begriflich [2] verstan ist der ellichen reden, dü man ane underscheit
begriffen mag, unde der gegenwertiger unde der, die da niht gegenwertige
10 sint, ieklich sünderlich. Unde wan die getat der begerlicher craft ist etwaz
neigunge zuo dem dinge selbe, sunder [3] etlichü glichunge der gemeinsamunge
der gebegerlicher craft zuo den dingen, nach dem unde ez im inhanget, nimet
den namen der sinne alse etwaz brüefnüsse enphahende von dem dinge, daz
im inhanget, alse vil alse im wol in im gevellet. Unde da von stat ge-
15 schriben in „Der wisheit buoch," in dem ersten capitel:

169 ──

„Bevindent in dem
herren in der guotheit." Unde nach deme so ist gevolgen ein tat der beger-
lichen craft.

Ez ist zemerken, ob die gevolgunge alzit zuo dem tüewen behöre zuo der
obersten bescheidenheit. Ez ist zewissen, daz daz entliche urteile allezit
20 behöre zuo dem, daz daz oberste ist, zuo dem daz behöret von den andern
zeurteilen. Wan alle die wile unde daz [ze] urteilen bestat, daz man da fur-
leit, unde noch niht gegeben wirt die iungste sententie. Aber nu ist daz offen-
bar, daz die oberste bescheidenheit daz ist, die da hat von allen dingen ze-
urteilen. Wan wir rihten den sinnen [4] übermitz die bescheidenheit; aber
25 von den dingen, die da zuo den menschlichen bescheidenheiten behörent, die
urteilen wir nach den gotlichen reden, die da behörent zuo der obersten
bescheidenheit. Unde dar umbe also lange alse es niht sicher ist, ob ez besta
nach den gotlichen reden oder niht, also lange so

170 ──

enhat dekein urteil der be-
scheidenheit reden der entlichen sentencie. Aber die entliche sentencie von
30 den wirklichen dingen, daz ist die gevolgunge in die getat. Unde dar umb
die gevolgunge in die getat behöret zuo der obersten bescheidenheit, doch
nah dem unde der willen beslozzen wirt in der bescheidenheit.

---

[1] *praesentium* read as *praesentiae.*

[2] *apprehensivus* taken attributively instead of predicatively.

[3] The entire remainder of the sentence is garbled. One might have expected: "nach
etlicher glichunge so nimet die gemeinsamunge der begerlichen craft zuo den dingen den
namen der sinne an . . . ."

[4] *sensibilibus* taken as *sensibus.*

nem, quia actiones sunt circa contingentia singularia. Et ideo dicendum est
quod proprie consilium est circa ea quae aguntur a nobis.

— 168

35   I-II, q. 15, a. 1, 1. Videtur quod consentire pertineat solum partem animae
apprehensivam.
    Respondeo dicendum quod consentire importat applicationem sensus ad
aliquid. Est autem proprium sensus quod cognoscitivus est rerum praesen-
tium: vis enim imaginativa est apprehensiva similitudinum corporalium,
40 etiam rebus absentibus quarum sunt similitudines; intellectus autem appre-
hensivus est universalium rationum, quas potest apprehendere indifferenter
et praesentibus et absentibus singularibus. Et quia actus appetitivae virtutis
est quaedam inclinatio ad rem ipsam, secundum quandam similitudinem ipsa
applicatio appetitivae virtutis ad rem, secundum quod ei inhaeret, accipit
45 nomen sensus, quasi experientiam quandam sumens de re cui inhaeret, in-
quantum complacet sibi in ea. Unde et *Sap*. I dicitur:

— 169

Sentite de Domino in
bonitate. Et secundum hoc, consentire est actus appetitivae virtutis.
    I-II, q. 15, a. 4, 1. Videtur quod consensus ad agendum non semper per-
tineat ad superiorem rationem.
50   Respondeo dicendum quod finalis sententia semper pertinet ad eum supe-
rior est, ad quem pertinet de aliis iudicare: quandiu enim iudicandum restat
quod proponitur, nondum datur finalis sententia. Manifestum est autem quod
superior ratio est quae habet de omnibus iudicare: quia de sensibilibus per
rationem iudicamus; de his vero quae ad rationes humanas pertinent, iudica-
55 mus secundum rationes divinas, quae pertinent ad rationem superiorem. Et
ideo quandiu incertum est an secundum rationes divinas resistatur vel non,

— 170

nullum iudicium rationis habet rationem finalis sententiae. Finalis autem
sententia de agendis est consensus in actum. Et ideo consensus in actum
pertinet ad rationem superiorem: secundum tamen quod in ratione voluntas
60 includitur.

Ez ist zemerken, ob ein ieklich tüewunge dez menschen guot si. Ez ist
zesagen, daz man von dem guoten unde von dem übele in der tüewunge muoz
reden, alse man von den guoten unde von den übelen in den dingen redet,
umbe daz, daz ein iekliches ding fürbringet ein tüewunge, alse si [1] selber
5 ist. Aber ein ieklichez und[er] allen dingen daz hat also vil von dem
guote, alse vil ez hat von dem wesenne; wan guot unde wesen kerent sich
mit einander. Aber got der hat alleine volheit sines wesennes nach etwaz eime
unde einveltiklichem. Aber ein ieklich andern [2] ding das hat volheit

171 ───

des
wesennes alse ez im behörlich ist nah den misselichen dingen. Unde dar
10 umbe so ist behörlich in etlichen dingen, daz si also vil zuo etwaz wesens
habent, unde doch gebristet in etwaz zuo der volheit dez wesennes, alse ez
in behörliche were. Alse zuo der volheit menschlichez wesennes behöret, daz
ez si etwaz zesamengesastes von libe unde von sele, unde habe alle mechte
unde gezouwe der bekentnüsse unde der bewegde; unde der umbe unde ist
15 daz, daz dirre dekeins gebristet dekeinem menschen, so bristet im etwaz von
volheit sines wesennes. Unde dar umbe alse vil als ez [hat] von wesenne, als
vil so hat ez von der güeti. Unde dar umbe alse vil alse etwem gebristet [3]
von dem wesenne, alse vil gebristet im von der guotheit, unde heizet also
vil bös; alse der blint mensche, der hat von der guotheit, daz er lebet, unde
20 doch so ist im bös, daz er mangelt des gesihtes. Wan unde wer daz, daz er
nihtes niht enhette noch [von dem wesenne noch]

172 ───

von der guotheit, der en-
möhte weder guot noh böse geheizen. Unde wan denne von der reden der
guoti ist die volheit dez wesendez [4] selber, unde swem ihtez iht gebristet von
der volheit, die da behörlichen [5] ist, daz en heizen wir niht einveltiklichen
25 guot, sunder zuo etwaz; alse vil als ez etwaz wesendes [6] ist. Doch möhte
ez wol heizen einveltiklichen ein wesendes ding, unde aber niht nach etwaz
wesendez ding ez ist. [7]

Unde also ist ez zesagen, daz ein ieklich tuowunge, nach dem unde ez
etwaz hat von dem wesende, [4] also vil so hat ez ouch von der guotheit.
30 Unde ouch alse vil alse im gebristet etwaz von volheit dez wesennes, daz
da zuobehöret der menschlicher tuowunge, alse vil so gebristet im von der
guotheit; unde also so heizet ez bös. Alse ahte ob im gebristet eintweder ein

---

[1] *ipsa* connected with *actio*.
[2] *Sic!*
[3] MS: "gebristen."
[4] For this -d- cf. Michels, § 272, *Anm.* 10.
[5] MS: "bebehörlichen."
[6] MS: "wesendesi."
[7] Read. "unde aber nach etwaz ein niht wesendez ding."

I-II. q. 18, a. 1. UTRUM OMNIS HUMANA ACTIO SIT BONA

Respondeo dicendum quod de bono et malo in actionibus oportet loqui
35 sicut de bono et malo in rebus: eo quod unaquaeque res talem actionem
producit, qualis est ipsa. In rebus autem unumquodque tantum habet de bo-
no, quantum habet de esse: bonum enim et ens convertuntur . . . . Solus autem
Deus habet totam plenitudinem sui secundum aliquid unum et simplex:
unaquaeque vero res alia habet plenitudinem

―――――――――――――――――――――――――――――――――――――― 171

essendi sibi convenientem se-
40 cundum diversa. Unde in aliquibus contingit quod quantum ad aliquid habent
esse, et tamen eis aliquid deficit ad plenitudinem essendi eis debitam. Sicut
ad plenitudinem esse humani requiritur quod sit quoddam compositum ex
anima et corpore, habens omnes potentias et instrumenta cognitionis et motus:
unde si aliquid horum deficiat alicui homini, deficit ei aliquid de plenitudine
45 sui esse. Quantum igitur habet de esse, tantum habet de bonitate: inquantum
vero aliquid ei deficit de plenitudine essendi, intantum deficit a bonitate, et
dicitur malum: sicut homo caecus habet de bonitate quod vivit, et malum est
ei quod caret visu. Si vero nihil haberet de entitate

―――――――――――――――――――――――――――――――――――――― 172

vel bonitate, neque ma-
lum neque bonum dici posset. Sed quia de ratione boni est ipsa plenitudo
50 essendi, si quidem alicui aliquid defuerit de debita essendi plenitudine, non
dicetur simpliciter bonum, sed secundum quid, inquantum est ens: poterit
tamen dici simpliciter ens et secundum quid non ens . . . .
Sic igitur dicendum est quod omnis actio, inquantum habet aliquid de esse,
intantum habet de bonitate: inquantum vero deficit ei aliquid de plenitudine
55 essendi quae debetur actioni humanae, intantum deficit a bonitate, et sic
dicitur mala: puta si deficiat ei vel determinata quantitas secundum rationem,

beterminiert grosheit nach der bescheidenheit, oder ein behörlichü craft, oder etwaz dez glichez.

Ez ist zemerken, ob die

173 ━━━

biwesunden [1] ding iht etwaz von der guotheit zuo-leggen der tüewunge. Ez ist zesagen, daz in den natürlichen dingen nit
5 funden wirt alle volheit der volkomenheit, daz im behörlich ist von der förmelichen substancien, die da gesteltnüsse gibet, aber vil leit ez zuo [2] von den überkömenden zuovellen, unde also in dem menschen von der figure, der varwe unde des glichez von den selben. Unde gebristet da von ihtes iht, daz behörlich zehaben ist, so volget dar nach übele. Unde also ist ez ouch
10 in der tüewunge. Wan die volheit siner guotheit [3] die enbestat niht gar in sinem gesteltnüsse, aber etwaz leit ez zuo [2] von den dingen, die da zuokoment alse zuovelle. Unde solich sint behörlich bewesunge. Unde dar umbe: ist, daz ihtez iht gebristet, daz man da suochet zuo einer behorlicher bewisunge, so wirt die tüewunge bös.
15 Ez ist zemerken, ob der mishellig wille von der irrender bescheidenheit böse

174 ━━━

si. Ez ist zesagen, sit daz die concientie etwaz gedihtunge ist der bescheidenheit, so ist etwaz zuofüegunge der kunst zuo der getat. Wan diz ist alleint; daz man fraget, ob der mishellende wille von der irrender bescheidenheit si böse, unde ouch daz man fraget ob die conciencii der be-
20 scheidenheit [4] binde. Nach dem daz etlich gesprochen habent, daz drü geslehte sin der tüewunge. Etlichü, dü sin guot von iren geslehten, aber etlich weder [5] guot noch böse, aber etlichü sin von irem geslehte bös. Unde also so sprechent etlich, ob die bescheidenheit oder die consciencie etwaz sag, daz [6] etwaz zetuon ist, daz guot si von sinem geslehte, da enist dekein
25 irrunge. Unde also dez glichez, ob ez sprechet, daz etwaz niht zetuon si, daz da bös ist von sinem geslehte; wan von der selber bescheidenheit wirt daz guot geboten, von welher daz verboten wirt daz übele. Aber unde ist, daz die bescheidenheit oder die consciencie

175 ━━━

etwem saget, daz dü ding, dü da übermitz sich selber böse sint, daz si der mensche schuldig zetuon si von ge-
30 botiz wesen; oder daz dü ding, die da übermitz sich selber guot sint, daz die verboten sien; so wirt die consciencie oder die bescheidenheit irrende.

---

[1] MS: "bewisunde." Cf. p. 158, note 1.
[2] *additur* read as *addit*?
[3] MS: "götheit."
[4] Did translator misread *errans* as *rationis*?
[5] MS: "werdent"; same mistake on page 177.
[6] MS: "daz daz."

vel debitus locus, vel aliquid huiusmodi.

I-II. q. 18, a. 3. UTRUM ACTIO HOMINIS SIT

━━ 173

BONA VEL MALA EX CIRCUM-
STANTIA

Respondeo dicendum quod, cum conscientia sit quodammodo dictamen ratio-
do perfectionis quae debitur rei, ex forma substantiali, quae dat speciem; sed
multum superadditur ex supervenientibus accidentibus, sicut in homine ex
figura, ex colore, et huiusmodi; quorum si aliquod desit ad decentem habi-
tudinem, consequitur malum. Ita etiam est in actione. Nam plenitudo boni-
40 tatis eius non tota consistit in sua specie, sed aliquid additur ex his quae
adveniunt tanquam accidentia quaedam. Et huiusmodi sunt circumstantiae
debitae. Unde si aliquid desit quod requiratur ad debitas circumstantias, erit
actio mala.

I-II. q. 19, a. 5. UTRUM VOLUNTAS DISCORDANS A RATIONE ERRANTE, SIT
45 MALA

━━ 174

Respondeo dicendum quod, cum conscientia sit quodammodo dictamen ratio-
nis (est enim quaedam applicatio scientiae ad actum . . . .), idem est quaerere
utrum voluntas discordans a ratione errante sit mala, quod quaerere utrum
conscientia errans obliget. Circa quod, aliqui distinxerunt tria genera actuum:
50 quidam enim sunt boni ex genere; quidam sunt indifferentes; quidam sunt
mali ex genere. Dicunt ergo quod, si ratio vel conscientia dicat aliquid esse
faciendum quod sit bonum ex suo genere, non est ibi error. Similiter, si
dicat aliquid non esse faciendum quod est malum ex suo genere; eadem
enim ratione praecipiuntur bona, qua prohibentur mala. Sed si ratio vel
55 conscientia

━━ 175

dicat alicui quod illa quae sunt secundum se mala, homo teneatur
facere ex praecepto; vel quod illa quae sunt secundum se bona, sint prohibita;

Unde also dez glichez: unde ist, daz die consciencij oder die bescheidenheit etwem gesaget, daz dü ding, die da an in selber weder guot noch böse sint, alse einen halmen zehabenne von der erden, daz daz verboten [oder geboten si], so wirt die consciencie oder die bescheidenheit irrende. Unde dar umbe so sprechent si, daz die consciencie oder die bescheidenheit, die da irrende ist von den dingen, die da weder guot noch böse sint, si si verbietende oder gebietende, so bindet si; also daz der [mishellende] wille von einer solicher irrender bescheidenheit oder consciencie, die wirt bös unde sünde. Aber die bescheidenheit oder consciencie, die irrenden, dü gebütet die dü ding, [1] die da an in selber

5

10

176 ⎯⎯⎯⎯⎯⎯⎯⎯⎯⎯⎯⎯⎯⎯⎯⎯⎯⎯⎯⎯⎯⎯⎯⎯⎯⎯⎯⎯⎯⎯⎯⎯⎯⎯

böse sind, oder verbütet dü ding, die da an in selber guot sint unde notdürftig zuo der selikeit, daz enbindet niht. Unde dar umbe in solichen der mishellender wille [von] der bescheidenheit oder der irrender consciencien enist niht böse.

Aber diz ist unredelich gesprochen. Wan in den dinge, die da weder [2] guot noch böse sint, in den so ist der mishellende wille von der bescheidenheit oder von der irrender consciencie bose [3] in etlicher wis durch den gegenwurf, von dem daz guotheit unde bosheit hanget; aber niht durch den gegenwurf nach siner naturen, sunder nach dem unde er [4] übermitz zuovelle von der bescheidenheit begriffen wirt alse etwaz übels zetüenne oder zevermidenne. Unde wan der gegenwurf dez willen ist daz, daz da fürgeleit wirt von der bescheidenheit, von dem etwaz fürgeleit wirt alse böse von der bescheidenheit, swenne der wille in daz selbe braht wirt, so enpheht er [4] eigenschaft

15

20

177 ⎯⎯⎯⎯⎯⎯⎯⎯⎯⎯⎯⎯⎯⎯⎯⎯⎯⎯⎯⎯⎯⎯⎯⎯⎯⎯⎯⎯⎯⎯⎯⎯⎯⎯

dez übelen. Unde diz beschiht niht alleine in den dingen, die da weder guot noh bös sint, sunder ouch in den dingen, die da an in selber guot sint oder böse sint. Wan diz enmag niht alleine enphahen, daz da [5] weder guot noch bös ist, die [6] eigenschafte dez guoten unde dez übelen übermitz den zuoval; sunder ouch daz, daz da an im selber guot ist, mag enphahen die eigenschaft dez bösen, oder daz, daz da böse ist, die eigenschafte dez guoten durch die begrifunge der bescheidenheit. Alse ahte sich ze enziehenne von der unküskeit, daz ist etwaz guotes; doch in daz guot wirt der wille niht gebraht, ez si denne, daz ez von der bescheidenheit fürbraht werde. Unde dar umbe, unde leit man für alse böse von einre irrender consciencien oder bescheidenheit, wirt in daz braht als under einer reden dez

25

30

---

1 MS: "dü gebütet die dü gebütet ding."
2 MS: "werdent."
3 MS: "ist bose."
4 MS: "ez."
5 MS: "daz."
6 MS: "enphahen die."

erit ratio vel conscientia errans. Et similiter si ratio vel conscientia dicat alicui
35 quod id quod est secundum se indifferens, ut levare festucam de terra, sit
prohibitum vel praeceptum, erit ratio vel conscientia errans. Dicunt ergo
quod ratio vel conscientia errans circa indifferentia, sive praecipiendo sive
prohibendo, obligat: ita quod voluntas discordans a tali ratione errante, erit
mala et peccatum. Sed ratio vel conscientia errans praecipiendo ea quae sunt
40 per se

——— 176

mala, vel prohibendo ea quae sunt per se bona et necessaria ad salu-
tem, non obligat: unde in talibus voluntas discordans a ratione vel conscientia
errante, non est mala.

Sed hoc irrationabiliter dicitur. In indifferentibus enim, voluntas discor-
dans a ratione vel conscientia errante, est mala aliquo modo propter obiectum,
45 a quo bonitas vel malitia voluntatis dependet; non autem propter obiectum
secundum sui naturam; sed secundum quod per accidens a ratione apprehen-
ditur ut malum ad faciendum vel ad vitandum. Et quia obiectum voluntatis
est id quod proponitur a ratione, ... ex quo aliquid proponitur a ratione ut
malum, voluntas, dum in illud fertur, accipit rationem

——— 177

mali. Hoc autem
50 contingit non solum in indifferentibus, sed etiam in per se bonis vel malis.
Non solum enim id quod est indifferens, potest accipere rationem boni vel
mali per accidens; sed etiam id quod est bonum, potest accipere rationem
mali, vel illud quod est malum, rationem boni, propter apprehensionem
rationis. Puta, abstinere a fornicatione bonum quoddam est: tamen in
55 hoc bonum non fertur voluntas, nisi secundum quod a ratione proponitur.
Si ergo proponatur ut malum a ratione errante, feretur in hoc sub

bösen. Unde denne wirt der wille böse, wan er wil böse; niht daz, daz da
böse ist an im selber, sunder daz, daz da

178 ───

                                 bös ist übermitz zuoval durch die
begrifung der bescheidenheit. Unde also dez glichez: daz man geloubet in
Christo, daz ist an im selber guot unde notdürftig zuo der selikeit, unde
5 doch so wirt der wille dar in niht getragen nihtwan nach dem, unde ez von
der bescheidenheit fürgeleit wirt. Unde da von unde wirt ez von der be-
scheidenheit fürgeleit [1] alse ez böse si, so wirt der wille dar in braht alse
bös. Niht daz ez böse si an im selber, sunder ez ist böse übermitz den zuoval
von der begrifunge der reden. Unde da von so sprichet der philosophus in
10 dem sibenden capitel in dem buoche, daz da heizet „Ethicorum," daz,
„übermitz sich selber zesprechenne, daz der unküsche ist, der da nit en-
volget einer rehten bescheidenheit, aber übermitz den zuoval, der ouch niht
envolget der valschen bescheidenheit." Unde dar umbe [ist] einveltikliche
zesprechenne, daz ein ieklicher wille, der da mishellig von der bescheiden-
15 heit, si

179 ───

      si gereht oder si si irrende, so ist ez alle zit böse.
      Ez ist zemerken, ob der glichellender wille der irrender bescheidenheit
böse si. Es ist zesagen, daz diz frage ist ein mit der frage, alse man fraget,
ob die irrende consciencie entschuldige.
      Ez ist zesagen: unde ist, daz die bescheidenheit oder die consciencie irret
20 von willegem irren, oder die rihte oder durch etlich versümnüsse, wan die
irrunge ist bi dem, daz etwer schuldig ist zewissenne, denne so ist ein soli-
chü irrunge der bescheidenheit oder der consciencien niht enschuldigent,
ez si [2] der wille, der da glichhellende ist mit der bescheidenheit oder mit
der consciencien die also irret, ez si bös. Aber ist ez ein irrunge, der da
25 daz sachet, daz ieman [un]willicliche etwaz tuot von unwissentheit etlicher
biwesender dinge ane versumnüsse, denne so entschuldigt ein solichü
irrunge der bescheidenheit oder der consciencien, alse [3] ein mithellender
wille der bescheidenheit, die da irret,

180 ───

                               ez [3] ensi niht böse. Alse ahte, ob die
bescheidenheit, die da irret, spreche, daz der mensche schuldig si, zegan
30 zuo einer andern ewip, der wille, der da mithellende ist der irrenden be-
scheidenheit, der ist böse umbe daz, wan diz irrunge komen ist von der
unwissentheit der gotlichen gebotte, die er schuldig zewissen ist. Aber

---

[1] The phrase "wirt. Unde da von unde wirt ez von der bescheidenheit fürgeleit" was
repeated by the copyist.
[2] Translator apparently did not understand the *quin*-clause.
[3] Translator misunderstood the *ut*-clause. The MHG should read: "daz ein . . . .
wille . . . . ensi niht böse." Cf. p. 158, line 3.

ratione mali. Unde voluntas erit mala, quia vult malum: non quidem id quod est malum per se, sed

——————————————————————————————————— 178

id quod est malum per accidens, propter appre-
35 hensionem rationis. Et similiter credere in Christum est per se bonum, et necessarium ad salutem: sed voluntas non fertur in hoc, nisi secundum quod a ratione proponitur. Unde si a ratione proponatur ut malum, voluntas feretur in hoc ut malum: non quia sit malum secundum se, sed quia est malum per accidens ex apprehensione rationis. Et ideo Philosophus dicit, in
40 VII *Ethic.*, quod, *per se loquendo, incontinens est qui non sequitur rationem rectam: per accidens autem, qui non sequitur etiam rationem falsam.* Unde dicendum est simpliciter quod omnis voluntas discordans a ratione,

——————————————————————————————————— 179

sive recta
sive errante, semper est mala.

I-II. q. 19, a. 6. UTRUM VOLUNTAS CONCORDANS RATIONI ERRANTI, SIT
45 BONA

Respondeo dicendum .... ita ista quaestio eadem est cum illa qua quaeritur utrum conscientia erronea excuset ....
Si igitur ratio vel conscientia erret errore voluntario, vel directe, vel propter negligentiam, quia est error circa id quod quis scire tenetur; tunc talis
50 error rationis vel conscientiae non excusat quin voluntas concordans rationi vel conscientiae sic erranti, sit mala. Si autem sit error qui causet involuntarium, proveniens ex ignorantia alicuius circumstantiae absque omni negligentia; tunc talis error rationis vel conscientiae excusat, ut voluntas concordans rationi erranti

——————————————————————————————————— 180

non sit mala. Puta, sit ratio errans dicat quod homo
55 teneatur ad uxorem alterius accedere, voluntas concordans huic rationi erranti est mala: eo quod error iste provenit ex ignorantia legis Dei, quam scire

unde irret die bescheidenheit in dem, daz etwer gloubet, daz etliches wip sin
ewip were, unde bittet si, daz si in bi ir laze slaffen, so wirt sin wille ent-
schuldiget, daz er niht böse ensi. Wan diz irrunge kümet von der unwissent-
heit der bewisunge, [1] die da entschuldigt, unde sachet den unwillige.

5   Ez ist zemerken, ob die uzzern getat ihtez iht zuolege in der guotheit
oder der [2] bosheit über die inren getat. Ez ist zesagen, unde reden wir von
der guotheit der inren [3] getat, die er hat von dem willen dez endez, denne so
leit die getat nihtez niht zuo der guotheit, niht wan ez beschehe denne, daz
der wille an im selber besser were in den guoten

181 ─────────────────────────────────────

                             dingen, unde böser in den
10 bösen dingen. Unde daz [4] schinet, daz diz geschehen müge in drier hande
wis. Ein wis: nach der zale, alse ahte, wenne daz etwer etwaz machet [von]
einem guoten ende unde einem bösen ende, unde denne so machet er sin
niht, dar nah so wil er unde machet ouch aber; unde wirt die getat dez
willen gezwiveltigt, unde also wirt ein zwiveltiges guot unde ein zwiveltiges
15 übele. Aber in [5] einer andern wis: zuo der uzstrekung, alse ahte, wenne
etwer etwaz wil machen von einem guoten ende oder von einem bösen, aber
durch etwaz so zühet er ez uf, aber etlichez willen [6] der volhertet empzic-
lichen die bewegunge dez willen, biz er volbringet mit den werken; nu ist
diz offenbar, daz der wille ist lenglicher [7] in dem guoten oder in dem bösen,
20 unde nach dem so ist er böser oder bezer. Zem dritten male: nach der in-
wendikeit. Aber ez sint etlich uswendig getat, die, in dem unde si luslichen
sint unde nah dem unde si pinlichen sint, so sint si ze meinen den

182 ─────────────────────────────────────

                                    willen
oder zelazenne. Nu ist im aber, also vil der wille sich inwendig keret in
daz guot oder in daz böse, als vil so ist ez bezzer oder böser.

25   Aber unde reden wir von der guotheit der usern getat, die si hat nach
der materien [8] unde nach behörlichen bewegunge, [9] denne so füeget man
ez zuo dem willen alse daz ende unde der termin. Unde denne so leit die
getat zuo in der wise zuo der guotheit oder zuo der bosheit dez willen, wan
ein ieklich neigunge oder bewegung wirt in deme volbraht, daz si ervolget

---

[1] Probably copyist's error for "biwesunge," cf. p. 152, note 1.
[2] MS: "die."
[3] *Sic.*
[4] MS: "dzz." This proves copyist's tendency to write *z* for *a*.
[5] MS: "in in."
[6] "etlichez willen" for *alius* not explainable.
[7] MS: "lenblicher."
[8] MS: "naturen."
[9] Should be "bewesunge" or "biwesunge." Cf. this page, note 1.

30 tenetur. Si autem ratio erret in hoc, quod credat aliquam mulierem submissam, esse suam uxorem, et, ea petente debitum, velit eam cognoscere; excusatur voluntas eius, ut non sit mala; quia error iste ex ignorantia circumstantiae provenit, quae excusat, et involuntarium causat.

I-II. q. 20, a. 4. UTRUM ACTUS EXTERIOR ALIQUID ADDAT DE BONITATE ET
35 MALITIA SUPRA ACTUM INTERIOREM

Respondeo dicendum quod, si loquamur de bonitate exterioris actus quam habet ex voluntate finis, tunc actus exterior [10] nihil addit ad bonitatem, nisi contingat ipsam voluntatem secundum se fieri meliorem in bonis,

—— 181

vel peiorem in malis. Quod quidem videtur posse contingere tripliciter. Uno
40 modo, secundum numerum. Puta, cum aliquis vult aliquid facere bono fine vel malo, et tunc quidem non facit, postmodum autem vult et facit; duplicatur actus voluntatis, et sic fit duplx bonum vel duplex malum. — Alio modo, quantum ad extensionem. Puta, cum aliquis vult facere aliquid bono fine vel malo, et propter aliquod impedimentum desistit; alius autem continuat
45 motum voluntatis quousque opere perficiat; manifestum est quod huiusmodi voluntas est diuturnior in bono vel malo, et secundum hoc est peior vel melior. — Tertio, secundum intensionem. Sunt enim quidam actus exteriores qui, inquantum sunt delectabiles vel poenosi, nati sunt intendere

—— 182

voluntatem
vel remittere. Constat autem quod quanto voluntas intensius tendit in bonum
50 vel malum, tanto est melior vel peior.

Si autem loquamur de bonitate actus exterioris quam habet secundum materiam et debitas circumstantias, sic comparatur ad voluntatem ut terminus et finis. Et hoc modo addit ad bonitatem vel malitiam voluntatis: quia omnis inclinatio vel motus perficitur in hoc quod consequitur finem, vel attingit

[10]   *exterior* omitted in many manuscripts.

daz ende oder rüeret den termin. Unde dar umbe so enist daz niht ein vol-
komen wille, nihtwan er si ein solicher, daz er wirket von dem, daz im ge-
geben ist die zimlicheit. Unde [1] ist aber daz, daz dem willen gebristet die
müglicheit, daz er volkomenheit ob ermohte, der da ist in der uzzern
5 getat, der ist einveltig unwillig. Aber der unwilleg, alse er nit enverdienet
weder [2] pin noch lon in der wirkung dez übelen oder dez guoten, unde
also enminret

183

ez niht noch von der pin noch von dem lon, ob dem menschen
unwilleklichen einvelticlichen gebristet, zewürkenne übel oder guot.

Ez ist zemerken, ob die nachvolgende geschiht ihtez iht zuolegge zuo der
10 bosheit oder zuo der guotheit der getat. Ez ist zesagen, daz die nahvolgende
geschiht, eintweder si ist vorbedaht oder si enist niht vorbedaht. [3] Aber unde
ist si vorbedaht, so ist daz offenbar, daz si zuoleit der guotheit oder zuo der
bosheit der getat. Wan als itwer betrahtet, daz von sinen werken vil übels
ervolget mag werden, noch dar umbe so enhöret er niht uf, unde von dem
15 so schinet sin wille noch mer, daz er ungeordent ist.

Aber unde ist die nachvolgent geschihte niht vorbedaht, so ist ez ze under-
scheidenne. Wan unde ist daz, daz ez nahvolget übermitz sich selber von
einre solicher getat, unde ouch von vil geteten, nah dem so leit daz nah-

184

volgenden geschiht zuo der guotheit oder zuo der bosheit der getat. Aber
20 ez ist offenbar, daz dü getat bezzer si von irem geslihte, [4] von welchen ge-
taten vil guot mag ervolget werden; unde dü getat ein bözer getat, von der
vil bosheit ervolget mag werden. Aber geschiht ez übermitz zuoval unde alse
in lützel dingen, denne so leit die nahvolgent geschiht nihtez niht zuo der
guotheit oder der bosheit der getat. Wan man engit dekein urteil von dekeim
25 dinge nach dem unde ez ist übermitz den zuoval, sunder alleine übermitz
daz, daz ez an im selber ist.

Ez ist zemerken, ob die minne si daz selbe, daz die liebi ist. Ez ist ze-
sagen, daz man vier namen vindet solicher minne, die der minnen behörent:
daz ist dez ersten einvelticlichen minnen, unde liebi, unde gotliche minne,
30 unde früntlichü minne. Doch underscheident si sich in dem: [Früntlichü
minne], nach dem unde der philosophus sprichet in dem sibenden capitel in
dem buoch, daz da heizet „Ethicorum," „dü ist alse

185

ein habunge," aber die
einveltig „minne" und „die liebi" dü sint bezeichent übermitz die wis der

---

[1] Omissions make this sentence unintelligible.
[2] MS: "wereder."
[3] The words "oder si en ist niht vorbedaht" are repeated in the manuscript.
[4] MS: "gesihte."

terminum. Unde non est perfecta voluntas, nisi sit talis quae, opportunitate
35 data, operetur. Si vero possibilitas desit, voluntate existente perfecta, ut
operaretur si posset; defectus perfectionis quae est ex actu exteriori, est
simpliciter involuntarium. Involutarium autem, sicut non meretur poenam
vel praemium in operando bonum aut malum, ita non tollit

—————————————————————————————————————— 183

                                     aliquid de prae-
mio vel de poena, si homo involuntarie simpliciter deficiat ad faciendum
40 bonum vel malum.

    I-II, q. 20, a. 5, 1. Videtur quod eventus sequens addat ad bonitatem vel
malitiam actus.

    Respondeo dicendum quod eventus sequens aut est praecogitatus, aut non.
Si est praecogitatus, manifestum est quod addit ad bonitatem vel malitiam.
45 Cum enim aliquis cogitans quod ex opere suo multa mala possunt sequi, nec
propter hoc dimittit, ex hoc apparet voluntas eius esse magis inordinata.

    Si autem eventus sequens non sit praecogitatus, tunc distinguendum est.
Quia si per sequitur ex tali actu, et ut in pluribus, secundum hoc eventus
sequens

—————————————————————————————————————— 184

              addit ad bonitatem vel malitiam actus: manifestum est enim melio-
50 rem actum esse ex suo genere, ex quo possunt plura bona sequi; et peiorem, ex
quo nata sunt plura mala sequi. — Si vero per accidens, et ut in paucioribus,
tunc eventus sequens non addit ad bonitatem vel ad malitiam actus: non
enim datur iudicium de re aliqua secundum illud quod est per accidens, sed
solum secundum illud quod est per se.

55   I-II. p. 26, a. 3. UTRUM AMOR SIT IDEM QUOD DILECTIO

    Respondeo dicendum quod quatuor nomina inveniuntur ad idem quodam-
modo pertinentia: scilicet amor, dilectio, caritas et amicitia. Differunt tamen
in hoc, quod *amicitia,* secundum Philosophum in VIII *Ethic., est quasi*

—————————————————————————————————————— 185

habitus; amor autem et *dilectio* significantur per modum actus vel passionis;

getat oder [der lidunge, aber] „die gotliche minne," dü mag man nemen in
ietwederre wise.

Doch un[der]scheidenlichen so wirt die getat bezeichent übermitz disü
drü. Wan dü minne, dü ist daz einveltigest under disen; wan ein ieklich
5 einveltig minne ist dü liebi unde ouch die gotlich minne; [aber dü liebi unde
ouch die gotlich minne] dü enist nüt dü einveltig minne. Wan die liebi dü
leit etwaz zuo über die einveltigen [minne]: die liebi, [1] daz ist also vil ein
welende minne, dar umbe die liebi zuo ein vorgandü erwelunge, alse der
nam selber hillet. Unde dar umbe so ist die liebi niht in der begerlichi, sunder
10 si ist alleine in der redelichen nature. Aber „die götlichü," dü leit etwaz zuo
über die einveltigen minne; etlichü volkomenheit der einveltiger minne, in
dem daz si minnet, daz man ahtet eins grozen lons wert, alse der name
selber bezeichent.

---

186 ——————————————————————————————————

Ez ist zemerken, ob daz bekentnüsse ein sache si der minne. Ez ist ze-
sagen, [daz daz guot] ist ein sache der minne übermitz wise dez gegen-
15 wurfes. Aber die guotheit oder daz guot enist niht ein gegenwurf der be-
girde, niht wan umbe daz, daz ez [2] ist begriffen. Unde dar umbe so suochet
die minne etliche begrifunge dez guoten, daz da gemint wirt. Unde umbe
daz so sprichet der philosophus in dem ahtenden capitele in dem buoch, daz
da heizt „Ehticorum," daz dü liplich gesihte si ein sache der minne oder ein
20 beginne der sinnelicher minnen. Unde also die geistliche [3] schouwunge der
schonheit oder guotheit ist ein beginne der geistlicher minne. Unde dar
umbe unde ist die bekentnüsse ein sache der minne von der reden, von der
si ouch guot ist, [4] daz niht gemint mag werden, nihtwan ez si denne bekant.

Ez ist zemerken, ob der gedinge si der selbe, daz da begerunge ist. Ez
25 ist zesagen, daz der gedinge [5] der lidunge von

---

187 ——————————————————————————————————

dem gegenwurf betrahtet wirt.
Aber an dem gegenwurf dez gedinges sint vier ding zemerken. Dez ersten:
daz er guot si; wan eigentlichen zesagen, so ist der gedinge von dekeinen
dingen, nihtwan die guot sint. Alse .... vorhte, dü ist von übele. Zem
andern male: daz ez künftig si: wan der gedinge enist niht von den dingen,
30 die da gegenwertig sint. Zem dritten male: daz ez hoch si unde mit arbeiten
zegewinnen, wan nieman enhat daz in sinem gedinge, daz er zehant lieder-
lich [6] han mag in siner gewalt. Unde nach dem so underscheidet sich die
begirde unde der gedinge; wan die begirde dü ist blöslich nihtwan von dem

---

1 Compare same construction below. The passage "die liebi .... erwelunge" is to be
taken as a free translation of *electionem praecedentem.*
2 MS: "er."
3 MS: "geischliche."
4 *et bonum* read as *et bonum est.*
5 Translator confused *spes* and *species.*
6 MS: "lieiderlich."

caritas autem utroque modo accipi potest.

35   Differenter tamen significatur actus per ista tria. Nam *amor* communius est inter ea: omnis enim dilectio[2] vel caritas est amor, sed non e converso. Addit enim *dilectio* supra amorem, electionem praecedentem, ut ipsum nomen sonat. Unde dilectio non est in concupiscibili, sed .... sola rationali natura. *Caritas* autem addit supra amorem, perfectionem quandam amoris, inquantum

40 id quod amatur magni pretii aestimatur, ut ipsum nomen designat.

─── 186

I-II. q. 27, a. 2. UTRUM COGNITIO SIT CAUSA AMORIS

Respondeo dicendum quod .... bonum est causa amoris per modum obiecti. Bonum autem non est obiectum appetitus, nisi prout est apprehensum. Et ideo amor requirit aliquam apprehensionem boni quod amatur. Et propter hoc

45 Philosophus dicit, IX *Ethic.*, quod visio corporalis est principium amoris sensitivi. Et similiter contemplatio spiritualis pulchritudinis vel bonitatis, est principium amoris spiritualis. Sic igitur cognitio est causa amoris, ea ratione qua et bonum, quod non potest amari nisi cognitum.

I-II. q. 40, a. 1. UTRUM SPES SIT IDEM QUOD DESIDERIUM VEL CUPIDITAS

50   Respondeo dicendum quod species passionis

─── 187

ex obiecto consideratur. Circa obiectum autem spei, quatuor conditiones attenduntur. Primo quidem, quod sit bonum: non enim, proprie loquendo, est spes nisi de bono. Et per hoc differt spes a timore, qui est de malo. — Secundo, ut sit futurum: non enim spes est de praesenti .... — Tertio, requiritur quod sit aliquid arduum

55 cum difficultate adipiscibile; non enim aliquis dicitur aliquid sperare minimum, quod statim est in sua potestate ut habeat. Et per hoc differt spes a desiderio vel cupiditate, ... quae est de bono futuro absolute: unde pertinet

[7] Certain Latin manuscripts have *Omnis enim amor est dilectio vel caritas*. This version must have been used by MHG translator.

künftigen guot. Dar umbe be[höret die begirde zu der be]gerlicheit, aber der gedinge behörent zuo der zornlicheit. Zem vierden male: daz daz hoch müglich si ze gewinnen; wan nieman hat zuo keime dinge gedinge, niht wan ez si denne, daz er ez wol gewinnen müge, ouch en hat

188

                                                nieman dekeinen ge-

5 dinge dar zuo, daz er niemer gewinnen mag. Unde nach dirre wis so underscheidet sich der gedinge unde der mistrost.

    Unde als ist ez offenbar, daz der gedinge sich underscheidet [1] von der begirde alse sich underscheident die lideliche zörnlicheit von der lidelicher begerlicheit. Unde dar umb so fürsetzet der gedinge die begirde, alse ein
10 ieklich zörnlich lidunge fürsetzet die lidunge der begerlicheit.

    Ez ist zemerken, ob der gedinge si in den tieren. Ez ist zesagen, daz die inren lidunge der tiere von den ussern bewegung begriffen mügen werden. Von den daz offenbar ist, daz in den tieren gedinge ist. Wan unde sieh ein hunt einen hasen, oder ein sparbere einen vogele, der verre von im ist, so
15 enbewegt er sih [2] niht dar zuo, alse er niht gedinge, daz er iht gevahen müge. Aber unde ist er im nahen, so beweget

189

                             er sich dar, alse daz er gedinge hat in zevahen. Wan die begirde der sinlichen tiere unde ouch die begirde die da natürlichen ist den umbesinten dingen, [3] die volgent der begriffunge [4] etliches verstans, al[se] ouch die natürlich begirde der vernünftikeit, [5] dü
20 da heizet der wille. Aber in dem so ist ez underscheiden, daz der wille beweget wirt von der begriffunge dez zuogefüegten verstans; aber die bewege der begirde, die da natürlichen ist, volget der begriffunge dez abgescheidenen verstans, der da die naturen sezet; unde einveltiklichen [5] dü begirde der tiere, die ouch da würkent von etlicher natürlicher tribung. Unde dar
25 umbe in den würkunge der naturlichen dingen oder der tiere ist offenbar ein glicher fürgank alse in den werken der künste. Unde übermitz diz wis so ist in den tieren gedinge unde ouch missedingen.

    Ez ist zemerken

190

                    von aht selikeit, die da in dem ewangelij gezelet sint, „selig sint die armen dez geistes" unde die andern, die dar nah volgent. [6]
30 Zuo welher offenbarung zemerken ist, daz etliche sasten driveltige selikeit: etlich die sasten selikeit in ein gelustiges leben; aber etlich in ein wirkendes

---

   1 The passage "underscheidet von der begirde alse sich" is repeated in manuscript.
   2 MS: "si"; cf. next sentence.
   3 MS: "tieren."
   4 MS: "begirde."
   5 Wrong translation.
   6 We have found no Latin text for this sentence.

ad concupiscibilem, spes autem ad irascibilem. — Quarto, quod illud arduum sit possibile adipisci: non enim aliquis sperat id quod omnino adipisci non 35 potest. Et secun-

─── 188

   dum hoc differt spes a desperatione.
   Sic ergo patet quod spes differt a desiderio, sicut differunt passiones irascibilis a passionibus concupiscibilis. Et propter hoc, spes praesupponit desiderium: sicut et omnes passiones irascibilis praesupponunt passiones concupiscibilis . . . .

40   I-II. q. 40, a. 3. UTRUM SPES SIT IN BRUTIS ANIMALIBUS

   Respondeo dicendum quod interiores passiones animalium ex exterioribus motibus deprehendi possunt. Ex quibus apparet quod in animalibus brutis est spes. Si enim canis videat leporem, aut accipiter avem, nimis distantem, non movetur ad ipsam, quasi non sperans se eam posse adipisci: si autem sit 45 in propinquo,

─── 189

      movetur, quasi spe adipiscendi . . . . appetitus sensitivus brutorum animalium, et etiam appetitus naturalis rerum insensibilum, sequuntur apprehensionem alicuius intellectus, sicut et appetitus naturae intellectivae, qui dicitur voluntas. Sed in hoc est differentia, quod voluntas movetur ex apprehensione intellectus coniuncti: sed motus appetitus naturalis sequitur 50 apprehensionem intellectus separati, qui naturam instituit; et similiter appetitus sensitivus brutorum animalium, quae etiam quodam instinctu naturali agunt. Unde in operibus brutorum animalium, et aliarum rerum naturalium, apparet similis processus sicut et in operibus artis. Et per hunc modum in animalibus brutis est spes et desperatio.

─── 190

55   I-II. q. 69, a. 3. c . . . . Ad cuius evidentiam, est considerandum quod triplicem beatitudinem aliqui posuerunt: quidam enim posuerunt beatitudinem in vita voluptuosa; quidam in vita activa; quidam vero in vita contemplativa.

leben; aber etlich in ein schouwendes leben. Aber diz dri selikeit die haltent sich mislichen zuo der künftigen selikeit, von welher zuoversiht wir hie selig heizen. Wan die selikeit diz lüstlichen lebens dü ist, wan si falsche ist unde der bescheidenheit widerwertig, so ist si ein hindernüsse der künftigen seli-
5 keit. Aber die selikeit dez würklichen lebens dü ist ein bereitung zuo der künftigen selikeit. Aber die schouwende selikeit, unde si volkomen [si], so ist [si] alzemale die selikeit nach der wesung, die da künftig ist; unvolkomen so ist si wol ein beginne der künftigen selikeit.

Unde dar umbe so sast unser herre etliche selikeit, die da abnemen

191 ──

10 die hindernüsse dirre lüstlicher selikeit. Nu bestat diz lustlich leben dirre welt in zwein dingen. Dez ersten: in der zuofliezunge dez liplichen guotes, ez si richtuom oder ez si ere. Von den daz mensche gezogen wirt übermitz die tugenden, alse daz man ir messiclichen nüszet; aber übermitz wise einer höchern gabe, alse daz sü der mensche gar versmaht. Unde da von setzet
15 die ersten selikeit, daz er sprichet: „Selig sint die armen dez geistes,” daz man widertragen zuo dem richtuom oder zuo den eren mag, in dem daz man sü versmehe, unde daz geschiht übermitz die demüetikeit. Zem andern male so bestat diz lustlich leben in volgunge der eigener lidunge, ez si der begerlicheit oder der zornlichheit. Aber von der nachvolgung der zörnlicher
20 lidunge, dem widerzühet die tugent, daz der mensche von in niht überfliessen mag, nah der regelen der bescheidenheit; aber die gabe einer[1] höchern wise, also daz der mensche von den gotlichen tugenden[2] alzemale da von

192 ──

gerüewig werde. Unde dar umbe so setzet man die andern selikeit: „Selig sint die senftmütigen.” Aber von den lidungen der begerlichheit, der den
25 nach volget,[3] daz wider zühet die tugent, daz man ir, solicher lidunge, mes-lichen gebruche; aber die gabe der höchern wis, daz man si gar verwirfet, ob ez notdürftig ist; ja, ob sin not ist, daz man alzemale klage nem willik-lichen. Unde dar umbe setzet man die dritten selikeit; „Selig sint die da weinent.”
30 Aber daz würklich leben, daz bestat alzemale in den dinge, die wir unseren nechsten erbieten: eintweder, daz wir sin schuldig sin, oder daz wir ez williklichen tuon. Aber zuo dem ersten so bereitet uns die tugent, daz wir die ding, die wir da schuldig sin unsern nechsten, daz wir daz niht enlan, wir erbieten ims. Unde daz behöret zuo der gerehtikeit. Aber die
35 sunderliche gabe die leitet uns zuo dem selben in einer überflüzziger begirde, also daz wir ez mit einre brinnender

193 ──

gerehtikeit mit den werken erfüllen,[4]

---

[1] Cf. this page, line 26.
[2] *voluntas* read as *virtus*?
[3] We have omitted after *volget*: *der den volget.*
[4] Faulty translation.

Hae autem tres beatitudines diversimode se habent ad beatitudinem futuram, cuius spe dicimur hic beati. Nam beatitudo voluptuosa, quia falsa est et rationi contraria, impedimentum est beatitudinis futurae. Beatitudo vero
40 activae vitae dispositiva est ad beatitudinem futuram. Beatitudo autem contemplativa, si sit perfecta, est essentialiter ipsa futura beatitudo: si autem sit imperfecta, est quaedam inchoatio eius.

Et ideo Dominus primo quidem posuit quasdam beatitudines

━━━ 191

quasi removentes impedimentum voluptuosae beatitudinis. Consistit enim voluptuosa
45 vita in duobus. Primo quidem, in affluentia exteriorum bonorum: sive sint divitiae, sive sint honores. A quibus quidem retrahitur homo per virtutem sic ut moderate eis utatur: per donum autem excellentiori modo, ut scilicet homo totaliter ea contemnat. Unde prima beatitudo ponitur, *Beati paueres spiritu:* quod potest referri vel ad contemptum divitiarum; vel ad
50 contemptum honorum, quod fit per humilitatem. — Secundo vero voluptuosa vita consistit in sequendo proprias passiones, sive irascibilis sive concupiscibilis. A sequela autem passionum irascibilis, retrahit virtus ne homo in eis superfluat, secundum regulam rationis: donum autem excellentiori modo, ut scilicet homo, secundum voluntatem divinam, totaliter

━━━ 192

ab eis tranquillus red-
55 datur. Unde secunda beatitudo ponitur, *Beati mites.* — A sequela vero passionum concupiscibilis, retrahit virtus, moderate huiusmodi passionibus utendo: donum vero, eas, si necesse fuerit, totaliter abiiciendo; quinimmo, si necessarium fuerit, voluntarium luctum assumendo. Unde tertia beatitudo ponitur, *Beati qui lugent.*
60 Activa vero vita in his consistit praecipue quae proximis exhibemus, vel sub ratione debiti, vel sub ratione spontanei beneficii. Et ad primum quidem nos virtus disponit, ut ea quae debemus proximis, non recusemus exhibere: quod pertinet ad iustitiam. Donum autem ad hoc ipsum abundantiori quodam affectu nos inducit: ut scilicet ferventi desiderio opera

━━━ 193

iustitiae implea-

unde also von brinnender begirde so zuket er die spise, hungerende unde
türstende. Unde da von setzet er die vierden selikeit: „Selig sint, die da
hungernt unde türstent nach der gerehtikeit." Aber mit den willigen gaben
so volmachet uns die tugent, daz wir in den dingen [1] geben, den uns die be-
5 scheidenheit heizet geben, alse ahte den fründen oder die uns in einer andern
wis nahen sint, daz da behöret zuo der tugent der friheit. Aber die sünder-
lich gabe die machet durch die gotlichen ere, daz man alleine betrahtet die
notdurfte in den dingen, die [1] man da geben wil, unde da von sprichet St.
Lucas in dem vierzehendesten capitele: „Swenne daz du wilt einen imbis
10 machen oder einen nahtmal, so solt du niht din fründe laden noch dine
brüedere, sunder du solt laden die armen unde die kranken." Unde daz ist
eigen der erbermede. Unde dar umbe setzet man die

194

fünften selikeit: „Selig
sint die erbarmehertzigen."
Aber dü ding, die da behörent zuo einem schowelichen leben, eintweder
15 sü sint die entlich selikeit selber, oder sü sint etlich anvahunge der selikeit.
Unde dar umbe so setzet man sü niht in die aht selikeit alse si verdienen,
sunder alse einen lon. Wan man sezet die werkunge dez tüewelichen lebens,
daz sü verdinen, von den daz der mensche bereitet wirt zuo dem schowenden
leben. Aber daz werke dez tüewelichen lebens, alse vil alse zuo den tugenden,
20 so ist ez an im selber ein reinunge dez herzen, also daz da von daz gemüet
dez menschen von den lidungen niht entreinet wirt. Unde da von so setzet
er die sechsten selikeit. „Selig sint, die da rein dez herzen sint." Aber alse
vil alse zuo den tugenden unde zuo den gaben, von den der mensche vol-
machet wirt in einer zuo füegunge zuo dem ebenmenschen, so ist daz werke
25 dez tüewenlichen lebens fride, nach dem unde Ysayas sprichet in dem

---

195

dritten capitel, „Daz werk der gerehtikeit ist fride." Unde dar umbe so
setzet die sibenden selikeit, „Selig sint die fridesamen."
Ez ist zemerken, ob man wol underscheiden müge die sünde übermitz die
sünde in gotte unde in den ebenmenschen unde in im selber. Ez ist zesagen,
30 daz die sünde ist ein ungeordentü getat. Nu sol drier hande ordenunge sin
in dem menschen. Ein ordenung sol sin, nach dem unde der mensche zuo-
gefüeget sol sin [2] zuo der regelen der bescheidenheit; umb daz wan man
sprichet, daz alle unser lidunge unde alle unser wirkung gemessen sülen
werden nach der regelen der bescheidenheit. Aber ein ander ordenung ist
35 übermitz die zuofüegunge [zuo] der gotlichen e regelen, übermitz die der
mensche in allen dingen gerihtet sol werden. Wan unde were der mensche
ein tiere, daz alwent einke were, so wer sin gnog an disen zwein orde-

---

[1]   Faulty translation.
[2]   Cf. this page, lines 24 and 35.

mus, sicut ferventi desiderio esuriens et sitiens cupit cibum vel po-
tum. Unde quarta beatitudo ponitur, *Beati qui esuriunt et sitiunt iusti-*
40 *tiam.* — Circa spontanea vero dona nos perficit virtus ut illis donemus
quibus ratio dictat esse donandum, puta amicis aut aliis nobis coniunctis:
quod pertinet ad virtutem liberalitatis. Sed donum, propter Dei reverentiam,
solam necessitatem considerat in his quibus gratuita beneficia praestat: unde
dicitur Luc. XIV: *Cum facis prandium aut coenam, noli vocare amicos ne-*
45 *que fratres tuos etc., sed voca pauperes et debiles* etc.. quod proprie est
misereri. Et ideo quinta

─── 194

beatitudo ponitur, *Beati misericordes.*
Ea vero quae ad contemplativam vitam pertinent, vel sunt ipsa beatitudo
finalis, vel aliqua inchoatio eius: et ideo non ponuntur in beatitudinibus
tanquam merita, sed tanquam praemia. Ponuntur autem tanquam merita
50 sed tanquam praemia. Ponuntur autem tanquam merita effectus activae
vitae, quibus homo disponitur ad contemplativam vitam. Effectus autem
activae vitae, quantum ad virtutes.... in seipso, est munditia cordis: ut
scilicet mens hominis passionibus non inquinetur. Unde sexta beatitudo
ponitur, *Beati mundo corde.* — Quantum vero ad virtutes et dona quibus
55 homo perficitur in comparatione ad proximum, effectus activae vitae est
pax, secundum illud

─── 195

Isaiae XXXII: *Opus iustitiae pax.* Et ideo septima
beatitudo ponitur, *Beati pacifici.*

I-II. q. 72, a. 4. UTRUM PECCATUM CONVENIENTER DISTINGUATUR IN PEC-
CATUM IN DEUM, IN SEIPSUM, ET IN PROXIMUM

60 Respondeo dicendum quod.... peccatum est actus inordinatus. Triplex
autem ordo in homine debet esse. Unus quidem secundum comparationem
ad regulam rationis: prout scilicet omnes actiones et passiones nostrae de-
bent secundum regulam rationis commensurari. Alius autem ordo est per
comparationem ad regulam divinae legis, per quam homo in omnibus dirigi
65 debet. Et si quidem homo naturaliter esset animal solitarium, hic duplex

nungen. [1] Aber wan der mensche natürlichen ist ein zierliches [2] tiere unde

196 ──────────────────────────────────────

ein gesellich tiere, alse man brüevet in dem ersten capitel „Von den gezier-
den," [2] unde dar umbe so ist notdurftig daz dü dritte ordenunge si, von der
der mensche geordent wirt zuo sinen ebenmenschen, mit den man leben
5 muoz.

Aber von disen ordenungen die erste dü hat inne die andern ordenungen
unde ist vorgande der andern ordenunge. Wan ellü dü ding, die da inne-
gehabt werdent under der ordenunge der bescheidenheit, die werdent ouch
gehalten under der ordenunge gottis selber. Aber doch so werdent gehabet
10 etlichü under der ordenunge gottis, die da vorgant, alse du ding die da zuo
dem glouben behörent unde die da alleine got zuobehörent. Unde dar umbe,
der in solichen sündet, daz sprichet man, daz der in got gesündet habe, alse
der ketzer unde der geistlichen schaden tuot, ez si geistlichü din [3] stelen oder
dez gliches, unde got unere erbieten. Unde also dez glichez so beslüzet die
15 ander ordenunge

197 ──────────────────────────────────────

inne die dritten ordenunge unde slüzet [4] in uz. Wan in
allen dingen, in den wir geordent [werden] zuo unserme nechsten, so
müezen wir gerihtet werden nach der regelen der bescheidenheit. Aber in
etlichen so werden wir gerihtet nihtwan alse vil als zuo uns alleine, aber
niht alse vil alse zuo dem nechsten. Unde wenne man in disen sündet, so
20 sprichet man, daz der mensche an im selber oder zuo im selber gesündet
habe, alse ez offenbar ist in dem frasse [5] unde in dem unküscher unde in
dem trenker. Aber swenne der mensche sündet in den dingen, die da ge-
ordent werdent zuo dem nechsten, daz heizet gesündet in den nechsten; alse
ez offenbar ist an dem diep und an dem mansleke.

25 Aber nu sint die ordenunge mislich, von welchen daz man geordent wirt
zuo dem nechsten unde zuo got unde zuo im selber. Unde dar umbe so ist
die underscheidunge der sünde nach den gegenwirfen, nach den [6] daz
mislich werden die gesteltnüsse der sünden. Unde

198 ──────────────────────────────────────

da von so ist daz under-
scheit dirre sünde allein nach der mislichi der gesteltnüsse. Wan die tugen-
30 de, den da widerwertig sint die sünde, die werdent nah disen underscheiden
von dem gesteltnüsse geunderscheiden. Aber nu ist offenbar von disen, die
da gesprochen sint, daz man von den gotlichen tugenden geordent wirt zuo

---

1   MS: "ordenunggen."
2   Translator confused *politicus* and *politus*.
3   Cf. p. 52, note 4.
4   Translator read *excedit* as *excludit*.
5   MS: "fraffe."
6   MS: "dem."

ordo sufficeret: sed quia homo est naturaliter animal politicum et

————————————————————————————————— 196

                sociale,
ut probatur in I *Polit.*, ideo necesse est quod sit tertius ordo, quo homo
35 ordinetur ad alios homines, quibus convivere debet.

 Horum autem ordinum primus [7] continet secundum, et excedit ipsum.
Quaecumque enim continentur sub ordine rationis, continentur sub ordine
ipsius Dei: sed quaedam continentur sub ordine ipsius Dei, quae excedunt ....
sicut ea quae sunt fidei, et quae debentur soli Deo. Unde qui in talibus peccat,
40 dicitur in Deum peccare: sicut haereticus et sacrilegus et blasphemus. —
Similiter etiam secundus ordo in-

————————————————————————————————— 197

            cludit tertium, et excedit ipsum. Quia in
omnibus in quibus ordinamur ad proximum, oportet nos dirigi secundum
regulam rationis: sed in quibusdam dirigimur .... quantum ad nos tantum,
non autem quantum ad proximum. Et quando in his peccatur, dicitur homo
45 peccare in seipsum: sicut patet de guloso, luxurioso et prodigo. — Quando
vero peccat homo in his quibus ad proximum ordinatur, dicitur peccare in
proximum: sicut patet de fure et homicida.

 Sunt autem diversa quibus homo ordinatur ad Deum, et ad proximum,
et ad seipsum. Unde haec distinctio peccatorum est secundum obiecta, se-
50 cundum quae diversificantur species peccatorum. Unde

————————————————————————————————— 198

              haec distinctio pec-
catorum proprie est secundum diversas peccatorum species. Nam et virtutes,
quibus peccata opponuntur, secundum hanc differentiam specie distinguun-
tur: manifestum est enim ex dictis quod virtutibus theologicis homo

 [7] Cf. comment of Cardinal Caietani: "In quarto vero articulo, adverte quod codices
multi corrupti sunt evidenter: primus enim ordo debet esse ordo divinae legis, secundus
rationis, tertius socialis. Nisi quis dicat quod ly *primus, secundus* et *tertius* non referuntur
ad numerationem factam in littera, sed ad numerationem secundum naturae ordinem."

gotte, aber von der getempertheit unde die sterke zuo im selber, aber von der gerehtikeit zuo den nechsten.

   Ez ist zemerken, ob die sünden, die da ist an dem, daz man etwaz lat, unde sünde, die dar ist, daz man etwaz tuot, ob die zwo sünden sin under-
5 scheiden nach dem gesteltnüsse. Ez ist zesagen, daz man under den sünden zweierleie underscheit vindet: einü förmelichen, dü ändern materilichen. Aber die materilichen ist zemerken nach dem natürlichen gesteltnüsse der tat der sünde, aber dü förmeliche nach der ordenunge zuo einem eigenen ende, daz da ist ein eigen gegenwurf. Unde

199 ──

                                        da von so vindet man etliche materi-
10 lich [1] getete, die von dem gestelnüsse geunderscheiden sint, die doch in einem gesteltnüsse der sünden sint, wan si werdent geordent zuo einem ende: alse zuo einem getende oder zuo einem gesteltnüsse der mansleke behörent, daz man wirget oder versteinet oder stichet, [2] wie wol die getete nach den gestel-nüssen geunderscheiden sint nach den gesteltnüssen der naturen.
15   Unde also: unde ist, daz wir sprechen von dem gesteltnüsse der sünde, die dar lit, daz man etwaz lat, daz man tuon solt, unde die sünde, die man tuot, materilichen die underscheident sich nah den getenden — aber in einer gemeiner wis zesprechen von dem gesteltnüsse, nach dem unde die louk-nunge oder die beroubunge haben muos gesteltnüsse. Aber unde sprechen
20 wir von den gesteltnüssen der sünde, die an der lazunge lit oder an der tuowunge, förmelichen, alse so ensint si niht underscheiden von den ge-steltnüssen; wan also so

200 ──

                                        sint si zuo einem geordent unde si gant für von einer bewegung. Alse der gittig, zesamen daz guot, unde roubet unde git dü ding niht wider, die er widergeben sol. Unde dez glichz: der vressig, daz er
25 gnuog si der frasheit, so isset er überflüzigü ding unde lat underwegen die behörlichen vasten. Unde dez gliches ist zesehene in den andern dingen. Wan alle zit in den dingen so fündiret [3] die louknunge in etlicher wise [über] die veriehunge, die da zemale ir sache ist; unde dar umbe so ist in den natür-lichen dingen alles eins, daz daz für hitzet und daz ez niht enkeltet.
30   Ez ist zemerken, ob alle sünde zesamenegeslozen sin alse die tugende. [4] Ez ist zesagen, daz sich in einer andern wis haltent des würkenden meinunge nach der tugende unde anders die meinunge dez sündenden, sich abzekeren von der bescheidenheit. Wan eins ieklichen würkenden meinunge ist nach der tugenden, daz er volge

201 ──

---

[1] Translator took *materialiter* to be an adjective.
[2] MS: "stichchet."
[3] MS: "fündire."
[4] The words "alse die tugende" are based on objection 3 of the same article.

35 ordinatur ad Deum, temperantia vero et fortitudine ad seipsum, iustitia autem ad proximum.

I-II. q. 72, a. 6. UTRUM PECCATUM COMMISSIONIS ET OMISSIONIS DIFFE-RANT SPECIE

Respondeo dicendum quod in peccatis invenitur duplx differentia: una 40 materialis, et alia formalis. Materialis quidem attenditur secundum natura-lem speciem actuum peccati: formalis autem secundum ordinem ad unum finem proprium, quod est obiectum proprium.

— 199

Unde   inveniuntur   aliqui actus materialiter specie differentes, qui tamen formaliter [5] sunt in eadem specie peccati, quia ad idem ordinantur: sicut ad eandem speciem homicidii 45 pertinet iugulatio, lapidatio et perforatio, quamvis actus sint specie differen-tes secundum speciem naturae.

Sic ergo si loquamur de specie peccati omissionis et commissionis, materia-liter differunt specie: large tamen loquendo de specie, secundum quod negatio vel privatio speciem habere potest. Si autem loquamur de specie 50 peccati omissionis et commissionis formaliter, sic non differunt specie:

— 200

quia ad idem ordinantur, et ex eodem motivo procedunt. Avarus enim ad congregandum pecuniam et rapit, et non dat ea quae dare debet; et similiter gulosus ad satisfaciendum gulae, et superflua comedit, et ieiunia debita praetermittit; et idem est videre in ceteris. Semper enim in rebus negatio 55 fundatur super aliqua affirmatione, quae est quodammodo causa eius: unde etiam in rebus naturalibus eiusdem rationis est quod ignis calefaciat, et quod non infrigidet.

I-II. q. 73, a. 1. UTRUM OMNIA PECCATA SINT CONNEXA

Respondeo dicendum quod aliter se habet intentio agentis secundum vir-60 tutem .... et aliter intentio peccantis ad divertendum a ratione. Cuiuslibet enim agentis secundum virtutem intentio est

— 201

5 *Formaliter* is omitted in certain Latin manuscripts.

der regelen der bescheidenheit; unde dar umbe
die meinunge aller tugenden die gat in ein. Unde durch daz so habent alle
tugende ein zesamensliezunge under einander in einer rehter bescheiden-
heit der würklicher dinge, daz da die fürsihtig wisheit ist. Aber die mei-
nunge dez sündenden dü enist niht dar zuo, daz er von dem entwiche, daz
5 da ist nach der bescheidenheit, [1] sunder vil mer, daz er meinet etwaz beger-
lichez guotez, von dem daz daz gesteltnüsse kümet. Aber daz guot, daz
der sündende meinet, der sich da scheidet von der bescheidenheit, dü sint
misliche unde enhabent dekein zesamensliezunge zuo ein ander; noch denne
etwenne so sint si widerwertig. Sit denne die sünde unde die untugenden
10 gesteltnüsse habent nach dem, zuo dem daz si sich kerent, so ist diz offen-
bar, daz nach dem, daz da vollebringet die gesteltnüsse der sünden, so
enhant die sünde dekein zesamensliezzunge zuo

202 ───

einander. Wan man entuot
dekein sünde von dem daz man entwichet von der vilheit zuo der einikeit,
alse ez geschiht in den tugenden, die da zesamengebunden sint, ... von der
15 einikeit zuo der menigveltikeit.

Ez ist zemerken, ob die swarheit der sünde zemerken si nah [der sache]
der sünden. Ez ist zesagen, daz in dem geslehte der sünden, alse in einem
ieklichen andern geslehte, mag zwiveltiges sache sin. Ein sache, die da
eigen ist unde an ir selber sache ist der sünden, unde ist der wille zesündenne.
20 Unde die wirt zuogefüeget zuo der getat der sünden alse der boun zuo
der fruchte, alse ez geschriben ist in St. Mathei ewangeli in dem sibenden
capitel: „Dekein guot boun mag böse fruht bringen." Unde daz ist von
der sache: alse vil alse si grözer ist, alse vil so ist die sünden swarre. Wan
also [vil] alse der wille grözer wirt zuo den sünden, also vil so sündet
25 der mensche swarlicher.

Aber anderre sünde sache nimet [man] [2] als innewendig [3] unde verre, von

203 ───

welchen sachen der wille geneiget wirt zesündenne. Unde in disen sachen
so ist underscheit. Wan etliche von disen [4] die leitet in den willen zesün-
denne nach der naturen dez willen, alse daz ende, daz da ist ein eiger
30 gegenwurf des willen. Unde von einer solicher sache wirt die sünde ge-
grözet, wan swarlicher sündet der, dez willen von meinung eins bösern
endes geneiget wirt zesündenne. Aber ander sache sint, die sich neigent
zesündenne ane die naturen unde ane die ordenunge dez willen selber, dü [5]

---

[1] MS: "bescheit."
[2] Cf. p. 208, note 6.
[3] This should be "uzzewendig."
[4] MS: "disen dise."
[5] Translator did not connect *quae* with *voluntas.*

ut rationis regulam sequatur:
et ideo omnium virtutum intentio in idem tendit. Et propter hoc omnes
35 virtutes habent connexionem ad invicem in ratione recta agibilium, quae est
prudentia.... Sed intentio peccantis non est ad hoc quod recedat ab eo
quod est secundum rationem: sed potius ut tendat in aliquod bonum appe-
tibile, a quo speciem sortitur. Huiusmodi autem bona in quae tendit intentio
peccantis a ratione recedens, sunt diversa, nullam connexionem habentia ad
40 invicem: immo etiam interdum sunt contraria. Cum igitur vitia et peccata
speciem habeant secundum illud ad quod convertuntur, manifestum est
quod, secundum illud quod perficit speciem peccatorum, nullam connexionem

——————————————————————————————————— 202

habent peccata ad invicem. Non enim peccatum committitur in accedendo
a multitudine ad unitatem, sicut accidit in virtutibus quae sunt connexae:
45 sed potius in recedendo ab unitate ad multitudinem.

I-II. q. 73, a. 6. UTRUM GRAVITAS PECCATORUM ATTENDATUR SECUN-
DUM CAUSAM PECCATI

Respondeo dicendum quod in genere peccati, sicut et in quolibet alio
genere, potest accipi duplex causa. Una quae est propria et per se causa
50 peccati, quae est ipsa voluntas peccandi: comparatur enim ad actum peccati
sicut arbor ad fructum, ut dicitur.... illud Matth. VII, *Non potest arbor
fructus malos facere*. Et huiusmodi causa quanto fuerit maior, tanto pecca-
tum erit gravius: quanto enim voluntas fuerit maior ad peccandum, tanto
homo gravius peccat.
55 Alio vero causae peccati accipiuntur quasi extrinsecae remotae, ex

——————————————————————————————————— 203

quibus
scilicet voluntas inclinatur ad peccandum. Et in his causis est distinguendum.
Quaedam enim harum inducunt voluntatem ad peccandum, secundum ipsam
naturam voluntatis: sicut finis, quod est proprium obiectum voluntatis. Et
ex tali causa augetur peccatum: gravius enim peccat cuius voluntas ex in-
60 tentione peioris finis inclinatur ad peccandum. — Aliae vero causae sunt
quae inclinant voluntatem [6] ad peccandum, praeter naturam et ordinem ipsius

---

[6] *Voluntatem* may have been omitted in translator's manuscript.

da geborn ist, daz si vrilich beweget von ir selber nach dem urteil der be-
scheidenheit. Unde dar umbe die sachen, die da minrent daz urteil der
bescheidenheit, alse die unwissentheit, die da minret die bescheidenheit dez
willen [1] alse die krankheit oder die frevele oder die vorhte, oder solichü
5 dez glichez, die minrent die sünden, alse si den willigen minrent; in dem
alse vil alse ob die getat

204 ━━

                   alzemale si unwillig, so enhat si niht reden der
sünde.

    Ez ist zemerken, ob der wille si ein underwurf der sünden. Ez ist zesagen,
daz die sünde ist ein getat. Aber etlich der getat wandelent sich [2] in die
10 uzzern naturen, [3] alse brinnen oder [4] slahen. Unde solich getat die hat [5]
für die materien unde für den underwurf daz, in daz verwandelt wirt [2]
die tuowunge, alse der philosophus sprichet in dem dritten capitel in den
buoche, daz da heizet „Phisica": daz „die bewegunge ist ein beweglichü
getat dez bewegenden." [6] Aber nu sint etliche getat, die niht verwandelt
15 werdent [2] in die üzzern naturen, [3] sunder si blibent in dem wurkenden,
alse begern unde bekennen. Unde solich getat die sint alle getat der sitte,
ez si daz si sin getate der tugenden oder si sin getat der bosheit. Unde dar
umbe so muos daz sin, [daz] der eigen underwurft der sünden si die maht,
die da ist ein beginne der getat. Aber sit denne daz daz eigen der sitlicheit
20 geteten ist,

205 ━━

               daz si sin williclichen, so volget daz dar nah, daz der wille, der
da ist ein beginne der williger geteten, oder der guoten oder der bösen, die
da sünde sint, si ein beginne [der sünden].

    Ez ist zemerken, daz niht allein der wille ein underwurf der sünden ist.
Wan alles daz, daz da ein beginne der williger getat ist, [ist] ein underwurf
25 der sünden. Aber die willegen getete enheizent niht alleine die, die da für-
geloket werdent von dem wille, sunder ouch die, die da geboten werdent von
dem willen. Unde da von so enmag der wille niht alleine sin ein under-
wurf der sünden, sunder ouch alle die mehte, die da beweget mügen werden
zuo iren getetten oder von in getruket mag werden übermitz den willen.
30 Unde ouch sint die selben mehte [ein underwurf der] habunge der sitte;

    [1] Translator probably overlooked *vel* and connected *quae* with *ignorantia,* as if he
had read the Latin as *quae diminuit rationem* (or *rationalitatem*) *voluntatis.*
    [2] Clearly, "sich wandelen" and "verwandelt werden" are not legitimate translations
of *transire*. Probably the translator did not understand the Thomistic distinction between
immanent actions and transeunt actions.
    [3] As so frequently, *natura* and *materia* have been confused.
    [4] MS: "oder der."
    [5] MS: "hat man."
    [6] Translator took *mobilis* as an adjective belonging to *actus* and thereby garbled
the entire passage.

voluntatis, quae nata est moveri libere ex seipsa secundum iudicium rationis. Unde causae quae diminuunt iudicium rationis, sicut ignorantia; vel quae diminuunt liberum motum voluntatis, sicut infirmitas vel violentia aut metus, aut aliquid huiusmodi, diminuunt peccatum, sicut et diminuunt vo-
35 luntarium: intantum quod

—————————————————————————————————————— 204

si actus sit omnino involuntarius, non habet ratio-
nem peccati.

I-II. q. 74, a. 1. UTRUM VOLUNTAS SIT SUBIECTUM PECCATI

Respondeo dicendum quod peccatum quidam actus est.... Actuum autem quidam transeunt in exteriorem materiam, ut urere et secare: et
40 huiusmodi actus habent pro materia et subiecto id in quod transit actio: sicut Philosophus dicit, in III *Physic.*, quod *motus est actus mobilis a movente.* Quidam vero actus sunt non transeuntes in exteriorem materiam, sed ma-nentes in agente, sicut appetere et cognoscere: et tales actus sunt omnes actus morales, sive sint actus virtutum, sive peccatorum. Unde oportet quod
45 proprium subiectum actus peccati sit potentia quae est principium actus. Cum autem proprium sit actuum moralium

—————————————————————————————————————— 205

quod sint voluntarii.... se-
quitur quod voluntas, quae est principium actuum voluntariorum, sive bono-rum sive malorum, quae sunt peccata, sit principium peccatorum.

I-II. q. 74, a. 2. UTRUM SOLA VOLUNTAS SIT SUBIECTUM PECCATI

50 Respondeo dicendum quod.... omne quod est principium voluntarii actus, est subiectum peccati. Actus autem voluntarii dicuntur non solum illi qui eliciuntur a voluntate, sed etiam illi qui a voluntate imperantur..... Unde non sola voluntas potest esse subiectum peccati, sed omnes illae potentiae quae possunt moveri ad suos actus, vel ab eis reprimi, per voluntatem. Et
55 eaedem etiam potentiae sunt subiecta habituum moralium.... : quia eiusdem

wan dirre ist alleins, die getat unde die habunge. [1]

Ez ist zemerken, ob die minne

206

                           si ein beginne der sünde, die da ein minne
ist zuo ir selber. Ez ist zesagen, daz dü eigenü minne eigentlich unde an im
selber ein sache der sünden zenemen ist von teile der bekerung zuo dem
5 wandelichen guot, [von] welchem teile daz ein ieklichü getat der sünden
fürgat von etlicher ungeordenter begerunge etliches zitlichen guotes. Aber
daz etwer begeret etliches zitlichen guotes unordenlichen, daz komit von
dem, daz der mensche sich selber minnet. Aber nu ist etwen minnen, daz
er im etwaz guotes wil. Unde dar umbe so ist daz offenbar, daz ein un-
10 geordentü minne zuo ir selber ist ein sache aller sünden.

    Ez ist zemerken, ob got ein sach si der sünden. Ez ist zesagen, daz der
mensche [in zweier hande wis] ein sache si der sünden, sin selbes oder
eins andern. Ein wise, die rihte: zeneigen, daz ist sinen willen oder eins
andern willen, zesündenne. Ein ander wis die unrihti: daz ist swenne er
15 die andern niht enzühet von den sünden. Unde da [von]

207

                                  sprichet Ezechias,
in dem dritten capitele: „Man sprichet zuo dem schouwere: Unde en-
sprichest du niht zuo dem unmilten, ‚du stirbest dez todes' so süche ich sin
bluot von dinen handen." Aber got der enmag niht dirihti gesin ein sache
der sünden, noch sins noch dekeines andern, wan alle sünde ist von der
20 entwichunge von der ordenung, dü da in got ist alse in ir iungstes ende.
Aber got der neiget unde keret ellü ding in sich alse in daz iungeste ende,
alse St. Dyonisius sprichet in dem andern capitel in dem buoch „Von den
gotlichen namen." Unde dar umbe so ist ez unmüglich, daz er im oder
dekeime si ein sache dez entwichens von der ordenunge, die da in sich
25 selber ist. Unde da von so enmag er niht die rihti gesin ein sache der
sünden.

    Unde also dez glichez noch ouch die unrihti. Aber ez geschiht, daz got
etlichem niht enhilfet ze midenne die sünde, also unde bute er si
im, so

208

        ensündete er niht. Aber diz tuot er alles nah der ordenunge siner wis-
30 heit unde der gerehtikeit. Unde dar umbe so enahtet man niht sin, daz ist man
enzihet sin gotte niht, ob ieman sündet, alse ein sach der sünden; alse der
schifman, der daz schif rihtet, dem gibet man dekeine schulde, daz daz
schif undergegangen ist von dem, daz er daz schif niht enrihtet, nihtwan
swenne er underzühet die rihtunge, swenne er ez schuldig ist zerihten.

---

[1] Function of *eiusdem* not recognized.

35 est actus et habitus.

I-II. q. 77, a. 4. UTRUM AMOR SUI SIT

206

PRINCIPIUM OMNIS PECCATI

Respondeo dicendum quod.... propria et par se causa peccati accipienda est ex parte conversionis ad commutabile bonum; ex qua quidem parte omnis actus peccati procedit ex aliquo inordinato appetitu alicuius temporalis
40 boni. Quod autem aliquis appetat inordinate aliquod temporale bonum, procedit ex hoc quod inordinate amat seipsam: hoc enim est amare aliquem, velle ei bonum. Unde manifestum est quod inordinatus amor sui est causa omnis peccati.

I-II. q. 79, a. 1. UTRUM DEUS SIT CAUSA PECCATI

45 Respondeo dicendum quod homo dupliciter est causa peccati vel sui vel alterius. Uno modo, directe, inclinando scilicet voluntatem suam vel alterius ad peccandum. Alio modo, indirecte, dum scilicet non retrahit aliquos a peccato: unde

207

Ezech. III speculatori dicitur: *Si non dixeris impio, Morte morieris, sanguinem cius de manu tua requiram.* Deus autem non potest esse
50 directe causa peccati vel sui vel alterius. Quia omne peccatum est per recessum ab ordine qui est in ipsum sicut in finem. Deus autem omnia inclinat et convertit in seipsum sicut in ultimum finem, sicut Dionysius dicit, I cap. *de Div. Nom.* Unde impossibile est quod sit sibi vel aliis causa discedendi ab ordine qui est in ipsum. Unde non potest directe esse causa peccati.
55 Similiter etiam neque indirecte. Contingit enim quod Deus aliquibus non praebet auxilium ad vitandum peccata, quod si praeberet,

208

non peccarent. Sed hoc totum facit secundum ordinem suae sapientiae et iustitiae:.... Unde non imputatur ei quod alius peccat, sicut causae peccati: sicut gubernator non dicitur causa submersionis navis ex hoc quod non gubernat navem,
60 nisi quando subtrahit gubernationem.... debens gubernare. Et sio patet

Also ist ez offenbar, daz got in dekeiner wis ein sach ist der sünde.

Ez ist zemerken, ob die getat der sünde von got si. Ez ist zesagen, daz die getat der sünden ist ein wesendes ding unde ist ouch ein getat; unde in ietwederre wis so hat si daz, daz si von got ist. Wan ein iekliches wesendes ding, ez si waz daz si, daz alles.... von der ersten wesentheit, alse ez offenbar ist übermitz St. Dyonisium in dem fünften capitel in dem buoch „Von den gotlichen namen." Ein ieklichü getat die wirt gesachet von etwem,

209 ──

daz in der getat ist, wan dekein ding wirket nihtwan daz in der getat ist. Ein iekliches wesendes ding von der getat wirt widergeleitet in die getat selber, daz ist in got, als in die sache, der da ist übermitz sin wesung ein getat. Unde dar umbe so ist daz zehaltenne, daz got ein sache ist aller tuowunge, in dem unde ez [1] tuowunge ist.

Nu nemet man die sünde ein wesendes ding unde ein wirkunge mit etwaz gebresten. Aber dire gebresten ist von einer geschaffener sache, daz ist von dem frigen willen, nah dem unde im gebristet von der ordenunge dez ersten wirkende, daz ist gottis. Unde dar umbe dirre gebrest der enleitet niht in got alse in die sache, sunder in den frigen willen, alse der gebreste dez hinkenden der wirt widergeleitet in daz crumbedü bein [2] alse in die sache unde niht in die bewegliche craft, von dem doch gesachet wirt allez, daz beweglich ist in dem hinkenden. Unde nach dem so ist

210 ──

got ein sache der sünden. Aber er enist niht dez ein sache dez, daz die getat mit gebresten ist.

Ez ist zemerken, ob got ein sache si der verhertunge oder der verblendunge. Ez ist zesagen, daz die verblendung oder die verhertunge zwei ding innetreit. Von welchen zwein eins ist die bewegunge dez menschlichen gemüetes, daz da inhanget dem bösen unde abgekeret ist von dem gotlichen [lieht]. Unde alse vil alse nah dem so enist got niht ein sache der blendunge oder der verhertunge, alse er ouch dekein sache der sünde ist. Aber ein anders ist ein underziehunge der gnade, von dem daz diz volget, daz daz gemüete gotlichen niht erlühtet wirt, daz ez rehte gesehen müge, unde daz daz herz dez menschen niht erweichet mag werden, daz ez rehte gesehen [3] müge. Unde also vil alse zuo dem so ist got ein sache der verblendung unde der verhertung.

Ez ist zesagen, daz got ist ein ellichü sache

211 ──

der erluhtunge der selen

----

[1] MS: "er."

[2] MS: "erumbe bein," with "dü" written subsequently as a correction in between "erumbe" and "bein."

[3] Translator misread *vivendum* as *videndum.*

35 quod Deus nullo modo est causa peccati.

I-II. q. 79, a. 2. UTRUM ACTUS PECCATI SIT A DEO

Respondeo dicendum quod actus peccati et est ens, et est actus; et ex utroque habet quod sit a Deo. Omne enim ens, quocumque modo sit, oportet quod derivetur a primo ente; ut patet per Dionysium, V cap. *de Div. Nom.*
40 Omnis autem actio causatur ab aliquo

——————————————————————————————————————— 209

existente in actu, quia nihil agit nisi secundum quod est actu: omne autem ens actu reducitur in primum actum, scilicet Deum, sicut in causam, qui est per suam essentiam actus. Unde relinquitur quod Deus sit causa omnis actionis, inquantum est actio.

Sed peccatum nominat ens et actionem cum quodam defectu. Defectus
45 autem ille est ex causa creata, scilicet libero arbitrio, inquantum deficit ab ordine primi agentis, scilicet Dei. Unde defectus iste non reducitur in Deum sicut in causam, sed in liberum arbitrium: sicut defectus claudicationis reducitur in tibiam curvam sicut in causam, non autem in virtutem motivam, a qua tamen causatur quidquid est motionis in claudicatione. Et secundum hoc,

——————————————————————————————————————— 210

50 Deus est causa actus peccati, non tamen est . . . . causa huius, quod actus sit cum defectu.

I-II. q. 79, a. 3. UTRUM DEUS SIT CAUSA EXCAECATIONIS ET INDURATIONIS

Respondeo dicendum quod excaecatio et obduratio duo important. Quorum unum est motus animi humani inhaerentis malo, et aversi a divino lumine.
55 Et quandum ad hoc Deus non est causa excaecationis et obdurationis, sicut non est causa peccati. Aliud autem est subtractio gratiae, ex qua sequitur quod mens divinitus non illuminetur ad recte videndum, et cor hominis non emolliatur ad recte vivendum. Et quantum ad hoc Deus est causa excaecationis et obdurationis.
60 Est autem considerandum quod Deus est causa universalis

——————————————————————————————————————— 211

illuminationis

nach dem unde St. Johannes sprichet in dem ersten-capitel: „Er waz ein gewar lieht, daz da erlühtet alle menschen komende in diz welt." Wan als ouch die sunne ist ein ellichü sach der erlühtunge der lip, aber doch anders unde anders; wan die sunne wirket erlühtende übermitz notdurft der na-
5 turen, aber got der wirket williklichen übermitz ordenunge siner wisheit. Wie doch daz ist, daz die sunne erlühtet alle libe, alse vil als es an ir selber ist; aber doch unde ist daz, daz dekein hindernüsse zuokümet dem libe, daz er daz lieht niht enphahen mag, den lat [die] sunne blint oder vinster; alse ez offenbar ist von dem huse, dez venster beslozzen sint. Aber dirre
10 beschetwunge der enist doch die sunne dekein sache, wan si enwürket niht mit innewendiger zeigen, [1] alse daz si lieht in die innirckeit [2] dez ougen, [3] sunder die sache ist der, der die venster besloz.

212 ⎯⎯⎯⎯⎯⎯⎯⎯⎯⎯⎯⎯⎯⎯⎯⎯⎯⎯⎯⎯⎯⎯⎯⎯⎯⎯⎯⎯⎯⎯⎯

Also ist ouch umbe got der enwirfet niht inwendig daz lieht der gnaden in die sele, in die er dekein hindernüsse vindet. Unde da von so ist allein der ein sache, daz die gnade
15 got niht engüzet, der da ein hindernüsse ist, [4] sunder ouch got, der si niht ingüzzet. Unde also so ist got ein sache der verblendung unde der beswe-runge der oren unde der verhertung der herzen. Unde daz underscheidet man nach werke der gnaden, die daz verstan volmachet mit der gabe der wisheit unde weichet die begirde mit dem für der minne. Unde also: zuo
20 bekentnüsse [5] des verstans, dar zuo so dienent aller meist zwo sinne, daz ist daz gesihte unde daz gehörde. Dirre eins der dienet der vindunge, alse daz gesihte; daz ander dienet der zuht, daz ist daz gehörde. Unde dar umbe so setzet [man] [6] also zuo dem gesihte die verblendung, unde zuo dem gehörde die beswarunge, unde zuo der begirde die verhertunge.
25 Es ist zemerken, ob

213 ⎯⎯⎯⎯⎯⎯⎯⎯⎯⎯⎯⎯⎯⎯⎯⎯⎯⎯⎯⎯⎯⎯⎯⎯⎯⎯⎯⎯⎯⎯⎯

die verblendunge unde die verhertunge behören zuo dez selikeit, der da verblendet oder verhertet wirt. Ez ist zesagen, daz die verblendunge etwaz umbeganges [ist] zuo den sünden. Aber die sünde die wirt zuo zwein dingen geordent. Zuo einem wirt si geordent, nach dem unde die sünde an ir selber ist, daz [ist] zuo dem schaden; unde ze dem
30 andern male wirt si geordent zuo der gotlichen erbermede [oder] der got-lichen fürsihtikeit, daz ist zuo der selikeit, [7] nach dem unde got etliche lat

----

[1]   Translator read *iudicio* as *indicio*..
[2]   MS might be read as "in inrekeit."
[3]   Passage somewhat garbled. MHG "ouge" here equivalent to "venster." Cf. English "window."
[4]   Garbled.
[5]   MS: "bekentnüsses."
[6]   Cf. p. 208, note 6.
[7]   Certain Latin MSS read: *ex divina misericordia vel providentia, scilicet ad salutem* The MHG seems to correspond to this version.

animarum, secundum illud Ioan. I, *Erat lux vera quae illuminat omnem hominem venientum in hunc mundum,* sicut sol est universalis causa illuminationis corporum. Aliter tamen et aliter: nam sol agit illuminando per
35 necessitatem naturae; Deus autem agit voluntarie, per ordinem suae sapientiae. Sol autem, licet quantum est de se omnia corpora illuminet, si quod tamen impedimentum inveniat in aliquo corpore, relinquit illud tenebrosum: sicut patet de domo cuius fenestrae sunt clausae. Sed tamen illius obscurationis nullo modo causa est sol, non enim suo iudicio agit ut lumen interius non
40 immittat: sel causa eius est solum ille qui claudit fenestram.

———————————————————————————— 212

Deus
autem .... lumen gratiae non immittit illis in quibus obstaculum invenit. Unde causa subtractionis gatriae est non solum ille qui ponit obstaculum gratiae, sed etiam Deus, qui suo iudicio gratiam non apponit. Et per hunc modum Deus est causa excaecationis, et aggravationis aurium, et obdurationis
45 cordis. — Quae quidem distinguuntur secundum effectus gratiae, quae et perficit intellectum dono sapientiae, et affectum emollit igne caritatis. Et quia ad cognitionem intellectus maxime deserviunt duo sensus, scilicet visus et auditus, quorum unus deservit inventioni, scilicet visus, alius disciplinae, scilicet auditus: ideo quantum ad visum, ponitur excaecatio; quantum ad
50 auditum, aurium aggravatio; quantum ad affectum, obduratio.

———————————————————————————— 213

I-II. q. 79, a. 4. UTRUM EXCAECATIO ET OBDURATIO SEMPER ORDINENTUR AD SALUTEM EIUS QUI EXCAECATUR ET OBDURATUR

Respondeo dicenunum quod excaecatio est quoddam praeambulum ad peccatum. Peccatum autem ad duo ordinatur: ad unum quidem per se, scilicet
55 ad damnationem; ad aliud autem ex misericordi Dei providentia, scilicet ad

vallen in sünde, alse swenne si die sünde bekenne, daz si sich demüetigen
unde sich bekeren, alse St. Augustinus sprichet in dem buoche „Von der
gnaden unde von der nature." Unde dar umbe die verblendung, von siner
naturen so ordenet si zuo dem verdampnüsse dez, der da verblendet wirt,
5 durch des willen ouch gesetzet wirt daz werke der berespunge;[1] aber von
der gotlichen erbermede so wirt die verblendung erbermekliche

214 ───────────────────────────────────────

geordent
zuo einer zit zuo einem heile der, die da verblendet werdent. Aber[2] doch
treit der erbermede niht alles an, sunder der fürsihtikeit gotiz übermitz
der daz ellü ding wirkent, aber alse zuo etlichen zuo einer verdampnüsse,
10 alse St. Augustinus sprichet in dem dritten capitele.

Ez ist zemerken, ob der tüvel die rihti si ein sache zuo den sunden. Ez
ist zesagen, daz die sünde etwas getat ist. Unde da von so mag etwaz [die
rihti] ein sache sin zuo den sünden, nach dem unde ez [die rihti] ein sache
ist zuo der getat. Daz geschiht niht, ez si denne, daz etlichez eigens be-
15 ginne bewege zewirkenne. Nu ist daz eigen beginne der getat der sünden
der wille, wan alle sünden geschehent willicliche. Unde dar umbe so enmag
dekein ding sin ein sache der sünden die rihte, nihtwan daz, daz da den
willen beweget zewirken. Nu mag aber der wille von zwein dingen be-
weget werden. In

215 ───────────────────────────────────────

einer wis von dem gegenwurf, nach dem unde man
20 sprichet, daz daz begerliche die begrif[funge][3] der begirde beweget. Zem
andern male von dem, daz ez den willen[4] inwendig neiget zuo dem wellene.
Unde daz enist dekein ding anders, ez si denne der wille selber oder got.
Aber got der enmag niht gesin ein sache der sünden. Unde dar umbe so
ist daz zehaltenne, daz nach disem teilen der wille allein ist ein sache die
25 rihti der sünden dez menschen.

Aber von teilen dez gegenwurfes so mag man verstan, daz etliches be-
weget den willen in drier hande wise. In einer wis: der für geleit gegen-
wurf selber, alse wir sprechen, daz die begirde erweket wirt von der spis
ze ezzenne. In einer andern wis: der, der da fürsetzet oder bringet den
30 gegenwurfe. Zuo [dem] dritten male: dirre, der da ratet, daz der fürgeleit
gegenwurf haben eigenschaft der guoti; wan dirre leit in etlicher wis für
den ei[gen] [ge]genwurf dez willen,

216 ───────────────────────────────────────

daz da ist eigenschaft eins waren

---

[1] Translator took *effectus* as subject rather than as predicate noun.
[2] The following sentence is almost unintelligible, partly through faulty translation,
partly through omissions.
[3] Translator did not recognize Latin construction. The MS reads: "die begrif- der
begirde."
[4] MS repeats "den willen."

sanationem, inquantum Deus permittit aliquos cadere in peccatum, ut pec-
catum suum agnoscentes, humilientur et convertantur, sicut Augustinus
35 dicit, in libro *de Natura et Gratia*. Unde et excaecatio ex sui natura ordina-
tur ad damnationem eius qui excaecatur, propter quod etiam ponitur repro-
bationis effectus: sed ex divina misericordia excaecatio ad tempus

—————————————————————————————————— 214

ordinatur
medicinaliter ad salutem eorum qui excaecantur. Sed haec misericordia non
omnibus impenditur excaecatis, sed praedestinatis solum, quibus *omnia*
40 *cooperantur in bonum,* sicut dicitur *Rom.* VIII. Unde quantum ad quosdam,
excaecatio ordinatur ad sanationem: quantum autem ad alios, ad damnatio-
nem, ut Augustinus dicit, in III *de Quaest. Evang.*

I-II. q. 80, a. 1. UTRUM DIABOLUS SIT DIRECTE CAUSA PECCANDI

Respondeo dicendum quod peccatum actus quidam est. Unde hoc modo
45 potest esse aliquid directe causa peccati, per quem modum aliquis directe
est causa alicuius actus. Quod quidem non contingit nisi per hoc quod pro-
prium principium illius actus movet ad agendum. Proprium autem principium
actus peccati est voluntas: quia omne peccatum est voluntarium. Unde nihil
potest directe esse causa peccati, nisi quod potest movere voluntatem ad
50 agendum. Voluntas autem . . . . a duobus moveri potest:

—————————————————————————————————— 215

uno modo, ab obiecto,
sicut dicitur quod appetibile apprehensum movet appetitum; alio modo, ab eo
quod interius inclinat voluntatem ad volendum. Hoc autem non est nisi vel
ipsa voluntas, vel Deus, ... Deus autem non potest esse causa peccati, ...
Relinquitur ergo quod ex hac parte sola voluntas hominis sit directe causa
55 peccati eius.

Een parte autem obiecti, potest intelligi quod aliquid moveat voluntatem
tripliciter. Uno modo, ipsum obiectum propositum: sicut dicimus quod cibus
excitat desiderium homonis ad comedendum. Alio modo, ille qui proponit vel
offert huiusmodi obiectum. Tertio modo, ille qui persuadet obiectum proposi-
60 tum habere rationem boni: quia et hic aliqualiter proponit proprium obiectum
voluntati,

—————————————————————————————————— 216

quod est rationis bonum verum vel apparens. Primo igitur modo,

guotes, ¹ oder ez schinet also. Aber in der ersten wise, so bewegent die sinlichen ding, die da uswendig schinent, den willen des menschen zesündenne. Aber in der andern wis unde in der driten, eintweder so mag der tuvel oder der mensche bewegen zuo sündenne, eintweder daz si etwaz

5 begerliches bringe den sinnen, oder daz si rattent der bescheidenheit. Aber dekeins in dirre drier wis enmag dekein ding die rihti sin ein sache der sünden; wan der wille wirt niht von not beweget von dekeinem gegenwurf, niht [wan] von dem iungsten ende. Unde dar umbe so enist dekein genüeglichü sache der sünden noch die ding, die da uzwendig zuobraht wer-

10 dent, noch der, der die sache fürleit, noch ouch der, der ez da ratet. Unde dar umb so volget daz, daz der tüvel niht genügliche ein sache ist der sünde, sunder allein nach dem unde er fürleit daz begerlich ding oder ratet.

Ez ist zemerken, ob Adam niht hette gesündet unde Eva

217 ────────────────────────────────────

hette gesundet, ob noh denne die süne hetten enphangen die erbesünde. Ez ist zesagen,

15 daz die erbesünde des ersten ² komen ist von dem vatter fürgeleitet nach dem unde er beweget ³ zuo der geb[er]ung der gebornen. Unde dar umbe, unde [were] etlicher materilich geborn von dem menschlichen fleische, so enphieng er niht die erbesünde. Aber nu ist diz offenbar nach der lere der philosophen, daz daz wirklich beginne in dem gebern ist von dem vatter,

20 aber die materien ⁴ dienet die muoter. Unde da von so kümit die erbesünde niht von der muoter sunder von dem vatter. Unde nach dem unde hette Adam niht gesündet unde hette Eva gesündet, so enhetten die kinder niht enphangen die erbesünde. Aber dar wider were, unde hette Eva nit gesündet, unde doch Adam gesündet hette.

25 Ez ist zemerken, ob die erbesünde si dez ersten in der wesung der sele. Ez ist zesagen, daz diz der sele ist ein erster

218 ────────────────────────────────────

gegenwurf ⁵ etlicher sünden, zuo deme daz des ersten behöret die bewegliche sache [diser sünde; also ob die bewegliche sache] ⁶ zesündenne si die lust der sinnen, die da behörent zuo der begerlichen craft als sin eigen gegenwurf unde dar nach volget, daz

30 die begerlich [craft] si ein eigen gegenwurf ⁵ der sünden. Aber nu ist diz offenbar, daz die erbesunde gesachet würde von dem ursprung. Unde dar umbe so ist daz der sele ein erster gegenwurf ⁵ der erbesünden, daz ez da des ersten rüeret von dem ursprunge [des menschen]. Nu rüeret aber der

---

¹ Latin construction not understood.
² Translator read *primo a parente.*
³ MS: "beweget wirt."
⁴ MS: "die naturen die naturen."
⁵ Usually *subjectum* is translated by "underwurf."
⁶ Cf. pag 63, line 5.

res sensibiles exterius apparentes movent voluntatem hominis ad peccandum:
35 secundo autem et tertio modo, vel diabolus, vel etiam homo, potest incitare
ad peccandum, vel offerendo aliquid appetibile sensui, vel persuadendo
rationi. Sed nullo istorum trium modorum potest aliquid esse directa causa
peccati: quia voluntas non ex necessitate movetur ab aliquo obiecto nisi ab
ultimo fine.... unde non est sufficiens causa peccati neque res exterius
40 oblata, neque ille qui eam proponit, neque ille qui persuadet. Unde sequitur
quod diabolus non sit causa peccati directe et sufficienter; sed solum per
modum persuadentis, vel proponentis appetibile.

I-II. q. 81, a. 5. UTRUM, SI ADAM NON PECCASSET, EVA PEC-

━━ 217

CANTE, FILII

ORIGINALE PECCATUM CONTRAHERENT

45 . Respondeo dicendum.... quod peccatum originale a primo parente tradu-
citur inquantum ipse movet ad generationem natorum; unde.... si materia-
liter tantum aliquis ex carne humana generaretur, originale peccatum non
contraheret. Manifestum est autem secundum doctrinam philosophorum,
quod principium activum in generatione est a patre, materiam autem mater
50 ministrat. Unde peccatum originale non contrahitur a matre, sed a patre.
Et secundum hoc, si, Adam non peccante, Eva peccasset, filii originale pec-
catum non contraherent. E converso autem esset, si Adam peccasset, et Eva
non peccasset.

I-II. q. 83, a. 2. UTRUM PECCATUM ORIGINALE SIT PER PRIUS IN ESSENTIA
55 ANIMAE

Respondeo dicendum quod illud animae est

━━ 218

principaliter subiectum ali-
cuius peccati, ad quod primo pertinet causa motiva illius peccati: sicut si
causa motiva ad peccandum sit delectatio sensus, quae pertinet ad vim con-
cupiscibilem sicut obiectum proprium eius, sequitur quod vis concupiscibilis
60 sit proprium subiectum illius peccati. Manifestum est autum quod peccatum
originale causatur per originem. Unde illud animae quod primo attingitur ab
origine hominis, est primum subiectum originalis peccati. Attingit autem

ursprunk die sele alse ein ende der geberunge, nach dem unde si ein forme dez libez ist. Unde daz bekümet ir nah der wesunge. Unde dar umbe so ist die sele nach der wesunge der erste gegenwurf [1] der erbesünden.

Ez ist zemerken, ob die erbesünde e wirket in dem willen e in die andern
5 mehte. Ez ist zesagen, daz in der wirkünge der erbesünde zwei ding zebetrahten sint. Daz erste daz ist sin inhangunge zuo dem gegenwurfe. Unde nach dem

219 ━━━

so siht si dez ersten an die wesunge der sele, alse da vor gesprochen ist. Unde dar nach so muoz man betrahten sin neigunge zuo der getat. Unde nach dirre wise so siht si an die mehte der sele. Dar umbe so
10 muoz das sin, daz si übermitz die [2] dez ersten ansehe, die erste neigunge hat zesünden. Unde diz ist der wille. Unde dar umbe so sieht die erbesünde an dez ersten den willen.

Ez ist zemerken, ob die gittikeit si ein sache aller bösen dinge oder ein wurtzel. Ez ist zesagen daz: Nach dem, daz die gittikeit ist ein sünderlichü
15 sünde, daz ist ein ungeordentü begirde zuo den vergenklichen dingen, [so] ist [si] ein wurzele aller sünden, nach glichnüsse der wurzelen dez boumes, der da fuotunge git dem boume alleine. Wan wir sehen daz, daz der mensche übermitz den rihtuom gewinnet maht, ze verkriegenne ein iekliche sünde, unde ein erbietunge der begirde [3] einer ieklicher sünde.

220 ━━━

[Unde] daz von
20 dem, [4] daz geboten werdent [5] ieklichü citlichü guot, daz von dem der mensche übermitz daz zitlich guot gehelfen [6] mag; nach deme unde gescriben ist in „Ecclesiastice" in dem zehenden capitele: „Dem zitlichen guote sint ellü ding gehorsam." Unde also ist die gittikeit ein wurtzele aller bösen dinge.

Ez ist zemerken, ob die hochvart [7] si ein beginne aller sünden. Ez ist
25 zesagen, daz 'die hochvart, ouch nach deme unde si ein sünderlichü sünde ist, daz ist, daz si bezeichent ein unordenlich begirde ein[er] eigener wirdikeit, daz ist ein beginne aller sünden. [8] Aber nu ist zebetrahtene, daz in den willigen geteten, in einer ieklichen wise unde die sünde sint, so vindet man zweier hande ordenunge: daz ist die meinunge unde die ervolgunge.

---

[1] See page 186, note 5.
[2] Translator read *illam per prius* as *per illam prius*.
[3] Translator construed: *et adhibitionem desiderii*. Actually, several Latin manuscripts have *adhibendi* for *adimplendi*.
[4] MS: "Wan umbe daz das von dem," a fusion of two translations of *eo quod*, i.e. "wan umbe daz," and "unde daz von dem."
[5] *ad habenda* read as *adhibentur*.
[6] *iuvari* read as *iuvare*.
[7] MS: "hochvarft."
[8] This passage is a condensation rather than a translation.

30 origo animam ut terminum generationis, secundum quod est forma corporis; quod quidem convenit ei secundum essentiam . . . . Unde anima secundum essentiam est primum subiectum originalis peccati.

I-II. q. 83, a. 3. UTRUM PECCATUM ORIGINALE PER PRIUS INFICIAT VO-LUNTATEM QUAM ALIAS POTENTIAS

35 Respondeo dicendum quod in infectione peccati originalis duo est considerare. Primo quidem, inhaerentiam eius ad subiectum: et secundum

219

hoc primo respicit essentiam animae, ut dictum est. Deinde oportet considerare inclinationem eius ad actum: et hoc modo respicit potentias animae. Oportet ergo quod illam per prius respiciat, quae primam inclinationem habet 40 ad peccandum. Haec autem est voluntas . . . . Unde peccatum originale per prius respicit voluntatem.

I-II. q. 84, a. 1. UTRUM CUPIDITAS SIT RADIX OMNIUM PECCATORUM

. . . . Unde manifestum est quod loquitur de cupiditate secundum quod est appetitus inordinatus divitiarum. Et secundum hoc, dicendum est quod 45 cupiditas, secundum quod est speciale peccatum, dicitur radix omnium peccatorum, ad similitudinem radicis arboris, quae alimentum praestat toti arbori. Videmus enim quod per divitias homo acquirit facultatem perpetrandi quodcumque peccatum, et adimplendi desiderium cuiuscumque peccati: eo quod

220

ad habenda quaecumque temporalia bona, potest homo per pecuniam 50 iuvari; secundum quod dicitur *Eccle. X*: *Pecuniae obediunt omnia*. Et secundum hoc, patet quod cupiditas divitiarum est radix omnium peccatorum.

I-II. q. 84, a. 2. UTRUM SUPERBIA SIT INITIUM OMNIS PECCATI

Respondeo dicendum . . . . secundum quod superbia significat inordinatum appetitum propriae excellentiae. Et sic est speciale peccatum . . . . Et sic 55 dicunt quod est initium omnis peccati . . . . Considerandum est enim quod in actibus voluntariis, cuiusmodi sunt peccata, duplex ordo invenitur: scilicet

Unde in dem ersten ordenunge so hat si wise dez beginnez des endez. Aber daz ende in allen zitlichen guote zegewinnen ist, daz der mensche übermitz dü habe etlich

221 ──

volkomenheit unde etliche wirdikeit. Unde dar umbe nach dem teile die hochvart, [1] die da ist [2] ein begirde der wirdikeit, 5 setzet man ein beginne aller sünden. Aber von dem teile der ervolgunge so ist daz dez ersten, daz da darbüttet die helfe zerfullenne alle begirde der sünden, daz da hat eigenschafte einer würzelen, daz ist der richtuom. Unde alse von disem teile so setzet man die gittikeit ein wurzelen aller bösheit, alse gesprochen ist.

10 Ez ist zemerken, ob dekein ander houbtsünden sin denne die hochvart unde die gittikeit. Ez ist zesagen daz houbtilichen heizent von dem houbete. Aber nu ist daz houbt ein glide dez tieres, daz da ist ein beginne dez tieres alzemale. Unde dar umbe so heizet in einer glichnüsse ein ieklich beginne ein houbt, unde ouch alle, die die andern rihtent, die heizent der selber 15 ein houbt. Nu heizet ouch die sünde ein houbt in einer wis von dem

222 ──

houbt eigenlichen zesprechen. Unde nach dem so heizet daz ein houbtsünde, die man büezet mit einer houbtbüeze. Aber also enmeinen wir nu niht hie von den houbt sünden, sunder in der andern wis unde ez ein houbtsünde heizet von dem houbt, nach dem unde ez bezeichent ein beginne die rihti [3] der 20 andern. Unde also so heizet die sünde houbtlichen, von der andern sünde enspringent; unde zem aller vordresten nach dem ursprunge der entlichen sache, der da ist ein förmelichü [4] sache. Unde dar umbe so ist ein houbtilichü sünde niht alleine ein beginne der andern, sunder ouch nach dem unde [5] si rihtende ist unde leitende zuo einer andern. Wan alle zit die kunst oder 25 die habunge, zuo der [6] behöret daz ende, herschet unde gebütet an den dingen, die da sint zuo dem ende. Unde da von sprichet St. Gregorius in dem drizehende capitel in dem buoch „Von den sitten"; diz sünde die glichet man „den hertzogen der dienste."

223 ──

Ez ist zemerken, ob der mensche ane die gnade müge ihtes iht warheit 30 bekennen.

Ez ist zesagenne, daz daz verstan eines ieklichen geschaffenen wesenden dinges von got hanget alse vil alse nach zwein dingen. In einer wis, nah dem unde ez forme von im hat, übermitz die ez wirket; in einer andern

---

1 MS: "hochvarf"; cf. page 188, note 7.
2 MS: "die da ist dü da ist."
3 *vel directivum* read as *directe*. Cf. line 24.
4 MS: "förlichü."
5 The corresponding Latin would be *sed etiam secundum quod est.*
6 MS: "den."

intentionis, et executionis. In primo quidem ordine, habet rationem principii
35 finis, ... Finis autem in omnibus bonis temporalibus acquirendis, est ut
homo per illa quandam

221

perfectionem et excellentiam habeat. Et ideo ex hac
parte superbia, quas est appetitus excellentiae, ponitur initium omnis peccati.
Sed ex parte executionis, est primum id quod praebet opportunitatem adim-
plendi omnia desideria peccati, quod habet rationem radicis, scilicet divitiae.
40 Et ideo ex hac parte avaritia ponitur esse radix omnium malorum, ut dictum
est.

I-II. q. 84, a. 3. UTRUM PRAETER SUPERBIAM ET AVARITIAM, SINT ALIA
PECCATA SPECIALIA QUAE DICI DEBEANT CAPITALIA

Respondeo dicendum quod *capitale* a capite dicitur. Caput autem .... est
45 quoddam membrum animalis, quod est principium ...., totius animalis. Unde
metaphorice omne principium caput vocatur: et etiam homines qui alios diri-
gunt .... capita aliorum dicuntur. Dicitur ergo vitium capitale uno modo a

222

capite proprie dicto: et secundum hoc, peccatum capitale dicitur peccatum
quod capitis poena punitur. Sed sic nunc non intendimus de capitalibus pec-
50 catis: sed secundum quod alio modo dicitur peccatum capitale a capite
prout .... significat principium vel directivum aliorum. Et sic dicitur vitium
capitale ex quo alia vitia oriuntur: et praecipue secundum originem causae
finalis, quae est formalis origo .... Et ideo vitium capitale non solum est
principium aliorum, sed etiam est directivum et quodammodo ductivum alio-
55 rum: semper enim ars vel habitus ad quem pertinet finis, principatur et
imperat circa ea quae sunt ad finem. Unde Gregorius, XXXI *Moral.,* huius-
modi vitia capitalia *ducibus exercituum* comparat.

223

I-II. q. 109, a. 1. UTRUM HOMO SINE GRATIA ALIQUOD VERUM COGNOSCERE
POSSIT

60 .... Sic igitur .... intellectus .... cuiuscumque entis creati, dependet a
Deo quantum ad duo: uno modo, inquantum ab ipso habet formam per quam

wis, nach dem unde ez von im bewegete wirt zewirken.

Aber ein ieklichü forme, die [1] ingesetzet ist von gotte den geschaffenen dingen, dü hat craft von etlicher gesihti der getat beterminiertlich, nach dem unde [2] ez mag nach siner eigenschafte. Unde fürbas aber so enmag ez niht, nihtwan übermitz etliche forme, die im zuogevallen ist; alse daz wazzer, [3] daz enmag niht hitzen, ez si denne daz es gehitzet si von dem für. Unde also so hat daz menschelich verstan ein forme, daz ist daz verstentlich liehte, daz da an im selber gnuog [4] dar zuo ist, zebekenne etlichü

224 ───────────────────────────────

verstentlichen dinge; daz ist zuo den dingen, in welcher bekentnüsse daz wir komen mügen übermitz sinlichü ding. Aber die höcher verstentlichen din [5] dü mag daz menschlich bekenen niht bekennen, ez si denne, daz ez volmachet werde mit einem volkomeneren lieht oder einem sterkern — alse daz lieht dez glouben ist oder der propheziunge, daz da heizet ein lieht der gnaden, nah dem unde ez der naturen über zuogeleit ist.

Unde also ist zesagen, daz zuo bekennen eins ieklichen waren dinges bedarf der mensche [6] der gotlichen helfe also, daz daz verstan von got bewegete werde zuo siner getat. Aber er enbedarf niht zuo dem bekennen der warheit einer nüweren erlühtungen, die da über zuogeleit si der naturilichen erlühtunge, sunder in etlichen dingen, in dem [7] daz si fürtreffent [8] daz natürlich bekennen. Unde doch so leret got etwenne etlich in wis eins zeichens übermitz sin gnade von den dingen, dü

225 ───────────────────────────────

man übermitz natürlich reden bekennen mag, alse ouch got in einer wis eins zeichens etwaz tuot, daz die nature wol getuon mag.

Ez ist zemerken, ob der mensche müge etwaz guotes wellen ane gnade zetüewenne. [9] Ez ist zesagen, daz man die naturen dez dinges betrahten mag in zweier hande wis. Ein wis: in siner ganzheit, alse ez waz in dem ersten vatter Adam vor der sünden. In einer andern wis: nach dem unde si vergenklich [10] ist in uns nach der sünden dez ersten vatters Adams. Aber in der andern wis so bedarf sin [11] die menscheliche nature in ietwederre

1   MS: "die dem dinge."
2   Was *in quem* read as *in quantum*?
3   MS: "für."
4   MS: "gnoug."
5   Cf. page 52, note 4.
6   MS: "der mensche der mensche."
7   MS: "in den."
8   MS: "triffet."
9   Translator read: *velle facere.*
10 Cf. page 132, note 4.
11 This looks like a first unsuccessful and undeleted attempt to translate *secundum utrumque statum,* correctly translated by "in ietwederre wis."

30 agit; alio modo, inquantum ab ipso movetur agendum.

Unaquaeque autem forma indita rebus creatis a Deo, habet efficaciam respectu alicuius actus determinati, in quem potest secundum suam proprietatem: ultra autem non potest nisi per aliquam formam superadditam, sicut aqua non potest calefacere nisi calefacta ab igne. Sic igitur intellectus hu-
35 manus habet aliquam formam, scilicet ipsum intelligibile lumen, quod est de se sufficiens ad quaedam intelligibilia

─── 224

cognoscenda: ad ea scilicet in quorum notitiam per sensibilia possumus devenire. Altiora vero intelligibilia intellectus humanus cognoscere non potest nisi fortiori lumine perficiatur, sicut lumine fidei vel prophetiae; quod dicitur *lumen gratiae,* inquantum est
40 naturae superadditum.

Sic igitur dicendum est quod ad cognitionem cuiuscumque veri, homo indiget auxilio divino ut intellectus a Deo moveatur ad suum actum. Non autem indiget ad cognoscendam veritatem .... nova illustratione superaddita naturali illustrationi; sed in quibusdam, quae excedunt naturalem cognitionem.
45 — Et tamen quandoque Deus miraculose per suam gratiam aliquos instruit de his quae per

─── 225

naturalem rationem cognosci possunt: sicut et quandoque miraculose facit quaedam quae natura facere potest.

I-II. q. 109, a. 2. UTRUM HOMO POSSIT VELLE ET FACERE BONUM ABSQUE GRATIA

50 Respondeo dicendum quod natura hominis dupliciter potest considerari: uno modo, in sui integritate. sicut fuit in primo parente ante peccatum; alio modo, secundum quod est corrupta in nobis post peccatum primi parentis. Secundum autem utrumque statum, natura humana indiget auxilio divino

wis der gotlicher helfe zetüewenne [o]der zewellenne ein iekliches guot,
alse von dem ersten bewegenden. Aber in dem state der naturen ganzheit,
alse vil alse zuo der begnuogunge der wirkünder craft, so mahte der
mensche wirken unde wellen über natürlicheit etwaz guotes, daz sin naturen
5 geglichet si, [1] alse da ist daz guot der

226 ───

     gewunnener [2] tugenden, aber niht
daz guot daz obwendig der naturen fürtriffet, daz da ist ein guot der
ingegozzener tugenden. Aber ouch in der zit der schulde so gebristet ouch
dem menschen von dem, daz er vermag nah siner naturen, daz er diz
guot zemale niht erfullen mag übermitz sinü natürlichü ding. [3] Wan die
10 nature ist doch niht alzemale vergangen, also daz die nature zemale be-
roubet werde irs natürlichen guotes, der mensche mag ouch in dirre zit
der [4] schulde, der vergenklichen naturen, übermitz craft siner nature etwas
teillichez [guotez] würken, alse hüser zebouwenne. Aber doch niht alles
daz guot, daz im glich natürlichen ist, alse daz im in dekeime gebresten.
15 Alse der siech mensche, der mag übermitz sich selber haben etlich be-
wegunge, unde doch so enmag er sich niht bewegen, alse ein gesunder
mensche sich bewegen mag, nihtwan im werde geholfen mit der arzenien
der gesuntheit.

     Unde

227 ───

     also mit der begnater craft, die [5] über zuogeleit ist der craft der
20 naturen, der bedorfte der mensche . . . . alse vil alse zuo eime: etwaz ze-
wirkenne, oder zewellenne ein übernatürliches guot. Aber in der zit der
schulde alse vil alse zuo zweien: daz ist, daz die nature gesunt werde; unde
fürbas, daz . . . . dü übernatürlich crafte wirke, daz da lonber ist. Aber
fürbas: in einer ieklichen zit, der schulde unde ouch der unschulde, so
25 bedarf der mensch der gotlicher helfe, daz er von im beweget werde wol
zetuonne.

     Ez ist zemerken, ob der mensche minnen müge got über ellü ding alleine
von naturlichen dingen ane gnade. Ez ist zesagen, alse da vor gesprochen
ist in dem ersten buoch der sentencien, [6] in dem daz ouch gesetzet ist die
30 mislichen wane von der natürlicher liebe der engel, der menschen der
mohte wirken in der zit der unschulde [7] mit craft siner naturen daz im
da ist ein natürlichez guotes, ane zuoval

228 ───

     [1]   MS: "geglicher."
     [2]   MS: "gewunneren."
     [3]   MS repeats: "übermitz sinü natürlichü ding ding."
     [4]   MS: "die."
     [5]   MS: "die der naturen."
     [6]   Thomas is referring to the first part of the *Summa*, question 50, article 5.
     [7]   MS: "unschlude."

ad faciendum vel volendum quodcumque bonum, sicut primo movente, ut dictum est. Sed in statu naturae integrae, quantum ad sufficientiam operativae
35 virtutis, poterat homo per sua naturalia velle et operari bonum suae naturae proportionatum, quale est bonum

——— 226

virtutis acquisitae: non autem bonum superexcedens, quale est bonum virtutis infusae. Sed in statu naturae corruptae etiam deficit homo ab hoc quod secundum suam naturam potest, ut non possit totum huiusmodi bonum implere per sua naturalia. Quia tamen natura hu-
40 mana per peccatum non est totaliter corrupta, ut scilicet toto bono naturae privetur; potest quidem etiam in statu naturae corruptae, per virtutem suae naturae aliquod bonum particulare agere, sicut aedificare domos....; non tamen bonum sibi connaturale, ita quod in nullo deficiat. Sicut homo infirmus potest per seipsum aliquem motum habere; non tamen perfecte potest
45 moveri motu hominis sani, nisi sanetur auxilio medicinae.

——— 227

Sic igitur virtute gratuita superaddita virtuti naturae indiget homo in statu naturae integrae quantum ad unum, scilicet ad operandum et volendum bonum supernaturale. Sed in statu naturae corruptae, quantum ed duo: scilicet ut sanetur; et ulterius ut bonum supernaturalis virtutis operetur, quod est
50 meritorium. Ulterius autem in utroque statu indiget homo auxilio divino ut ab ipse moveatur ad bene agendum.

I-II. q. 109, a. 3. UTRUM HOMO POSSIT DILIGERE DEUM SUPER OMNIA EX SOLIS NATURALIBUS SINE GRATIA

Respondeo dicendum quod, sicut supra dictum est in Primo, in quo etiam
55 circa naturalem dilectionem angelorum diversae opiniones sunt positae; homo in statu naturae integrae poterat operari virtute suae naturae bonum quod est sibi connaturale, absque

——— 228

der begnatter gab, wie doch daz
ist, daz ez niht geschehen möhte ane die helfe gottis dez bewegenden. Aber
minnen gotte über ellü ding daz [ist dem menschen] etwaz natürliches;
unde ist ouch einre ieklichen nature, niht allein der redelichen, sunder ouch
der unredelichen unde ouch der ungeselihten tiere, nach der wis der minne,
5 die einre ieklichen creaturen zimlich ist. Unde [daz] ist da von, wan einre
ieklichen creaturen natürlichen ist, daz ez begeret unde minnet etwaz, nach
dem unde ez zimlich geborn ist zesin. Unde dar umbe „ein iekliches ding
[wirket], nach deme unde ez bereit geborn ist," alse man sprichet in dem
andern capitele „Phisicorum." Nu ist diz offenbar, daz daz guot des teiles
10 ist durch daz guot der ganzheit. Unde dar um [mit] der natürlichen [1]
begirde oder der minnen so minnet ein iekliches teilliches ding sin eigen
guot dur daz gemein guot der ellicheit, daz da got ist. Unde dar umbe so
sprichet St. Dyonisius in

229 ──

dem buoche „Von den gotlichen namen," daz „got
ellü ding bekeret zuo der minne sin selbes." Unde dar umbe der mensche,
15 in der zit der nature der unschult, do braht der mensche sin liebi zuo der
minnen gottis alse zuo dem ende, unde also des gliches zuo allen den
andern dingen. [2] Unde also minte er got mer denne sich selber under über
ellü ding. Aber in der zit der schulde so gebrast dem menschen von disem
nach der begirde des bescheidenlichen willen, der durch die vergenklicheit
20 der naturen volget unde nos daz beroubet guot, niht wan er werde gesunt
gemachet übermitz die gnade gottis. Unde dar umbe ist daz zesagen, daz
der mensche in der zit der unschult niht bedorfte der begnaten gabe, die
über zuogeleit ist dem naturlichen guot, got zeminnen natürlichen über
ellü ding; wie doch daz ist, daz er der gotlichen helfe bedorft in siner
25 bewegunge dar zuo. Aber in der

230 ──

zit der schulde so bedarf der mensche
dar zuo der helfe der gnaden, die di nature gesunt mache.
Ez ist zemerken, ob der mensche verdienen müge daz ewig leben ane
gnade. Ez ist zesagen, daz die getat, daz die da leitent zuo dem ende, die
müezzen dem ende geglichet sin. Aber dekein getat dü triffet für die gli-
30 chunge des beginnes der getat. Unde dar um so sehen wir in den natür-
lichen dingen, daz dekein ding mag erfüllen noch vollebringen die wür-
kunge übermitz sin wirkunge, nihtwan [3] ez fürtreffe denne die wirkunde
craft; sunder ez mag alleine leiten übermitz wirkunge [....] des werkes
siner craft. Aber daz ewig leben ist ein fürtreffendes ende der glichung
35 der menschelichen naturen. Unde dar umbe der mensche übermitz sin

---

[1] MS: "natürlichchen."
[2] Faulty translation.
[3] *qui* read as *nisi*?

superadditione gratuiti doni, licet non absque
auxilio Dei moventis. Diligere autem Deum super omnia est quiddam con-
naturale homini; et etiam cuilibet creaturae non solum rationali, sed irratio-
nali et etiam inanimatae, secundum modum amoris qui unicuique creaturae
competere potest. Cuius ratio est quia unicuique naturale est quod appetat
40 et amet aliquid, secundum quod aptum natum est esse: *sic enim agit unum-
quodque, prout aptum natum est,* ut dicitur in II *Physic.* Manifestum est
autem quod bonum partis est propter bonum totius. Unde etiam naturali
appetitu vel amore unaquaeque res particularis amat bonum suum proprium
propter bonum commune totius universi, quod est Deus. Unde et Dionysius
45 dicit, in

——————————————————————————————————— 229

libro *de Div. Nom.,* quod *Deus convertit omnia ad amorem sui
ipsius.* Unde homo in statu naturae integrae dilectionem sui ipsius referebat
ad amorem Dei sicut ad finem, et similiter dilectionem omnium aliarum re-
rum. Et ita Deum diligebat plus quam seipsum, et super omnia. Sed in
statu naturae corruptae homo ab hoc deficit secundum appetitum voluntatis
50 rationalis, quae propter corruptionem naturae sequitur bonum privatum, nisi
sanetur per gratiam Dei. Et ideo. dicendum est quod homo in statu naturae
integrae non indigebat dono gratiae superadditae naturalibus bonis ad dili-
gendum Deum naturaliter super omnia; licet indigeret auxilio Dei ad hoc
eum moventis. Sed in

——————————————————————————————————— 230

statu naturae corruptae indiget homo etiam ad hoc
55 auxilio gratiae naturam sanantis.

I-II. q. 109, a. 5. UTRUM HOMO POSSIT MERERI VITAM AETERNAM SINE
GRATIA

Respondeo dicendum quod actus perducentes ad finem oportet esse fini
proportionatos. Nullus autem actus excedit proportionem principii activi.
60 Et ideo videmus in rebus naturalibus quod nulla res potest perficere effectum
per suam operationem qui excedat virtutem activam, sed solum potest pro-
ducere per operationem suam effectum suae virtuti proportionatum. Vita
autem aeterna est finis excedens proportionem naturae humanae, ... Et ideo

natürlichen ding enmag niht leiten die lonbern werke, die da glich sint dem
ewigen leben, aber dar zuo so

231

                     heischet man ein höher craft, dü da ist ein
craft der gnaden. Unde dar umbe ane die gnade so enmag der mensche
niht verdienen daz ewig leben. Doch mag er wirken, die da fürleitent zuo
5 etwaz guotes, daz dem menschen natürlich ist, alse „arbeiten an dem acker,
frilichen [1] ezen unde einen frünt ze haben" unde andrü dez gliches.

    Ez ist zemerken, ob sich der mensche selber müge bereiten zuo der gnade
ane uzer hilfe der gnade. Ez ist zesagen, daz zweier hande wis der berei-
tunge dez menschlichen willen zuo dem guot ist. Ein [wis], nach der man
10 bereitet wirt zuo würkunge dez guoten unde gottis zegebruchen. Unde ein
solich wirkunge dez willen enmag niht geschehen ane habunge der begnater
gaben, daz si si ein beginne dez lonberen werkes. In einer andern wis so
mag man verstan die bereitung dez menschlichen willen

232

                     ze ervolgenne dic
gabe der heblichen gnaden. Aber zuo dem, daz er sich bereiten zuo der
15 enphenklicheit dirre begnater gaben, dar zuo enmuoz man niht fürsetzen
dekein heblich gabe in der sele, wan also so gienge man für biz in die un-
entlicheit; sunder man muoz fürsetzen etwaz begnater hilfe gottis inwendig
die sele bewegende, [2] oder ingegeisteten [3] guotes willen. Unde in disen
zwein wisen so bedurfen wir der gotlichen helfe.

20   Daz aber wir dar[zuo] bedürfen der helfe dez bewegende gottis, daz ist
offenbar. Wenne ein iekliches wirkendes wirket durch dez endes willen,
wan ein ieklichü sache die keret ir werk zuo irem ende. Unde dar umb,
wan sit daz nach der ordenunge der würkenden oder der bewegenden si
die ordenunge dez endes, so ist daz notdürftig, daz der mensche sich kere
25 zuo dem iungesten ende übermitz bewegunge dez ersten

233

                     bewegenden, aber
zuo dem nechsten ende übmitz bewegung etlicher nidern bewegenden; [4]
alse daz gemuote dez ritters sich keret zuo der signuft von der bewegunge
dez herzogen dez heres, aber zevolgenne dem baner eins heres von bewe-
gede des houbtmannes. Unde dar umbe, wan got ist der ersten bewegende
30 einvelticlich, so ist daz von siner bewegede, daz ellü ding in in bekeret wer-
dent nach einer gemeinen meinunge dez guoten, übermitz daz sich ein
iekliches meinet zeglichenne gotte nach siner wis. Unde da von so sprichet

---

[1] *bibere* misread as *libere.*
[2] MS: "Die sele bewegende dez bewegende."
[3] Faulty translation.
[4] MS: "bewegungen."

homo per sua naturalia non potest producere opera meritoria proportionata vitae aeternae, sed ad hoc

———————————————————————————————— 231

exigitur altior virtus, quae est virtus gratiae. Et
35 ideo sine gratia homo non potest mereri vitam aeternam. Potest tamen facere opera perducentia ad aliquod bonum homini connaturale, sicut *laborae in agro, bibere, manducare, et habere amicum,* et alia huiusmodi . . . .

I-II. q. 109, a. 6. UTRUM HOMO POSSIT SEIPSUM AD GRATIAM PRAEPARARE PER SEIPSUM, ABSQUE EXTERIORI AUXILIO GRATIAE

40   Respondeo dicendum quod duplex est praeparatio voluntatis humanae ad bonum. Una quidem qua praeparatur ad bene operandum et ad Deo fruendum. Et talis praeparatio voluntatis non potest fieri sine habituali gratiae dono, quod sit principium operis meritorii . . . . — Alio modo potest intelligi praeparatio voluntatis humanae ad consequen-

———————————————————————————————— 232

dum ipsum gratiae habitualis
45 donum. Ad hoc autem quod praeparet se ad susceptionem huius doni, non oportet praesupponere aliquod aliud donum habituale in anima, quia sic procederetur in infinitum: sed oportet praesupponi aliquod auxilium gratuitum Dei interius animam moventis, sive inspirantis bonum propositum. His enim duobus modis indigemus auxilio divino . . . .
50   Quod autem ad hoc indigeamus auxilio Dei moventis, manifestum est. Necesse et enim, cum omne agens agat propter finem, quod omnis causa convertat suos effectus ad suum finem. Et ideo, cum secundum ordinem agentium sive moventium sit ordo finium, necese est quod ad ultimum finem convertatur homo per motionem

———————————————————————————————— 233

primi moventis, ad finem autem proximum
55 per motionem alicuius inferiorum moventium: sicut animus militis convertitur ad quaerendum victoriam ex motione ducis exercitus, ad sequendum autem vexillum alicuius aciei ex motione tribuni. Sic igitur, cum Deus sit primum movens simpliciter, ex eius motione est quod omnia in ipsum convertantur secundum communem intentionem boni, per quam unumquodque
60 intendit assimilari Deo secundum suum modum. Unde et Dionysius, in libro

St. Dyonisius in dem buoch „Von den gotlichen namen," unde sprichet, daz got „ellü ding bekere zuo im selber." Aber die gerehten menschen die bekeret er zuo im selber alse zuo dem iungesten ende, daz si meinent, unde dem si begerent anzehangen alse irem eigenem guote; nach dem als David
5 sprichet: „Mir ist guot, daz ich got anhange." Unde dar

234 ━━

umbe daz sich der mensche kere zuo gotte, daz enmag niht gesin, nihtwan in kere denne got. Unde daz ist bereiten sich zuo der gnade: alse bekeret ze werden zuo got; alse der, der da einen gegenwurf [1] hat, der da bekeret [ist] von dem lieht der sunnen, übermitz daz so bereitet sich etwer, wider zebringenne
10 daz lieht der sunnen, daz er sinü ougen kere gegen der sunnen. Unde also so schinet, daz sich der mensche niht selber bereiten enmag [ze] enphahen daz lieht der gnaden, nihtwan übermitz die begnaten helfe gottis inrelich blibende. [2]

Ez ist zemerken, ob der mensche wider uf müge gestan von den sünden
15 ane die hilfe der gnaden. Ez ist zesagen, daz der mensche in dekeiner wis mag ufgestan von den sünden übermitz sich selber ane hilfe der gotlichen gnaden. Wan so [3] die sünde fürgat in der getat, noch denne so blibet die schulde;

235 ━━

wan daz enist niht uferstanden von den sünden, daz man die sünden lazet. Sunder ufersten von den sünden ist widerbringen den men-
20 schen zuo den dingen, die er über die sünde verloren hat. Nu vellet der mensche in drier hande schaden; daz ist in die besmitzunge [4] unde in die verderbunge dez natürlichen guotes unde die schulde der sünden. Nu vellit er in die besmitzung, nach dem unde er verlüset oder beroubet wirt der gezierde der gnaden von der entformunge [5] oder entstellunge der sünden.
25 Aber daz natürlich guot verdirbet, nach dem unde die nature des men- schen entordent wirt von dem willen dez menschen, der da got niht under- tenig [ist. Unde ist daz disü ordenunge] undergetan wirt, so ist daz behörlich, daz daz guot [6] naturen des sündenden menschen ungeordent blibe. Aber die schulde der pine ist daz, übermitz daz der mensche ver-
30 dienet, der tötlich sündende ist, die ewigen verdampnüsse.

Aber nu ist diz [offenbar,] daz

236 ━━

von ieklichem disen drin sünderlichen, daz si niht widerbraht mügen werden niht wan übermitz got. Wan sit daz

[1] *oculum* misread as *objectum.*
[2] *moventis* misread as *manentis.*
[3] MS repeats: "die sünde fürgat in der getat noch.'
[4] MS: "besnitzunge."
[5] MS: "ein formunge."
[6] Was *tota* misread as *bona?*

de Div. Nom., dicit quod Deus *convertit omnia ad seipsum*. Sed homines
iustos convertit ad seipsum sicut ad specialem finem, quem intendunt, et
35 cui cupiunt adhaerere sicut bono proprio; secundum illud Psalmi LXXII:
Mihi adhaerere Deo bonum est. Et

—————————————————————————————————————— 234

ideo quod homo convertatur ad Deum,
hoc non potest esse nisi Deo ipsum convertente. Hoc autem est praeparare
se ad gratiam, quasi ad Deum converti: sicut ille qui habet oculum aversum
a lumine solis, per hoc se praeparat ad recipiendum lumen solis, quod oculos
40 suos convertit versus solem. Unde patet quod homo non potest se praeparare
ad lumen gratiae suscipiendum, nisi per auxilium gratuitum Dei interius
moventis.

I-II. q. 109, a. 7. UTRUM HOMO POSSIT RESURGERE A PECCATO SINE AUXI-
LIO GRATIAE

45 Respondeo dicendum quod homo nullo modo potest resurgere a peccato
per seipsum sine auxilio gratiae. Cum enim peccatum transiens actu remaneat
reatu, ...

—————————————————————————————————————— 235

non est idem resurgere a peccato quod cessare ab actu peccati.
Sed resurgere a peccato est reparari hominem ad ea quae peccando amisit.
Incurrit autem homo triplex detrimentum . . . .; scilicet maculam, corruptio-
50 nem naturalis boni, et reatum poenae. Maculam quidem incurrit, inquantum
privatur decore gratiae ex deformitate peccati. Bonum autem naturae cor-
rumpitur, inquantum nautra hominis deordinatur, voluntate hominis Deo non
subiecta: hoc enim ordine sublato, consequens est ut tota natura hominis
peccantis inordinata remaneat. Reatus vero poenae est per quem homo
55 peccando mortaliter meretur damnationem aeternam.
Manifestum est

—————————————————————————————————————— 236

autem de singulis horum trium, quod non possunt reparari
nisi per Deum. Cum enim decor gratiae proveniat ex illustratione divini lu-

daz gezierde der gnaden kümit von der erlühtunge dez gotlichen liehtes,
so enmag ein solichü gezierde in den menschen niht widerbraht werden,
niht wan gotte der erlühte anderwerbe. Unde da von so haltet [1] man ez
für ein hebliche gabe, daz da ist daz liehte der gnaden. Unde also dez

5 gliches so enmag die ordenunge der naturen niht widerbraht werden, denne
also daz der wille dez menschen got undertenig si, nihtwan ez ziehe denne
got dez menschen willen zuo im, alse gesprochen ist. Unde also dez gliches
so enmag die schulde der ewigen pine niht gelazen werden, niht wan von
gotte, in den der gebrest getan ist unde der der mensche ein rihter ist.

10 Unde dar umbe so suochet man die hilfe der gnaden dar zuo, daz der
mensche von den sünden uferstande, unde daz also

237 _____

vil alse zuo der heb-
lichen gabe, unde ouch also vil alse zuo der inrelicher gotis bewegunge.
   Ez ist zemerken, ob der mensche ane gnaden niht gesünden müge. Ez ist
zesagen, daz wir von den menschen mügen sprechen in zweier hande wis.

15 In einer wis: nach der zit der unschulde; in einer andern wis: nach der zit
der schulde. In der ersten zit der unschulde so enmohte ouch der mensche
niht sünden ane heblichü gnade, weder tötlichen noch teglichen; wan sünden
enist nihtes niht anders denne entwichen von dem, daz da ist nach der
naturen, daz der mensche wol vermiden mohte in der zit der unschulden.

20 Doch so enmoht er sin niht ane die hilfe gotis zebehaltenne in guot. Ob daz
selbe undergezogen werde, daz ouch die nature selbe in nihtü vieli.
   Aber in der zit der vergenklichen naturen so bedarfe [2] der menschen der
heblichen gnaden gesunt zemache die naturen, zuo deme daz er sich alze-
male von

238 _____

den sünden entzieche. Welchü gesuntmachunge dez ersten geschiht

25 in disem gegenwertigen leben nach dem.... der fleischlicher begirde, dü
noch niht gentziclichen widerbraht ist. Unde da von so sprichet der apostel
„Zuo den Romeren," in dem sibenden capitele, unde sprichet von der wider-
gebrachten naturen: „Ich diene selbe mit dem gemüete der gottis e, aber
mit dem fleische der e der sünden." In welcher zit sich [der mensche] ent-

30 ziehen mag von allen tötlichen sünden, wan er stat [3] in der bescheidenheit.
Aber der mensche enmag sich niht entziehen von aller teglicher sünden durch
die zerstörunge der nidern begirde der sinlicheit, welhe bewegunge die be-
scheidenheit sünderlich widerstan [4] mag — unde von dem so hant si reden
der sünden unde ouch williclichen — aber niht alle. Wan die wile er sich
müget, daz er einre widerstat, vil liht so stat ein andrü wider uf; wan die

---

[1] *requiritur* probably misread as *relinquitur.* Cf. Glossary.
[2] Cf. page 204, note 5.
[3] Mistranslation.
[4] MS: "stan en."

minis, non potest talis decor in anima reparari, nisi Deo denuo illustrante: unde requiritur habituale donum, quod est gratiae lumen. Similiter ordo naturae reparari non potest, ut voluntas hominis Deo subiiciatur, nisi Deo voluntatem hominis ad se trahente, sicut dictum est. Similiter etiam reatus
40 poenae aeternae remitti non potest nisi a Deo, in quem est offensa commissa, et qui est hominum iudex. Et ideo requiritur auxilium gratiae ad hoc quod homo a peccato resurgat, et

---

237

quantum ad habituale donum, et quantum ad interiorem Dei motionem.

I-II. q. 109, a. 8. UTRUM HOMO SINE GRATIA POSSIT NON PECCARE

45 Respondeo dicendum quod de homine dupliciter loqui possumus: uno modo, secundum statum naturae integrae; alio modo, secundum statum naturae corruptae. Secundum statum quidem naturae integrae, etiam sine gratia habituali, poterat homo non peccare nec mortaliter nec venialiter: quia peccare nihil aliud est quam recedere ab eo quod est secundum naturam,
50 quod vitare homo poterat in integritate naturae. Non tamen hoc poterat sine auxilio Dei in bono conservantis: quo subtracto, etiam ipsa natura in nihilum decideret.

In statu autem naturae corruptae, indiget homo gratia habituali sanante naturam, ad hoc quod omnino a

---

238

peccato abstineat. Quae quidem sanatio pri-
55 mo fit in praesenti vita secundum mentem, appetitu carnali nondum totaliter reparato: unde Apostolus, *ad Rom.* VII.... dicit: *Ego ipse mente servio legi Dei, carne autem legi peccati.* In quo quidem statu potest homo abstinere a peccato mortali, quod in ratione consistit.... Non autem potest homo abstinere ab omni peccato veniali, propter corruptionem inferioris appetitus
60 sensualitatis, cuius motus singulos quidem ratio reprimere potest (et ex hoc habent rationem peccati et voluntarii), non autem omnes: quia dum uni resistere nititur, fortassis alius insurgit; et etiam quia ratio non semper

bescheidenheit die enmag ouch niht alle zit wachen zevermidenne solichen
be[we]gung.

Unde also dez gliches:

239 ───

e daz die bescheidenheit dez menschen, in der die
sünde ist, die da tötliche sünde ist, widergebraht werde übermitz die gnade,
5 die da gereht machet, so mag er ieklich tötliche sünde vermiden sünderlichen
unde nach etlicher zit; wan ez enist notdurft, daz er alzit sünden in der getat.
Aber daz er lange müge gesin ane tötliche sünde, dez enmag niht gesin.
Unde da von sprichet St. Gregorij „Über Ezechielem," daz „die sünde, die
man snellich übermitz rüwen niht vertilket, die zühet von irre swarheit zuo
10 einre andern." Unde daz ist da von, wan alse der bescheidenheit undertenig
sol sin die sinliche begirde, also so sol ouch undertenig sin die bescheidenheit
gotte, und in in setzen ein ende sines willen. Aber übermitz daz ende so
muoz daz sin, daz alle die getat dez menschen geregulieret werden; und alse
übermitz daz gerihte der bescheidenheit geregelet sülen werden die bewe-
15 gung [der]

240 ───

nidern begirde. Unde dar umbe also: alse der nidern begirde, [1]
die da [niht] alzemale undertenig ist der bescheidenheit, niht mag gesin niht-
wan ez geschehen unordelichen bewegung in der sinlicher begirde, unde
also ouch so die bescheidenheit dez menschen niht got undertenig ist, so
volget daz dar nach, daz vil unordenlicheit geschiht in den geteten der
20 bescheidenheit. Wan sit der mensche sin herze niht gefestenet hat in gotte,
daz der, dekein guot zevolgenne noch ouch dekein übele zevermidenne wolte,
von im gescheiden werden, dem begegenet vil, durch daz, daz der mensche
den selben volget, so entwichet er von got ze versmahenne sinü gebot, unde
also so sündet er tötlichen; unde zem alre vorderesten, wan der mensche
25 in snellicheit wirket nach versmahunge [2] dez endes unde nach üztribung [3]
der habunge, alse man sprichet in dem dritten capitel in dem buoch, daz
da heizet „Hetticorum." Wie doch

241 ───

daz ist, daz der mensche von fürbe-
trahtunge der bescheidenheit etwaz wirken müge ane die ordenunge
des endes der gebot, [4] unde ane die neigunge der habunge. Aber wan
30 der mensche niht alzit gesin mage [5] in der betrahtunge, so enmag daz niht
geschehen, daz ez [6] lange belibe, er wirke nach dem unde ez dem willen

---

[1] This may be an attempt to imitate the Latin construction.

[2] The passage *contemnendo praecepta,* just translated by "ze versmahenne sinü
gebot," must have misled the translator to read *finem praeconceptum* as *finem prae-
contemptum,* easily possible because of the similarity of *c* and *t* in MSS.

[3] *existentem* misread and misconstrued.

[4] *praeconcepti* read as *praecepti.*

[5] Cf. page 202, note 2.   [6] MS: "er."

potest esse pervigil ad huiusmodi motus vitandos;....

—————————————————————————————————————— 239

Similiter etiam antequam hominis ratio, in qua est peccatum mortale, repa-
retur per gratiam iustificantem, potest singula peccata mortalia vitare, et se-
35 cundum aliquod tempus; quia non est necesse quod continuo peccet in actu.
Sed quod diu maneat absque peccato mortali, esse non potest. Unde et
Gregorius dicit, *super Ezech.*, quod *peccatum quod mox per poenitentiam
non deletur, suo pondere ad aliud trahit.* Et huius ratio est quia, sicut
rationi subdi debet inferior appetitus, ita etiam ratio debet subdi Deo, et in
40 ipso constituere finem suae voluntatis. Per finem autem oportet quod regu-
lentur omnes actus humani: sicut per rationis iudicium regulari debent motus

—————————————————————————————————————— 240

inferioris appetitus. Sicut ergo, inferiori appetitu non totaliter subiecto
rationi, non potest esse quin contingant inordinati motus in appetitu sensi-
tivo; ita etiam, ratione hominis non existente subiecta Deo, consequens est
45 ut contingant multae inordinationes in ipsis actibus rationis. Cum enim homo
non habet cor suum firmatum in Deo, ut pro nullo bono consequendo vel
malo vitando ab eo separari vellet; occurrunt multa propter quae conseqen-
da .... homo recedit a Deo contemnendo praecepta ipsius, et ita peccat mor-
taliter: praecipue quia in repentinis homo operatur secundum finem praecon-
50 ceptum, et secudum habitum praeexistentem, ut Philosophus dicit, in III
Ethic.,; quamvis

—————————————————————————————————————— 241

ex praemeditatione rationis homo possit aliquid agere prae-
ter ordinem finis praeconcepti, et praeter inclinationem habitus. Sed quia
homo non potest semper esse in tali praemeditatione, non potest contingere

bekümet, [1] der da entordent ist von gotte, nihtwan er werde schiere übermitz die gnade zuo einem zimlichen ende widerbraht.

Ez ist zemerken, ob, der nu die gnade ervolget hat, ob er müge wirken übermitz sich selber etwaz guotes unde vermiden die sünde ane alle helfe 5 der gnaden. Ez ist zesagen, daz der mensche zuo dem, daz er rehte lebe, dar zuo bedarf er gotis helfe in zweier hande wis. In einer wis nach etwaz heblicher gaben, übermitz welhü die verdorben menschlich nature gesunt gemachet wirt, unde ouch die gesunt gemachet ist, erhaben werde

242 ——

zewirkenne

lonberü werke dez ewigen lebennes, die da fürtreffent glichunge der na-10 turen. In einer andern wis so bedarf der mensche gotlicher helfe, daz ist der helfe der gnaden, daz er von gotte beweget werde zewirkenne. Alse vil denne alse zuo der ersten wise der helfe, der mensche, der der [2] in gnaden ist, der endarf dekeiner andern helfe der gnaden, alse einer ingegozzener habungen. Doch bedarf er der helfe der gnaden nach einer andern wise, 15 daz ist daz er von got beweget werde rehte zewirkenne.

Unde daz durch zwo sache. Dez ersten: von einer gemeinen reden, durch daz wan dekein geschafen ding mag fürgegan in ein ieklichü getat niht wan von der craft der gotlicher bewegunge. Zem andern male: nach einre sünder-lichen reden, durch die eigenschaft der ordenunge der menschelicher nature. 20 Wie doch daz si gesunt gemachet wirt über die gnaden alse vil alse nach dem gemüete, doch blibet in ir die vergenklicheit

243 ——

unde die wirkunge [3] nach

dem fleische, übermitz die der mensche „dienet der e der sünden," alse St. Paulus sprichet in dem sibenden capitele „Zuo den Romeren." Doch blibet etliche verdunkernüsse der unwissentheit in dem verstan, nach dem ouch [4] 25 alse St. Paulus sprichet in dem ahtenden capitel „Zuo den Romeren," „daz wir betten alse man muoz, dez enwissen wir niht." Wan durch manigvaltig geschihte der dingen unde ouch durch unser selben niht volkomenlichen be-kennen, so enmügen wir niht en vollen wissen, waz uns zimlich ist, nach dem unde in „Der wisheit buoch" geschriben ist in dem nünden capitel, 30 „Die tötlichen [5] gedenke die sint vorhtlich, unde unsicher unserre fürsihti-keit." Unde dar umbe so ist uns notdurftig, daz wir von

244 ——

got berihtet werden

---

1   *consequentiam* read as *convenientiam,* actually occurring in some Latin manuscripts.
2   "der der = der dar"; cf. *Tristan,* line 6956.
3   *infectio* misread as *effectus?*
4   MS repeats passage from "alse St. Paulus" to "nach dem ouch."
5   Cf. "mit dürftigen gewande" (with the garment of a beggar), *Gregorius,* line 2750.

ut diu permaneat quin operetur secundum consequentiam voluntatis deordina-
tae a Deo, nisi cito per gratiam ad debitum ordinem reparetur.

I-II. p. 109, a. 9. UTRUM ILLE QUI IAM CONSECUTUS EST GRATIAM, PER
SEIPSUM POSSIT OPERARI BONUM ET VITARE PECCATUM, ABSQUE ALIO AUXI-
35 LIO GRATIAE

Respondeo dicendum quod . . . . homo ad recte vivendum dupliciter auxilio
Dei indiget. Uno quidem modo, quantum ad aliquod habituale donum, per
quod natura humana corrupta sanetur; et etiam sanata elevetur

—— 242

ad operan-
dum opera meritoria vitae aeternae, quae excedunt proportionem naturae.
40 Alio modo indiget homo auxilio gratiae ut a Deo moveatur ad agendum.
Quantum igitur ad primum auxilii modum, homo in gratia existens non
indiget alio auxilio gratiae, quasi aliquo alio habitu infuso. Indiget tamen
auxilio gratiae secundum alium modum, ut scilicet a Deo moveatur ad recte
agendum.
45 Et hoc propter duo. Primo quidem, ratione generali: propter hoc
quod, ... nulla res creata potest in quemcumque actum prodire nisi virtute
motionis divinae. — Secundo, ratione speciali, propter conditionem status
humanae naturae. Quae quidem licet per gratiam sanetur quantum ad men-
tem, remanet tamen in ea corruptio

—— 243

et infectio quantum ad carnem, per
50 quam *servit legi peccati,* ut dicitur *ad Rom.* VII. Remanet etiam quaedam
ignorantiae obscuritas in intellectu, secundum quam, ut etiam dicitur *Rom.*
VIII, *quid oremus sicut oportet, nescimus.* Propter varios enim rerum even-
tus, et quia etiam nosipsos non perfecte cognoscimus, non possumus ad
plenum scire quid nobis expediat; secundum illud *Sap.* IX: *Cogitationes*
55 *mortalium timidae, et incertae providentiae nostrae.* Et ideo necesse est nobis
ut a

—— 244

Deo dirigamur et protegamur, qui omnia novit et omnia potest. Et

unde beschetwet, der ellü ding bekante hat unde ellü ding vermag. Unde durch daz, ouch die da widergeborn sint, daz si gotiz sune sint übermitz die gnaden, so geschiht [1] zesprechenne: „Unde inleit uns niht in bekorung," sunder „din wille der gewerde alse in dem himel unde in der erden." Wan
5 in dem heligen gebet, in dem werdent [begriffen], dü dar zuogehörent.

Ez ist zemerken, ob der mensche, der in die gnade gesetzet ist, bedürfe helfe der gnaden, umb daz er volherte in der gnaden. Ez ist zesagen, daz die volhertunge in drier hande wis zesagenne ist. Wan etwenne so bezeichent si habunge dez gemüetes, übermitz welche habunge der mensche creft-
10 liclichen stet, daz er von ir [2] niht envalle, daz da nach der craft ist, unde daz si übermitz vorhte oder betrüebde iht vallen. Unde daz sich die volher- tung halte zuo den betrüebden, alse sich die chuschkeit heltet

245 ————————————————————————————

zuo der bege- rung der böser lüste, alse man sprichet in dem sibenden capitele in dem buoch, daz da heizet „Hetticorum." In einer andern wis so mag volhertung
15 geheizen sin etliche habunge, nach welcher habunge der mensche fürsatze hat, zevolherten in guot [3] bis an daz ende. Unde ietwederre wis von disen so wirt die volhertunge mit der gnaden ingegozen, alse die küscheit unde die andern tugent.

In einer andern wis so heizet volhertun [4] ein empzigunge dez guotes bis
20 an daz ende des lebennes. Unde zuo einer solicher volhertunge zehabenne der mensche, der in die gnade gesast ist, dar zuo enbedarf er dekeiner heblichen gnade, sunder alleine daz er von der gotlicher helfe gerihtet werden unde be- schetwet werde wider die anvehtun [4] der [5] bekorunge. Unde dar umbe: dar nach unde ieman gerecht gemachet ist übermitz die gnaden, dem ist notdurft,
25 daz er von got housche die gabe der vorgesprochener

246 ————————————————————————————

volhertunge, also daz er vor übele behüetet werde bis an daz ende dez lebens. Wan etwem dem wirt die gnade gegeben, dem die volhertunge niht gegeben wirt in der gnaden.

Ez ist zemerken, ob [die gnade] ihtes iht setze in die sele. Ez ist zesagen,
30 daz nach einer gemeinen wis zesprechenne, so hat man gewonlich die gnade genomen in drier hande wis. In einer wis: durch etlichez liebi, alse wir gewon sin zesprechenne, daz der ritter hat gnade dez küniges, daz ist, der künig hat in begnat. Zem andern male so nimet [si] [6] für etliche begnate

---

[1] *convenit* misread as *contingit*?
[2] *eo* read as *ea*?
[3] MS: "got."
[4] Cf. page 52, note 4.
[5] MS: "den."
[6] Is this an imitation of the Latin passive? Or was "man" omitted? Cf. p. 98, line 2; p. 174, line 26; p. 182, line 23.

propter hoc etiam renatis in filios Dei per gratiam, convenit dicere, *Et ne*
35 *nos inducas in tentationem,* et, *Fiat voluntas tua sicut in caelo et in terra,* et
cetera quae in oratione Dominica continentur ad hoc pertinentia.

I-II. q. 109, a. 10. UTRUM HOMO IN GRATIA CONSTITUTUS INDIGEAT
AUXILIO GRATIAE AD PERSEVERANDUM

Respondeo dicendum quod perseverantia tripliciter dicitur. Quandoque
40 enim significat habitum mentis per quem homo firmiter stat, ne removeatur
ab eo quod est secundum virtutem, per tristitias irruentes: ut sic se habeat
perseverantia ad tristitias, sicut continentia ad

── 245

concupiscentias et delecta-
tiones, ut Philosophus dicit, in VII *Ethic.* Alio modo potest dici perseverantia
habitus quidam secundum quem habet homo propositum perseverandi in
45 bono usque in finem. Et utroque istorum modorum, perseverantia simul cum
gratia infunditur, sicut et continentia et ceterae virtutes.
    Alio modo dicitur perseverantia continuatio quaedam boni usque ad finem
vitae. Et ad talem perseverantiam habendam homo in gratia constitutus non
quidem indiget aliqua alia habituali gratia, sed divino auxilio ipsum dirigente
50 et protegente contra tentationum impulsus, ... Et ideo postquam aliquis est
iustificatus per gratiam, necesse habet a Deo petere praedictum perseverantiae

── 246

donum, ut scilicet custodiatur a malo usque ad finem vitae. Multis enim
datur gratia, quibus non datur perseverare in gratia.

I-II. q. 110, a. 1. UTRUM GRATIA PONAT ALIQUID IN ANIMA

55 Respondeo dicendum quod secundum communem modum loquendi, gratia
tripliciter accipi consuevit. Uno modo, pro dilectione alicuius: sicut consue-
vimus dicere quod iste miles habet gratiam regis, idest, rex habet eum gra-
tum. Secundo sumitur pro aliquo dono gratis dato: sicut consuevimus dicere,

gabe, alse wir gewon sin zesprechen, „diz gnade tuon ich dir." In der dritten
wis so nimet si [1] für ein widergelten [der gabe], die da vergebens getan ist
oder gegeben ist, alse man sprichet, daz man gnade danket umbe die ding,
die wolgetan sint. Unde von disen drien wisen hanget daz ander von dem
5 ersten. Wan von der minne, in der etwer einen andern

247 ──

begnadet het, die gat
dar an für daz er im etwaz gnade tuot. Aber von dem [2] andern so gat daz
dritte. Wan von den gaben, die da vergebens geschehen, von den so stat uf
dankunge der gnaden.

Unde dar umbe also vil alse zuo den iungesten zweien, so ist offenbar,
10 daz die gnade etwaz sezzet in den, der da die gnade enphaht. Dez ersten:
die gabe, die begnate gegeben ist; zuo dem andern male: dirre gnade wider-
dankunge. Aber nah dem ersten so ist underscheiden zemerken an der [3]
gotlichen gnade unde an der gnade dez menschen. Wan daz guot der crea-
turen daz gat für von dem gotlichen willen. Unde dar umbe: von der liebi,
15 von der er der creaturen etwaz guotes wil, von der liebi so flüzet etwaz
guotes für in die creaturen. Aber dez menschen wille der wirt von dem guot
beweget, dez da vor in dem dinge ist. Unde da von ist daz, daz die liebi dez

248 ──

menschen niht zemale sachet die guotheit dez dinges, sunder ez fürsetzet
die guotheit eintweder in einem teile oder zemale. Unde dar umbe so ist
20 offenbar, daz etwenne ein ieklichü gotlichü liebi ervolget etwaz gesachtes
guotes in den creaturen, aber niht ein ewige liebi ewig. [4] Unde [nach]
underscheit dises guotes betrahtet man underscheidenlichen die gotlichen [5]
minne zuo der creaturen. Ein underscheit [6] daz ist in einer gemeinde, nah
dem unde er „ellü ding minnet, die da sint," alse man sprichet in „Der wis-
25 heit buoch," in dem einleften capitel; nach welher minne er den geschaffe-
nen dingen wesunge gegeben hat. Ein ander liebi dü ist sünderlich, nach
welcher liebi er die redelichen creaturen zühet über eigenschaft irre naturen
nach teilhaftekeit dez gotlichen guotes. Unde nach dirre liebi so sprichet
man, daz er etwen einvelticlichen minnet, wan von diser liebi so wil got der
30 creature einvelticlichen ein ewiges guot,

249 ──

daz er selber ist.
Unde dar umbe, daz man sprichet, daz der mensche habe die gotlichen
gnade, bezeichent man etwaz übernatürliches in dem menschen, daz von got

---

[1]   See page 208, note 6.
[2]   MS: "den."
[3]   MS: "andern."
[4]   Mistranslation.
[5]   MS repeats „die gotlichen."
[6]   *Una* connected with *differentia* instead of with *dilectio* but cf. the rest of the
sentence.

Hanc gratiam facio tibi. Tertio modo sumitur pro recompensatione beneficii gratis dati: secundum quod dicimur agere gratias beneficiorum. Quorum
35 trium secundum dependet ex primo: ex amore enim quo aliquis alium

──────────────────────────────────── 247

gratum habet, procedit quod aliquid ei gratis impendat. Ex secundo autem procedit tertium; quia ex beneficiis gratis exhibitis gratiarum actio consurgit.

Quantum igitur ad duo ultima, manifestum est quod gratia aliquid ponit
40 in eo qui gratiam accipit: primo quidem, ipsum donum gratis datum; secundo, huius doni recognitionem. Sed quantum ad primum, est differentia attendenda circa gratiam Dei et gratiam hominis. Quia enim bonum creaturae provenit ex voluntate divina, ideo ex dilectione Dei qua vult creaturae bonum, profluit aliquod bonum in creatura. Voluntas autem hominis movetur ex
45 bono praeexistente in rebus: et inde est quod dilectio

──────────────────────────────────── 248

hominis non causat totaliter rei bonitatem, sed praesupponit ipsam vel in parte vel in toto. Patet igitur quod quamlibet Dei dilectionem sequitur aliquod bonum in creatura causatum quandoque, non tamen dilectioni aeternae coaeternum. Et secundum huiusmodi boni differentiam, differens consideratur dilectio Dei ad
50 creaturam. Una quidem communis, secundum quam *diligit omnia quae sunt,* ut dicitur *Sap.* XI; secundum quam esse naturale rebus creatis largitur. Alia autem est dilectio specialis, secundum quam trahit creaturam rationalem supra conditionem naturae, ad participationem divini boni. Et secundum hanc dilectionem dicitur aliquem diligere simpliciter: quia secundum hanc
55 dilectionem vult Deus simpliciter creaturae bonum aeternum,

──────────────────────────────────── 249

quod est ipse. Sic igitur per hoc quod dicitur homo gratiam Dei habere, significatur quiddam supernaturale in homine a Deo proveniens. — Quandoque tamen gratia

fürkomen ist. Aber doch so heizet etwen die gnade gottis die ewig liebi selber, nach dem unde si ouch ein gnade heiset der fürsihtikeit, alse vil alse got von gnaden, unde niht von verdiente, fürbe[re]itet hat oder fürerwellet hat. Wan St. Paulus der sprichet „Zuo den von Ephesien," in dem ersten
5 capitele, „Got der hat uns fürbereitet, kinder gotis gewinschetü zesin in ein lop der glorien siner gnaden."

    Ez ist zemerken, ob die gnaden si ein wielichi [der sele]. Ez ist zesagen, alse nu gesprochen ist, in dem, von dem man sprichet, daz er die gnade gottis habe, bezeichent [1] etwaz werkes des wille zesin, daz von gotte begnadet ist.
10 Aber nu ist da vor gesprochen, daz in zweier hande wis [2] von dem begnaten gottes willen,

250 ───────────────────────────────────────

         daz dem mensche geholfen wirt. In einer [3] wis: nach dem unde dez menschen sele beweget wirt von gotte zuo etwaz zebekennen oder zewellenne oder zewirkenne. Unde von dirre wise, daz begnate werke in dem menschen, daz enist niht ein wielichi, sunder etlich bewegunge der
15 sele; wan „die getat dez bewegenden in dem bewegten ist die bewegde," alse man sprichet in dem dritten capitele in dem buoch „Phisicorum."

    In einer andern wis so wirt dem menschen geholfen von dem begnaten gotlichen willen, nach dem unde etlich hebliche gabe von got ingegozen wirt. Unde dar umbe, wan daz niht behörlich ist, daz ein [minrez] [4] got versehe
20 disen, die er da minnet zuo einer übernatürlichen gaben, denne den andern, die er da minnet zuo einem natürlichen guot zehabenne. Aber nu versicht er den creaturen die natürlichen ding niht allein, daz er sü bewege zuo den natürlichen getaten, sunder er git ouch

251 ───────────────────────────────────────

         etlich forme unde craft, die da beginne sint der tuowunge, daz si übermitz sü geneiget werdent zuo einer
25 solicher bewegunge. Unde also so werdent die bewegung, von den die creature beweget werdent, den creaturen naturiliche unde liehtlich, nach dem unde geschriben ist in „Der wisheit buoch," in dem sibenden capitel, „Er besetzet ellü ding süeziclichen." Aber vil mer dise, die er da beweget ze ervolgenne die übernatürlichen guot unde dü ewigen, den ingüzet [5] [er]
30 etliche forme oder wielicheit, die übernatürlich sint, nach den si süezicliche unde bereitliche von im beweget werdent, daz si ervolgent daz ewig guot. Unde also ist die gabe der gnaden etwaz wieliche.

    Ez ist zemerken, ob die gnade gotis si ein tugent. Ez ist zesagen, daz etliche sasten, daz die gnaden unde die tugent eins were nach der wesunge,

---

[1]   Cf. note 6 on page 208.
[2]   MS: "wis dez ersten."
[3]   MS: "ei—einer."
[4]   Since *quam* is translated correctly, it is improbable that *minus* was misread as *unus*.
[5]   MS: "güze."

35 Dei dicitur ipsa aeterna Dei dilectio: secundum quod dicitur etiam gratia
praedestinationis, inquantum Deus gratuito, et non ex meritis, aliquos prae-
destinavit sive elegit; dicitur enim *ad Ephes.* I: *Praedestinavit nos in adop-*
tionem filiorum, in laudem gloriae gratiae suae.

I-II. q. 110, a. 2. UTRUM GRATIA SIT QUALITAS ANIMAE

40   Respondeo dicendum quod, sicut iam dictum est, in eo qui dicitur gratiam
Dei habere, significatur esse quidam effectus gratuitae Dei voluntatis. Dic-
tum est autem supra quod dupliciter ex gratuita Dei voluntate

─────────────────────────────── 250

homo
adiuvatur. Uno modo, inquantum anima hominis movetur a Deo ad aliquid
cognoscendum vel volendum vel agendum. Et hoc modo ipse gratuitus effec-
45 tus in homine non est qualitas, sed motus quidam animae: *actus enim moven-*
tis in moto est motus, ut dicitur in III *Physic.*
    Alio modo adiuvatur homo ex gratuita Dei voluntate, secundum quod ali-
quod habituale donum a Deo animae [6] infunditur. Et hoc ideo, quia non est
conveniens quod Deus minus provideat his quos diligit ad supernaturale bo-
50 num habendum, [7] quam creaturis quas diligit ad bonum naturale habendum.
Creaturis autem naturalibus sic providet ut non solum moveat eas ad actus
naturales, sed etiam largiatur

─────────────────────────────── 251

eis formas et virtutes quasdam, quae sunt
principia actuum, ut secundum seipsas inclinentur ad huiusmodi motus. Et
sic motus quibus a Deo moventur, fiunt creaturis connaturales et faciles;
55 secundum illud *Sap.* VIII: *Et disponit omnia suaviter.* Multo igitur magis
illis quos movet ad consequendum bonum supernaturale aeternum, infundit
aliquas formas seu qualitates supernaturales, secundum quas suaviter et
prompte ab ipso moveantur ad bonum aeternum consequendum. Et sic
donum gratiae qualitas quaedam est.

60   I-II. q. 110, a. 3. UTRUM GRATIA SIT IDEM QUOD VIRTUS

    Respondeo dicendum quod quidam posuerunt idem esse gratiam et virtu-

---

[6] *animae* omitted in some manuscripts.
[7] *habendum* omitted in some manuscripts.

unde daz sü alleine underscheiden sin nach redenne; also daz die gnade

252 ——

heize nach dem unde er den mensche begnate machet, oder nach dem unde
er ez vergebens git; aber die tugent, nach dem unde si volmachet zuo etwaz
guotes zewirkenne. Unde disem schinet, daz im gevolget der meister von der
5 sentencien in dem andern buoch der sententien.

Aber swer rehte betrahtet die eigenschaft der tugent, so enmag dis niht
bestan. Wan alse der philosophus sprichet in dem buoch „Phisicorum," in
dem sibenden capitel, „dü tugent ist ein bereitunge dez volkomenen; aber nu
heize ich daz volkomen, daz da bereitet ist nah der naturen." Von dem daz
10 daz offenbar ist, daz die tugent eines ieklichen dinges heizet in einer orde-
nunge zuo einer naturen, die vor gewesen ist; daz ist, so ein iekliches ding
bereitet wirt, nach dem unde ez zimlichen ist siner naturen. Nu ist diz offen-
bare, daz die gewunnenen tugenden übermitz die menschlichen getete [1] sint

253 ——

bereitunge [2] von den der [mensche] behorlichen bereitet wirt in der orde-
15 nung zuo der naturen, von der daz der mensche ist. Aber die ingegozzenen
tugende die bereitent den mensche zuo einer höchern wis unde zuo einem
höhern ende; unde dar umb so muoz ouch daz sin, daz in der ordenunge
zuo einer höchern naturn. Unde daz ist in der ordenunge zuo der gotlichen
naturen, die da teilheftig worden ist, nach dem unde St. Peter sprichet in
20 dem ersten capitel, „Die alre meisten unde die aller küstlichste gelübde hat
er gegeben, daz wir übermitz daz werde [3] der gotlichen naturen teil-
nemere." Unde nach enphahung [4] dirre naturen so heizent si widergeborn
oder anderwerbe geborn in gotis sün.

Wan alse natürliche lieht der bescheidenheit etwaz ist ane die gewunnen
25 tugende, die da heizent in einer ordenunge zuo dem natürlichen liehte, alse
ouch daz liehte der gnaden, daz da ist ein teilheftikeit der gotlichen naturen,
daz ist etwaz ane die

254 ——

ingegozzenen tugenden, die niderkoment von disem
liehte unde ordenent zuo disem lieht. Unde da von sprichet St. Paulus „Zuo
den Ephesien," in dem fünften [capitele:] „Etwenne warent ir vinster, aber
30 nu sint ir lieht in dem herren. Nu wandelent alse die kindere dez liehtes."
Wan alse die gewunnenen tugenden den menschen volmachet zewandelen
behörlichen dem liehte der natürlicher bescheidenheit, also ouch die inge-
gozenen tugenden volmachet den menschen zewandelen behörlichen dem [5]
gotlichen liehte oder dem lieht der gnaden.
35 Ez ist zemerken, ob gnade si in der wesunge der sele alse in einem under-

---

1   MS: "ge - - te"; a defect in the page has obliterated two letters.
2   MS: "bereitet", compare page 214, line. 8.
3   Cf. page 34, note 1.
4   MS: "enphahug."
5   MS: "den."

tem secundum essentiam, sed differre solum secundum rationem: ut gratia

── 252

dicatur secundum quod facit hominem Deo gratum, vel secundum quod gratis datur; virtus autem, secundum quod perficit ad bene operandum. Et hoc videtur sensisse Magister, in II *Sent.*

40   Sed si quis recte consideret rationem virtutis, hoc stare non potest. Quia ut Philosophus dicit, in VII *Physic., virtus est quaedam dispositio perfecti: dico autem perfectum, quod est dispositum secundum naturam.* Ex quo patet quod virtus uniuscuiusque rei dicitur in ordine ad aliquam naturam praeexistentem: quando scilicet unumquodque sic est dispositum, secundum quod

45 congruit suae naturae. Manifestum est autem quod virtutes acquisitae per actus humanos, de quibus supra dictum est, sunt

── 253

dispositiones quibus homo convenienter disponitur in ordine ad naturam qua homo est. Virtutes autem infusae disponunt hominem altiori modo, et ad altiorem finem: unde etiam oportet quod in ordine ad aliquam altiorem naturam. Hoc autem est in ordine

50 ad naturam divinam participatam; secundum quod dicitur II Pet. I: *Maxima et pretiosa nobis promissa donavit, ut per haec efficiamini divinae consortes naturae.* Et secundum acceptionem huius naturae, dicimur [6] regenerari in filios Dei.

Sicut igitur lumen naturale rationis est aliquid praeter virtutes acquisitas,

55 quae dicuntur in ordine ad ipsum lumen naturale; ita etiam ipsum lumen gratiae, quod est participatio divinae naturae, est aliquid praeter

── 254

virtutes infusas, quae a lumine illo derivantur, et ad illud lumen ordinantur. Unde et Apostolus dicit, *ad Ephes.* V: *Eratis aliquando tenebrae, nunc autem lux in Domino: ut filii lucis ambulate.* Sicut enim virtutes acquisitae perficiunt

60 hominem ad ambulandum congruenter lumini naturali rationis; ita virtutes infusae perficiunt hominem ad ambulandum congruenter lumini gratiae.

I-II. q. 110, a. 4. UTRUM GRATIA SIT IN ESSENTIA ANIMAE SICUT IN

---

[6]   *dicuntur* in certain manuscripts.

wurf. Ez ist zesagen, daz diz fraget hangt von der frag, die da hie vorge[n]t
ist. Wan unde ist die gnade daz selber, daz die tugent ist, [so ist] ez not-
dürftig, daz si si in den mehten der sele alse in dem underwurf. Wan die
maht der sele ist ein eigen underwurf der tugenden. Aber unde ist daz,
5 daz die

255 ▬▬▬▬▬▬▬▬▬▬▬▬▬▬▬▬▬▬▬▬▬▬▬▬▬▬▬▬▬▬▬▬▬

tugent underscheiden ist von der gnade, so enmag man niht
sprechen, daz die sele si ein underwurf der gnaden; wan alle volkomenheit
der selichen [1] mehte hat reden der tugende. Unde also ist zehaltenne: rehte
alse die gnade e ist e die tugende, unde also hat ouch si e einen [2] underwurf
den mehten der sele; also daz si si in der wesunge der sele. Wan alse der
10 mensche übermitz die verstentlichen maht teilheftige wirt dez gotlichen be-
kennens übermitz den gotlichen gelouben, unde nach der maht der tugen-
den [3] der [4] gotlichen minne übermitz die craft der minne, unde also wirt er [5]
ouch teilheftig übermitz die naturen der sele, nach enlicheit, [6] der gotlichen
naturen übermitz etliche widergeberung oder widermachunge.
15 Ez ist zemerken, ob die gnade eigentlichen gescheiden werde übermitz
die gnade, die den menschen gneme machet, unde die gnade, die da ver-
gebens gegeben wirt. Ez ist zesagen, alse

256 ▬▬▬▬▬▬▬▬▬▬▬▬▬▬▬▬▬▬▬▬▬▬▬▬▬▬▬▬▬▬▬▬▬

St. Paulus sprichet „Zuo den
Romeren," in dem drizehenden capitele, „dü da von gotte sint, dü sint ge-
ordent." Aber in dem so bestat die ordenunge dez dinges, daz etlichü über-
20 mitz etlichü andrü zuo got geleitet werdent, alse St. Dyonisius sprichet in
dem buoche „Von den himelschen ·Ierachien." Unde sit denne die gnade
ordenet zuo dem, daz der mensche geleitet werde in got, [7] daz wirket si von
etlicher ordenunge, also daz die einen von den andern widergeleitet werdent
in gotte. Unde nach dem so ist zweier hande gnade. Ein gnade, übermitz die
25 der mensch got zuogefüeget werde; unde die heizet „ein gnade, die den
menschen gneme machet." Ein ander ist, übermitz welche gnade ein mensche
dem andern hilfet mit wirken zuo deme, daz er zuo got geleitet werde. Aber
dirre gabe heizet „gnade, die da vergebens gegeben wirt." Wan si wirt ver-
lühen über craft der naturen unde über die verdiente der personen dez [8]
30 menschen. Aber wan si dar zuo niht [9]

257 ▬▬▬▬▬▬▬▬▬▬▬▬▬▬▬▬▬▬▬▬▬▬▬▬▬▬▬▬▬▬▬▬▬

[1] MS: "solichen."
[2] MS: "einem."
[3] *voluntatis* confused with *virtutis*.
[4] MS: "die"; translator forgot dependence on "teilheftige."
[5] MS: "si."
[6] MS: "etlicheit"; perhaps this is a fusion of "etlich" and "glicheit."
[7] MS: "in daz" instead of "in got."
[8] *homini* read as *hominis*.
[9] MS: "niht niht."

SUBIECTO

Respondeo dicendum quod ista quaestio ex praecedenti dependet. Si enim gratia sit idem quod virtus, necesse est quod sit in potentia animae sicut in subiecto: nam potentia animae est proprium subiectum virtutis, ... Si autem

─── 255

35 gratia differt a virtute, non potest dici quod potentia animae sit gratiae subiectum: quia omnis perfectio potentiae animae habet rationem virtutis .... Unde relinquitur quod gratia, sicut est prius virtute, ita habeat subiectum prius potentiis animae: ita scilicet quod sit in essentia animae. Sicut enim per potentiam intellectivam homo participat cognitionem divinam per vir-
40 tutem fidei; et secundum potentiam voluntatis amorem divinum, per virtutem caritatis; ita etiam per naturam animae participat, secundum quandam similitudinem, naturam divinam, per quandam regenerationem sive recreationem.

I-II. q. III, a. I. UTRUM GRATIA CONVENIENTER DIVIDATUR PER GRATIAM
45 .GRATUM FACIENTEM ET GRATIAM GRATIS DATAM

─── 256

Respondeo dicendum quod, sicut Apostolus dicit, *ad Rom.* XIII, *quae a Deo sunt, ordinata sunt.* [10] In hoc autem ordo rerum consistit, quod quaedam per alia in Deum reducuntur; ut Dionysius dicit, in *Cael. Hier.* Cum igitur gratia ad hoc ordinetur ut homo reducatur in Deum, ordine quodam hoc
50 agitur, ut scilicet quidam per alios in Deum reducantur. Secundum hoc igitur duplex est gratia. Una quidem per quam ipse homo Deo coniungitur: quae vocatur *gratia gratum faciens.* Alia vero per quam unus homo cooperatur alteri ad hoc quod ad Deum reducatur. Huiusmodi autem donum vocatur *gratia gratis data,* quia supra facultatem naturae, et supra meritum personae,
55 homini conceditur; sed quia non

─── 257

[10] Leonine edition as above. Actually, the Vulgate reads, *Non est enim potestas nisi a Deo; quae autem sunt, a Deo ordinatae sunt.*

gegebenne wirt, daz der mensche selbe
übermitz si gereht gemachet werde, sunder mer dar zuo, daz er helfe mit-
wirken einem andern, daz er gereht werde, unde da von so heizet [si] niht
ein gnade, die da gneme machet. Unde von dirre gnade so sprichet St. Paulus
in dem ersten capitele „Zuo den von Corinthin": „Einem ieklichen wirt ge-
5 geben offenbarunge des geistes [1] zuo dem [2] nutze der andern.

Ez ist zemerken, ob die gnade eigentlichen geteilet werde übermitz den
wirkenden [3] unde den mitwirkenden. [3] Ez ist zesagen, alse gesprochen ist,
daz die gnade in zweier hande wis zeversten ist. Ein wis ist si zeversten die
gotlichen helfe, von der er uns beweget, wol zewellene oder wol zetüenne. In
10 einre andern wis: ein heblichü gabe oder ein ingephlantztes ding, daz gotlich
ist. Aber in ietwedere wis unde die gnade gesprochen ist, in der wirt si
behörlichen

258 ——

geteilet [4] übermitz den [3] wirkenden unde den [3] mitwirkenden.
Wan die wirkung etliches wirkennes, die leit man niht zuo dem beweg-
lichen dingen, sunder dem bewegenden. Unde dar umbe in dem werke, in
15 dem unser gemüete beweget ist unde niht bewegende, wan got der ist alleine
der bewegende, dar umbe leit man got daz werk zuo. Unde nah dem so
heizet die gnade „wirkende." Aber in dem werk, in dem unser gemüte be-
weget [unde beweget] wirt, in dem git man daz werke niht allein got zuo,
sunder ouch der selen; unde nach dem so heiset die [gnade] „mittewirkende"
20 Nu ist in uns zwiveltiges werk oder getat. Die erste getate ist dez inren
willen. Aber alse vil alse zuo diser getat, so heltet sich der wille alse er be-
weget si, aber got alse er in beweget habe; unde ez aller vorderest, wenne
der wille anvaht etwaz guotes zewellene, der e etwaz böses wolte. Unde
dar um[be],

259 ——

nah dem unde got beweget daz menschlich gemüete zuo diser
25 getat, so heizet si ein wirkende gnade. Aber die ander getat dü ist uswendig;
der wirt gebotten von dem willen; unde dar nah volget, daz man zuo diser
getat zuoleit die wirkunge dem willen. Unde wan got ouch uns hilfet zuo
diser getat, inrelichen dem willen zesterken, daz er zuo der getat kome, [5]
unde uswendig büttet die maht zewirkenne, unde von gesihte dirre getat so
30 ist die gnade mitwirkende. Unde dar umbe, alse die vorgesprochen rede
gelazen wirt, so underwirfet St. Augustinus unde sprichet: „Alse wir wellen,

---

1 MS: "der geist"; robably translator took *spiritus* as a nominative parallel to
manifestatio.
2 MS: "den."
3 *operantem* not connected with *gratia*.
4 MS: "geteilet wirt."
5 MS places "kome" after "zuo diser getat" just above.

datur ad hoc ut homo ipse per eam iusti-
ficetur, sed potius ut ad iustificationem alterius cooperetur, ideo non vocatur
gratum faciens. Et de hac dicit Apostolus, I *ad Cor.* XII: *Unicuique datur*
manifestatio Spiritus ad utilitatem, scilicet aliorum.

35   I-II. q. III, a. 2. UTRUM GRATIA CONVENIENTER DIVIDATUR PER OPERAN-
TEM ET COOPERANTEM

Respondeo dicendem quod, sicut supra dictum est, gratia dupliciter potest
intelligi: uno modo, divinum auxilium quo nos movet ad bene volendum et
agendum; alio modo, habituale donum nobis divinitus inditum. Utroque
40 autem modo gratia dicta convenienter

—— 258

dividitur per operantem et cooperan-
tem. Operatio enim alicuius effectus non attribuitur mobili, sed moventi.
In illo ergo effectu in quo mens nostra est mota et non movens, solus autem
Deus movens, operatio Deo attribuitur: et secundum hoc dicitur *gratia ope-*
rans. In illo autem effectu in quo mens nostra et movet et movetur, operatio
45 non solum attribuitur Deo, sed etiam animae: et secundum hoc dicitur *gratia*
cooperans.
Est autem in nobis duplex actus. Primus quidem interior voluntatis. Et
quantum ad istum actum, voluntas se habet ut mota, Deus autem ut movens:
et praesertim cum voluntas incipit bonum velle, quae prius malum volebat. Et
50 ideo

—— 259

secundum quod Deus movet humanam mentem ad hunc actum, dicitur
gratia operans. — Alius autem actus est exterior; qui cum a voluntate im-
peretur, ... consequens est ut ad hunc actum operatio attribuatur voluntati.
Et quia etiam ad hunc actum Deus nos adiuvat, et interius confirmando
voluntatem ut ad actum perveniat, et exterius facultatem operandi praebendo;
55 respectu huius actus dicitur gratia cooperans. Unde post praemissa verba
subdit Augustinus: *Ut autem velimus operatur: cum autem volumus, ut*

also wirket er, unde so [1] wir wellen, daz wir volmachet werden, [2] so wirket er mit uns." Unde dar umbe: unde ist, daz man die gnade nimet umbe begnaten bewegunge gottiz, von der er uns beweget zuo einem verdienten guote, so teilet sich die [gnade] eigentlichen

260

                            übermitz den [3] wirken[den]
5 unde den mitwirkenden. Aber unde nimet man gnade für ein heblichü gabe, also ist ouch daz werke der gnaden zwiveltig, alse einer ieklicher andern forme; welcher forme [4] dez ersten [5] [ist wesen, unde dez andern] ist wirkenge, alse daz werke dez füres ist, daz ez hitzet, unde die uzzer hitzunge. Also ist ouch die heblich gnade, in dem unde si die sele gesunt machet oder
10 lebende machet oder got geneme machet, also heizet si die wirkende gnade. Aber in dem unde si ist ein beginne des lonbern werkes, daz ouch fürgat von dem frigen willen, also so heizet si mitwirkende.

    Ez ist zemerken, ob alle niderlibe, die da natürlichen werden geleitet in wesene, ob die gewerden übermitz die engele von mitele bewegunge der
15 himelscher libe, nach dem unde tüewen zuogeleit wirt den natürlichen sachen; daz ist, daz si geleitet werden von der macht in die getat.

    Unde der antwirtung hanget

261

                     von den obersten bewisunge. Unde sint aber die himelschen libe übermitz ir bewegung sache [6] der geberunge unde der zerstörunge unde aller bewegunge der natürlicher libe, unde so volget daz
20 dar nach: Unde ist, daz die engele [7] [sint] ein sach der bewegung dez himels, so sint si ouch sache der geberunge unde ouch der zerstörunge unde aller bewegung der natürlichen nidern libe. Unde da von sprichet St. Gregori in dem vierden capitel in dem buoch, daz da heizet „Dyalogus," daz „in diser welt dem gesihtigen nihtes niht bereit mag werden denne übermitz die un-
25 sihtegen creature." Unde ouch, alse ich kürtzilich spreche [8] wil, alle [9] die vorgesprochen stükelin, die entuont lützel oder nihtes niht zuo der lere dez gelouben, sunder si sint nihtwan nach der philosophiunge.

    Ein ander stükelin ist, von ordenunge der nature, ob der smit müge bewegen die hant zuo etwaz zewirkenne ane alle

262

                       beweglich helfe der himelscher
libe. [10]

   [1] MS: "unde dar umbe alse wir wellen so wir wellen."
   [2] *perficiamus* read as *perficiamur.*
   [3] Cf. p. 218, note 3.
   [4] *quorum* read as *quarum (formarum).*
   [5] *primus* and *secundus* read as *primo* and *secundo.*
   [6] MS: "sint sache."
   [7] MS: "eigen," but more like "engen."
   [8] Cf. page 34, note 1.
   [9] MS: "alse."   [10] *corpóra* read as *corporum?* But cf. page 222, line 30.

perficiamus nobis cooperatur. — Sic igitur si gratia accipiatur pro gratuita Dei motione qua movet nos ad bonum meritorium, convenienter dividitur gratia

—————————————————————————————————————— 260

   per operantem et cooperantem.
35 Si vero accipiatur gratia pro habituali dono, sic etiam duplex est gratiae effectus, sicut et cuiuslibet alterius formae: quorum primus est esse, secundus est operatio; sicut caloris operatio est facere calidum, et exterior calefactio. Sic igitur habitualis gratia, inquantum animam sanat vel iustificat, sive gratam Deo facit, dicitur gratia operans: inquantum vero est principium
40 operis meritorii, quod etiam ex libero arbitrio procedit, dicitur cooperans.

OPUSCULUM XXII

DECLARATIO QUADRAGINTA DUO QUAESTIONUM AD MAGISTRUM ORDINIS [10]

  SEPTIMUS articulus est, an omnia inferiora quae naturaliter in esse producuntur, fiant per Angelos mediantibus motibus corporum coelestium,
45 secundum quod facere attribuitur causis naturalibus; idest educantur de potentia in actum.
  Horum etiam responsio dependet

—————————————————————————————————————— 261

      ex praemissis. Si enim corpora coelestia per suum motum sunt causa [11] naturalium corporum, consequens est quod si Angeli sunt causa motus coeli, sunt etiam causa generationis et corruptionis
50 et omnium motuum naturalium inferiorum corporum: unde et Gregorius in IV Dialogorum dicit, quod „in hoc mundo visibili nihil nisi per creaturam invisibilem disponi potest." Et ut breviter dicam, omnes praedicti articuli vel parum vel nihil faciunt ad doctrinam fidei, sed sunt penitus physici. [12]
  Octavus articulus est, an ordine naturae faber posset movere manum ad
55 aliquid operandum sine

—————————————————————————————————————— 262

   angelico ministerio movente corpora coelestia.

---

 [10] Text taken from Roman edition, Vol. 10, p. 199. For the beginning of this *Opusculum* see below, p. 401.
 [11] Var.: *causa generationis et corruptionis, et omnium motuum.*
 [12] Var.: *philosophi.*

Her zuo schinet ze antwerten übermitz die underscheidung. Wan daz etwer
nit müge bewegen die hant, daz mag geschehen in zweier hande wis. Ein wis
von gebresten der bewegender sele: daz ist, daz [der sele an] den bewegen-
den mehten gebreste dez libes. Unde nach disem verstan so ist ez falsche,
5 daz man sprichet: die [1] sele dez smides beweget die hant übermitz den frien
willen, der da niht undertenig ist den himelschen liben, noch den engeln,
sunder allein got. In einer andern wis mag man [2] verstan daz von dem ge-
bresten der liplichen glidere; alse etlich mensche, der hat ein lame hant
oder ein dürrü hant, der mag si niht bewegen. Unde so ufgehört wirt die
10 bewegung dez himels, so mügen die orgenen des libes niht beweget werden
von der sele, wan si enmag bliben niht lebenne; wan die nidersten libe
werdent beweget

263 ───

von den himelschen, alse ez beweret ist von der lere St.
Dyonisij. Unde doch unde blibe von der gotlichen craft ane die ordenung
der naturen der lip dez menschen lebende, alse die bewegunge dez libes [3]
15 ufgehörte, unde wirde behalten in der bereitunge, die da beweglich ist von
der selen, [4] so mohte der mensche übermitz den frien willen ein ieklich teile
bewegen.

Ez ist zemerken, ob got allein si ein sache der gnade. Ez ist zesagen, daz
dekein ding mag für sin gesteltnüsse würken, wan alzit muoz daz sin, daz
20 die sache bezzer si denne daz werke. Aber nu fürtriffet [5] die gnade alle
maht der geschaffenen naturen, sit si niht anders enist denne ein teilheftikeit
der gotlichen naturen, die da fürtriffet alle andern naturen. Unde also ist
ez unmügliche, daz dekein creaturen die gnaden sache. Unde also ist daz
von not, daz got alleine mache gemeinede die geselleschaft der

264 ───

gotlichen
25 naturen übermitz teilheftikeit [6] etlicher glichnüsse, also ouch unmüglichen
ist, daz dekein ding füwer mache denne daz für allein.

Ez ist zemerken, ob [7] dekein bereitung gesuochet werde von teile dez
menschen. Ez ist zesagen, alse gesprochen ist, die gnade heizet in zweier
hande wis. Etwenne heizet si die heblichen gotlichen gabe, aber etwenne so
30 heizet si die bewegenden gotlichen helfe der sele zuo etwaz guotes. Aber in
der ersten wis die gnade genomen, so wirt [8] gehouschen zuo derre gnade
etlichü bereitunge der gnade; wan dekein forme mag gesin denne in einer

1 This should read "was man sprichet. Wan die sele."
2 MS: "mag."
3 *coeli* read as *corporis*?
4 Translator read *quae est mobilis*; Latin probably read *qua est mobile*.
5 MS: "fürtiffet."
6 MS: "teilheffikeit."
7 MS: "ob man."
8 MS: "wirt si."

Huic videtur per distinctionem respondendum. Quod enim aliquis non posset movere manum, potest contingere dupliciter. Uno modo ex defectu
35 animae moventis, ut scilicet animae deficiat potentia motiva corporis; et sub hoc intellectu falsum est quod dicitur: nam anima fabri movet manum per liberum arbitrium, quod non subjacet neque coelestibus corporibus, neque Angelis, sed soli Deo. Alio modo potest intelligi ex defectu corporalis membri; sicut homo qui habet manum ligatam vel aridam, non potest eam movere:
40 et hoc modo, cessante motu coeli, organum corporis non posset ab anima moveri, quia non remaneret vivum; quia corpora coelestia....movent inferiora corpora, ut patet ex auctoritate Dionysii....

263

Si tamen divina virtute praeter naturae ordinem corpus hominis vivum remaneret cessante motu coeli, et conservaretur in dispositione illa quae est mobile ab anima, posset
45 homo per liberum arbitrium quamlibet partem movere.

SUMMA THEOLOGICA

I-II. q. 112, a. 1. UTRUM SOLUS DEUS SIT CAUSA GRATIAE

Respondeo dicendum quod nulla res agere potest ultra suam speciem: quia semper oportet quod causa potior sit effectu. Donum autem gratiae excedit
50 omnem facultatem naturae creatae: cum nihil aliud sit quam quaedam participatio divinae naturae, quae excedit omnem aliam naturam. Et ideo impossibile est quod aliqua creatura gratiam causet. Sic enim necesse est quod solus Deus deificet, communicando consortium

264

divinae naturae per quandam similitudinis participationem, sicut impossibile est quod aliquid igniat nisi
55 solus ignis.

I-II. q. 112, a. 2. UTRUM REQUIRATUR ALIQUA PRAEPARATIO SIVE DISPOSITIO AD GRATIAM EX PARTE HOMINIS

Respondeo dicendum quod, sicut supra dictum est, gratia dupliciter dicitur: quandoque quidem ipsum habituale donum Dei; quandoque autem ipsum
60 auxilium Dei moventis animam ad bonum. Prima igitur modo accipiendo gratiam, praeexigitur ad gratiam aliqua gratiae praeparatio: quia nulla forma

bereiten materien. Aber unde ist, daz wir sprechen von der gnade, nach der bezeichent wirt die gotliche helfe, die da beweget zuo etwaz guotes, also en wirt dekein bereitunge gesuochet von teile dez menschen, also daz si fürkome die gotlichen helfe; sunder daz mag ein iekliche bereitunge in dem
5 menschen sin von gotlicher helfe, bewegende die selen

265 ━━━

zuo etwaz guotes.
Unde also nach dem so ist die bewegunge guot, [1] des etwer bereitet wirt ze enphahen die gabe der gnaden, ist die getat dez frigen willen, der da beweget ist von got. Unde als vil als zuo dem so heizet der mensche, daz er sich bereitet, nach dem unde Salamon sprichet in den [2] „Sprichworten," in
10 dem setzehenden capitele: „Dez menschen ist zebereiten daz gemüete." Unde ze aller vorderst so ist der frie wille von got bewegende. [1] Unde nach dem so heizet [„der wille des menschen] von got bereitet werden" unde „von dem der gange des menschen gerihtet werden."
Ez ist zemerken, ob von not die gnade gegeben werde dem menschen, der
15 dar zuo bereit ist. Ez ist zesagen, alse gesprochen ist, die bereitunge dez menschen zuo der gnade ist von gotte alse von dem bewegende, unde von dem frien willen als von dem bewegeten. Unde da von so mag die bereitunge [3] in zweier hande wis betrahtet

266 ━━━

werden. Ein wis: nach dem unde si von dem frien willen ist. Unde nach dem so enhat si dekein notdurft, zer-
20 volgen die gnade; wan die gabe der gnaden die fürtriffet alle bereitunge der menschlicher tugenden. In einer andern wis mag si betrahtet werden nah dem unde si ist von gotte dem bewegenden. Denne so ist sin not zuo dem, dar zuo si geordent wirt von gotte, niht von getwange, sunder ane betriegen; wan der gotlichen meinunge enmag niht gebresten; nach dem unde
25 St. Augustinus sprichet in dem buche, „Von der fürbereitunge der heiligen," daz „ein iekliche, [4] die da erlediget werdent, daz die erleidiget werdent sicherlich von der miltikeit gotis." Unde da von: unde ist, daz von der meinunge gottis dez bewegenden daz ist, daz der mensche, dez herzen [er] beweget, ist die gnade zervolgen, er ervolge si umbetrogenlich, nach dem unde
30 St. Johannes sprichet in dem sechsten capitel: „Ein ieklicher, der da von dem

267 ━━━

vatter höret unde ez lernet, der künit zuo mir."
Ez ist zemerken, ob die gnade merre si in eime denne in dem andern. Ez ist zesagen, alse gesprochen ist, die habunge mag zwiveltige grözunge haben.

---

[1] Translator misinterpreted the construction.
[2] MS: "dem."
[3] MS: "die gnade."
[4] As to the occurrence of the plural after the indefinite article, cf. H. Paul, *Mhd. Grammatik*, § 225.

potest esse nisi in materia disposita. Sed si loquamur de gratia secundum quod
35 significat auxilium Dei moventis ad bonum, sic nulla praeparatio requiritur
ex parte hominis quasi praeveniens divinum auxilium: sed potius quaecumque
praeparatio in homine esse potest, est ex auxilio Dei moventis animam

—— 265

ad bonum. Et secundum hoc, ipse bonus motus liberi arbitrii quo quis
praeparatur ad donum gratiae suscipiendum, est actus liberi arbitrii moti a
40 Deo: et quantum ad hoc, dicitur homo se praeparare, secundum illud *Prov.*
XVI: *Hominis est praeparare animum.* Et est principaliter a Deo movente
liberum arbitrium: et secundum hoc, dicitur *a Deo voluntas hominis prae-*
parari, et *a Domino gressus hominis dirigi.*

I-II. q. 112, a. 3. UTRUM NECESSARIO DETUR GRATIA SE PRAEPARANTI AD
45 GRATIAM

Respondeo dicendum quod, sicut supra dictum est, praeparatio ad hominis
gratiam est a Deo sicut a movente, a libero autem arbitrio sicut a moto.
Potest igitur praeparatio dupliciter considerari.

—— 266

Uno quidem modo, secun-
dum quod est a libero arbitrio. Et secundum hoc, nullam necessitatem habet
50 ad gratiae consecutionem: quia donum gratiae excedit omnem praeparatio-
nem virtutis humanae. — Alio modo potest considerari secundum quod est a
Deo movente. Et tunc habet necessitatem ad id ad quod ordinatur a Deo,
non quidem coactionis, sed infallibilitatis; quia intentio Dei deficere non
potest; secundum quod et Augustinus dicit, in libro *de Praedest. Sanct.,*
55 quod *per beneficia Dei certissime liberantur quicumque liberantur.* Unde si
ex intentione Dei moventis est quod homo cuius cor movet, gratiam consequa-
tur, infallibiliter ipsam consequitur; secundum illud Ioan. VI: *Omnis qui*

—— 267

audivit a Patre et didicit, venit ad me.

I-II. q. 112, a. 4. UTRUM GRATIA SIT MAIOR IN UNO QUAM IN ALIO

60 Respondeo dicendum quod, sicut supra dictum est, habitus duplicem

Eine hat si von teile dez endez oder dez gegenwurfes, nach dem unde man sprichet, daz ein tugent edelere si denne die ander, in dem unde si zuo einem bezern guot geordent wirt. Dü andern hat si von teile des underwurfes, daz teilheftig wirt mer unde minre die inhangende habung. Unde dar umbe die

5 ersten grozheit, die gnade, die da gnem machet, enmag niht mer noch minre gesin; wan die gnade, nach irre rede, die füeget den menschen zuo dem obersten guot, daz da got ist. Aber von teile dez underwurfes, so mag die gnade genomen werden mer unde minre, nach dem unde er minre erlühtet wirt von dem lieht

268 ————————————————————————————————————

der gnaden denne ein anderre.

10   Welcher mislichen rede etlichü ist von teile dez bereitenden, der sich da bereitet zuo der gnaden; wan der sich mer zuo der gnaden bereitet, der en- phaht voller gnade. Aber von disem teile enmag niht genomen werden die erste rede dirre mislichi; wan die bereitunge zuo der gnaden enist niht dez menschen, niht wan in dem unde sin frier wille von got bereitet [1] wirt. Unde

15 da von die erste sache dirre mislichi ist zenemen von teile gotis selber, der mislichen teilet die gabe siner gnaden, zuo dem daz von mislichen greten [2] die schonheit unde die volkomenheit ufsta, als er ouch misliche grete [der dinge] gesetzet, umbe daz er sachet einen ieklichen grat volkomen. [3] Unde da von sprichet St. Paulus „Zuo den Ephesien,'' in dem vierden capitel,

20 nach dem unde er sprach: „Einem ieklichem [4] ist gegeben die gnade nach maze der gabe Christi,'' unde gezellet hat die mislichen

269 ————————————————————————————————————

gnaden, so sprichet [er] dar nah: „Zuo volbringunge der heiligen in ein bowe dez libes Christi.''

Ez ist zemerken, ob die gnade eigentlichen geteilet [werde] in dem fürku- menden unde in dem nachkomenden. [5] Es ist zesagen, alse die gnade ge-

25 teil[et] wirt in den wirkenden unde in dem mitwurkenden nach mislichen werken, unde also teilet si sich ouch in den fürkomenden unde in den nach komenden, in welcher wis die gnade genomen wirt. Ez sint fünf wirkunge der gnade in uns, von welchen daz erste ist, daz die sele gesunt gemachet werde. Daz ander ist, daz si etwaz guotes wil. Daz dritte ist, daz guot, daz si

30 da wil, daz si daz crefticlichen wirke. Daz vierde ist, daz si in den guoten volherten. Daz fünfte ist, daz si kome zuo der glorien. Unde dar umbe: die gnade, nah dem unde si in uns sachet daz e[r]ste werke, also heizet si ein vorkomendü gnade von gesihte

270 ————————————————————————————————————

dez anders werkes. Unde umbe daz, daz si in

[1] MS: "beitet."
[2] MS: "gnaden."
[3] Translator must have connected *universum* with *gradus*.
[4] MS: "ieklichz."
[5] Cf. page 218, note 3.

magnitudinem habere potest: unam ex parte finis vel obiecti, secundum quod
35 dicitur una virtus alia nobilior inquantum ad maius bonum ordinatur; aliam
vero ex parte subiecti, quod magis vel minus participat habitum inhaerentem.
Secundum igitur primam magnitudinem, gratia gratum faciens non potest
esse maior et minor: quia gratia secundum sui rationem coniungit hominem
summo bono, quod est Deus. Sed ex parte subiecti, gratia potest suscipere
40 magis vel minus: prout scilicet unus perfectius illustratur a lumine

── 268

gratiae

quam alius.
Cuius diversitatis ratio quidem est aliqua ex parte praeparantis se ad gra-
tiam: qui enim se magis ad gratiam praeparat, pleniorem gratiam accipit.
Sed ex hac parte non potest accipi prima ratio huius diversitatis: quia prae-
45 paratio ad gratiam non est hominis nisi inquantum liberum arbitrium eius
praeparatur a Deo. Unde prima causa huius diversitatis accipienda est ex
parte ipsius Dei, qui diversimode suae gratiae dono dispensat, ad hoc quod
ex diversis gradibus pulchritudo et perfecto Ecclesiae consurgat: sicut etiam
diversos gradus rerum instituit ut esset universum perfectum. Unde Aposto-
50 lus, *ad Ephes.* IV, postquam dixerat, *Unicuique data est gratia secundum
mensuram donationis Christi,* enumeratis

── 269

diversis gratiis, subiungit: *ad con-
summationem sanctorum, in aedificationem corporis Christi.*

I-II. q. 111, a. 3. UTRUM GRATIA CONVENIENTER DIVIDATUR IN PRAEVE-
NIENTEM ET SUBSEQUENTEM

55 Respondeo dicendum quod, sicut gratia dividitur in operantem et coope-
rantem secundum diversos effectus, ita etiam in praevenientem et subsequen-
tem: qualitercumque gratia accipiatur. Sunt autem quinque effectus gratiae
in nobis: quorum primus est ut anima sanetur; secundus est ut bonum velit;
tertius est ut bonum quod vult, efficaciter operetur; quartus est ut in bono
60 perseveret; quintus est ut ad gloriam perveniat. Et ideo gratia secundum
quod causat in nobis primum effectum, vocatur praeveniens respectu

── 270

secundi effectus; et prout causat in nobis secundum, vocatur subsequens

uns sachet daz ander werke, so heizet si die nachkomende gnade von ge-
sihti dez ersten werkes. Unde alse ein werke niderre ist denne ein ander
werke unde e denne ein ander werke, unde also mag ouch die gnade heizen
ein vorkomendü gnade unde ein nachvolgendü nach einem werke, von ge-
5 sihte der mislichen werke. Unde daz ist, daz St. Augustinus sprichet in dem
buoche, „Von der gnaden unde von der naturen": „Er hat uns fürkomen,
daz wir gesunt werden, unde daz ist nachkomen, daz wir, die gesunt ge-
machet sint, gecreftiget werden. Er ist fürkomen, daz wir gerüeffen werden,
unde ist nachkomen, daz wir geglorificeret werden."
10   Ez ist zemerken, ob die gnade, die vergebens gegeben wirt, eigentlichen
geunderscheiden werde von dem apostolo in dem zwelften capitele „Zuo den
Corinthin." Ez ist zesagen, alse da vor gesprochen ist, die gnade,

271 ━━━

die da
vergebens gegeben wirt, [wirt] geordent zuo dem, daz der mensche einem
andern mitwirket, daz er widergeleitet werde zuo got. Aber der mensche
15 mag dar zuo niht wirken inrelichen bewegende, wan diz ist allein gottis,
sunder allein uzwendig [1] lerende oder ratende. Unde dar um: die gnade
[die da] [2] vergebens gegeben wirt, dü hat in ir beslozzen dü ding, der der
mensche da zuo bedarf, daz er einen andern lere in den gotlichen dingen,
die da sint über die bescheidenheit. Unde dar zuo so suochet man drü ding.
20 Dez ersten, daz der mensche teilheftig worden si volheit dez gotlichen be-
kentnüsses, daz er also die andern geleren müge. Zem andern male, daz er
sterken müge unde beweren müge dü ding, die er da saget, anders so were
sin lere niht mehtig. Zem dritten male, daz er dü ding, dü er enphaht, eigent-
lichen fürbringen mügen den hörenden.
25   Unde dar umbe: alse vil alse zuo dem ersten,

272 ━━━

so sint drü ding notdürf-
tig, alse ez ouch offenbaret in der menschlichen meisterschafte. So muoz
daz sin, daz, der da andern leren sol in dekeinen künsten, daz er dez ersten
die beginne der selber künste bekenne sicherlichen. Unde also vil also zuo
dem, so setzet man „glouben," der da ein sicherheit ist von den unsihtigen
30 dingen, die da undersetzent alse begin in der cristenlicher lere. Zem andern
male: so muoz daz sin, daz der lere rehte habe die beginlichen besliezunge
der kunst. Unde also setzet man „die reden der wisheit," dü da ist ein er-
kennen der gotlichen ding. Zem dritten male: so muoz daz sin, daz er über-
fliezze von zeichen unde von den bekentlich werken, [3] übermitz welche man
35 underwillen [4] offenbaren muoze die sache. Unde also vil alse dar zuo, so

1 MS: "zweidig."
2 MS: "die da gnade."
3 MS: "vonen bekentlich werden."
4 MS: "man underwilen man."

respectu primi effectus. Et sicut unus effectus est posterior uno effectu et prior alio, ita gratia potest dici et praeveniens et subsequens secundum eundem effectum, respectu diversorum. Et hoc est quod Augustinus dicit, in libro *de Nat. et Grat,*: *Praevenit ut sanemur, subsequitur ut sanati vegetemur*: *praevenit ut vocemur, subsequitur ut glorificemur.*

I-II, q. 111, a. 4. UTRUM GRATIA DATA CONVENIENTER AB APOSTOLO DIVIDATUR (I Cor., cap. XII, lect. 11)

Respondeo dicendum quod, sicut supra dictum est,

271

gratia gratis data ordinatur ad hoc quod homo alteri cooperetur ut reducatur ad Deum. Homo autem ad hoc operari non potest interius movendo, hoc enim solius Dei est; sed solum exterius docendo vel persuadendo. Et ideo gratia gratis data illa sub se continet quibus homo indiget ad hoc quod alterum instruat in rebus divinis, quae sunt supra rationem. Ad hoc autem tria requiruntur. Primo quidem, quod homo sit sortitus plenitudinem cognitionis divinorum, ut ex hoc possit alios instruere. Secundo, ut possit confirmare vel probare ea quae dicit: alias non esset efficax eius doctrina. Tertio, ut ea quae concipit, possit convenienter auditoribus proferre.

Quantum igitur ad primum,

272

tria sunt necesaria: sicut eiam apparet in magisterio humano. Oportet enim quod ille qui debet alium instruere in aliqua scientia, primo quidem, ut principia illius scientiae sint ei certissima. Et quantum ad hoc ponitur *fides,* quae est certitudo de rebus invisibilibus, quae supponuntur ut principia in catholica doctrina. — Secundo, oportet quod doctor recte se habeat circa principales conclusiones scientiae. Et sic ponitur *sermo sapientiae,* quae est cognitio divinorum. — Tertio, oportet ut etiam abundet exemplis et cognitione effectuum, per quos interdum oportet manifestare causas. Et quantum ad hoc ponitur *sermo scientiae,* quae est cognitio

setzet man „die reden der kunst," dü da ist ein bekentnüsse der menslicher
dinge. Wan „die unsihtigen dinge gotis übermitz die, die da gemachet sint,

273 ━━━

verstat man sü."

Aber sterkunge in den dingen unde veriehunge under den dingen, die da
5 der bescheidenheit undertenig sint, dü ist übermitz brüefunge. Aber in den
dingen, die da über die bescheidenheit sint, die werdent bekant übermitz
gotlich erlühtunge, aber die vergehunge ist übermitz dü ding, dü der gotlicher
tugent eigen sint. Unde daz in zweier hande [wis] : In einer wis, alse daz der
lerer der heiligen schrift, die heiligen lere, tuo, die da got alleine tuon mag,
10 in werke der zeichen, ez si zuo dem heile dez libes — unde also vil alse zuo
dem setzet man die „gnade der gesuntheit" — oder ez si, daz [si] geordent
sin allein zuo offenbarung der gotlichen macht, also daz die sunne stille sta
oder vinster werde, unde daz sich daz mere von einander teile —unde alse
vil alse zuo dem so setzet man „die werke der tugenden."
15 Zem andern male, daz er müg offenbaren dü ding, dü got allein sint ze-
wissenne. Unde daz sint dü ding, die künfticlichen geschehen

274 ━━━

sülen — unde
alse vil alse zuo dem so setzet man die „propheciunge" — unde ouch die
verborgenen dez herzen — unde alse vil alse zuo dem so setzet man „die
underscheidunge der geiste."
20 Aber die maht, die da ist der offenbarunge, die mag man merken für ein
glichnüsse, [1] in der daz etwer verstan mag — unde nach dem so setzet man
„dü geslehte der zungen," — oder also vil alse zuo den sinnen der, die da
fürzebringen sint — unde also vil alse zuo dem so setzet man die „bedütung
der reden."
25 Ez ist zemerken, ob die gnade, die da vergebens gegeben wirt, wirdiger si
denne die gnade, die da gneme machet. Ez ist zesagen, daz ein ieklichü
tugent, nach dem unde si wirdiger ist, also vil so ist si geordent zuo einem
höchern guot. Nu ist aber daz ende alzit bezzer denne dü ding, die da zuo
dem ende sint. Aber die gnade, die, die den menschen geneme machet, die
30 ordent den menschen unmittelichen

275 ━━━

zuo der zuofüegunge dem iungesten
ende. Aber die gnaden, die vergebens gegeben werdent, die ordenent den
menschen zuo [2] etlicher bereitunge dez iungsten endes, alse ouch übermitz
die propheciunge unde ouch übermitz wunderlichü unde des gliches ander
ding, die leitent den menschen dar zuo, daz er dem iungesten ende zuo-
35 gefüeget wirt. Unde dar umbe: die gnade, die da gneme machet, ist vil wir-
diger denne die gnade, die da vergebens gegeben wirt.

[1] Mistranslation of *idioma*.
[2] MS: "suo."

rerum humanarum: quia *invisibilia Dei per ea quae facta sunt,*

—————————————————————————————————————— 273

conspiciuntur.
   Confirmatio autem in his quae subduntur rationi, est per argumenta. In
his autem quae sunt supra rationem divinitus revelata, confirmatio est per
40 ea quae sunt divinae virtuti propria. Et hoc dupliciter. Uno quidem modo, ut
doctor sacrae doctrinae faciat quae solus Deus facere potest, in operibus
miraculosis: sive sint ad salutem corporum, et quantum ad hoc ponitur
gratia sanitatum; sive ordinentur ad solam divinae potestatis manifestatio-
nem, sicut quod sol stet aut tenebrescat, quod mare dividatur; et quantum ad
45 hoc ponitur *operatio virtutum.* — Secundo, ut possit manifestare ea quae
solius Dei est scire. Et haec sunt contingentia futura,

—————————————————————————————————————— 274

                                              et quantum ad hoc
ponitur *prophetia*; et etiam occulta cordium, et quantum ad hoc ponitur
discretio spirituum.
   Facultas autem pronuntiandi potest attendi vel quantum ad idioma in quo
50 aliquis intelligi possit, et secundum hoc ponuntur *genera linguarum*: vel
quantum ad sensum eorum quae sunt proferenda, et quantum ad hoc ponitur
interpretatio sermonum.

   I-II. q. III, a. 5. UTRUM GRATIA GRATIS DATA SIT DIGNIOR QUAM GRATIA
GRATUM FACIENS

55   Respondeo dicendum quod unaquaeque cirtus tanto excellentior est, quanto
ad altius bonum ordinatur. Semper autem finis potior est his quae sunt ad
finem. Gratia autem gratum faciens ordinat hominem immediate

—————————————————————————————————————— 275

                                              ad coniunc-
tionem ultimi finis. Gratiae autem gratis datae ordinant hominem ad quae-
dam praeparatoria finis ultimi: sicut per prophetiam et miracula et alia
60 huiusmodi homines inducuntur ad hoc quod ultimo fini coniungantur. Et
ideo gratia gratum faciens est multo excellentior quam gratia gratis data.

Ez ist zemerken: sit daz die glicheit zemerken ist nach der behörlicheit in der förmen, so ist die glicheit manigvalticliche nach vil wisen der glicheit der gemeinsamunge in der formen. Wan etlichü dü [heizent] glichü dinge, wan si sich gemeinent in einer formen unde nach einer rede. Unde disü heizent
5 niht allein glichü ding, sunder ouch eben glichü in der glicheit; alse zwei ding, die eben glich in der wisse sint, dü heizent glich in der wissede. Unde diz ist die

276 ▬▬▬▬▬▬▬▬▬▬▬▬▬▬▬▬▬▬▬▬▬▬▬▬▬▬▬▬▬▬▬▬▬▬▬▬▬

volkomenest glicheit. Aber in der andern wis so heizent dü ding glich, dü sich da gemeinent in der formen nach einre reden, aber niht nach einre wis; sunder nach mer unde nah minre unde nach minre, [alse] daz
10 [minre] wisse dinge heizet glich einem, daz noch wisser ist. Unde dis ist ein unvolkomenü glicheit. In der dritten wis: so heizent etwaz glich einem andern, daz sich gemeinet in der forme, aber niht nach einer reden; alse ez offenbar ist in den[1] wirkenden dingen, die niht einhellig sint. Wan sit daz ein ieklich würkende im ein gliches wirket, nach dem unde ez ein
15 wirkendes ist, aber ein ieklichez daz wirket nach siner förmen, dar umbe ist notdürftig, daz in den werken si glichnüsse der forme dez wirkende. Unde dar umbe: unde wirt daz wirkende gehalten in eime gestelnüsse, so wirt ouch ez[2] ein glichunge zwischen dem tügenden unde dem getanen in der forme nah der selben reden des

277 ▬▬▬▬▬▬▬▬▬▬▬▬▬▬▬▬▬▬▬▬▬▬▬▬▬▬▬▬▬▬▬▬▬▬▬▬▬

gestelnüsses; alse der menschen, der gebirt einen
20 menschen. Aber unde wirt der wirkende niht gehalten in dem gestelnüsse, so wirt da ein glicheit, aber niht nach der selben reden dez gestelnüsses; alse dü ding, dü da geborn werdent von der sunnen craft, dü gant zuo etwaz glicheit der sunnen, doch niht, daz si enphahen die glicheit der sunnen nach der glicheit dez gestelnüsses.
25 Unde dar umbe: unde ist daz dekein wirkendez, daz niht gehalten wirt in dem geslehte, so entwichet vil verrer sin werke noch mer zuo der glicheit dez wirkenden; aber doch niht also, daz er teilheftig werde glicheit der forme dez wirkenden nach der selben reden dez gestelnüsses oder des geslehtes, sunder nah einre lihter überreden, alse daz wesen gemein ist allen
30 dingen. Unde also die ding, die da von gotte sint, dü glichent si[3] ime, nah dem unde si wesente ding sint, alse einem

278 ▬▬▬▬▬▬▬▬▬▬▬▬▬▬▬▬▬▬▬▬▬▬▬▬▬▬▬▬▬▬▬▬▬▬▬▬▬

ersten unde einem ellichen beginne
alles wesennes.

Ez ist zemerken, daz guot unde wesentheit[4] eins sint nach dinge unde

---

[1] MS: "dem."
[2] Cf. Behagel, I, § 203.
[3] Cf. page 28, note 2.
[4] *ens* read as *essentia*.

I, q. 4, a. 3. c. Respondeo dicendum quod, cum similitudo attendatur
35 secundum convenientiam vel communicationem in forma, multiplex est simili-
tudo, secundum multos modos communicandi in forma. Quaedem enim
dicuntur similia, quae communicant in eadem forma secundum eandem
rationem .... et haec non solum dicuntur similia, sed aequalia in sua simili-
tudine; sicut duo aequaliter alba, dicuntur similia in albedine. Et haec est

— 276

40 perfectissima similitudo. — Alio modo dicuntur similia, quae communicant
in forma secundum eandem rationem, et non secundum eundem modum, sed
secundum magis et minus; ut minus album dicitur simile magis albo. Et
haec est similitudo imperfecta. — Tertio modo dicuntur aliqua similia, quae
communicant in eadem forma, sed non secundum eandem rationem; ut patet
45 in agentibus non univocis. Cum enim omne agens agat sibi simile inquantum
est agens, agit autem unumquodque secundum suam formam, necesse est
quod in effectu sit similitudo formae agentis. Si ergo agens sit contentum
in eadem specie cum suo effectu, [5] erit similitudo inter faciens et factum
in forma, secundum eandem rationem

— 277

speciei; sicut homo generat hominem.
50 Si autem agens non sit contentum in eadem [6] specie, erit similitudo, sed non
secundum eandem rationem speciei; sicut ea quae generantur ex virtute solis,
accedunt quidem ad aliquam similitudinem solis, non tamen ut recipiant
formam solis secundum similitudinem speciei, sed [7] secundum similitudinem
generis.
55   Si igitur sit aliquod agens, quod non in genere contineatur, effectus
eius adhuc magis accedent remote ad similitudinem formae agentis: non
tamen ita quod participent similitudinem formae agentis secundum eandem
rationem speciei aut generis, sed secundum aliqualem analogiam, sicut ipsum
esse est commune omnibus. Et hoc modo illa quae sunt a Deo, assimilantur
60 ei inquantum sunt entia, ut

— 278

primo et universali principio totius esse.
I, q. 5, a. 1. c. Respondeo dicendum quod bonum et ens sunt idem secun-

---

[5]   *cum suo effectu* omitted in some versions.
[6]   *eadem* omitted in certain manuscripts.
[7]   *sed secundum similitudinem generis* omitted in certain manuscripts.

underscheident sich alleine nach reden. Wan die rede dez guoten bestat in dem, daz ez begerlich si, als der philosophus sprichet in dem ersten capitele in dem buoch ‚Ehticorum,'' daz daz guot ist „des ellü ding begerent.'' Nu ist daz offenbar, daz ein ieklich ding also vil begerlich ist,
5 also vil ez volkomen ist; wan ellü ding begerent irre volkomenheit. Aber alse vil so ist ein iekliches volkomen, alse vil es in der getat ist. Unde also ist offenbar, daz also vil etwaz [guot ist, alse vil ez etwaz] wesendes ist. Aber wesen ist ein tüelichi aller ding. Unde da von ist offenbar, daz guot unde wesen eins sint nach dinge, aber guot heizet die rede dez begerlichen
10 dingez einvelticlichen, daz daz wesen niht enheizet.

Unde daz wese ist ein erster gegenwurf dez verstans, wan ein ieklich ding ist also

279 ——————————————————————————————————

         vil bekentlich, alse vil es in der getat ist. Unde von dem, [1] in einer glichnüsse gesprochen, so ist daz wesen e nach der reden den daz guot.
15 Ez ist zemerken, daz ein ieklichez, nah dem unde ez ein wesen ist, alse vil ist ez in der getat, unde also vil so ist ez volkomen. Wan ein ieklich tuowunge ist etwaz volkomenheit. Aber volkomen, daz hat ein rede der begerlichi unde des guotes. Unde dar umbe: ein ieklich wesen, alse vil alse zuo dem, so ist ez guot.
20 Ez ist zemerken, daz got in allen dingen ist, niht alse ein teile der wesunge oder als ein zuoval, sunder er ist da alse ein wirkendes in dem er [wirket. Unde dar umbe so muoz ein ieklichez] wirkendes zuogefüget sin dem ez wirket unmittilichen unde ez mit siner craft berüeren. Unde da von beweret man in dem sibenden capitel „Physicorum,'' daz daz bewegende unde daz
25 bewegte müzen mit einander sin. Sit denne daz got ist ein beginne dez wesens [2] übermitz sin

280 ——————————————————————————————————

         wesunge, so muoz daz sin, daz daz geschaffen wesen si sin eigen werke; alse füre zewerdenne [3] ist eigen dem für. Aber diz werke sachet got in den dingen niht alleine, so sich dü wesen dez ersten anheben zesin, sunder ouch also lange si behalten werdent in wesenne;
30 alse daz lieht gesachet wirt [4] in dem luft von der sunnen, alse die wile unde der luft erlühtet blibet. Unde dar umbe: alse lange daz ding wesen hat, also lange so muoz im got bisin nach der wise unde ez wesen hat.

---

1   MS: "den." This inserted phrase may be intended to exclude a literal interpretation of *prius*.
2   Really a translation of *principium esse*.
3   Some manuscripts have *igniri*.
4   MS: "wir."

dum rem: sed differunt secundum rationem tantum. . . . . Ratio enim boni
in hoc consistit, quod aliquid sit appetibile: unde Philosophus, in I *Ethic.,*
35 dicit quod bonum est *quod omnia appetunt.* Manifestum est autem quod
unumquodque est appetibile secundum quod est perfectum: nam omnia
appetunt suam perfectionem. Intantum est autem perfectum unumquodque,
inquantum est actu: unde manifestum est quod intantum est aliquid bonum,
inquantum est ens: esse enim est actualitas omnis rei, ... Unde manifestum
40 est quod bonum et ens sunt idem secundum rem; sed bonum dicit rationem
appetibilis, 5 quam non dicit ens.

I, q. 5, a. 2. c. . . . . Primo autem in conceptione intellectus cadit ens: quia
secundum hoc unumquodque

————————————————————————————————————— 279

cognoscibile est, inquantum est actu, ... Ita
ergo secundum rationem prius est ens quam bonum.
45 I, q. 5, a. 3. c. Respondeo dicendum quod omne ens, inquantum est ens
. . . . est in actu, et quodammodo perfectum: quia omnis actus perfectio quae-
dam est. Perfectum vero habet rationem appetibilis et boni, ... Unde sequi-
tur omne ens, inquantum huiusmodi, bonum esse.

I, q. 8, a. 1. c. Respondeo dicendum quod Deus est in omnibus rebus, non
50 quidem sicut pars essentiae, vel sicut accidens, sed sicut agens adest ei in
quod agit. Oportet enim omne agens coniungi ei in quod immediate agit, et
sua virtute illud contingere: unde in VII *Physic.* probatur quod motum et
movens oportet esse simul. Cum autem Deus sit ipsum esse per suam essen·
tiam,

————————————————————————————————————— 280

oportet quod esse creatum sit proprius effectus eius; sicut ignire est
55 proprius effectus ignis. Hunc autem effectum causat Deus in rebus, non
solum quando primo esse incipiunt, sed quandiu in esse conservantur; sicut
lumen causatur in aere a sole quandiu aer illuminatus manet. Quandiu igitur
res habet esse, tandiu oportet quod Deus adsit ei, secundum modum quo esse

---

5 Translator's text must have read: *appetibilis simpliciter.*

Nu ist wesen daz, daz da einem ieklichen dingen aller innigest ist, unde daz einem ieklichen dinge aller grüntlichest ist inne, sit ez formelichen ist von gesiht aller dinge, die da in dinge sint. Unde da von so muoz daz sin, daz got si in allen dingen, unde aller innigest.

5   Ez ist zemerken, daz die gotliche wesunge von den geschaffenen verstan in dekeiner wis übermitz dekein glichnüsse

281 ━━━━━━━━━━━━━━━━━━━━━━━━━━━━━━━━━━━━━━

gesehen wirt. Unde daz ist der reden, wan die gotlich wesunge ist etwaz blözes, [1] daz da in im haltende ist überschinlich, waz bezeichent mag werden oder verstanden von dekeime geschaffenen verstan. Aber daz enmag niht geoffenbart werden in dekeiner
10 wis übermitz dekein getende oder gesteltnüsse. Wan ein ieklichü geschafnü forme ist beterminieret nach etlicher reden oder [der] craft, oder dez wesens selber, oder eins andern dez gliches. Unde dar umbe: daz man sprichet, daz man got sehe übermitz glichnüsse, daz ist zesagen, daz man die gotlichen wesung niht gesehen, unde daz ist irrunge.

15 Unde dar umbe ist daz zesagen, daz man die gotlichen wesunge gesehen müge, dar zuo so suochet man etlich glicheit der sihtigen maht, daz ist daz lieht der glorien, daz da daz verstan kreftiget, daz ez got gesehen müge, von dem daz David sprichet: „In dinem liehte so han wir gesehen daz lieht." Aber doch enmag

282 ━━━━━━━━━━━━━━━━━━━━━━━━━━━━━━━━━━━━━━

man gotlich wesung niht gesehen übermitz dekein ge-
20 schaffen gelichnüsse, daz die gotlichen wesunge zeigen, daz si in ir selber ist.

Ez ist zemerken, daz unmüglichen ist, daz man got ansehen müge mit dem sinlichen gesihte, oder [2] [mit einem andern sinne], oder mit den mehten dez sinlichen teiles. Ein ieklichee solichü maht dü ist ein getat der liplichen orgenen. Aber die getat glichet sich dem, dez getat daz si ist.
25 Unde dar umbe so enmag sich dekein solichü maht gestreken über dekeinen liphaftigen ding. Aber nu ist got unliphaftig. Dar umbe so enmag er noch von den sinnen noch von bildungen gesehen werden, sunder allein von dem verstan.

Ez ist zemerken, daz ez unmüglich [3] [ist], daz dekein geschaffen verstan
30 übermitz sinü natürlichü ding die gotlichen wesung gesehen müge. Wan daz erkennen geschiht, nach dem unde daz bekant ist in dem bekennenden. Aber nu ist daz bekant in dem

283 ━━━━━━━━━━━━━━━━━━━━━━━━━━━━━━━━━━━━━━

bekennenden nach der wise dez bekennen-

---

[1] Thomas often used *circumscribere* in the sense of modern German umſchreiben, ver= hüllend beſchreiben. Then *incircumscriptum,* if so interpreted, approaches the meaning of *incircumvelatus* or *nudus.* Of course, here *incircumscriptum* means "unlimited."

[2] After "oder," MS repeats "mit dem sinlichen gesihte."

[3] MS: "unmülich."

habet. Esse autem est illud quod est magis intimum cuilibet, et quod profundius omnibus inest: cum sit formale respectu omnium quae in re sunt.....
35 Unde oportet quod Deus sit in omnibus rebus, et intime.

I. q. 12, a. 2. UTRUM ESSENTIA DEI AB INTELLECTU CREATO PER ALIQUAM SIMILITUDINEM VIDEATUR

━━ 281

.... (Tertio) quia divina essentia est aliquod incircumscriptum, continens in se supereminenter quidquid potest significari vel intelligi ab intellectu
40 creato. Et hoc nullo modo per aliquam speciem creatam repraesentari potest: quia omnis forma creata est determinata secundum aliquam rationem .... vel virtutis, vel ipsius esse, vel alicuius huiusmodi. Unde dicere Deum per similitudinem videri, est dicere divinam essentiam non videri: quod est erroneum.
Dicendum est [4] ergo quod ad videndum Dei essentiam requiritur aliqua
45 similitudo ex parte visivae potentiae, scilicet lumen gloriae, confortans intellectum ad videndum Deum: de quo dicitur in Psalmo: *in lumine tuo videbimus lumen*. Non autem

━━ 282

per aliquam similitudinem creatam Dei essentia videri potest, quae ipsam divinam essentiam repraesentet ut in se est.
I, q. 12, a. 3. c. Respondeo dicendum quod impossibile est Deum videri
50 sensu visus, vel quocumque alio sensu aut potentia sensitivae partis. Omnis enim potentia huiusmodi est actus corporalis organi .... Actus autem proportionatur ei cuius est actus. Unde nulla huiusmodi potentia potest se extendere ultra corporalia. Deus autem incorporeus est, ... Unde nec sensu nec imaginatione videri potest, sed solo intellectu.
55 I, q. 12, a. 4. c. Respondeo dicendum quod impossibile est quod aliquis intellectus creatus per sua naturalia essentiam Dei videat. Cognitio enim contingit secundum quod cognitum est in cognoscente. Cognitum autem est in

━━ 283

cognoscente secundum modum cognoscentis. Unde cuiuslibet cognoscentis

[4]   Leonine edition omits *est*.

den. Unde dar umbe ist eins ieklichen bekennenden bekentnüsse [1] nach
wise siner naturen. Unde dar umbe: [unde] ist, daz die wise des wesendes
etliches erkantes dinges fürtriffet die wise der naturen dez bekennenden,
so muoz daz sin, daz dez bekennen si über die naturen dez bekennenden.
5 Unde also ist ez in der meinung. [2] Unde also so enmag daz geschaffen ver-
stan got nit gesehen, nihtwan alse vil alse sich got übermitz gnade [3] dem
geschafenen verstan zuofüget, alse daz [er] verstentliche ist von im.

Ez ist zemerken, daz gotte zesehen [4] übermitz die wesunge, einre in vil
volkomnelicher ansicht denne der ander. Unde daz geschicht übermitz daz,
10 daz ein verstan volkomener craft hat denne daz ander, oder grözer maht,
got anzesehen. Aber die maht dez geschaffenen verstans got anzesehen, daz
enbekümit im niht nah siner

284 ———

naturen sunder übermitz daz lieht der glori,
daz daz verstan setzet in etwaz gotformikeit. Unde dar umbe: also vil
als ein verstan teilhaftiger wirt dez liehtes der glorien, alse vil volkomen-
15 licher so siht ez got. Aber der wirt mer teilhaftigen des liehtes der glorien,
der da mer von der minnen hat. Wan swa mer minne ist, da ist ouch mer
begirde: unde die begirde die machet den begerenden offen ze enphahenne
daz begerte. Unde dar umb: der mer hat von der minnen der siht in mer
und wirt seliger.
20 Ez ist zemerken, daz got zebegriffenne unmüglichen ist einem ieklichen
geschaffenen verstan. Diz heizet man volkomenlichen begriffen, daz da vol-
komenlichen erkant wirt.

Aber nu enmag dekein geschaffen verstan rüeren zuo einer volkomener
wis dez bekennens der gotlicher wesunge, daz er in im selber erkenlich ist.
25 Unde daz ist also offenbar: Wan ein

285 ———

ieklich ding ist alse vil erkenne-
lich, alse vil ez ein wesendes ding ist in der getat. Aber got, des wesen
unentlichen ist, der ist unentliche erkennelich. Aber dekein geschaffen
verstan daz enmag got unentlichen erkennen. Aber also vil so bekennet
etliches geschaffens verstan mer die gotliche wesung, volkomener unde
30 minre volkomenlich, alse vil er mer oder minre begozzen wirt mit dem
liehte der glorien. Sit denne daz dekein geschaffen lieht, in welchem ge-
schaffennen verstan ez enphangen wirt, dar inne nit mag unentlich gesin,
so ist daz unmüglich, daz dekein geschafen verstan got unentlich erkennen
müge. Unde dar um so ist ez unmüglich, daz ez got begriffe.

---

[1] MS. repeats "ist" after "bekentnüsse."
[2] This sentence does not fit into the context, nor is there a Latin equivalent
for it.
[3] MS repeats "sich" after "gnade."
[4] *videntium* read as *ad videndum*?

35 cognitio est secundum modum suae naturae. Si igitur modus essendi alicuius
rei cognitae excedat modum naturae cognoscentis, oportet quod cognitio illius
rei [5] sit supra naturam illius cognoscentis . . . . Non igitur potest intellectus
creatus Deum . . . . videre, nisi inquantum Deus per suam gratiam se intel-
lectui creato coniungit, ut intelligibile [6] ab ipso.

40 I, q. 12, a. 6. c. Respondeo dicendum quod videntium Deum per essentiam
unus alio perfectius eum videbit . . . . Sed hoc erit per hoc, quod intellectus
unius habebit maiorem virtutem seu facultatem ad videndum Deum, quam
alterius. Facultas autem videndi Deum non competit intellectui creato se-
cundum suam

── 284

naturam, sed per lumen gloriae, quod intellectum in quadam
45 deiformitate constituit, ... Unde intellectus plus participans de lumine glo-
riae, perfectius Deum videbit. Plus autem participabit de lumine gloriae,
qui plus habet de caritate: quia ubi est maior caritas, ibi est maius desiderium;
et desiderium quodammodo facit desiderantem aptum [7] et paratum ad suscep-
tionem desiderati. Unde qui plus habebit de caritate, perfectius Deum videbit,
50 et beatior erit.

I, q. 12, a. 7. c. Respondeo dicendum quod comprehendere Deum impossi-
bile est cuicumque intellectui creato: . . . .

Ad cuius evidentiam, sciendum est quod illud comprehenditur, [8] quod per-
fecte cognoscitur . . . .
55 Nullus autem intellectus creatus pertingere potest ad illum perfectum mo-
dum cognitionis divinas essentiae, quo cognoscibilis est. Quod sic patet.

── 285

Unumquodque enim sic cognoscibile est, secundum quod est ens actu.
Deus igitur, cuius esse est infinitum, ... infinite cognoscibilis est. Nullus
autem intellectus creatus potest Deum infinite cognoscere. Intantum enim
60 intellectus creatus divinam essentiam perfectius vel minus perfecte cognoscit,
inquantum maiori vel minori lumine gloriae perfunditur. Cum igitur lumen
gloriae creatum, in quocumque intellectu creato receptum, non possit esse
infinitum, impossibile est quod aliquis intellectus creatus Deum infinite
cognoscat. Unde impossibile est quod Deum comprehendat.

---

[5] *rei* omitted in some versions.
[6] Variation: *ut sit intelligibilis.*
[7] Variation: *apertum.*
[8] Variation: *comprehendi dicitur.*

Ez ist zemerken, daz begriffung sprichet in zweier hande wis. Ein wis: eigentlichen, nach dem unde etwaz inbeslozen wirt in dem begriffenden. Unde also so wirt [got] niht

286

begriffen von dekeim verstan noch von nihtü anders. Wan sit er unentlich ist, so wirt er von dekeim entlichen be-
5 griffen, also daz in dekeim entliches unentlich begriffe, alse er unentlichen ist. Unde also kumit für daz da vor merklichen gesprochen wirt unent- lichen. [1] Aber in einer andern wis so wirt die „begegriffunge" gemeinlich ge- nomen, nach dem unde die begriffunge widersetzet der [2] volgung. Wan der da anrüeret einen, die wil er [in] nu hat, so sprichet man, daz er in begrife
10 iez. Unde also wirt got begriffen von den seligen, nach dem unde geschriben ist in „Der minne buoch," in dem dritten capittel: „Ich han in gehabt, unde ich enwil sin nihti enlan." Unde also ist begriffenge ein von drin gaben dir selen, die da dem geding antwertent; alse daz gesihte dem glouben unde die gebruchung der minnen. Aber bi uns enwirt niht alles daz begriffen, daz da
15 gesehen

287

wirt; unde daz gesehen wirt, daz daz begriffen werde oder gehabt werde. Wan etwenne so werdent dü ding gesehen, die da verre sint, oder die da niht in unserre gewalt sint. Noch engebruchen [wir] niht aller der, die wir haben: oder wir sin niht von in gelustiget, oder si ensin niht unserre begirde ein iungestes ende, also daz si unser begirde erfüllen oder gerüewig
20 machen. Aber disü drü, die habent die seligen in got, wan si sehent in; unde alse [se]hende, so habent si in gegenwertig in der gewalt; [3] unde habende, sehent si in alle zit. Unde die in habent, die gebruchent sins alse dez iungsten endes, die begirde erfüllende.

Ez ist zemerken, daz, der da got sieht übermitz die wesung, der sicht daz
25 in im, daz er unentlichen [4] ist unde ouch daz er unentlichen erkenlich ist. Aber diz unentliche wise, die ist dem verstan niht behörlich, also daz ez unentlichen erkenne.

Ez [5] ist zemerken, sit

288

daz die stat ist etwaz dinges, daz denne etwaz si in der stat, daz ist in zweier hande wis zemerken. Eintweder: übermitz wis
30 anderre dinge, daz ist alse man sprichet, daz etwaz ist in etlichen andern dingen, alse die zuovelle der stat die sint in stat; oder: übermitz die eigen wis der stat, alse dü besteteten ding sint in der stat. In ietwederre wise so ist

---

[1] Unintelligible sentence.
[2] MS: "widersetzet der en gegensetzet in der volgung."
[3] Translator connected *in potestate* with **tenent**.
[4] MS: "unentliche."
[5] MS: *z* by failure to add the capital *E* in red ink.

AD PRIMUM ergo dicendum quod *comprehensio* dicitur dupliciter. Uno modo, stricte et proprie, secundum quod aliquid includitur in comprehendente.
35 Et sic nullo modo

——— 286

Deus comprehenditur, nec intellectu nec aliquo alio: quia, cum sit infinitus, nullo finito includi potest, ut aliquid finitum eum infinite capiat, sicut ipse infinite est. Et sic de comprehensione nunc quaeritur. — Alio modo *comprehensio* largius sumitur, secundum quod comprehensio *insecutioni* opponitur. Qui enim attingit aliquem, quando iam tenet ipsum, comprehendere eum dicitur. Et sic Deus comprehenditur a beatis, secundum illud
40 Cant. III; *Tenui eum, nec dimittam* .... Et hoc modo *comprehensio* est una de tribus dotibus animae, quae respondet spei; sicut visio fidei, et fruitio caritati. Non enim, apud nos, omne quod videtur,

——— 287

iam tenetur vel habetur: quia videntur interdum distantia, vel quae non sunt in potestate nostra. Ne-
45 que iterum omnibus quae habemus, fruimur: vel quia non delectamur in eis; vel quia non sunt ultimus finis desiderii nostri, ut desiderium nostrum impleant et quietent. Sed haec tria habent beati in Deo: quia et vident ipsum; et videndo, tenent sibi praesentem, in potestate habentes semper eum videre; et tenentes, fruuntur sicut ultimo fine desiderium implente.
50 AD TERTIUM dicendum quod .... qui igitur videt Deum per essentiam, videt hoc in eo, quod infinite existit, et infinite cognoscibilis est: sed hic infinitus modus non competit ei, ut scilicet ipse infinite cognoscat: ....

I, q. 8, a. 2. c. Respondeo dicendum

——— 288

quod, cum locus sit res quaedam, esse aliquid in loco potest intelligi dupliciter: vel per modum aliarum rerum, idest sicut dicitur aliquid esse in aliis rebus .... sicut accidentia loci sunt in loco. Utroque autem modo, secundum aliquid, Deus est in omni loco, quod

nach etwaz [got in] einer ieklichen stat, unde [1] daz ist über alle wesen . . . .
daz in allen dingen ist unde in wesen git unde craft unde wirkunge, wan
also ist er in einer ieklichen stat, daz er in [2] wesen git [3] unde stetliche craft.
Fürbas : die besteteten ding sint in der stat, in dem unde si die stat erfüllent,
unde got erfüllet ein ieklich stat, alse [4] Jeremias sprichet in dem zweiund-
zweinzigesten capitele : „Himel unde erde erfülle ich." Aber niht alse der
lip ; wan der lip erfüllet die stat, [5] alse man sprichet, alse vil daz er mit im
niht mag liden keinen andern lip in der stat. Unde übermitz

289 ──

daz, daz got ist
in etlicher stat, daz enslüzet niht uz, daz dekein ander da si. Noch denne :
10 übermitz daz erfüllet er alle stet, alse daz er wesen git allen besteteten
dingen, dü da stat erfüllent.

Ez ist zemerken, daz dü ding, die da in dem worte gesehen werdent, dü
enwerdent niht gesehen alse vor unde nach, sunder si werdent mit einander
gesehen. Wan die ding, die da in got gesehen werdent, die enwerdent niht
15 sünderlichen gesehen übermitz ir glichnüsse, alse [6] daz verstan hie in dirre
zit übermitz glichnüsse erkennet, sunder si werdent ellü gesehen übermitz ein
gotlich wesunge. Unde da von werdent si miteinander gesehen, unde niht
vor unde nah.

Ez ist zemerken, daz got in allen dingen ist nach der maht, wan ellü ding
20 sint undergeworfen gotlicher macht. [7] Wan er ist in allen dingen übermitz
sin gegenwertikeit,

290 ──

wan ellü ding sint bloz unde offen sinen ougen. Auch
ist er in allen dingen übermitz sin wesung, alse vil er allen dingen gegen-
wertig ist, den dingen wesen zegeben, unde ein sach ist irz wesendes.

Ez ist zemerken, daz got von einem menschen, der einveltichlich ein men-
25 sche ist, niht gesehene mag werden übermitz die wesunge, niht wan er werde
gescheiden von disem tötlichen leben, welchez leben daz wesen hat in der
liplicher materien. Unde dar umbe natürlichen so bekennet [die sele] dekein
andrü ding, nihtwan die da [forme habent in der] materien, oder die über-
mitz solichü ding erkant mügen werden. Aber nu ist daz offenbar, daz über-
30 mitz die natürlichen materilichen ding die gotlich wesunge niht gesehen
mag werden ; wan gotlichen erkennen übermitz geschaffen glichnüsse,
welche daz si si, übermitz die enist niht gesihte gotlicher wesung. Unde dar

---

[1] Translator apparently misunderstood the construction.
[2] Variant reading : *eis.*
[3] MS : "git unde git unde."
[4] Rest of this sentence from the SED CONTRA of the same article : . . . . quod
dicitur Ierem. XXIII : *caelum et terram ego impleo.*
[5] MS : "sta."
[6] We find no Latin equivalent for this clause.
[7] MS repeats from "wan" to "maht."

est esse ubique. Primo quidem, sicut est in omnibus rebus, ut dans eis
esse et virtutem et operationem: sic enim est in omni loco, ut dans ei esse
35 et virtutem locativam. Item, locata sunt in loco inquantum replent locum:
et Deus omnem locum replet. Non sicut corpus: corpus enim dicitur replere
locum, inquantum non compatitur secum aliud corpus; sed per hoc

── 289

quód
Deus est in aliquo loco, non excluditur quin alia sint ibi: imo per hoc replet
omnia loca, quod dat esse omnibus locatis, quae replent omnia loca.
I. q. 12, a. 10. c. Respondeo dicendum quod ea quae videntur in Verbo,
non successive, sed simul videntur.... Ostensum est autem quod ea quae
videntur in Deo, non videntur singula per suas similitudines, sed omnia
per unam essentiam Dei. Unde simul, et non successive videntur.
I. q. 8, a. 3. c. Sic ergo est in omnibus per potentiam, inquantum omnia
45 eius potestati subduntur. Est per praesentiam in omnibus,

── 290

inquantum omnia
nuda sunt et aperta oculis eius. Est in omnibus per essentiam, inquantum
adest omnibus ut causa essendi....
I. q. 12, a. 11. c. Respondeo dicendum quod ab homine puro Deus videri
per essentiam non potest, nisi ab hac vita mortali separetur.... Anima
50 autem nostra, quandiu in hac vita vivimus, habet esse in materia corporali:
unde naturaliter non cognoscit aliqua nisi quae habent formam in materia,
vel quae per huiusmodi cognosci possunt. Manifestum est autem quod per
naturas rerum materialium divina essentia cognosci non potest: ostensum
est enim supra quod cognitio Dei per quamcumque similitudinem creatam,

umbe ist

291 ──

unmüglichen in disem lebenne dem menschen, lebende [1] unde getlich wesunge ansehenne. [1] Unde dez ein zeichen: daz also vil alse unser sele mer von den liplichen dingen gezogen werdent, also vil so wirt er begriflicher der verstentlichen abgezogern ding. Unde da von in den troumen unde in
5 den frömeden dingen von den sinnen dez libes vernimet man mer die gotliche offenbarunge unde vorgesehen künftigen ding. Aber daz die sele erhaben mügen werden biz an daz oberste verstentliches ding, daz die gotliche wesunge ist, daz enmag niht gesin alse lange er dis tötlichen libes gebruchet.

Ez ist zemerken, dat in got ist die aller volkomenest kunst. Dez sache
10 zemerken ist, daz dü erkentlichen ding von den, die niht erkentlich sint, die underscheident sich in dem: wan die niht erkentlich sint, die habent nihtes niht anders denne ir formen. Aber

292 ──

daz erkentliche, daz·ist geborn, formen zehabenne ouch eins frömeden dinges, wan der geist [2] dez erkanten ist in dem bekennenden. Unde also ist daz offenbar, daz die nature dez niht er-
15 kennenden dinges ist mer betwungen unde gezilet; aber die nature der erkentlichen dinge hat ein grözer witunge unde ein uzstrekung. Durch daz so sprichet der philesophus in dem ersten capitele in dem buoch „Von der selen," daz „die sele in etlicher wise ellü ding ist." Aber die betwingung der formen ist übermitz die materien. Unde dar umbe die formen, nach dem
20 unde si mer unmaterilichen sint, also vil so gant si mer zuo etlicher unentlicheit. Unde da von so ist offenbar, daz die unmaterilicheit etlichez dinges ist ein rede, daz ez erkentlich ist; unde [nach] der unmaterilicher wis so ist die wis dez erkennens. Unde da von sprichet man in dem andern capitel in dem buoch „Von der sele," daz die phlantzen nit bekennent durch ir

293 ──

materi-
25 licheit. Aber die sinne sint erkentlichen, wan si sint enphenklich der gesteltnüsse ane materien; unde daz verstan noch mer, wan ez ist von der materien mer gescheiden unde ungemischet, alse man sprichet in dem dritten capitel in dem buoch „Von der sele." Unde wan der geist ist in der aller hochsten unmaterilicheit, unde dar um so volget daz, daz er ist in dem hochsten
30 erkennen.

Ez ist zemerken, daz got sich selben bekennet übermitz sich selber. Zuo welcher offenbarung zewissen ist, daz, swie daz ist, daz in den wirkungen, die da gant in die uzzern werke, so ist der gegenwurf der wirkenden dinge, daz der [3] bezeichent wirt alse ez ein ende si, uzwendig dez wirkenden. Doch

---

[1] Not clear.
[2] Probably a mistranslation.
[3] der-dar. Cf. Page 206, note 2.

35 non est visio essentiae ipsius. Unde

————————————————————————————————————— 291

impossibile est animae hominis secundum
hanc vitam viventis, essentiam Dei videre. — Et huius signum est, quod
anima nostra, quanto magis a corporalibus abstrahitur, tanto intelligibilium
abstractorum fit capacior. Unde in somniis et alienationibus a sensibus
corporis, magis divinae revelationes percipiuntur, et praevisiones futurorum.
40 Quod ergo anima elevetur usque ad supremum intelligibilium, quod est
essentia divina, esse non potest quandiu hac mortali vita utitur.

I. q. 14, a. 1. c. Respondeo dicendum quod in Deo perfectissime est
scientia. Ad cuius evidentiam, considerandum est quod cognoscentia a non
cognoscentibus in hoc distinguuntur, quia non cognoscentia nihil habent
45 nisi formam suam tantum; sed

————————————————————————————————————— 292

cognoscens natum est habere formam etiam
rei alterius, nam species cogniti est in cognoscente. Unde manifestum est
quod natura rei non cognoscentis est magis coarctata et limitata: natura
autem rerum cognoscentium habet maiorem amplitudinem et extensionem.
Propter quod dicit Philosophus, III *de Anima,* quod *anima est quodammodo*
50 *omnia.* Coarctatio autem formae est per materiam. Unde .... formae, secun-
dum quod sunt magis immateriales, secundum hoc magis accedunt ad quan-
dam infinitatem. Patet igitur quod immaterialitas alicuius rei est ratio quod
sit cognoscitiva; et secundum modum immaterialitatis est modus cognitionis.
Unde in II *de Anima* dicitur quod plantae non cognoscunt, propter suam

————————————————————————————————————— 293

55 materialitatem. Sensus autem cognoscitivus est, quia receptivus est specierum
sine materia: et intellectus adhuc magis cognoscitivus, quia magis separatus
est a materia et immixtus, ut dicitur in III *de Anima.* Unde, cum Deus sit
in summo immaterialitatis, ... sequitur quod ipse sit in summo cognitionis.

I. q. 14, a. 2. c. Respondeo dicendum quod Deus se per seipsum intelligit.
60 Ad cuius evidentiam, sciendum est quod, licet in operationibus quae transeunt
in exteriorem effectum, obiectum operationis, quod significatur ut terminus,
sit aliquid extra operantem: tamen in operationibus quae sunt in operante,

in den [1] wirkungen, die da sint in dem wirkenden, [so ist] der gegenwirf, der da bezeichent die beterminierunge der wirkunge, in dem wirkenden. Unde nach dem unde ez in im ist, also ist daz werke in der getat. Unde

294

da von sprichet man [2] in dem [buoch] „Von der selen," daz daz sinlich ding
5 in der getat ist die sinne in der getat, unde daz verstentlich ding in der getat ist daz verstan in der getat. Wan von dem [3] so vinden wir unde bekennen etwaz, von dem daz unser verstan geformet wirt übermitz sinlich gestelnüsse oder verstentlich gesteltnüsse, wan ietweders ist in der maht.

Unde denne got nihtez niht mügliches [4] hat, umbe daz wan er ein luter
10 getat ist, so muoz daz sin, daz ez in im eins si, daz verstanden unde daz da verstat, in aller wis; daz ist, daz er weder mangel der verstentlichen gestelt-nüsse, alse unser verstan tuot, so er in der maht verstat, noch daz die ver-stentlichen gesteltnüsse dekein anders si von der gotlichen verstentlichen [5] substancien, alse ez geschiht unserm verstan, so ez in der getat verstentlich
15 ist; sunder die verstentlichen gesteltnüsse sint selber daz gotlich verstan selber. Unde also verstat er sich selber übermitz sich selber.

295

Ez ist zemerken, daz ez von not zesprechen ist, daz daz gotlich verstan si die gotliche substancie. Wan unde wer daz gotlich verstan etwaz anders denne substancie, so müeste daz sin, alse der philosophus sprichet in dem
20 einleften capitel in dem buoche, daz da heiset „Methaphysica", daz etwaz anders were die getat unde die volkomenheit der gotlichen substancien, zuo dem [6] daz sich die gotlich substancie heilti [7] alse die mahte zuo der getat, unde daz ist zemale unmüglich. Wan daz verstan ist die volkomenheit unde ein getat dez verstendigen dinges.

25 Aber wie diz si, daz ist zemerken. Wan versten enist niht ein tuowunge, die da für gat oder uz gat [zuo] etwaz, daz uzwendig ist, sunder ez blibet in dem wirkenden alse ein getat unde ein volkomenheit, umbe daz wan daz wesen ist ein volkomenheit dez, der da ist. Wan alse daz wesen volget der forme, also volget daz verstan den verstentlichen gesteltnüssen. Aber in
•30 got enist niht ein anders

296

die forme unde ein anders daz wesen. Unde da von: sit denne sin wesung ist ein verstentlichen gesteltnüsse, so volget daz von not dar nah, daz verstan si sin wesunge unde sin wesen.

Unde also ist ez offenbar, daz in got versten unde daz, daz da verstanden

---

1 MS: "dem."
2 MS: "man man."
3 MS: "den."
4 MS: "mügligliches."
5 *intellectus* read as *intelligibilis.*
6 MS: "der."
7 Cf. page 144, note 6.

obiectum quod significatur ut terminus operationis, est in ipso operante;
35 et secundum quod est in eo, sic est operatio in actu.

294

Unde dicitur in libro
de Anima, quod sensibile in actu est sensus in actu, et intelligibile in actu
est intellectus in actu. Ex hoc enim aliquid . . . . sentimus vel intelligimus,
quod intellectus noster . . . . informatur . . . . per speciem sensibilis vel in-
telligibilis . . . . quia utrumque est in potentia.
40 Cum igitur Deus nihil potentialitatis habeat, sed sit actus purus, oportet
quod in eo intellectus et intellectum sint idem omnibus modis: ita scilicet,
ut neque careat specie intelligibili, sicut intellectus noster cum intelligit in
potentia; neque species intelligibilis sit aliud a substantia intellectus divini,
sicut accidit in intellectu nostro, cum est actu intelligens; sed ipsa species
45 intelligibilis est ipse intellectus divinus. Et sic seipsum per seipsum intelligit.

295

I. q. 14, a. 4. c. Respondeo dicendum quod est necesse dicere quod intel-
ligere Dei est eius substantia. Nam si intelligere Dei sit aliud quam eius sub-
stantia, oporteret, ut dicit Philosophus in XII *Metaphys.,* quod aliquid
aliud esset actus et perfectio substantiae divinae, ad quod se haberet sub-
50 stantia divina sicut potentia ad actum (quod est omnino impossibile): nam
intelligere est perfectio et actus intelligentis·
Hoc autem qualiter sit, considerandum est . . . . intelligere non est actio
progrediens ad aliquid extrinsecum, sed manet in operante sicut actus et
perfectio eius, prout esse est perfectio existentis; sicut enim esse conse-
55 quitur formam, ita intelligere sequitur speciem intelligibilem. In Deo autem
non est forma

296

quae sit aliud quam suum esse, ... Unde, cum ipsa sua
essentia sit etiam species intelligibilis, ... ex necessitate sequitur quod
ipsum intelligere sit eius essentia et eius esse.
Et sic patet . . . . quod in Deo intellectus, et id quod intelligitur, et species

wirt, unde die verstentlichen bilde alzemale eins sint. Unde da von so ist offenbar: daz man sprichet, daz got daz verstan si, da von so ensetzet man dekein menigvaltikeit in sin substancien.

Ez ist zemerken, daz got ellü andern ding bekenne, die er nit enist. Unde
5 her zuo ist zemerken, dat etwaz in zweier hande wis bekant wirt. Ein wis: in im selber; dü ander wis: in einem andern. In der ersten wis wirt etwaz bekant, so ez erkant wirt zuo dem eigen gesteltnüsse, daz da geglichet ist dem bekentlichen dinge; alse daz ouge daz sieht den menschen übermitz daz gesteltnüsse dez menschen. Aber in einem andern dinge wirt daz gesehen,
10 daz da gesehen wirt, übermitz

297 ──────────────────────────────

gesteltnüsse dez habenden; alse so daz teile in dem ganzen gesehen wirt über daz gesteltnüsse dez ganzen, oder wenne der mensche gesehen wirt in dem spiegel über gesteltnüsse dez spiegels, oder in welcher andere wis gesche, daz ez in einem andern gesehen wirt.

Unde also ist daz zesprechen, daz got in im selber gesehen wirt übermitz
15 sich selber. Wan er [sieht] sich selber an [übermitz] sin wesung. Aber die andern ding sieht er niht in in selber, sunder in im selber, nach dem unde sin wesung inneheltet aller [andern] [1] dinge glichnüsse von ime.

Ez ist zemerken, dat daz gotliche wissen ist ein sache aller ding. Wan also heltet sich daz gotlich wissen zuo allen geschaffenen dingen, also sich
20 daz wissen heltet dez kunstmeisters zuo den künstlichen dingen. Nu ist daz wissen oder die künste [dez kunstmeisters] ein sache der künstlichen dingen, umbe [daz] wan der künstmeister wirket übermitz sin verstan, unde da von muoz daz sin, daz die forme dez verstans si ein

298 ──────────────────────────────

beginne der wirkung, alse die hitze [2] der hitzunge.
25 Ez ist zemerken, daz got bösü ding bekennet. Wan swer ein ding volkomlich bekennet, so muoz daz sin, daz er ouch bekenne alles, daz dem selben ding geschehen mag. Aber nu [sint] etlichü guot, die verderbet mügen werden übermitz bösü ding. Unde da von so enmohte got niht volkomenlichen erkennen etwaz guotes, nihtwan er bekante denne ouch etwas böses.
30 Nu ist ein ieklich ding also zebekennen, alse ez [3] ist. Unde sit denne bös zesin [4] ist ein beroubunge dez guoten, unde dar um übermitz daz, daz got bekennet etwaz guotes, so bekennet ouch er etwas böses; alse übermitz daz lieht bekennet man die vinstri. Unde da von sprichet St. Dynonisius in dem

---

[1] Compare page 250, line 11.
[2] MS: "die hitze der hitze."
[3] MS: "ez bekenlich."
[4] *esse mali* read as *esse malum.*

intelligibilis .... sunt omnino unum et idem. Unde patet quod per hoc quod Deus dicitur intelligens, nulla multiplicitas ponitur in eius substantia.

I. q. 14. a. 5. UTRUM DEUS COGNOSCAT ALIA A SE

.... considerandum est quod dupliciter aliquid cognoscitur: uno modo, 40 in seipso; alio modo, in altero. In seipso quidem cognoscitur aliquid, quando cognoscitur per speciem propriam adaequatam ipsi cognoscibili; sicut cum oculus videt hominem per speciem hominis. In alio autem videtur id quod videtur per

———————————————————————————————— 297

speciem continentis: sicut cum pars videtur in toto per speciem totius, vel cum homo videtur in speculo per speciem speculi, vel quocumque 45 alio modo contingat aliquid in alio videri.

Sic igitur dicendum est quod Deus seipsum videt in seipso, quia seipsum videt per essentiam suam. Alia autem a se videt non in ipsis, sed in seipso, inquantum essentia sua continet similitudinem aliorum ab ipso.

I. q. 14, a. 8. c. Respondeo dicendum quod scientia Dei est causa rerum. 50 Sic enim scientia Dei se habet ad omnes res creatas, sicut scientia artificis se habet ad artificiata. Scientia autem artificis est causa artificiatorum: eo quod artifex operatur per suum intellectum, unde oportet quod forma intellectus sit

———————————————————————————————— 298

principium operationis, sicut calor est principium calefactionis.

I. q. 14, a. 10. UTRUM DEUS COGNOSCAT MALA.

55 Respondeo dicendum quod quicumque perfecte cognoscit aliquid, oportet quod cognoscat omnia quae possunt illi accidere. Sunt autem quaedam bona, quibus accidere potest ut per mala corrumpantur. Unde Deus non perfecte cognosceret bona, nisi etiam cognosceret mala. Sic autem est cognoscibile unumquodque, secundum quod est. Unde, cum hoc sit esse mali, quod est 60 privatio boni, per hoc ipsum quod Deus cognoscit bona, cognoscit etiam mala; sicut per lucem cognoscuntur tenebrae. Unde dicit Dionysius, VII

sibenden capitel „Von den gotlichen namen," daz got „übermitz sich selber
der vinstri enphahen gesihte, unde ensieht die vinstrin

299 ━━

                                               niht anders denne von
dem lieht."

    Ez ist zemerken, daz got ellü ding sünderlich bekennet. Wan sit got ein
5 sache ist übermitz sin kunst, alse da vor gesprochen ist, wan also vil so
streket sich sin gotlichü kunst, also vil sich streket sin sechlicheit. Unde sit
denne, daz sich die getelich craft gottiz streket niht alleine zuo den forme,
von den daz genomen wirt die rede der ellichi, sunder ouch biz zuo der mate-
rien; also ist notdürftig, daz sich die gotlich kunst streke biz zuo den sun-
10 derlichen dingen, die da übermitz die materien unteillich werdent. Wan sit
er andrü ding weis von im übermitz sin wesunge, nach dem unde si glich
ist allen creaturen oder alse ein würklich beginne, so ist notdurftig, daz sin
wesunge si ein gnügliches beginne zerkennen ellü ding, die da übermitz in [1]
gewerdent, niht allein in der ellichi, sunder ouch in der

300 ━━

                                        sunderlichi. Unde ez
15 wer glich von der kunst dez kunstmeisters, unde wer si fürbringinde ellü
ding, unde niht allein der formen.
    Ez ist zemerken, daz von not in daz gotlich gemüet zesetzen ist bilde. Daz
da „ein bilde" heitzet in kriethscher zungen, daz heizet in latinen „ein
forme"; unde dar umbe so verstat man übermitz die bilde die formen der
20 ander dinge, die da übermitz sich selber sint. Aber die forme etliches dinges,
die ane daz ding ist, daz mag si sin alse zuo zwein dingen. Eintweders: [2]
daz ez si ein bilde dez, dez forme ez geheizen ist; oder: daz ez si ein beginne
sins erkennens, nah dem unde die formen der erkentlichen dinge, daz man
da sprichet, daz si sin in dem bekennenden. Unde alse vil alse in ietwederm,
25 so ist daz von not, daz die forme si ende der geberunge eins ieklichen
dingens. Aber daz wirkende daz enworhte niht durch

301 ━━

                                    die forme, ez enwere
denne, daz die glichnüsse selbe der forme in im were. Und daz geschihet in
zweier hande wis. Wan in etlichen [3] würkenden dingen in den so ist vor die
glichnüsse dez dinges, daz da gewerden [4] hat, nach einem natürlichen
30 wesen, alse in den dingen, die da wirkent übermitz die nature; alse der
mensche der gebirt einen menschen, unde daz für ein [5] für. Aber in etlichen
dingen nah einem verstentlichen wesen, als in den dingen, die da wirkent

---

1 MS: repeats "übermitz in."
2 MS: "eintwereders."
3 MS: "ieklichem."
4 "zewerden"? Cf. p. 282, lines 5-6.
5 MS: "ein ein."

cap. *de Div. Nom.*, quod Deus *per semetipsum tenebrarum accipit visionem, non aliunde videns*

—— 299

tenebras quam a lumine.

35 I. q. 14, a. 11, c. Respondeo dicendum quod Deus cognoscit singularia....
cum Deus sit causa rerum per suam scientiam, ut dictum est, intantum se
extendit scientia Dei, inquantum se extendit eius causalitas. Unde, cum
virtus activa Dei se extendat non solum ad formas, a quibus accipitur ratio
universalis, sed etiam usque ad materiam.... necesse est quod scientia Dei
40 usque ad singularia se extendat, quae per materiam individuantur. Cum
enim sciat alia a se per essentiam suam, inquantum est similitudo rerum
velut principium activum earum, necesse est quod essentia sua sit principium
sufficiens cognoscendi omnia quae per ipsum fiunt, non solum in universali,
sed etiam in

—— 300

singulari. Et esset simile de scientia artificis, si esset pro-
45 ductiva totius rei, et non formae tantum.

I. q. 15, a. 1, c. Respondeo dicendum quod necesse est ponere in mente
divina ideas. *Idea* enim graece, latine *forma* dicitur: unde per ideas intelli-
guntur formae aliarum rerum, praeter ipsas res [6] existentes. Forma autem
alicuius rei praeter ipsam existens, ad duo esse potest: vel ut sit exemplar
50 eius cuius dicitur forma; vel ut sit principium cognitionis ipsius, secundum
quod formae cognoscibilium dicuntur esse in cognoscente. Et quantum ad
utrumque est necesse.... formam esse finem generationis cuiuscumque.
Agens autem non ageret

—— 301

propter formam, nisi inquantum similitudo formae
est in ipso. Quod quidem contingit dupliciter. In quibusdam enim agentibus
55 praeexistit forma rei fiendae secundum esse naturale, sicut in his quae agent
per naturam; sicut homo generat hominem, et ignis ignem. In quibusdam
vero secundum esse intelligibile, ut in his quae agunt per intellectum; sicut

[6] Var.: *per se existentes.*

übermitz daz verstan; alse die glichnüsse dez huses ist vor in dem gemüet
dez meisters. Unde daz mag heizen ein bilde dez huses, wan der kunst-
meister meinet daz hus zeglichen der formen, die er enphangen hat mit sinem
gemüete. Unde dar um so ist die welt niht geschaffen von geschihte, sunder
5 si ist geschaffen von got übermitz daz wirkende verstan. [1] Unde dar umbe
so ist notdürftig, daz in dem gotlichen gemüet si ein forme, zuo welcher

302 ▬▬▬▬▬▬▬▬▬▬▬▬▬▬▬▬▬▬▬▬▬▬▬▬▬▬▬▬▬▬▬▬▬▬▬

glichnüsse die welt geschaffen si. Unde in dem so bestat die eigenschaft dez
bildez.

Ob die warheit [si] in dinge oder allein in verstan. [2]

Ez ist zemerken: rehte also, alse daz guot daz heizet, in daz sich keret dü
begirde, also nemet ouch daz die warheit, in daz sich keret daz verstan.
Aber daz ist daz underscheit zwischen dem verstan unde [3] der begirde, oder
einem ieklichen bekennen: wan daz bekennen ist nah dem unde daz erkant
ist in dem bekennenden, aber dü begirde nah dem unde die begirde geneiget
15 ist in daz begerte ding. Unde also ist daz begerte ende, daz da guot ist, daz
ist in dem begerlichen dinge; aber daz ende dez erkennes, daz da warheit ist,
daz ist in dem verstan.

Aber also, alse daz guot [4] in dem dinge ist, alse vil als ez ordenunge hat
zuo der begirde — unde umbe daz die rede der guotheit kümit nider von dem
20 begerlichen dinge zuo der begerunge, umbe

303 ▬▬▬▬▬▬▬▬▬▬▬▬▬▬▬▬▬▬▬▬▬▬▬▬▬▬▬▬▬▬▬▬▬▬▬

daz, daz die begirde heizet guot,
wan si des guten ist — unde also, sit die warheit ist in dem verstan, nach
dem unde sie [5] geformit wirt dem verstandenen ding, so ist daz notdürftig,
daz die rede des waren niderkome zuo den verstandenen dingen, daz ouch
die verstandenen ding war geheizen sin, nach dem unde ez etwaz ordenunge
hat zuo dem verstan.

Aber daz ding mag zuo etlichem verstan ordenunge haben eintweder über-
mitz sich selber oder übermitz den zuoval. Übermitz sich selber hat daz ding
ein ordenunge zuo dem verstan, von dem es hanget alse nach sime wesenne,
von dem ez erkentlich ist. Alse wir sprechen daz daz hus geglichet wirt zuo
dem verstan dez kunstmeisters, aber übermitz zuoval zuo dem verstan, von
dem ez niht enhanget. Aber daz gerihte von dem dinge wirt niht genomen,
nah dem unde ez im ist übermitz zuoval, sunder nah dem unde ez im

304 ▬▬▬▬▬▬▬▬▬▬▬▬▬▬▬▬▬▬▬▬▬▬▬▬▬▬▬▬▬▬▬▬▬▬▬

ist übermitz sich selber. Unde dar umbe so heizet ein ieklich ding war blöz-

---

[1] MS: "versta." Translator connected *agente* with *intellectum.*
[2] This passage, written in red, is not set off as paragraph.
[3] MS: "oder."
[4] MS: "daz guot daz da."
[5] *Conformatur* not connected with *intellectus.*

similitudo domus praeexistit in mente aedificatoris. Et haec potest dici idea
35 domus: quia artifex intendit domum assimilare formae quam mente concepit.
Quia igitur mundus non est casu factus, sed est factus a Deo per intellectum agente, ... necesse est quod in mente divina sit forma, ad

—————————————————————————————————— 302

similitu-
dinem cuius mundus est factus. Et in hoc consistit ratio ideae.

I. q. 16, a. 1. UTRUM VERITAS SIT IN RE, VEL TANTUM IN INTELLECTU [6]

Respondeo dicendum quod, sicut bonum nominat id in quod tendit appetitus, ita verum nominat id in quod tendit intellectus. Hoc autem distat inter appetitum et intellectum, sive quamcumque cognitionem, quia cognitio est secundum quod cognitum est in cognoscente: appetitus autem est secundum quod appetens [7] inclinatur in ipsam rem appetitam. Et sic terminus
45 appetitus, quod est bonum, est in re appetibili: sed terminus cognitionis, quod est verum, est in ipso intellectu.
Sicut autem bonum est in re, inquantum habet ordinem ad appetitum; et propter hoc ratio bonitatis derivatur a re appetibili in appetitum, secundum

—————————————————————————————————— 303

quod appetitus dicitur bonus, prout est boni: ita, cum verum sit in intellectu
50 secundum quod conformatur rei intellectae, necesse est quod ratio veri ab intellectu [8] ad rem intellectam derivetur, ut res etiam intellecta vera dicatur, secundum quod habet aliquem ordinem ad intellectum.
Res autem intellecta [9] ad intellectum aliquem potest habere ordinem vel per se, vel per accidens. Per se quidem habet ordinem ad intellectum a quo
55 dependet secundum suum esse: per accidens autem ad intellectum [10] a quo cognoscibilis est. Sicut si dicamus quod domus comparatur ad intellectum artificis per se, [11] per accidens autem comparatur ad intellectum a quo non dependet. Iudicium autem de re non sumitur secundum id quod inest [12] ei per accidens, sed secundum id quod

—————————————————————————————————— 304

inest [12] ei per se. Unde unaquaeque res

6 Title taken from the introduction to Question 16 in Leonine edition.
7 Var.: *appetitus.*
8 *ab intellectu* omitted in certain versions.
9 *per se* omitted in certain versions.
10 *per accidens autem ad intellectum* omitted in certain versions.
11 *per se* omitted in certain versions.
12 Var.: *est.*

lichen nach der ordenunge zuo dem verstan, von dem ez hanget. Unde danna
von ist, daz die künstlichen ding heizent war übermitz ordenunge zuo
unterm verstan; wan diz heizet ein wariges hus, daz da volget der glicheit
der forme, die da in dem gemüete dez künstmeisters ist; [unde] diz heizet
5 ein wares wort, also vil ez ein zeichen ist dez waren verstans. Unde dez
glichez: die naturilichen ding die heizent werli [1] daz sü sin, nach dem unde
si volgent die glichnüsse der getende, die da sint in dem gotlichen gemüete;
wan dis heizet ein gewarer stein, der da volget der eigener naturen dez
steines, nach der vorenphahunge dez gotlichen verstans. Unde also alse die
10 warheit ist ze aller vorderst in dem verstan unde dar nach in den dingen,
nach dem unde si geglichet werdent zuo dem verstan alse ein beginn.
     Unde nach disem so

305 ――――――――――――――――――――――――――――――――――――――

           wirt die warheit erkant mislichen. Wan alse St.
Augustinus sprichet in dem buoch „[Von] der gewaren geistlicheit," unde
sprichet, daz „daz si warheit, von der man daz zeiget, daz da ist." Unde alse
15 Hylarius sprichet, daz „daz war ist daz, daz da verklerende ist oder offen-
barende." Unde daz behöret zuo der warheit, nach dem unde es [2] in dem
verstan ist.
     Aber zuo der warheit des dinges nach der ordenunge zuo dem verstan
[behöret] die endunge St. Augustinus in dem buoch „Von der gewaren
20 geistlicheit": „die warheit ist die höchste glicheit, die dez beginnes, die da
ane alle unglicheit ist." Unde noch ein bewisung Anselmi, der sprichet: „war-
heit ist ein gerehtikeit, die allein von dem gemüet enphenklich ist." Wan daz
ist gereht, daz da concordieret mit dem beginne. Unde ein ander bewisung
seit Avicenna, „warheit eins ieklichen dinges ist eigenschaft sins wesens, daz
25 im gestetiget ist." Aber daz man sprichet, daz „warheit [ist] ein zuoglichunge

306 ――――――――――――――――――――――――――――――――――――――

dez dinges unde des verstans [3] mag zuo ietwederm behörn.
     Ez ist zemerken, daz allein die verstentlichen creaturen sint zuo dem
gotlichen bilde, eigentlichen zesprechen.
     Her zuo ist zesagen daz: Niht ein ieklich glichnüsse, unde ist, daz si noch
30 denne offenbar ist von einem andern, daz gnüeget zuo der reden dez bildes.
Wan unde [ist] ez ein glichnüsse nach dem geslehte alleine oder nach etwaz
zuovalles, der gemein ist, durch daz so heizet ez niht, daz ez etwaz si zuo
dem bilde eins andern. Wan man enmohte niht sprechen, daz der worme,
der da geborn wirt von dem menschen, si ein bilde dez menschen durch die
35 glicheit dez geslehtes; noch man enmag ouch niht sprechen, ob dekein ding

―――――――――

[1]   Cf. Michels, § 202.
[2]   Translator probably took *quod* as the subject of *est,* giving to *secundum quod est*
the force of *secundum id quod est.*
[3]   MS: "daz verstan."

dicitur vera absolute, secundum ordinem ad intellectum a quo dependet. Et inde est quod res artificiales dicuntur verae per ordinem ad intellectum nostrum: dicitur enim domus vera, quae assequitur similitudinem formae quae est in mente artificis; et dicitur oratio vera, inquantum est signum
40 intellectus veri. Et similiter res naturales dicuntur esse verae, secundum quod assequuntur similitudinem specierum quae sunt in mente divina: dicitur enim verus lapis, qui assequitur propriam lapidis naturam, secundum prae-conceptionem intellectus divini. — Sic ergo veritas principaliter est in in-tellectu; secundario vero in rebus, secundum quod comparantur ad intellec-
45 tum ut ad principium.
    Et secundum hoc,

_____ 305

                    veritas diversimode notificatur. Nam Augustinus, in libro *de Vera Relig.*, dicit quod *veritas est, qua ostenditur id quod est.* Et Hilarius dicit quod *verum est declarativum aut manifestativum esse.* Et hoc pertinet ad veritatem secundum quod est in intellectu. — Ad veritatem autem
50 rei secundum ordinem ad intellectum, pertinet definito Augustini in libro *de Vera Relig.*: *veritas est summa similitudo principii, quae sine ulla dissi-militudine est.* Et quaedam definitio Anselmi: *veritas est rectitudo sola mente perceptibilis;* nam rectum est, quod principio concordat. Et quaedam defini-tio Avicennae: *veritas uniuscuiusque rei est proprietas sui esse quod stabili-
55 tum est ei.* — Quod autem dicitur quod *veritas est*

_____ 306

                                    adaequatio rei et intel-lectus, potest ad utrumque pertinere.
    I. q. 93. a. 2. c..... Sic ergo patet quod solae intellectuales creaturae, pro-prie loquendo, sunt ad imaginem Dei. [4]
    Respondeo dicendum quod non quaelibet similitudo, etiam si sit expressa
60 ex altero, sufficit ad rationem imaginis. Si enim similitudo sit secundum genus tantum, vel secundum aliquod accidens commune, non propter hoc dicetur aliquid esse ad imaginem alterius: non enim posset dici quod vermis qui oritur ex homine, sit imago hominis propter similitudinem generis; neque iterum potest dici quod, si aliquid fiat album ad similitudinem alterius, quod

----

[4] This sentence is taken from the end of the *corpus articuli.*

wisse wirt zuo glicheit eines andern, daz ez dar umbe si zuo sinem bilde;
wan wisse ist ein gemeiner zuoval vil gestelnüssen. Aber man süechet zuo
der reden dez bildez, daz ez si ein glicheit nach

307

　　　　　　　　　　　　　　　　　　　　dem gesteltnüsse, also daz
bilde dez küniges ist [in] sinem sun; oder zem minsten nach etwaz zuovalles,
5 der da eigen ist dem gesteltnüsse, unde zuo dem aller vordresten nach der
figuren, alse daz bilde dez menschen, daz sprichet man, daz ez si in dem
chüpher. Unde da von sprichet Hylarius bezeichentlichen: „daz bilde ist ein
gesteltnüsse an underscheit.''
　　Aber nu ist diz offenbar, daz die glicheit dez gesteltnüsses ze merken ist
10 nach der iungster underscheit. Aber etlichü zwei [1] ding die glichent sich ze-
samen dez ersten, unde zem aller meisten gemeinlich, alse vil [alse] si sint;
aber zem andern, also vil alse si lebent; unde zuo dem dritten male, alse vil
alse si verstant. Alse St. Augustinus sprichet in dem [dri]undesehzigesten
buoch, daz „dü ding sint von einre nahen glicheit, also daz in den creaturen
15 nihtes niht nacher ist.'' Unde also ist ez offenbar, daz allein die verstendigen
creaturen, eigenlich zesprechen, sint zuo

308

　　　　　　　　　　　　　dem bilde gottis. [2]
　　Ez ist zemerken, daz wir von dem gotlichen bilde sprechen mügen in
zweier hande wis. Ein wis alse vil alse zuo dem, in dem betrahtet wirt die
rede des bildes, daz da ist ein verstendigü nature. Unde also ist daz
20 bilde gottis mer [3] in den engelen denne in den menschen, wan die verstendig
nature ist mer in in volkomener. Zem andern male so ist daz bilde zebetrah-
ten [4] umbe daz, wan in dem menschen vindet [5] etliche gotlich nahvolgunge,
nach dem unde der mensche ist von dem menschen, also got von got; unde
alse vil alse die sele dez menschen ist alzemale in irem gantzzen lip, unde
25 anderwerbe so ist si ganze in einem ieklichen teile dez libes, alse sich got
zuo der welt heltet. Unde also nach disem unde nach vil anderen dez glichez,
so vindet man daz bilde gotis mer in den menschen, denne in den engeln.
Aber alse vil alse zuo disem, so enmerket man niht

309

　　　　　　　　　　　　　　　　　daz gotlich bilde über-
mitz sich selber in dem menschen, ez si denne, daz dez ersten vorgesast si
30 die erste nachvolgunge, dü da ist übermitz die verstendigen naturen. Wan
anders so weren ouch die unbesinten tiere zuo dem bilde gottis. Unde dar

---

[1]　Translator misread *aliqua Deo* as *aliqua duo.*
[2]　Cf. note 4 on page 255.
[3]　MS: "men."
[4]　MS: "ze betrahten ist."
[5]　One of the many cases in which a transitive German verb assumes an intransitive
function under the influence of the Latin passive; the meaning "to find" has changed
to that of "to occur." But cf. line 27.

propter hoc sit ad eius imaginem, quia album est accidens commune pluribus
speciebus. Requiritur autem ad rationem imaginis quod sit similitudo

—— 307

secundum speciem, sicut imago regis est in filio suo: vel ad minus secundum
35 aliquod accidens proprium speciei, et praecipue secundum figuram, sicut
hominis imago dicitur esse in cupro. Unde signanter Hilarius dicit quod
imago est species indifferens. Manifestum est autem quod similitudo speciei
attenditur secundum ultimam differentiam. Assimilantur autem aliqua Deo,
primo quidem, et maxime communiter, inquantum sunt; secundo vero, in-
40 quantum vivunt; tertio vero, inquantum sapiunt vel intelligunt. Quae, ut
Augustinus dicit in libro *Octoginta trium Quaest., ita sunt Deo similitudine
proxima, ut in creaturis nihil sit propinquius.* Sic ergo patet quod solae
intellectuales creaturae, proprie loquendo, sunt ad

—— 308

imaginem Dei.
I. q. 93, a. 3. c. Respondeo dicendum quod de imagine Dei loqui dupliciter
45 possumus. Uno modo, quantum ad id in quo primo consideratur ratio ima-
ginis, quod est intellectualis natura. Et sic imago Dei est magis in angelis
quam sit in hominibus: quia intellectualis natura perfectior est in eis, ...
Secundo potest considerari imago . . . . prout scilicet in homine invenitur
quaedam Dei imitatio, inquantum scilicet homo est de homine, sicut Deus
50 de Deo; et inquantum anima hominis est tota in toto corpore eius, et iterum
tota in qualibet parte ipsius, sicut Deus se habet ad mundum. Et secundum
haec et similia, magis invenitur Dei imago in homine quam in angelo. —
Sed quantum ad hoc non attenditur

—— 309

per se ratio divinae imaginis in homine,
nisi praesupposita prima imitatione, quae est secundum intellectualem natu-
55 ram: aloquin etiam animalia bruta essent ad imaginem Dei. Et ideo, cum

umbe, alse vil alse zuo der verstendigen naturen der engel mer si zuo dem
bilde gottis denne der mensche, einvelticlichen so ist ez zeverlihen, daz der
engel mer si zuo dem bilde gottis, aber der mensche nah etwaz.

    Ez ist zemerken, daz die underscheidung der gotlichen personen niht
5 anders enist, nihtwan nah dem ursprunge oder vil bas nach den widertra-
gungen dez ursprunges. Aber [1] nu ist niht ein wise aller ursprung, wan eines
ieklichen dinges ist er nah der behörlicheit siner naturen, wan in einer
andern wis so werdent die geselichten ding fürbraht, unde in einer andern
wis die unge[se]lichten; anders dü tiere unde anders die

310 ──

wachsenden crea-
10 turen. Unde da von ist offenbar, daz die underscheit der gotlichen personen
ist nach dem unde ez der gotlichen naturen bekümet. Unde da von, daz
man si zuo dem bilde gotiz, daz ist zuovolgunge der gotlichen naturen, daz
enslüzet niht uz daz, daz man si zuo dem bilde gotis nah der offenbarung
der drier personen, sunder mer eins volget zuo dem andern. Unde also ist
15 zesprechen, daz in dem menschen si daz bilde gotis alse vil alse zuo der got-
lichen naturen unde ouch also vil alse zuo der dritheit der personen; wan in
got bestat in drin personen ein nature.

    Ez ist zemerken, sit daz in allen creaturen etlichü gotlichü glichnüsse [2]
ist, doch so vindet man allein in der redelichen creaturen die glicheit gotis
20 übermitz wise dez bildez unde übermitz wis der fuozstaphen. [3] Aber daz,
in dem die redelich creaturen fürtreffent die ander creaturen,

311 ──

daz ist daz
verstan oder daz gemüet. Unde also ist daz zehalten, daz noch in den rede-
lichen creaturen funden wirt gottis bilde nihtwan in dem gemüete. Aber in
den andern teilen, welchü si sin, die [dü] redelichen creaturen hat, dar inne
25 so vindet man die glicheit dez fuozstaphen; alse ouch übermitz in den
dingen, die sich nah einem teile glichent: [4] daz man offenbarlich mag mer-
ken, ob man merken wil die wise, von der man offenbaret die fuozstaphen, [4]
unde von den man offenbaret daz bilde. [4] Wan daz bilde offenbaret nach
der glich[nüsse des gestelt]nüsses. Aber der fuozstaphe offenbaret übermitz
30 wise dez werkes, daz also offenbaret sin sach, daz ouch niht enrüeret zuo
dem glichnüsse dez gesteltnüsses; wan indrukunge, die da gelazen werdent
von der bewegunge der tiere, von der so heizent die fuozstaphen; unde dez
glichez: die esche heizet ein fuosstaphen dez füres,

312 ──

<hr/>

[1]   MS: "abes."
[2]   MS: "gotlichü chlicheit glichnüsse."
[3]   By omitting *in aliis autem creaturis,* translator spoiled the meaning of the Latin
passage.
[4]   Latin passage not understood.

quantum ad intellectualem naturam angelus sit magis ad imaginem Dei quam
35 homo, simpliciter concedendum est angelum magis esse ad imaginem Dei;
hominem autem secundum quid.

I. q. 93, a. 5, c. Respondeo dicendum quod .... distinctio divinarum Per-
sonarum non est nisi secundum originem, vel potius secundum relationes
originis. Non autem est idem modus originis in omnibus, sed modus originis
40 uniuscuiusque est secundum convenientiam suae naturae: aliter enim pro-
ducuntur animata, aliter inanimata; aliter animalia, atque aliter

——————————————————————————————— 310

plantae.
Unde manifestum est quod distinctio divinarum Personarum est secundum
quod divinae naturae convenit. Unde esse ad imaginem Dei secundum imita-
tionem divinae naturae, non excludit hoc quod est esse ad imaginem Dei
45 secundum repraesentationem trium Personarum; sed magis unum ad alterum
sequitur. — Sic igitur dicendum est in homine esse imaginem Dei et quan-
tum ad naturam divinam, et quantum ad Trinitatem Personarum: nam et in
ipso Deo in tribus Personis una existit natura.

I. q. 93, a. 6. c. Respondeo dicendum quod, cum in omnibus creaturis sit
50 aliqualis Dei similitudo, in sola creatura rationali invenitur similitudo Dei
per modum imaginis, ... in aliis autem creaturis per modum vestigii. Id
autem in quo creatura rationalis excedit alias creaturas,

——————————————————————————————— 311

est intellectus sive
mens. Unde relinquitur quod nec in ipsa rationali creatura invenitur Dei
imago, nisi secundum mentem. In aliis vero partibus, si quas habet rationalis
55 creatura, invenitur similitudo vestigii; sicut et in ceteris rebus quibus se-
cundum partes huiusmodi assimilatur.

Cuius ratio manifeste cognosci potest, si attendatur modus quo repraesentat
vestigium, et quo repraesentat imago. Imago enim repraesentat secundum
similitudinem speciei .... Vestigium autem repraesentat per modum effectus
60 qui sic repraesentat suam causam, quod tamen ad speciei similitudinem non
pertingit: impressiones enim quae ex motu animalium reliquuntur, dicuntur
vestigia; et similiter cinis dicitur vestigium

——————————————————————————————— 312

unde die zerstörunge dez
landes heizet ein fuozstaphe der reise der vigende.

Unde dar umbe [1] so mag man underscheiden merken zwischen den rede-
lichen creaturen unde den andern creaturen: unde also vil also zuo dem
unde geoffenbart wirt in den creaturen die glicheit gotlicher nature, unde
5　also vil also zuo dem unde in in geoffenbart wirt dü glicheit der unge-
schepfter [2] driveltikeit. Alse vil alse zuo der glicheit der naturen so behöret,
man ahtet, daz die redelichen creaturen zemale rüeren zuo der offenbarunge
dez gesteltnüsses, nah dem unde si got nahvolgent, niht allein in dem unde
si [3] ist unde si ouch lebet, sunder ouch in dem daz si verstat. Die andern
10　creaturen die verstat niht, sunder ez ist in in offenbar etlich fuozstaphen
dez verstans dez fürbringenden, ob ir bereitschaft betrahtet wirt. Unde a so
dez gliches: wan die ungeschaffen driveltikeit geunderscheiden wirt nach
der fürgangunge

313

　　　　dez wortes von dem sprechenden unde der minne von in
beiden, aber in der redelichen creaturen, in der man vindet die uzgengunge
15　dez wortes nah dem verstan unde uzgangung der minnen nach dem willen,
daz mag geheizen sin ein bilde der ungeschaffener driveltikeit durch etlich
offenbarunge dez gesteltnüsses. Aber in den andern creaturen vindet man
niht ein beginne dez wortez unde daz worte unde die minne; sunder ez ist
in in offenbar etlich fuozstaphe, daz disü funden werdent in der fürbringen-
20　den [4] sache. Wan daz selber, daz die creature ihht ein substancien, die ge-
mezzen ist unde geendet, die zeigt, daz si si von etwaz beginnes; aber sin
gesteltnüsse daz offenbaret daz wort dez machenden, alse die forme dez
huses zeiget die enphahunge dez kunstmeisters; aber die ordenunge zeiget
die minne dez uzleitenden, von der daz er die werke zuo guot ordent, alse
25　die niezunge

314

　　　　dez bouwes [5] offenbaret dez künstmeisters willen.

Also vindet [6] man in dem menschen gotis glicheit übermitz wise dez bildez
nach dem gemüete; aber nach dem andern teilen dez selben menschen [7] über-
mitz wise der fuozstaphen.

Ez ist zemerken, ob daz zuo der rede dez bildez behöret etlich offenbarung
30　dez gesteltnüsses. Unde dar umbe, unde sol daz bilde der triveltikeit genomen
werden in der sele, so muoz ez dez ersten gemerken werden an dem, nach dem
dem ez aller meist zuogat, nach dem unde ez müglich ist, zeoffenbaren daz

---

1　MS: "umbei."
2　MS: "ungeschefpter."
3　*Deus* not recognized as the subject.
4　MS: "fürbringungen."
5　MS: "künstmeisters," by reading *aedificii* as *artificis*.
6　MS: "windet."
7　MS repeats: "teilen dez selben menschen."

ignis; et desolatio terrae, vesti-
gium hostilis exercitus.

Potest ergo huiusmodi differentia attendi inter creaturas rationales et
35 alias creaturas, et quantum ad hoc quod in creaturis repraesentatur simili-
tudo divinae naturae, et quantum ad hoc quod in eis repraesentatur similitudo
Trinitatis increatae. Nam quantum ad similitudinem divinae naturae pertinet,
creaturae rationales videntur quodammodo ad representationem speciei per-
tingere, inquantum imitantur Deum non solum in hoc quod est et vivit,
40 sed etiam in hoc quod intelligit, ... Aliae vero creaturae non intelligunt; sed
apparet in eis quoddam vestigium intellectus producentis, si earum dispositio
consideretur. — Similiter, cum increata Trinitas distinguatur secundum
processionem

—————————————————————————————————————— 313

Verbi a dicente, et Amoris ab utroque, ... in creatura ratio-
nali, in qua invenitur processio verbi secundum intellectum, et processio
45 amoris secundum voluntatem, potest dici imago Trinitatis increatae per quan-
dam repraesentationem speciei. In aliis autem creaturis non invenitur prin-
cipium verbi, et verbum, et amor; set apparet in eis quoddam vestigium
quod haec inveniantur in causa producente. Nam hoc ipsum quod creatura
habet substantiam modificatam et finitam, demonstrat quod sit a quodam
50 principio; species vero eius demonstrat verbum facientis, sicut forma domus
demonstrat conceptionem artificis; ordo vero demonstrat amorem producen-
tis, quo effectus ordinatur ad bonum, sicut usus

—————————————————————————————————————— 314

aedificii demonstrat arti-
ficis voluntatem.

Sic igitur in homine invenitur Dei similitudo per modum imaginis secun-
55 dum mentem; sed secundum alias partes eius, per modum vestigii.

I. q. 93, a. 7, c. Respondeo dicendum quod .... ad rationem imaginis per-
tinet aliqualis repraesentatio speciei. Si ergo imago Trinitatis divinae debet
accipi in anima, oportet quod secundum illud principaliter attendatur, quod
maxime accedit, prout possibile est, ad repraesentandum speciem divinarum

gesteltnüsse der gotlicher personen. Aber die gotlich personen werden ge-
underscheiden nach der uzgangung dez wortez von dem sprechenden unde
der minne, die ietwedern zesamenstriket. Aber daz wort in unsere sele, „an
tüelichi gedenkunge enmag niht gesin," alse St. Augustinus sprichet in dem
5 vierzehenden capitel

315 ———

„Von der driveltikeit." Unde dar umbe: dez ersten
unde ze aller vorderest [ist] daz bilde gotis [zemerken] in dem gemüete nach
der getat, nach dem unde von der küntlicheit, die wir haben, inrelichen [1] ge-
denkende so formen wir daz worte, unde von dem so brechen wir für in die
minne. Aber wan die beginne der tuowunge sint die habunge unde die mehte,
10 unde ein ieklichez ist crefticlichen in sinem beginne, aber dar nach, unde also
vil also nachvolgende, so mag man daz bilde der driveltikeit merken in der
sele nach den mehten, unde ze aller vorderst nah der habunge, nach dem
unde die getat in in creftiliche bestat.
Ez ist zemerken, daz got warheit ist. Aber warheit vindet man in dem
15 verstan, nach dem unde ez die ding verstat, alse si sint, unde in den dingen,
nach dem unde ez hat formeliches [2] wesen in dem verstan. Unde daz vindet
man alremeiste in gotto. [3] Wan sin wesen enist niht allein glichförmeg
sinem verstan, sunder ez ist ouch sin verstan:

316 ———

unde sin verstan ist ein masse
unde ein sache aller der andern wesen unde aller andern verstan; unde er ist
20 sin selbes verstan unde sin selberes wesen. Unde da von so volget daz dar
nach, daz er niht alleine warheit ist, sunder daz er die oberste warheit [ist].
Ez ist zemerken, daz in aller [4] wis [ist] ein warheit, von der ellü ding war
sint. Her zuo ist zemerken, swenne daz man einhellichen setzet etwaz von
vil, daz selbe vindet man in ieklichen von disen nach sinen eigenen reden,
25 alse daz tier in einem ieklichen gesteltnüsse dez tieres. Aber so etliches in
einer höchern reden gesprochen wirt von vil, daz selbe vindet man nach
einer eigener rede in ir eine allein, von dem [5] die andern genemet werdent.
Alse gesuntheit die sprichet man von einem tiere unde harn unde arzenie,
niht daz gesuntheit si allein in dem tiere, sunder von der gesuntheit dez wirt
30 genemet die gesunt arzenien,

317 ———

alse vil si der gesuntheit ist wirkende; unde
der harn nach dem unde er bezeichenlichen ist. Aber wie doch daz ist, daz

---

[1]   MS: "inredelichen" by mistake of copyist. Translator failed to connect *interius* with
verbum.
[2]   Faulty translation. Cf. line 17.
[3]   "gotto" again on page 319.
[4]   Usually correctly translated by "in etlicher wis."
[5]   MS: "den."

Personarum. Divinae autem Personae distinguuntur secundum processionem Verbi a dincente, et Amoris connectentis utrumque. Verbum autem in anima nostra *sine actuali cogitatione esse non potest,* ut Augustinus dicit XIV

── 315

35 *de Trin.* Et ideo primo et principaliter attenditur imago Trinitatis in mente secundum actus, prout scilicet ex notitia quam habemus, cogitando interius verbum formamus, et ex hoc in amorem prorumpimus. — Sed quia principia actuum sunt habitus et potentiae; unumquodque autem virtualiter est in suo principio: secundario, et quasi ex consequenti, imago Trinitatis potest
40 attendi in anima secundum potentias, et praecipue secundum habitus, prout in eis scilicet actus virtualiter existunt.

I. q. 16, a. 5. UTRUM DEUS SIT VERITAS

Respondeo dicendum quod .... veritas invenitur in intellectu secundum quod apprehendit rem ut est, et in re secundum quod habet esse conforma-
45 bile intellectui. Hoc autem maxime invenitur in Deo. Nam esse suum non solum est conforme suo intellectui, sed etiam est ipsum suum intelligere;

── 316

et suum intelligere est mensura et causa omnis alterius esse, et omnis alterius intellectus; et ipse est suum esse et intelligere. Unde sequitur quod non solum .... sit veritas, sed quod ipse sit ipsa summa et prima veritas.

I. q. 16, a. 6. c. Respondeo dicendum quod quodammodo una est veritas, qua omnia sunt vera .... Ad cuius evidentiam, sciendum est quod, quando aliquid praedicatur univoce de multis, illud in quolibet eorum secundum propriam rationem invenitur, sicut *animal* in qualibet specie animalis. Sed quando aliquid dicitur analogice de multis, illud invenitur secundum propriam rationem in uno eorum tantum, a quo alia denominantur. Sicut *sanum* dicitur de animali et urina et medicina, non quod sanitas sit (nisi) 6 in animali tantum, sed a sanitate animalis denominatur medicina sana,

── 317

inquantum est
illius sanitatis effectiva, et urina, inquantum est illius sanitatis 7 significa-

---

6 *nisi* omitted in several manuscripts.
7 *illius sanitatis* omitted in several manuscripts.

die gesuntheit niht ensi in der arzenie noh in dem harn, doch ist in ietwederm etwaz, übermitz daz so [1] etwer tuot, unde daz bezeichent die gesuntheit.

Aber die warheit ist dez ersten in dem verstan unde dar nach in den dingen, nach dem unde si geordent sint zuo dem verstan gotis. Aber unde 5 sprechen wir von der warheit, die da ist in dem verstan nach iren eigenen reden, also so in vil verstentnüsse, die geschaffen sint, [sint] vil warheit. Ouch in einem verstan unde in dem [2] selben so sint ir vil nach vil bekanten dingen. Unde da von sprichet die glose über David, „die warheit sint geminret von dez menschen kindern," alse von eins menschen antlüze ensprin- 10 gent vil glichnüsse in dem spiegel, also von einer warheit gottis entspringent vil warheit. Aber sprechen wir von der warheit, nach dem unde si in den dingen ist, also sint

318 ────────────────────────────────

si alle [war] von einer ersten warheit, der sich ein ieklichez glichet nach siner [3] wesentheit. Unde also, wie daz si, daz vil wesen sint oder forme der dinge, doch so ist ein warheit dez gotlichen verstans, 15 nach dem unde ellü ding geheizen sint ware.

Ez ist zemerken, daz ellü ding, die da in gotto sint, die sint in im lebende. Aber gottis leben ist sin verstan. Wan in got ist ez eins: sin [4] verstan, unde daz verstanden wirt, unde sin bekennenne. Unde dar umbe: swaz in got ist alse verstanden, daz ist daz leben oder sin leben. Unde dar umbe: swenne 20 ellü ding, die gemachet sint in got, dü sint in im alse verstanden, dar nach volget, daz ellü ding in im sint daz gotlich leben.

Ez ist zemerken, daz in allen dingen, die verstan habent, ouch wille ist; unde also in allen dingen, die sinne hant, in den ist tierlich begirde. Unde also muoz in gotte wille sin, sit daz verstan in

319 ────────────────────────────────

im ist. Unde also, als sin ver- 25 stan sin wesen ist, also ist ouch sin wille sin wesen. [5]

Ez ist zemerken, daz got niht allein sich wil, sunder ouch ander ding ane in. Daz da offenbar ist von glicheit in der naturen. [6] Wan daz naturliche ding daz enhat niht allein ein natürlichü neigung von gesihte dez eigenen guotes, daz ez daz gewinne, swenne ez [7] sin niht enhat; sunder ouch daz ez sin eigen guot in die andern gieze, nach dem unde ez müglich ist. Wir sehen daz, daz ein ieklich wurkendes, alse vil alse ez [ist] in der getat unde volkomen, alse vil machet ez [7] im ein gliches. Unde da von so behöret daz zuo

[1]   Faulty translation. This passage should read: "übermitz das das eine wirket unde das andere bezeichent die gesuntheit."
[2]   MS: "den."
[3]   MS: "ieklichü glicheit nach irre."
[4]   MS: "sins."
[5]   MS: "sins wesens."
[6]   Free translation?
[7]   MS: "er."

tiva. Et quamvis sanitas non sit in medicina neque in urina, tamen in utroque est aliquid per quod hoc quidem facit, illud autem significat sanitatem.

35 Dictum est autem quod veritas per prius est in intellectu, et per posterius in rebus, secundum quod ordinantur ad intellectum divinum. Si ergo loquamur de veritate prout existit in intellectu, secundum propriam rationem, sic in multis intellectibus creatis sunt multae veritates; etiam in uno et eodem intellectu, secundum plura cognita. Unde dicit Glossa super illud Psalmi XI,

40 *diminutae sunt veritates a filiis hominum* etc., quod sicut ab una facie hominis resultant plures similitudines in speculo, sic ab una veritate divina resultant plures veritates. Si vero loquamur de veritate secundum quod est in rebus, sic

_____ 318

omnes sunt verae una prima veritate, cui unumquodque assimilatur secundum suam entitatem. Et sic, licet plures sint essentiae vel formae

45 rerum, tamen una est veritas divini intellectus, secundum quam omnes res denominantur verae.

I. q. 18, a. 4. UTRUM OMNIA SINT VITA IN DEO

Respondeo dicendum quod, ... vivere Dei est eius intelligere. In Deo autem est idem intellectus, et quod intelligitur, et ipsum intelligere eius. Unde

50 quidquid est in Deo ut intellectum, est ipsum vivere vel vita eius. Unde, cum omnia quae facta sunt a Deo, sint in ipso ut intellecta, sequitur quod omnia in ipso sunt ipsa vita divina.

I. q. 19, a. 1. c. Unde in quolibet habente intellectum, est voluntas; sicut in quolibet habente sensum, est appetitus animalis. Et sic oportet in Deo

55 esse voluntatem, cum sit in eo intellectus.

_____ 319

Et sicut suum intelligere est suum esse, ita suum velle. [8]

I. q. 19, a. 2. c. Respondeo dicendum quod Deus non solum se vult, sed etiam alia a se. Quod apparet a simili prius introducto. Res enim naturalis non solum habet naturalem inclinationem respectu proprii boni, ut acquirat

60 ipsum cum non habet; . . . . sed etiam ut proprium bonum in alia diffundat, secundum quod possibile est. Unde videmus quod omne agens, inquantum est actu et perfectum, facit sibi simile. Unde et hoc pertinet ad rationem vo-

_____

[8] Var.: *ita suum esse suum velle.*

der reden der guotheit, [1] alse daz guot, dat etwer hat, daz er daz eim andern gemeine, nach dem unde ez müglich ist. Unde daz behöret ze vorderest zuo dem gotlichen willen, von dem daz übermitz etliche glicheit alle volkomenheit [niderkumet. Unde da] von : ob die naturlichen

320

ding, in dem unde si vol-
5 komen sint, ir guot den andern gemeinent, vil mer behört ez suo dem gotlichen willen, daz er sin guot übermitz glicheit den andern gemein, nach dem unde ez [2] müglich ist. Unde also wil er, daz er si unde ouch die andern ding. Aber sich alse ein ende, aber die andern alse zuo dem ende, nach dem er verlihet [3] sin gotlich guotheit den andern teilhaftigen zewerdenne.

10 Ez ist zemerken, daz von not zesagen ist, daz der götlich wille si ein sache der ding, unde daz got wirke übermitz willen unde niht übermitz notdurft der naturen, alse etlich wanten. Daz da offenbar [ist] von der ordenunge der wirkenden sache. Die sache [4] wirket durch daz ende, unde daz verstan unde die nature, alse man ez bewiset in dem andern capitel dez buochez „Physicorum"; dez ist not, daz dem [wirk]ende vorbeterminieret übermitz
15 sin nature daz ende unde die mittern, die da von not zuo dem ende

321

sint, etwaz obersten verstans ; alse dem schozze dem ist ein sicher wis unde ein ende vor[beterminieret] von dem schietz. Unde da von so ist daz von not, daz daz wirkende übermitz daz verstan unde den willen vor dem wir-
20 kenden der naturen si. Unde dar so muoz die sache daz erste sin in der ordenunge der naturen wirkende. [5] Aber ez ist not, daz got übermitz verstan unde willen wirken. Unde da von so ist der wille gottis ein sache der dinge.

Ez ist zemerken, daz der wille gottis alzit erfült wirt. Her zuo ist zesagen, sit daz daz werke glichgeformet wirt dem wirkenden nach siner forme, die
25 selbe wis ist ouch in den sachen der wirkenden, dü da ist in den formelichen sachen. Aber nu ist ez also in den formen, daz etwer mag vallen von etlicher teillichen formen, doch enmag er niht gevallen von der ellichen formen ; wan ez mag etwaz gesin, daz niht ein mensche ist, noch lebende ist ; aber dekein ding mag

322

gesin, daz niht wesen ist. Unde diz muoz ouch geschehen in den
30 wirkenden sachen. Aber nu mag etliches gewerden uzwendig der ordenunge etliche[r] sache dez teilichen wirkendez, aber niht uzwendig der ordenunge der ellichen sache, under der begriffen werdent alle teillich sachen. Wan unde gebreste dekeine teillichen sachen an irem werke, daz wer durch

---

[1] MS : "gotheit."
[2] MS : "unde ez unde ez."
[3] Translator read *condecet* as *concedit* and misunderstood the rest of the sentence.
[4] *agat* connected with *causarum*?
[5] Passage unintelligible.

luntatis [6] ut bonum quod quis habet, aliis communicet, secundum quod pos-
35 sibile est. Et hoc praecipue pertinet ad voluntatem divinam, a qua, per
quandam similitudinem, derivatur omnis perfectio. Unde, si res naturales,

_____ 320

inquantum perfectae sunt, suum bonum aliis communicant, multo magis
pertinet ad voluntatem divinam, ut bonum suum aliis per similitudinem com-
municet, secundum quod possibile est. Sic igitur vult et se esse, et alia. Sed
40 se ut finem, alia vero ut ad finem, inquantum condecet divinam bonitatem
etiam alia ipsam participare.
   I. q. 19, a. 4. c. Respondeo dicendum quod necesse est dicere voluntatem
Dei esse causam rerum, et Deum agere per voluntatem, non per necessitatem
naturae, ut quidam existimaverunt. Quod quidem apparere potest . . . . ex
45 ipso ordine causarum agentium. Cum enim propter finem agat et intellectus
et natura, ut probatur in II *Physic.*, necesse est ut agenti per naturam prae-
determinetur finis, et media necessaria ad finem,

_____ 321

                                           ab aliquo superiori intel-
lectu; sicut sagittae praedeterminatur finis et certus modus a sagittante.
Unde necesse est quod agens per intellectum et voluntatem, sit prius agente
50 per naturam. Unde, cum primum in ordine agentium sit Deus, necesse est
quod per intellectum et volutatem agat.
   Voluntas igitur Dei est causa rerum.

   I. q. 19, a. 6. UTRUM VOLUNTAS DEI SEMPER IMPLEATUR

   . . . . considerandum est quod, cum effectus conformetur agenti secundum
suam formam, eadem ratio est in causis agentibus, quae est in causis forma-
libus. In formis autem sic est quod, licet aliquid [7] possit deficere ab aliqua
forma particulari, tamen a forma universali nihil deficere potest: potest
enim esse aliquid quod non est homo vel vivum, non autem potest esse

_____ 322

aliquid quod non sit ens. Unde et hoc idem in causis agentibus contingere
60 oportet. Potest enim aliquid fieri extra ordinem alicuius causae particularis
agentis: non autem extra ordinem alicuius causae universalis, sub qua omnes
causae particulares comprehenduntur. Quia, si aliqua causa particularis defi-

---

[6]   Var.: *bonitatis.*
[7]   Var.: *aliquis.*

etliche ander teillichen sachen, die si hinderre, die doch begriffen were under der ordenunge der ellichen sachen. Unde dar umbe so mag daz werke in dekeiner wis uzgen der ordenunge der ellichen sachen. Unde diz ist ouch offenbar in den liplichen dingen. Wan ez [mag] gehindert werden, daz ein
5 sterne niht inleitet sin werke. Unde doch: swelhes [werk] da von ervolget, von dem, daz etwaz gehindert wirt von einr liplichen sachen, in den liplichen dingen, so muoz daz sin, daz er widergeleitet werde übermitz etlich mittel- lichen sachen in die ellichen crafti des

323 _____

ersten himeles.

Sit denne daz gotis wille ein ellichü sache ist aller dinge, so ist unmüglich
10 daz gotis wille sin werk niht ervolge. Unde dar umb: von dem man sich ver- sieht, daz ez entwichen si von gotlichem willen nach einre ordenunge, daz vellet nah der andern wider in sinen willen; alse der sünder, alse vil ez in im ist, so entwichet [1] er von gotis wille sündende, der vellet in die ordenunge gotis willen, so er von siner gerehtikeit gepint wirt.
15 Aber von der manung, nah der man hie wirt gemant übermitz daz, daz St. Paulus sprichet: „Er wil, daz alle menschen selig werden,” daz doch niht geschiht, unde also schinet, daz sin wille niht alzit erfult werde.

Ez ist zesagen, daz got wil, daz alle menschen selig werden von dem vorganden willen, ouch wil er etlich sunder, daz si verdampnet werden von
20 den nachganden willen. Unde daz underscheit nimet man doch niht nah

324 _____

dem gotlichen willen, in dem noch vor noh nach ist, sunder nach teile der gewolten dinge.

Ez ist zemerken, daz gotis wille zemale ist unwandellich. Aber an disem ist zemerken, daz ein anders ist, daz der wille gewandelt werde, unde wellen
25 wandelung etliches dinges. Wan etlicher mag von einem willen, der unbe- weglich blibet, wellen, daz etwaz nu geschech, unde dar nach anders ge- schiht, daz er daz denne wil. Denne so wirde der wille gewandelt, so etwer etwaz beginnet zewellen, dez er nih vor wolte, oder daz er liesse ze wellen, daz er vor wolte. Unde daz enmag niht geschehen, denne ez werde vor-
30 gesast die wandelung von dem teile dez erkennens oder von der bereitunge dez undergeworfenen willen. Wan der wille guot ist, etwaz daz mag an- vahen ze wellen von nüwens in zweier hande wis. In einer wis: ob im daz nüwe anhebe im guot zesin. Daz niht

325 _____

enist ane sin wandelunge. Alse swenne anvaht kalt zewerden, so vaht sich an, daz ez guot ist, daz man sitze bi dem
35 für, daz vor niht guot waz. In einer andern wis: ob er von nüwens erkennet,

[1]   MS: "entwicheit."

ciat a suo effectu, hoc est propter aliquam aliam causam particularem impedientem, quae continetur sub ordine causae universalis: unde effectus ordinem causae universalis nullo modo potest exire. Et hoc etiam patet in corporalibus. Potest enim impediri quod aliqua stella non inducat suum effec-
40 tum: sed tamen quicumque effectus ex causa corporea impediente in rebus corporalibus consequatur, oportet quod reducatur per aliquas causas medias in universalem virtutem

---

323

primi caeli.
Cum igitur voluntas Dei sit universalis causa omnium rerum, impossibile est quod divina voluntas suum effectum non consequatur. Unde quod rece-
45 dere videtur a divina voluntate secundum unum ordinem, relabitur in ipsam secundum alium: sicut peccator, qui, quantum est in se, recedit a divina voluntate peccando, incidit in ordinem divinae voluntatis, dum per eius iustitiam punitur.
AD SEXTUM sic proceditur. Videtur quod voluntas Dei non semper im-
50 pleatur. Dicit enim Apostolus, I ad Tim. II quod Deus *vult omnes homines salvos fieri*.... Sed hoc non ita evenit. Ergo voluntas Dei non semper impletur.
AD PRIMUM ergo dicendum quod.... Deus antecedenter vult omnem hominem salvari; sed consequenter vult quosdam damnari,.... Quae quidem
55 distinctio non accipitur

324

ex parte ipsius voluntatis divinae, in qua nihil est prius vel posterius; sed ex parte volitorum.
I. q. 19, a. 7. c. Respondeo dicendum quod voluntas Dei est omnino immutabilis. Sed circa hoc considerandum est, quod aliud est mutare voluntatem: et aliud est velle aliquarum rerum mutationem. Potest enim aliquis, eadem
60 voluntate immobiliter permanente, velle quod nunc fiat hoc, et postea fiat contrarium .Sed tunc voluntas mutaretur, si aliquis inciperet velle quod prius non voluit, vel desineret velle quod voluit. Quod quidem accidere non potest, nisi praesupposita mutatione vel ex parte cognitionis, vel circa dispositionem substantiae ipsius volentis. [2] Cum enim voluntas sit boni, aliquis de novo
65 dupliciter potest incipere aliquid velle. Uno modo sic, quod [3] de novo incipiat sibi illud esse bonum. Quod

---

325

non est absque mutatione eius: sicut adveniente frigore, incipit esse bonum sedere ad ignem, quod prius non erat. Alio modo sic, [4] quod de novo cognoscat illud esse sibi bonum, cum prius

[2] Var.: *voluntatis.*
[3] Var.: *si.*
[4] Var.: *Alio modo si.*

daz im daz guot si, wenne er sin vor niht enweste. Unde von nemen wir
rat, daz wir wissen, waz uns guot si. Aber nu ist ez also, daz als wol die
gotlich substancie, also ouch sin kunst zemale unwandelich ist. Unde da von
so muoz sin wille zemale unwandelich sin.

5 Ez ist zemerken, sit daz die reden dez guoten ist reden der begerlichi, nu
ist daz übel widerwertig dem guoten. Unde dar umbe ist ez enmüglich, daz
dekeins bösen, alse vil ez bös ist, begeret werde [1] von naturilicher begirde,
noch von vehelicher noch von vernünfticlicher, die da der wille ist. Aber
etliches bösen dinges begert man übermitz zuoval, alse vil unde ez volget
10 zuo etwaz

326 ━━

guotes. Unde daz ist offenbar in einer ieklichen begirden. Wan
daz natürliche wirkende daz enmeinet niht die beroubung oder die vergenk-
licheit, sunder die formen, der zuogefüeget wirt die beroubunge ein[er]
andern formen; unde die geberung dez einen, die da ist ein beroubunge oder
zerstörunge dez andern. Wan der lewe, der den hirze tötet, der meinet die
15 spitse, der da zuogefüeget wirt die vehelich tötung. Unde dez gliches so
meinet der unküscher die luste, der da zuogefüeget wirt die entstellunge der
schulde.

Aber daz übel, da zuogefüeget wirt eins [2] andern guot, ist ein be-
roubung dez andern guotes. Unde dar um so begerte man niemer dekeines
20 übelen, noch übermitz zuoval, nihtwan daz guot, dem daz übel zuogefüeget
were, wer mer begerlich. Nu wil got [3] dekeines guoten mer denne sin guot-
heit; doch wil er eins guoten mer denne etliches [4] andern.

327 ━━

Unde dar umbe:
daz böse der schulde, daz beroubet die ordenunge zuo dem gotlichen guot,
daz enwil got in dekeiner wis. Sunder er wil die pine dez übeln, unde wel-
25 lende etwaz guotes, dem zuogefüeget ist ein solich übel; alse, wellende die
gerehtikeit, wil er die pine; unde wellende die ordenunge der nature zebe-
haltende, wil er etliche liplich ding ze nihte werden.

Ez ist zemerken, daz wir frien willen haben von gesihte der, die wir
da wellen niht von notdurft oder von natürlicher tribunge. Wan daz enbe-
30 hört niht dem frigen willen zuo, daz wir wellen selig sin, sunder zuo der
natürlicher tribunge. Wan andrü tiere, die von naturilicher tribunge be-
weget werdent zuo etwaz, von den seit man niht, daz si von frigen willen
beweget werden. Wan denne got sin guotheit wil .... aber zuo den andern,
die er niht von notdurft wil, zuo den hat er

328 ━━

---

[1] MS: "begeret werden werde."
[2] *alicui* read as *alicuius.*
[3] MS: "guot."
[4] MS: "ethliches."

35 hoc ignorasset: ad hoc enim consiliamur, ut sciamus quid nobis sit bonum. est autem .... quod tam substantia Dei quam eius scientia est omnino immutabilis. Unde oportet voluntatem eius omnino esse immutabilem.

I. q. 19, a. 9. c. Respondeo dicendum quod, cum ratio boni sit ratio appetibilis, ... malum autem opponatur bono: impossibile est quod aliquod malum, 40 inquantum huiusmodi, appetatur, neque appetitu naturali, neque animali, neque intellectuali, qui est voluntas. Sed aliquod malum appetitur per accidens, inquantum consequitur ad aliquod

───────────────────────────────── 326

bonum. Et hoc apparet in quolibet appetitu. Non enim agens naturale intendit privationem vel corruptionem; sed formam, cui coniungitur privatio alterius formae; et generationem unius, 45 quae est corruptio alterius. Leo etiam, occidens cervum, intendit cibum, cui coniungiur occisio animalis. Similiter fornicator intendit delectationem, cui coniungitur deformitas culpae.

Malum autem quod coniungitur alicui bono, est privatio alterius boni. Nunquam igitur appeteretur malum, nec per accidens, nisi bonum cui coniun- 50 gitur malum, magis appeteretur .... Nullum autem bonum Deus magis vult quam suam bonitatem: vult tamen aliquod bonum magis aliud quoddam

───────────────────────────────── 327

bonum. Unde malum culpae ,quod privat ordinem ad bonum divinum, Deus nullo modo vult. Sed malum .... poenae vult, volendo aliquod bonum, cui coniungitur tale malum: sicut, volendo iustitiam, vult poenam; et volendo 55 ordinem naturae servari, vult quaedam naturaliter corrumpi.

I. q. 19, a. 10. c. Respondeo dicendum quod liberum arbitrium habemus respectu eorum quae non necessario volumus, vel naturali instinctu. Non enim ad liberum arbitrium pertinet quod volumus esse felices, sed ad naturalem instinctum. Unde et alia animalia, quae naturali instinctu moventur ad ali- 60 quid, non dicuntur libero arbitrio moveri. Cum igitur Deus ex necessitate suam bonitatem velit, alia vero non ex necessitate, ut supra ostensum est; respectu illorum quae non ex necessitate vult,

───────────────────────────────── 328

frigen willen.

Ez ist zemerken, daz von not in got zesezzen ist minne. Wan die erst bewegunge dez willen unde einer ieklicher begerlicher craft ist die minne. Sit die getat dez willen unde einre ieklichen begerlicher craft meine etwaz guotes unde übels alse in die eigen gegenwirffe — aber daz guot ist dez ersten unde
5 übermitz sich selber gegenwurf dez willen unde der begirde, aber daz übel dar nach, unde daz übermitz etwaz anders, nach dem unde ez gegenwirflich ist dem guoten — die müezen von not e sin naturliclichen vor den getaten [1] des willen unde der begirde, die da ansehent daz guot, disen, die da ansehent daz übel; alse die fröide alse wol alse [2] die trurikeit, unde
10 die minne alse der hasse. Aber alle zit ist daz vor, daz da übermitz sich selber ist, denne daz da übermitz ein anders ist.

Unde fürbas, daz da natürlichen gemeinre ist, daz ist vor. Unde da von so hat ouch daz verstan ordenunge

329 ─────────────────────────────────

dez ersten zuo der gemeinen warheit, denne [3] zuo der teillichen warheit. Nu sint etlich getat des willen unde der
15 begirde, die ansehent daz guot under etlicher eigenschaft, die sunderlich ist; alse die fröde unde der lust die sint von dem guot, daz gegenwerticlichen gehabt wirt; aber die begirde unde der gedinge sicht an daz guot, daz noch niht gewunnen ist. Aber die minne sieht an daz guot in der gemeinheit, ez si daz man ez habe oder niht enhabe. Unde dar umb so ist die minne, dü
20 da natürlichen ist ein erste getat dez willen unde der begirde.

Unde durch daz so fürsetzent alle die andern begerlichen bewegunge die minnen alse ein ersten wirzelen. Wan daz verstan enbegert nihtes niht, nihtwan daz geminte guot, noh nieman fröwet sich von dekeim guot anders denne von dem geminten guot. Unde

330 ─────────────────────────────────

der hazze ist von niht anders denne von dem,
25 daz geminten [dingen] wider ist. Unde dez gliches: die betrüebede unde solichü ding, daz ist offenbar, daz daz wirt widergetragen [in die minne] alse in daz erste beginne. Unde dar umbe, in waz daz der wille ist oder die begirde, in daz so muoz ouch die minne sin. Wan von dem, daz daz erste abevellet, so vallent ouch die andern abe. Nu ist in got wille. Da von ist
30 ouch notdürftig, daz man in got sezze minne.

Ez ist zemerken, daz got ellü wesenden ding minnet. Aber ellü ding, die da sint, sint [4] guot, in dem daz si sint. Wan daz wesen eins ieklichen dinges ist etwaz guotes, unde also dez gliches ein iekliche volkomenheit dez dinges.

---

[1] Apparently, the translator did not recognize *actus* as the subject of *esse priores*; he must have read *actibus* and taken *his* as in apposition to *actibus*.
[2] Faulty translation.
[3] MS repeats "zuo der gemeinen warheit denne."
[4] MS: "en sint niht."

liberum arbitrium habet.

I, p. 20, a. 1. c. Respondeo dicendum quod necesse est ponere amorem in
35 Deo. Primo enim motus voluntatis, et cuiuslibet appetitivae virtutis, est amor.
Cum enim actus voluntatis, et cuiuslibet appetitivae virtutis, tendat in bonum
et malum, sicut in propria obiecta; bonum autem principalius et per se est
obiectum voluntatis et appetitus, malum autem secundario et per aliud, in-
quantum scilicet opponitur bono: oportet naturaliter esse priores actus vo-
40 luntatis et appetitus qui respiciunt bonum, his qui respiciunt malum; ut gau-
dium quam tristitia, et amor quam odium. Semper enim quod est per se,
prius est eo quod est per aliud.

Rursus, quod est communius, naturaliter est prius; unde et intellectus per
prius habet

_____ 329

ordinem ad verum commune, quam ad particularia quaedam
45 vera. Sunt autem quidam actus voluntatis et appetitus, respicientes bonum
sub aliqua speciali conditione: sicut gaudium et delectatio est de bono prae-
senti et habito; desiderium autem et spes, de bono nondum adepto. Amor
autem respicit bonum in communi, sive sit habitum, sive non habitum. Unde
amor naturaliter est primus actus voluntatis et appetitus.
50 Et propter hoc, omnes alii motus appetitivi praesupponunt amorem, quasi
primam radicem. Nullus enim [5] desiderat aliquid, nisi bonum amatum: neque
aliquis gaudet, nisi de bono amato.

_____ 330

Odium etiam non est nisi de eo quod
contrariatur rei amatae. Et similiter tristitiam, et cetera huiusmodi, mani-
festum est in amorem referri, sicut in primum principium. Unde in quocum-
55 que est voluntas vel appetitus, oportet esse amorem: remoto enim primo,
removentur alia. Ostensum est autem in Deo esse voluntatem. Unde necesse
est in eo ponere amorem.

I, q. 20, a. 2. c. Respondeo dicendum quod Deus omnia existentia amat.
Nam omnia existentia, inquantum sunt, bona sunt: ipsum enim esse cuius-
60 libet rei quoddam bonum est, et similiter quaelibet perfectio ipsius. Ostensum

---

[5] Var.: *intellectus enim non desiderat.*

Nu ist die gotlich guotheit [1] ein sache aller dinge. Unde also muoz es sin, daz etwaz habe also vil wesens unde guotes, also vil ez gewolt ist von got. Nu wil got einem ieklichen, daz da ist, etwaz guotes. Umbe daz, wan

331

minnen niht anders en ist denne im etwaz guotes wellen, so ist offenbar,
5 daz got ellü ding minet, die der sint.

Noch niht in der wis, unde wir minnen. Wan unser wille ist niht ein sache sinre guotheit, sunder er wirt von im beweget alse von sinem gegenwurf, aber die minne, von der wir etwem etwaz guotes wellen, en ist niht ein sache siner guotheit, sunder hin wider: sin guotheit, oder die waren oder die ge-
10 wanten, lokent für die minne, von der wir im etwaz guotes wellen behalten. Sunder die gotis minne ist uzgiezende oder schephende die guotheit in den dingen. Wan von dem sint dü ding, wan er sü minnet. [2]

Ez ist zemerken, daz got einem dinge mer guotez wil denne einem andern. Unde dez sache merke: sit daz minen ist wellenne etwem etwaz guotes, so
15 ist in zweier hande wis zenemen, daz etwaz mer oder minre geminnet wirt. Eins wise von der getat [des willen]

332

selber, dü mer unde minre innewendig ist. Unde nach dem so enminnet got eins niht mer denne daz ander, wan got der minet ellü ding von einer einveltiger getat dez willen unde heltet sich alzit [3] in einer wis. In der andern wis von teile dez guoten, daz etwer wil
20 den geminten. Unde also seit man von uns, daz wir eins mer minnen, denne die andern, dem [4] wir mer guotes wellen; wie doch daz ist, daz wir von irem [5] willen niht mer minnen. Unde in dirre wis so ist von not zesagen, daz got etliches mer minnet denne daz ander. Sit denne gottes minne ein sache ist aller dinge guotheit, so en möhte ein ding niht bezzer sin denne das
25 ander, unde wolt got eime ding niht mer guotes denne dem andern.

Unde von disen so volget daz, daz got die bezzern mer minnet. Nu ist diz gesprochen, daz daz, daz got etwaz mer minnet denne ein anders, nihtes niht anders ensi, denne daz

333

er im mer etwaz guotes wil. Nu ist der wille gotis ein sache der guotheit in den dingen. Unde also sint etlich besser, den got
30 mer guotes wil. Unde da von volget, daz er die bessern mer minnet.

Ez ist zemerken, daz zwiveltigez gesteltnüsse der gerehtikeit [ist. Eine] die da bestat in der gebunge unde in der enphahung, alse ahte, die da bestat in der verkouffunge unde in dem kouffe unde in andern solichen gemei-
nunge oder wandelungen. Unde diz ist gesprochen von dem phylosophen in

---

1 *voluntas* read as *bonitas,* cf. page 320.
2 No Latin parallel found.
3 MS: "alzt."
4 MS: "den."
5 MS: "irem."

35 est autem supra quod voluntas Dei est causa omnium rerum: et sic oportet quod intantum habeat aliquid esse, aut quodcumque bonum, inquantum est volitum a Deo. Cuilibet igitur existenti Deus vult aliquod bonum. Unde,

━━ 331

cum amare nil aliud sit quam velle bonum alicui, manifestum est quod Deus omnia quae sunt, amat.
40 Non tamen eo modo sicut nos. Quia enim voluntas nostra non est causa bonitatis rerum, sed ab ea movetur sicut ab obiecto, amor noster, quo bonum alicui volumus, non est causa bonitatis ipsius; sed e converso bonitas eius, vel vera vel aestimata, provocat amorem, quo ei volumus .... bonum conservari .... Sed amor Dei est infundens et creans bonitatem in rebus.

45 I. q. 20, a. 3. UTRUM MAGIS AMET UNUM QUAM ALIUD. [6]

Respondeo dicendum quod, cum amare sit velle bonum alicui, duplici ratione potest aliquid magis vel minus amari. Uno modo, ex parte ipsius actus voluntatis,

━━ 332

qui est magis vel minus intensus. Et sic Deus non magis quaedam aliis amat: quia omnia amat uno et simplici actu voluntatis, et
50 semper eodem modo se habente. Alio modo, ex parte ipsius boni quod aliquis vult amato. Et sic dicimur aliquem magis alio amare, cui volumus maius bonum; quamvis non magis intensa voluntate. Et hoc modo necesse est dicere quod Deus quaedam aliis magis amat. Cum enim amor Dei sit causa bonitatis rerum, ... non esset aliquid alio melius, si Deus non vellet uni maius bo-
55 num quam alteri.
I, q. 20, a. 4. c. Respondeo dicendum quod necesse est dicere, secundum praedicta, quod Deus magis diligat meliora. Dictum est enim quod Deum diligere magis aliquid, nihil aliud est quam

━━ 333

ei maius bonum velle: voluntas enim Dei est causa bonitatis in rebus. Et sic, ex hoc sunt aliqua meliora,
60 quod Deus eis maius bonum vult. Unde sequitur quod meliora plus amet.
I, q. 21, a. 1. c. Respondeo dicendum quod duplex est species iustitiae. Una, quae consistit in .... datione et acceptione: ut puta quae consistit in emptione et venditione, et aliis huiusmodi communicationibus vel commutationibus.

[6] Taken from the introduction to Question 20.

dem fünften capitel in dem buoch „Ethicorum," „die wandelich gerehtikeit"
dü ist der gemeinung oder der wandelung. Unde daz enbehöret niht got zuo,
wan, als St. Paulus „Zuo den Romeren" sprichet, in dem einliften capitel,
„Were [1] hat got vor gegeben, unde ez im niht vergolten hat?"

5   Die ander gerehtikeit ist, dü bestat in der gebung, unde heizet „ein geblichü
gerehtikeit," nach dem

334 ━━

                          unde etlich rihtere oder spender git einem ieklichen
nach siner wirdikeit. Alse denne die ordenunge dez gesindes, oder waz
meinge ez ist, die gerihtet ist, zeiget [2] solich rihtunge in dem rihtenden; unde
alse die ordenunge aller dinge, die da offenbar ist also wol in den [3] natür-
10 lichen dingen alse ouch in den willigen dingen, zeiget die gotlichen gerehti-
keit. Als St. Dionysius sprichet in dem ahtenden capitele „Von den gotlichen
namen": „In dem muos man sehen die gewarn gotlichen gerehtikeit, daz er
einem ieklichen eigenü git nach eins ieklichen wirdikeit; unde eins ieklichen
naturen wirt behalten in siner eigener ordenunge unde siner eigener craft."

15   Ez ist zemerken, daz got alremeist zuozelegen ist die erbarmherzikeit:
nach dem werk, niht nach [4] der begerunge der lidunge. Her zuo ist zesagen,
daz der erbarmherzig heizet, der da ein „erbermiges

335 ━━

                                      herze" hat; wan er wirt
betrüebet von [5] eins andern gebresten übermitz betrüebde, alse ob ez sin
eigen gebresten wäre. Unde da von so volget daz dar nach, daz [er] ver-
20 dribet den gebresten eins andern alse sinen eigenen gebresten; unde daz
ist ein werke der erbermede. Aber betrüebet zesin von eins andern gebresten
daz behöret niht got zuo, sunder vertriben eins andern gebresten. Aber aller
meist behort im daz zuo, daz er übermitz erbermede eins ieklichen gebresten
vertribe. [6] Aber nu werdent die gebresten niht abgenomen, nihtwan über-
25 mitz etliches guotes volkomenheit; aber der erste ursprung der guotheit
ist got.

Aber nu ist zebetrahten: daz geben volkomenheit den dingen, daz behöret
zuo der gotlichen guotheit unde zuo der gerehtikeit unde zuo der friheit
unde zuo der erbermede; doch nach einer andern reden. Wan die gemein-
30 samung der volkomenheit,

336 ━━

[1] Is this possibly an emphatic form?
[2] MS: "zerget."
[3] MS: "dem."
[4] MS: "naht."
[5] MS: "von erbermeden eins anderen gebresten." I believe the translator first
misread *miseria* as *misericordia,* then corrected himself and translated *ex miseria
alterius* with "von eins andern gebresten."
[6] Translator read, perhaps legitimately in his Latin MS: *ut per misericordiam
cuiuscumque defectum repellat.*

Et haec dicitur a Philosopho, in V *Ethic., iustitia commutativa,* .... commutationum sive communicationum. Et haec non competit Deo: quia, ut dicit Apostolus, *Rom.* XI: *quis prior dedit illi, et retribuetur ei?*

Alia, quae consistit in distribuendo: et dicitur *distributiva iustitia,* secundum quam

35

———————————————————————————————————— 334

aliquis gubernator vel dispensator dat unicuique secundum suam dignitatem. Sicut igitur ordo .... familiae, vel cuiuscumque multitudinis gubernatae, demonstrat huiusmodi iustitiam in gubernante; ita ordo universi, qui apparet tam in rebus naturalibus quam in rebus voluntariis, demonstrat Dei iustitiam. Unde dicit Dionysius, VIII cap. *de Div. Nom.*: *Oportet videre*
40 *in hoc veram Dei esse iustitiam, quod omnibus tribuit propria, secundum uniuscuiusque existentium dignitatem; et uniuscuiusque naturam in proprio salvat ordine et virtute.*

I, q. 21, a. 3. c. Respondeo dicendum quod misericordia est Deo maxime attribuenda: tamen secundum effectum, non secundum passionis affectum.
45 Ad cuius evidentiam, considerandum est quod misericors dicitur aliquis quasi

———————————————————————————————————— 335

habens *miserum cor*: quia scilicet afficitur ex miseria alterius per tristitiam, ac si esset eius propria miseria. Et ex hoc sequitur quod operetur ad depellendam miseriam alterius, sicut miseriam propriam: et hic est misericordiae effectus. Tristari ergo de miseria alterius non competit Deo: sed
50 repellere miseriam alterius, hoc maxime ei competit, ut per miseriam quemcumque defectum intelligamus. Defectus autem non tolluntur, nisi per alicuius bonitatis perfectionem: prima autem origo bonitatis Deus est ....

Sed considerandum est quod elargiri perfectiones rebus, pertinet quidem et ad bonitatem divinam, et ad iustitiam, et ad liberalitatem, et misericordiam:
55 tamen secundum aliam et aliam rationem. Communicatio enim perfectionum.

———————————————————————————————————— 336

also vil alse man die bloslich betrahtet [1] so behöret si zuo der guotheit. Aber also vil alse die volkomenheit von got gegeben werdent den dingen nach iren glichungen, daz behöret zuo der gerehtikeit. Aber also vil alse [er] niht zuogit die volkomenheit den dingen durch sinen nutz, sunder alleine zuo siner guotheit, daz behöret zuo der friheit. Aber also
5 vil alse die volkomenheit, die da von got gegeben sint den dingen, die vertribent den gebresten, unde daz behört zuo der erbermede.

Ez ist zemerken, daz in allen gotlichen werken funden wirt erbermede unde gerehtikeit, aber so man von einer abnemunge eins ieklichen gebresten nimet die erbermede; wie doch daz ist, daz niht alle gebresten heizen mügen
10 erbermede, [2] sunder allein der [3] gebresten der redelicher naturen; die [4] da etwenne selig ist: aber die armuot oder die iamerkeit ist widerwertige

337 ━━━

der selikeit. Unde dirre notdurft ist rede, daz die schulde, die man von gotlicher gerehtikeit giltet, daz daz si von schulde gottis oder von der schulde der creaturen, der entweders mag vorgelazen werden in dekeime gotlichen
15 werke. Wan got der en mag dekein dinge getuon, daz unbehörlich si siner wisheit unde siner guotheit, nah der wis unde wir sprechen, daz [5] got etwaz schuldig si. Unde dez gliches: swaz got tuot in den geschaffenen dingen, daz tuot er nach einer behörlichen ordenunge unde glicheit; in der daz die rede der gerehtikeit bestet. Unde also muoz in allen gotlichen werken gerehtikeit
20 sin.

Aber daz werke der gotlichen gerehtikeit, daz setzet alzit für daz werk der erbermede unde fundieret dar uf. Nu ist man der creaturen nihtes niht anders schuldig, nihtwan durch etwaz, daz in ir [6] ist oder vor in ir [7] betrahtet ist. Unde fürbas: unde ist, daz man daz der creaturen schuldig ist,

338 ━━━

25 unde daz geschiht durch etwaz, daz vor ist. Unde niht [8] fürzegande in die unentlicheit, so muoz man komen zuo etwaz, daz allein von der gotlichen guotheit hanget, daz da ist ein iungstes ende. Alse ob wir sprechen, die hant, die ist behörlich dem menschen durch die redelichen selen, aber daz er die redelichen sele habe, dar um si er ein mensche, aber daz der mensche
30 si, durch die gotlichen guotheit. Unde also ist in einem ieklichen gotlichen werke offenbar die erbermede, alse vil alse zuo der ersten wirzelen. Von

---

[1] Copyist, confusing two passages starting with "also vil alse," inserted "man die bloslich betrahtet" after the "also vil alse" of the next sentence.
[2] Possibly *miseria* read as *misericordia*.
[3] MS: "den."
[4] MS: "der."
[5] MS: "daz si."
[6] MS: "in."
[7] MS: "von in in."
[8] MS: "unde man niht."

absolute considerata, pertinet ad bonitatem, ... Sed inquantum perfectiones
rebus a Deo dantur secundum earum proportionem, pertinet ad iustitiam . . . .
Inquantum vero non atrribuit rebus perfectiones propter utilitatem suam,
35 sed solum propter suam bonitatem, pertinet ad liberalitatem. Inquantum vero
perfectiones datae rebus a Deo, omnem defectum expellunt, pertinet ad
misericordiam.

I, q. 21, a. 4. c. Respondeo dicendum quod necesse est quod in quolibet
opere Dei misericordia et veritas inveniantur; si tamen misericordia pro
40 remotione cuiuscumque defectus accipiatur; quamvis non omnis defectus
proprie possit dici miseria, sed solum defectus rationalis naturae, quam
contingit esse felicem; nam miseria felicitati opponitur.

—————————————————————————————————————— 337

Huius autem necessitatis ratio est, quia, cum debitum quod ex divina iusti-
tia redditur, sit vel debitum Deo, vel debitum alicui creaturae, neutrum potest
45 in aliquo opere Dei praetermitti. Non enim potest facere aliquid Deus, quod
non sit conveniens sapientiae et bonitati ipsius; secundum quem modum
diximus aliquid esse debitum Deo. Similiter etiam quidquid in rebus creatis
facit, secundum convenientem ordinem et proportionem facit; in quo con-
sistit ratio iustitiae. Et sic oportet in omni opere Dei esse iustitiam.
50 Opus autem divinae iustitiae semper praesupponit opus misericordae, et in
eo fundatur. Creaturae enim non debetur aliquid, nisi propter aliquid in eo
praeexistens, vel praeconsideratum: et rursus, si illud creaturae debetur,

—————————————————————————————————————— 338

hoc erit propter aliquid prius. Et cum non sit procedere in infinitum, oportet
devenire ad aliquid quod ex sola bonitate divinae voluntatis dependeat, quae
55 est ultimus finis. Utpote si dicamus quod habere manus debitum est homini
propter animam rationalem: animam vero rationalem habere, ad hoc quod
sit homo; hominem vero esse, propter divinam bonitatem. Et sic in quolibet
opere Dei apparet misericordia, quantum ad primam radicem eius. Cuius

des craft [1] behalten wirt [2] die erbermede in allen den dingen, die dar nach volgent, daz ouch si in in creftiklicher wirke, alse die erste sach crefticlicher inflüzet denne die andern sache. Unde ouch durch daz: dü ding, die etlichen creaturen schuldig sint, den git ez got von siner überflüzikeit miltiklicher, denne die glicheit dez dinges housche. Wan ez ist minre, dez gnuog ist zebehalten die ordenunge der gerehtikeit,

339 ────────────────────────────────────

denne die gotlichen guotheit daz si bring, daz da fürtriffet die glicheit der creturen.

Doch [3] ist zemerken, daz etlich zuo gegenwerke der gotlicher dinge aber etlichü ist creftiklichen wan in etlichen enwerdent gerehtikeit, offenbar die gerehtikeit, unde in etlichen die erbermede. Unde doch in der verdampnüsse der verdampter, in der [4] ist offenbar die erbermede; doch niht daz [er] alzemale verlazen habe, sunder in etlicher wise zelichterne [5] swenne daz er pinet innewendig [6] unde er sin wirdig ist. Wan in dem daz er rehtvertiget [7] die bösen, so ist offenbar die gerehtikeit, wenne er die schulde vergit durch die minne, die er doch von erbermede ingüzet; alse man liset von St. Marien Magdalenen in St. Lucas ewangeli in dem sibenden capitel: „Ir worden vil sünden vergeben, wan si vil gemeinnet hat."

Ez ist zemerken, daz ez got behörlich ist. daz er die

340 ────────────────────────────────────

menschen fürbereite. Wan ellü ding dü sint geworfen under die fürsihtikeit gotiz. Aber zuo gottis fürsihtikeit behöret, daz si dü ding in ir ende zeden. [8] Aber daz [9] ende, zuo dem daz die geschaffenen ding geordent werdent, daz ist in zweier hande wis. Ein wis dez endes, die da fürtriffet die glicheit der naturen der creature unde ir maht. Daz ander ist ein ende, daz der naturen geglichet ist, daz dem geschaffenen ding widervaren mag nach der craft siner naturen. [10] Aber zuo dem, dar zuo dekein [11] dinge komen mag von craft siner naturen, sol ez denne dar zuo komen, daz er von einem andern überbraht werde, alse daz schoz, daz daz gelazen wirt von dem schiezzenden [12] ze einem zeichen. Unde

----

[1] *virtus* read as *virtute*.

[2] MS: "wir."

[3] By several transpositions and omissions, the copyist has made this sentence completely unintelligible.

[4] MS: "den."

[5] MS: "zeliehterne."

[6] *citra* read as *intra*?

[7] MS: "vertilget."

[8] Cf. Diefenbach, § 399; cf. also Gothic "ungatass," "inordinate." The ending *en* frequent in this MS for 3rd sing. pres. subj.

[9] MS: "die ende."

[10] MS: "naten."

[11] MS: "dekeim."

[12] MS: "sehiezzenden."

virtus salvatur in omnibus consequentibus; et etiam vehementius in eis operatur, sicut causa primaria vehementius influit quam causa secunda. Et
30 propter hoc etiam ea quae alicui creaturae debentur, Deus, ex abundantia suae bonitatis, largius dispensat quam exigat proportio rei. Minus enim est quod sufficeret ad conservandum ordinem iustitiae,

————————————————————————————————————— 339

       quam quod divina bo-
nitas confert, quae omnem proportionem creature excedit.

 Ad primum ergo dicendum quod quaedam opera attribuuntur iustitiae,
35 et quaedam misericordiae, quia in quibusdam vehementius apparet iustitia, in quibusdam misericordia. Et tamen in damnatione reproborum apparet misericordia, non quidem totaliter relaxans, sed aliqualiter allevians, dum punit citra condignum. Et in iustificatione impii apparet iustitia, dum culpas relaxat propter dilectionem, quam tamen ipse misericorditer infundit: sicut
40 de Magdalena legitur, Luc. VII: *dimissa sunt ei peccata multa, quoniam dilexit multum.*
 . I, q. 23, a. 1. c. Respondeo dicendum quod Deo conveniens est

————————————————————————————————————— 340

         homines
praedestinare. Omnia enim divinae providentiae subiacent .... Ad providen-
tiam autem pertinet res in finem ordinare .... Finis autem ad quem res
45 creatae ordinantur a Deo, est duplex. Unus, qui excedit proportionem naturae creatae et facultatem ....Alius autem finis est naturae creatae [13] proportio-
natus, quem scilicet res creata potest attingere secundum virtutem suae naturae. Ad illud autem ad quod non potest aliquid virtute suae naturae pervenire, oportet quod ab alio transmittatur; sicut sagitta a sagittante
50 mittitur ad signum. Unde, proprie loquendo, [14] rationalis creatura, quae

[13] *creatae* omitted in certain manuscripts.
[14] *loquendo* omitted in certain manuscripts.

da von eigentlich die redelich creaturen, die da begriflich ist dez ewigen
lebennes, wirt in ez [1] gelazen alse von got gesant. Unde die rede der sendung
dü ist vor in got gewesen, alse ouch die rede der ordenungen in im ist,

341 ───

dü ein ordenunge ist aller dinge in ir ende, daz wir da heizen die fürsihti-
5 keit. Aber die rede etlichez gewerdennes, [2] daz da ist in dem gemüet des
werkes, ist etwaz, daz vorgesin ist dez dinges gewerden in im. Unde da von
die vorgenanten reden der übersendunge der redelichen creaturen in daz
ewig leben, diz heizet die fürbereitunge, wan fürbereiten ist alse senden.
Unde alse ist ez offenbar, daz die fürbereitung, alse vil alse zuo den gegen-
10 wirfen, ist etwaz teiles der fürsihtikeit.

Ez ist zemerken, daz die fürbereitunge niht etwaz ist in den fürbereiten
dingen, sunder in dem, der da fürbereitent ist alleine. Aber ez ist gesprochen
unmittelich, daz die fürbereitung ist etwaz teiles der fürsihtikeit. Aber die
fürsihtikeit enist niht in den fürgesehenen dingen, sunder ez ist etwaz rede
15 in dem [3] verstan dez, der da fürsieht. Aber die ervolgunge der fursihtikeit,
die da heizet ein „rihtunge,“ dü ist lidende in dem, [3] daz

342 ───

gerihtet ist, aber
wirklichen in dem [3] rihtenden. Unde da von ist offenbar, daz die fürberei-
tung ist etwaz rede der ordenunge etlicher dinge in daz ewig unde stande
in dem gotlichen gemüt.
20 Ez ist zemerken, daz got etlich verwirfet. Wan die fürbereitunge ist ein
teile der fürsihtikeit, alse gesprochen ist. Aber zuo der fürsihtikeit behöret
verhengen etlichen gebresten in den, die der fürsihtikeit undergeworfen sint.
Unde da von, wan übermitz die gotlichen fürsihtikeit die menschen geordent
werdent in daz ewig leben, unde ouch so behöret daz zuo der gotlichen für-
25 sihtikeit, daz er verhenge, daz etlich vallen von dem [4] ende. Unde da von
sprichet man, daz er verwerfe.

Unde also dar umbe, alse die fürbereitunge ein teile ist der fürsihtikeit
von gesihte der, die da gotlichen geordent werdent in die ewigen selikeit,
also ist ouch die verwerfunge ein teile der fürsihtikeit

343 ───

von gesihte der, die
30 da von disem ende vallent oder abvallen süllen. Unde da von so nemet die
verwerfunge niht alleine die fürwissentheit, sunder ez leit etwaz zuo nach
der reden, alse ouch [5] die fürsihtikeit. Unde alse die fürbereitunge inne-
beslüzet den willen, zebringen die gotlichen gnaden unde die glori ; unde

---

1   MS: "si" for *ipsam.*
2   Cf. page 250, note 4.
3   MS: "den."
4   MS: "de."
5   MS: "durch."

est capax vitae aeternae, perducitur in ipsam quasi a Deo transmissa.
35 Cuius quidem transmissionis ratio in Deo praeexistit; sicut et in eo est
ratio ordinis

─── 341

omnium in finem, quam diximus esse providentiam. Ratio
autem alicuius fiendi in mente actoris existens, est quaedam praeexistentia
rei fiendae in eo. Unde ratio praedictae transmissionis creaturae rationalis
in finem vitae aeternae, *praedestinatio* nominatur: nam *destinare* est mittere.
40 Et sic patet quod praedestinatio, quantum ad obiecta, est quaedam pars
providentiae.
I, q. 23, a. 2, c. Respondeo dicendum quod praedestinatio non est aliquid
in praedestinatis, sed in praedestinante tantum. Dictum est enim quod prae-
destinatio est quaedam pars providentiae. Providentia autem non est in rebus
45 provisis; sed est quaedam ratio in intellectu provisoris, ... Sed executio
providentiae, quae *gubernatio* dicitur, passive quidem est in

─── 342

gubernatis;
active autem est in gubernante. Unde manifestum est quod praedestinatio est
quaedam ratio ordinis aliquorum in salutem aeternam, in mente divina
existens.
50 I. q. 23, a. 3. c. Respondeo dicendum quod Deus aliquos reprobat. Dictum
enim est supra quod praedestinatio est pars providentiae. Ad providentiam
autem pertinet permittere aliquem defectum in rebus quae providentiae sub-
duntur, ut supra dictum est. Unde, cum per divinam providentiam homines
in vitam aeternam ordinentur, pertinet etiam ad divinam providentiam, ut
55 permittat aliquos ab isto fine deficere. Et hoc dicitur *reprobare*.
Sic igitur, sicut praedestinatio est pars providentiae respectu eorum qui
divinitus ordinantur in aeternam salutem; ita reprobatio est pars providentiae

─── 343

respectu illorum qui ab hoc fine decidunt. Unde reprobatio non nominat
praescientiam tantum: sed aliquid addit secundum rationem, sicut et pro-
60 videntia, ... Sicut enim praedestinatio includit voluntatem conferendi gra-
tiam et gloriam, ita reprobatio includit voluntatem permittendi aliquem cadere

also beslüzet inne verwerfunge den willen, zeverhengen etlichen, zevallen in schulde unde zebringen die pine der verdampnung.

Unde got minnet alle menschen unde ouch alle creaturen, nach dem er in allen etwaz guotes wil; doch wil er niht ein iekliches guot allen dingen. 5 Aber also vil er dis guot niht allen dingen wil, daz da ist daz ewig leben.

Ez ist zemerken, daz die vorbereiten sint erwelet von got. Her zuo ist zesagen, daz die fürbereitunge, nach der reden, fürsetzet die erwelunge, [unde die erwelunge] die liebi. Unde daz ist da von,

344 ————————————————————————————

wan die fürberei-
tunge, also gesprochen ist, ist ein teile der fürsihtikeit. Aber die fürsihtikeit,
10 alse si ist ein fürsihtikeit, so ist si ein reden der enphahunge [der] orde-
nunge, dü da in dem verstan ist zuo etwaz enden. Aber si gebütet niht etwaz
zeordenen [1] in daz ende, niht wan ez si denne vor willen daz ende. Unde
dar umbe: die fürbereitunge etlicher dinge zuo der selikeit setzet für, nach
der reden, daz got den selben selikeit wil, zuo dem daz gehöret erwelunge
15 unde minne. Die minne, alse vil er in wil diz guot der selikeit; wan minnen
ist etwem etwaz guotes wellen. Aber erwelung ist in dem unde er diz guot
disen wil für die andern, so er etliche verwirfet. Aber die minne unde
die erwelung die werdent doch ander[s] in uns [geordent denne in got, von
dem daz in uns] der wille zeminnen ensachet niht etwaz guotes, sunder von
20 dem guoten, daz in uns ist, werden wir beweget zuo etwaz guotes zemin-
nenne. Unde da von erwellen wir etwen,

345 ————————————————————————————

wan wir in minnen. Unde also für-
gat die erwelung die minne in uns. Aber in got ist ez anders. Wan sin wille,
von dem er etwem etwaz guotes wil, des ist daz minnen [2] ein sache, daz man
diz guot für ander von im [3] hat. Unde also ist offenbar daz daz minnen [4]
25 fürsezet [5] die erwelunge nach der rede; unde die erwelunge die fürberei-
tunge. Unde da von sint alle die fürbereit erwelt unde gemint.

Ez ist zemerken, daz vil wene sint, ob die fürwisentheit der verdienten
si ein sache der fürbereitung, nach dem unde die andern geseit hant. So seit
meister Thomas, daz wir daz werke der fürbereitunge mügen betrahten [6]
30 in zweier hande wis. Ein wis: in einer teillichi. Unde also verbütet nihtes
niht, ez si daz werke der fürbereitunge ein sache unde ein rede des anders:
daz nahgent dem ersten nach der rede einre entlichen sach. Unde daz erste
der nachgenden nach der rede

346 ————————————————————————————

1 MS: "ze ze."
2 *diligendo* misconstrued?
3 *ab eo* interpreted as *ab Deo*.
4 MS: "für minnen."
5 *praesupponitur* read as *praesupponit*.
6 MS: "betrahtenten."

in culpam, et inferendi damnationis poenam . . . .

35 AD PRIMUM ergo dicendum quod Deus omnes homines diligit, et etiam omnes creaturas, inquantum omnibus vult aliquod bonum: non tamen quodcumque bonum vult omnibus. Inquantum igitur quibusdam non vult hoc bonum quod est vita aeterna, ...

I. q. 23, a. 4. UTRUM PRAEDESTINATI ELIGANTUR A DEO

40 Respondeo dicendum quod praedestinatio, secundum rationem, praesupponit electionem; et electio dilectionem. Cuius ratio

————————————————————————————— 344

est, quia praedestinato, ut dictum est, est pars providentiae. Providentia autem, sicut et prudentia, est ratio in intellectu existens, praeceptiva [7] ordinationis aliquorum in finem, ... Non autem praecipitur aliquid ordinandum in finem, nisi praeeexistente vo-
45 luntate finis. Unde praedestinatio aliquorum in salutem aeternum, [8] praesupponit, secundum rationem, quod Deus illorum velit salutem. Ad quod pertinet electio et dilectio. Dilectio quidem, inquantum vult eis hoc bonum salutis aeternae: [8] nam diligere est velle alicui bonum, ... Electio autem, inquantum hoc bonum aliquibus prae aliis vult, cum quosdam reprobet, ...
50 Electio tamen et dilectio aliter ordinantur in nobis et in Deo: eo quod in nobis voluntas diligendo [9] non causat bonum; sed ex bono praeexistente incitamur ad diligendum. Et ideo eligimus aliquem,

————————————————————————————— 345

quem diligamus; et sic electio dilectionem praecedit in nobis. In Deo autem est e converso. Nam voluntas eius, qua vult bonum alicui diligendo, est causa quod illud bonum
55 ab eo prae aliis habeatur. Et sic patet quod dilectio praesupponitur electioni, secundum rationem; et electio praedestinationi. Unde omnes praedestinati sunt electi et dilecti.

I. q. 23, a. 5. UTRUM PRAESCIENTIA MERITORUM SIT CAUSA PRAEDESTINATIONIS

60 Dicendum est ergo quod effectum praedestinationis considerare possumus dupliciter. Uno modo, in particulari. Et sic nihil prohibet aliquem effectum praedestinationis esse causam et rationem alterius: posteriorem quidem prioris, secundum rationem causae finalis; priorem vero posterioris, secundum rationem

————————————————————————————— 346

[7] Var.: *praeconceptiva.*
[8] *aeternam* omitted in certain manuscripts.
[9] Var.: *diligendi.*

der sache der verdientheit, daz da wider-
geleitet wirt zuo der bereitunge der materien. Alse ob wir sprechen daz, got
geordent, daz er etwem geben wil, daz er verdiene die glorie. In einer
andern wis so mag betrahtet werden daz werk der fürbereitunge in einer
gemeinheit. Unde also ist ez unmüglich, daz daz werk alzemale der für-
5 bereitunge in der gemeinheit habe ein sache von unserm teile. Wan alles, daz
in dem menschen ist, daz da in ordent in die ewigen selikeit, daz begriffet
man alles under dem werk der [fürbereitunge, ouch die] fürbereitunge
selben zuo der gnade. Wan diz enist ouch niht, niht wan übermitz gotlichü
helfe. Doch hat ez [1] in dirre wis die fürbereitunge, von teile dez werkes,
10 umbe die reden die gotlichen guotheit, zuo der daz werke alzemale der
fürbereitung geordent wirt alse in daz ende, von der ez [2] fürgat alse von
dem ersten bewegenden beginne.

Ez ist zemerken, daz die fürbereitung

347 ――

gar sicherlichen unde unbetro-
genlichen volget dem werke. [3] Noch denne so sezet ez in dekein notdurft,
15 also daz sin werk von dekeiner notdurft fürkomme. Wan ez ist gesprochen,
daz die fürbereitung ist ein teil der fürsihtikeit. Wan si ensint niht ellü
notdürftig, die da undersint der fürsihtikeit, sunder etlichü die geschehent
nach eigenschaft der nachsten sachen, die zuo solichen werken die gotlich
fürsihtikeit geordent hat. Unde doch so ist die ordenunge der fürsihtikeit
20 unbetrogenlichen. Unde also ist ouch die ordenunge der fürbereitungen
gereht unde sicher, unde doch die friheit dez willen en ist niht alzemale [4]
daz, von dem geschihtichlichen fürgat daz werke der fürbereitunge.

Ez ist zemerken, in welcher wis daz geholfen mag werden mit [5] der
heiligen gebet der fürbereitunge.

25 Von disem waren vil irrunge. Wan etliche wolten

348 ――

merken die sicherheit
der gotlichen fürbereitun [6] unde sprachen, daz daz gebet übrig were, oder
waz anders ist ze ervolgen die ewigen selikeit; wan ez geschehe oder ez
gesche niht, so ervolgent si es doch, die fürbereiten, unde die verworfenen
niht. Aber dar wider [7] sint alle manung der schrift, die da ratent zuo dem
30 gebette unde zuo andern guoten werken.

Die andern sprachen, daz übermitz daz gebette gewandelt werde die
gotlich fürbereitung. Aber her wider ist die lere der schrift. Wan man

---

1 Translator took *habet* to mean "Es gibt"?
2 MS: "von dem."
3 *consequitur* not recognized as meaning "leads to." Cf. this page, lines 27-28.
4 *tollitur ex* read as *totaliter est*!
5 MS has "mit" after "gebet."
6 Cf. page 52, note 4.
7 MS: "wirder."

causae meritoriae, quae reducitur ad dispositionem materiae. Sicut si dicamus quod Deus praeordinavit se daturum alicui . . . . ut mereretur glo-
35 riam. — Alio modo potest considerari praedestinationis effectus in communi. Et sic impossibile est quod totus praedestinationis effectus in communi habeat aliquam causam ex parte nostra. Quia quidquid est in homine ordinans ipsum in salutem, comprehenditur totum sub effectu praedestinationis, etiam ipsa praeparatio ad gratiam : neque enim hoc fit nisi per auxilium
40 divinum, ... Habet tamen hoc modo praedestinatio, ex parte effectus, pro ratione divinam bonitatem ; ad quam totus effectus praedestinationis ordinatur ut in finem, et ex qua procedit sicut ex principio primo movente.

I. q. 23, a. 6. c. Respondeo dicendum quod praedestinatio

_____ 347

certissime et infallibiliter consequitur suum effectum : nec tamen imponit necessitatem, ut
45 scilicet effectus eius ex necessitate proveniat. Dictum est enim supra quod praedestinatio est pars providentiae. Sed non omnia quae providentiae subduntur, necessaria sunt : sed quaedam . . . . eveniunt, secundum conditionem causarum proximarum, quas ad tales effectus divina providentia ordinavit. Et tamen providentiae ordo ist infallibilis, ... Sic igitur et ordo prae-
50 destinationis est · certus ; et tamen libertas arbitrii non tollitur, ex qua contingenter provenit praedestinationis effectus.

I. q. 23, a. 8. UTRUM PRAEDESTINATIO POSSIT IUVARI PRECIBUS SANCTO-RUM

Respondeo dicendum quod circa hanc quaestionem diversi errores fue-
55 runt. Quidam enim,

_____ 348

attendentes certitudinem divinae praedestinationis, dixe-runt superfluas esse orationes, vel quidquid aliud fiat [8] ad salutem aeter-nam consequendam : quia his factis vel non factis, praedestinati consequuntur, reprobati non consequuntur. — Sed contra hoc sunt omnes admonitiones sacrae Scripturae, exhortantes ad orationem, et ad alia bona opera.
60 Alii vero dixerunt quod per orationes mutatur divina praedestinatio. Sed

[8] Var.: *est.*

sprichet in „Der künig buoch," in dem ersten capitele: „Der signünfter in
Israel vertrag niht, noch [1] werde niht geneiget von rüwen."

Ez ist zemerken, daz in der fürbereitunge zwei ding zebetrahten sint:
daz ist die gotlich fürbereitung selbe unde ir werk. Unde dar um alse vil
5 alse zuo dem ersten so wirt die fürbereitung in dekeiner wis gewandelt
von dem gebet der

349 ──

heiligen, wan ez geschihet von dekeins heiligen gebette,
daz etwer fürbereitet ist von got. Aber also vil alse zuo dem andern, so
heizet man, daz die fürbereitunge helfe den gebetten der heiligen unde
den andern guoten werken. [2] Wan dü fürsihtikeit, der teil dü fürberei-
10 tunge [3] ist, die enzühet [niht] under die andern sachen, sunder er fürsih
dü werke also, unde ez vellet ouch under die ordenunge der fürbereitunge,
waz die menschen fürdert in die selikeit, ez si sin eigen gebette oder eins
andern guot, an daz daz dekeiner ervolgen müge die selikeit. Unde dar
umbe behöret den fürbereiten, daz si sich üeben wol zewirken unde zebitten,
15 wan übermitz die [daz] werke der fürbereitungen wirt ez sicherlichen
erfüllet. Durch daz so sprichet St. Peter in dem andern capitel. „Arbeitent,
daz ir übermitz ellü guoten werk, daz ir tüewent üwer sicher [4] ladung
unde erwellung."

Ez ist zemerken, daz „daz buoch dez

350 ──

lebens" in got geheizen ist in einer
20 glichnüsse, nach einer glichheit der menschlichen ding genomen. Wan ez
ist bi dem menschen gewon, daz die, die da zuo etwaz erwelt werdent, die
werdent geschriben in daz buoch; alse die ritter oder die ratgeben, die da
wilent heizent „veter geschriben." Nu werdent alle die, die da fürbereit
sint, erwelt von got zehabenne daz ewig leben. Unde dar umbe so heizet
25 die beschribunge der fürbereiten daz lebende buoch.

Aber ez heizet in einer glichnüsse etwaz geschriben in etliches verstan,
daz er gebruchet, [5] daz haltet er in dem gedenknüsse, nach dem unde ez
geschriben ist in den sprichwortern Salomonis in dem driten capitel: „Also
hast du vergezzen [6] miner e, unde din herze behüete min gebot." Und dar
30 nach über lüzel sprichet Jeremias: „Schrip sü in die taveln dines herzen."
Wan in die materilichen buoch beschribet

351 ──

man etwaz zehelfe dem gedenk-

────────────

1 MS: "nach."
2 Cf. page 286, lines 23-24. Possibly *juvari* read as *juvare* plus dative object (cf.
"helfen").
3 MS: "fürsihtikeit."
4 Faulty translation.
5 Was *firmiter* read as *fruitur*?
6 *obliviscaris* read as *obliviscavis.*

contra hoc etiam est auctoritas sacrae Scripturae. Dicitur enim I *Reg.* XV: *Porro* [7] *triumphator in Israel non parcet, neque poenitudine flectetur.*

Et ideo aliter dicendum, quod in praedestinatione duo sunt consideranda:
35 scilicet ipsa praeordinatio divina, et effectus eius. Quantum igitur ad primum, nullo modo praedestinatio iuvatur precibus sanctorum:

─────────────────────────────────────── 349

non enim precibus sanctorum fit, quod aliquis praedestinetur a Deo. Quantum vero ad secundum, dicitur praedestinatio iuvari precibus sanctorum, et aliis bonis operibus: quia providentia, cuius praedestinatio est pars, non subtrahit cau-
40 sas secundas, sed sic providet effectus, ... ut etiam sub ordine praedestinationis cadat quidquid hominem promovet in salutem, vel orationes propriae, vel aliorum .... bona, ... sine quibus aliquis salutem non consequitur. Unde praedestinatis conandum est ad bene operandum et orandum, quia per huiusmodi praedestinationis effectus certitudinaliter impletur. Propter quod
45 dicitur II Petr. I: *satagite, ut per bona opera certam vestram vocationem et electionem faciatis.*

I, q. 24, a. 1. c. Respondeo dicendum quod *liber*

─────────────────────────────────────── 350

vitae in Deo dicitur metaphorice, secundum similitudinem a rebus humanis acceptam. Est enim consuetum apud homines, quod illi qui ad aliquid eliguntur, conscribuntur in libro; utpote milites vel consiliarii, qui olim dicebantur *Patres conscripti.* Patet autem ex praemissis quod omnes praedestinati eliguntur a Deo ad habendum vitam aeternam. Ipsa ergo praedestinatorum conscriptio dicitur liber vitae.

Dicitur autem metaphorice aliquid conscriptum in intellectu alicuius, quod firmiter in memoria tenet, secundum illud *Prov.* III: *Ne obliviscaris legis*
35 *meae, et praecepta mea cor tuum custodiat*; et post pauca sequitur: *describe illa in tabulis cordis tui.* Nam et in libris materialibus aliquid conscribitur

─────────────────────────────────────── 351

ad succurrendum memoriae. Unde ipsa Dei notitia, qua firmiter retinet se

[7] *Porro* omitted in certain Latin MSS.

nüsse. Unde dar umbe: die gotliche erkentnüsse, die da crefticlichen haltet, etlich vorbereitet sin zuo dem ewigen leben, daz heizet daz lebende buoch. Wan alse daz buoch ist ein zeichen der, die da zetuon sint, also ist ouch die gotlich erkantnüsse etwaz zeichen bi im der ding, die da fürzebringen
5 sint zuo dem [ewigen] leben; nach dem unde St. Paulus sprichet „Zuo Tymotheo" in dem andern capitele: „Daz starke fülmunt [gotis] stat unde hat zeichen: Unde daz bekant der herre, wan si sin sint."

Ez ist zemerken, wie daz etlich getilket werden von dem buoch dez lebennes. Nu ist daz lebende buoch beschribunge der geordenten in daz
10 ewige leben, zuo dem daz etlich geordent werdent an zwein dingen: daz ist, von gotlicher fürbereitunge — unde diz geordente [niemer] vergat — unde von der gnaden. Wan wer die gnaden hat, von dem selben so ist er wirdig dez ewigen lebens. Unde

352 ───

ein soliches geordentes vergat under- wilen. Wan etliche sint geordent von der habender [1] gnade zehabenne daz
15 ewig leben, von dem si doch vallent übermitz totsünden. Unde dar umbe die, die da geordent sint zuo haben daz ewig leben, die sint einveltig be- schriben in daz buoch dez ewigen lebens von gotlicher fürbereitunge; wan si sint da beschriben, daz si haben süllen daz ewige leben in im [2] selber. Unde die werdent niemer vertilket in dem buoch dez lebens. Sunder die,
20 die da geordent sint zehabenne daz ewig leben, niht von gotlicher fürbe- reitunge, sunder si heizent allein geschriben von gnaden in daz lebende buoch, niht einvelticlichen, sunder nach etwaz; wan si sint geschriben da alse habende daz ewig leben [niht] in ir [3] selber, sunder in irre [3] sache, unde solchü [4] mügen getilket werden von dem lebenden buoch; also daz die
25 vertilkunge niht widergetrage werden zuo dem bekentnüsse gotis,

353 ───

alse ob got etwaz fürwisse unde sin dar nah niht enwisse, sunder zuo dem ge- westen ding; daz ist, daz got weis vor, daz etwer geordent sol werden in daz ewig leben, unde dar nach niht geordent werden, so er enphellet von der gnaden.

30 Ez ist zemerken, daz gotis maht ist unentlich. Unde dez bewisung ist: wan in allen wirkenden dingen vindet man daz, daz also vil iekliches wirkendes volkomlicher hat ein forme, von der ez [5] wirket, also vil grözer ist sin maht in dem wirkenne. Unde also, alse vil etliches mer warme ist, also vil so hat ez [5] ein grözer maht ze hitzenne: unde ez het ein unentlich

---

1 *habita* read as *habitualis.*
2 MS: "in."
3 Translator took gen ler of *vita* instead of "leben."
4 MS: "sochü."
5 MS: "er."

35 aliquos praedestinasse ad vitam aeternam, dicitur liber vitae. Nam sicut
scriptura libri est signum eorum quae fienda sunt, ita Dei notitia est quod-
dam signum apud ipsum, eorum qui sunt perducendi ad vitam aeternam; se-
cundum illud II *Tim.* II: *firmum fundamentum Dei stat, habens signaculum*
hoc: novit Dominus qui sunt eius.

40   I. q. 24, a. 3. UTRUM ALIQUIS DELEATUR DE LIBRO VITAE

Est enim liber vitae conscriptio ordinatorum in vitam aeternam. Ad quam
ordinatur aliquis ex duobus: scilicet ex praedestinatione divina, et haec ordi-
natio numquam deficit; et ex gratia. Quicumque enim gratiam habet, ex hoc
ipso est dignus vita aeterna. Et

——————————————————————————————— 352

haec ordinatio deficit interdum: quia aliqui
45 ordinati sunt ex gratia habita ad habendum vitam aeternam, a qua tamen
deficiunt per peccatum mortale. Illi igitur qui sunt ordinati ad habendum
vitam aeternam ex praedestinatione divina, sunt simpliciter scripti in libro
vitae: quia sunt ibi scripti ut habituri vitam aeternam in seipsa. Et isti num-
quam delentur de libro vitae. Sed illi qui sunt ordinati ad habendum vitam
50 aeternam, non ex praedestinatione divina, sed solum ex gratia, dicuntur esse
scripti in libro vitae, non simpliciter, sed secundum quid: quia sunt ibi scripti
ut habituri vitam aeternam, non in seipsa, sed in sua causa. Et tales possunt
deleri de libro vitae; ut deletio non referatur ad notitiam Dei,

——————————————————————————————— 353

quasi Deus
aliquid praesciat, et postea nesciat: sed ad rem scitam, quia scilicet Deus
scit aliquem prius ordinari in vitam aeternam, et postea non ordinari, cum
deficit a gratia.

I. q. 25, a. 2. UTRUM POTENTIA DEI SIT INFINITA

In omnibus enim agentibus hoc invenitur, quod quanto aliquod agens per-
fectius habet formam qua agit, tanto est maior eius potentia in agendo. Sicut
60 quanto est aliquid magis calidum, tanto habet maiorem potentiam ad calefa-
ciendum: et haberet utique potentiam infinitam ad califaciendum, si eius

hitzunge [in] siner maht, unde were sin hitze unentliche. Unde dar umbe, sit daz die gotliche wesunge, übermitz die got wirket, unentlich ist, so volget daz dar nach, daz ouch sin maht unentlich si.

Ez ist zemerken, daz alle menschen gemeinlichen veriehent, daz got
5 almehtig si.

354

Aber daz man bewise die reden der almehtikeit, daz ist pinlich. Wan ez mag zwivelichen sin, daz man iht begriffe under [diser] veriehunge, so man sprichet: got vermag ellü ding. Aber swer rehte betrahtet, so man die maht sprichet von den müglichen dingen, so man sprichet: got vermag ellü ding, so verstat man nihtes niht sicherlichers, denne daz er ellü vermag,
10 die da müglichen sint, unde umbe daz so heizet er almehtig.

Aber daz man sprichet „müglich”, daz ist in zweier hande wis zeverstan, nach dem unde der philosophus sprichet in dem fünften capitel in dem buoch, daz da heizet „Methaphisica.” Ein wis: übermitz die rede zuo etlicher maht, alse daz da dem menschen undertenig ist, daz heizet,[1] daz
15 man sprichet,[1] daz ez „dem menschen müglich” si. Aber man enmag ez niht gesprechen, daz got almehtig si, wan er ellü ding mag die da müglich sint der geschaffener naturen. Wan die gotlich almehtikeit die

355

streket[2] zuo
vil. Aber sprichet [man], daz got geheizen si almehtig, wan er ellü ding vermag, die da müglich [sint] siner maht, so wirt die umberingelunge
20 in einer offenbarunge der almehtikeit; unde daz enist niht anders ze- sprechenne, denne daz got almehtig ist von siner maht, von der er ellü ding vermag die er da vermag. Unde da von ist, daz got geheizen ist almehtig, wan er ellü ding blöslich vermag, daz ist „ellü müglichü ding”, unde diz ist anders gesprochen denne „müglich”.[3] Aber nu heizet etliches müglich
25 unde unmüglich blöslichen, von habunge der ende: [müglich], wan die brüe- funge die [en]ist [niht] widerwertig dem underwurfe, alse ob man sprichet: Sortes der sitzet; aber unmüglich blöslichen, wan daz gebrüefet ist widerwertig dem underwurf, alse man sprichet: der mensche ist ein esele.
30 Aber ez ist zemerken, sit ein iekliches[4] wirkendes wirket im ein gliches, so antwert einer leklichen wirkender

356

maht etwaz mügliches alse ein ge- genwurf, nach rede dirre getat, in die daz fundieret die wirkunde maht:

---

[1] *dicitur* translated twice.
[2] MS: "streketet."
[3] This should be: "unde diz ist diu ander wis muglich ze sprechen."
[4] MS: "ieklichüsdez."

calor esset infinitus. Unde, cum ipsa essentia divina, per quam Deus agit,
35 sit infinita.... sequitur quod eius potentia sit infinita.

I, q. 25, a. 3. c. Respondeo dicendum quod communiter confitentur omnes
Deum esse omnipotentem.

─── 354

Sed rationem omnipotentiae assignare videtur
difficile. Dubium enim potest esse quid comprehendatur sub ista distribu-
tione, cum dicitur omnia posse Deum. Sed si quis recte consideret, cum
40 potentia dicatur ad possibilia, cum Deus omnia posse dicitur, nihil rectius
intelligitur quam quod possit omnia possibilia, et ob hoc omnipotens dicatur.

Possibile autem dicitur dupliciter, secundum Philosophum, in V *Metaphys.*
Uno modo, per respectum ad aliquam potentiam: sicut quod subditur hu-
manae potentiae, dicitur esse *possibile homini.* Non autem potest dici quod
45 Deus dicatur omnipotens, quia potest omnia quae sunt possibilia naturae
creatae: quia divina potentia [5] in plura

─── 355

extenditur. Si autem dicatur quod
Deus sit omnipotens, quia potest omnia quae sunt possibilia suae potentiae,
erit circulatio in manifestatione omnipotentiae: hoc enim non erit aliud
quam dicere quod Deus est omnipotens, quia potest omnia quae potest.
50 Relinquitur igitur quod Deus dicatur omnipotens, quia potest *omnia pos-
sibilia absolute,* quod est alter modus dicendi *possibile.* Dicitur autem aliquid
possibile vel impossibile absolute, ex habitudine terminorum: possibile qui-
dem, quia praedicatum non repugnat subiecto, ut Socratem sedere; impossi-
bile vero absolute, quia praedicatum repugnat subiecto, ut hominem esse
55 asinum.

Est autem considerandum quod, cum unumquodque agens agat sibi simile,
unicuique potentiae activae

─── 356

correspondet possibile ut obiectum proprium,
secundum rationem illius actus in quo fundatur potentia activa: sicut po-

[5] Var.: *omnipotentia.*

alse die hitzende maht wirt widergetragen, [alse] zuo einem eigen gegen-
wurf, zuo allem dem, daz gehizet mag werden. Aber gotlich wesen, uf daz [1]
die rede der gotlichen maht fundieret, daz ist ein unentlich wesen, unde
niht gemessen zuo dekein gesleht der wesentheit, sunder begriffende in
5 im volkomenheit alles wesennes. Also swaz rede der wesentheit hat, daz
hat inne blöslichen [2] under den müglichen dingen, nach gesihte zuo den [3]
daz got heizet almehtig.

    Wan niht anders ist widerwertig dem wesenden dingen denne niht wesen.
Unde dar umbe so ist diz widerwertig der rede der müglichi blöslichen:
10 daz da iht [4] undertenig ist der [gotlicher] maht, daz da in im beslüzzet
wesen unde nihtwesen mit einander. Wan diz ist der almehtikeit niht under-
tenig, niht

357 ──

       durch den gebresten der gotlicher maht, sunder wan ez niht
haben mag reden dez geschihtlichen dinges oder dez müglichen. Unde dar
umbe ellü dü ding, die da widersprach habent innebeslozen, die werdent niht
15 begriffen under der gotlichen maht, wan si enmügen niht haben rede der
müglichen dingen. Unde da von sprichet man behörlich, daz si niht mügen
gewerden, denne daz si got niht müge gemachen. Noch dis enist niht wider
daz wort dez engels, sprechende: „Ez wirt nüt unmüglich bi got ein ieklich
wort.“ Wan daz, daz da innebeslüzzet widersprach, daz enmag niht sin ein
20 wort, wan ez enmag dekein verstan enphahen.

    Ez ist zemerken, ob got besserü ding mohte gemachen denne er gemachet
hat. Her zuo ist zesagen, daz die guotheit etliches dinges zwiveltig ist. Ein
rede der guotheit ist von der wesunge dez dinges;

358 ──

           alse redelich wesen ist
von der wesunge dez menschen. Unde also vil alse zuo dem guot, so enmag
25 got dekein ding bezzer machen dan [5] ez si; alse ouch got niht gemachen
mag die zale von viere mere; wan unde wer si merre, so enwere si ieze
niht ein gezal von vieren sunder ez wer ein ander zale. Unde also haltet
sich die zuolegunge der substentzilicher underscheidunge in den bewisenden
dingen, alse die zuolegung der einikeit in den zalen, alse man sprichet in
30 dem ahtenden capitel in dem buoch „Methaphisica.“ Aber ein ander guot-
heit, dü ist uzwendig dez dinges wesung, als guot dez menschen, daz sint
tugende oder daz [6] er wise si. Unde nach diser wis so mag got die ding,
die er gemachet hat, besser machen. Aber einvelticliche zesagen, so mag

---

[1] MS: "die."
[2] *continetur* .... *absolutis* read as *continet absolute.*
[3] MS: "dem der."
[4] MS: "niht."
[5] MS: "daz."
[6] MS: "da."

tentia calefactiva refertur, ut ad proprium obiectum, ad esse calefactibile.
35 Esse autem divinum, super quod ratio divinae potentiae fundatur, est esse
infinitum, non limitatum ad aliquod genus entis, sed praehabens in se totius
esse perfectionem. Unde quidquid potest habere rationem entis, continetur
sub possibilibus absolutis, respectu quorum Deus dicitur omnipotens.

Nihil autem opponitur rationi entis, nisi non ens. Hoc igitur repugnat
40 rationi possibilis absoluti, quod subditur divinae omnipotentiae, quod implicat
in se esse et non esse simul. Hoc enim omnipotentiae non subditur,

━━━ 357

non propter defectum divinae potentiae; sed quia non potest habere rationem
factibilis neque possibilis. Quaecumque igitur contradictionem .... impli-
cant,[7] sub divina omnipotentia non continentur: quia non possunt habere
45 possibilium rationem. Unde convenientius dicitur quod *non possunt fieri,*
quam quod *Deus non potest ea facere.* — Neque hoc est contra verbum
Angeli dicentis: *non erit impossibile apud Deum omne verbum.* Id enim
quod contradictionem implicat, *verbum* esse non potest: quia nullus intel-
lectus potest illud concipere.

50 I. q. 25, a. 6. UTRUM DEUS POSSIT MELIORA FACERE EA QUAE FACIT

Respondeo dicendum quod bonitas alicuius rei est duplex. Una quidem,
quae est de essentia rei;

━━━ 358

sicut esse rationale est de essentia hominis. Et
quantum ad hoc bonum, Deus non potest facere aliquam rem meliorem quam
ipsa sit .... Sicut etiam non potest facere quaternarium maiorem: quia, si
55 esset maior, iam non esset quaternarius, sed alius numerus. Sic enim se
habit additio differentiae substantialis in definitionibus, sicut additio uni-
tatis in numeris, ut dicitur in VIII *Metaphys.* Alia bonitas est, quae est extra
essentiam rei; sicut bonum hominis est esse virtuosum vel sapientem. Et
secundum tale bonum, potest Deus res a se factas facere meliores. Sim-

---

[7]   The omission indicated here occurs also in several Latin MSS.

got dü ding, dü von im gemachet sint, besser machen, unde mag bezzer machen, denne die gemachet sint.

Ez ist zemerken,

359

daz got aller meist bekümet die selikeit. Wan nihtes niht wirt anders verstanden under dem namen der selikeit nihtwan ein
5 volkomens guot der vernünftigen naturen, dez begnuogde zerkennen ist in dem guot, [1] daz er da hat; unde dem behörlich ist, daz im geschehe etwaz guotes oder übels unde si siner werke ein herre. Unde ietweders van [disen] bekümet got alre volkomlichest, daz ist volkomen zesin unde vernünftig. Unde da von ze bekümet got aller meist selikeit.

10 Ez ist zemerken, ob got ein selikeit si eins ieklichen seligen. Dez sache zemerken ist, daz die selikeit der vernünftigen creature bestat in getat der vernünftikeit, in dem daz zwei ding zemerken sint: daz ist der gegenwurf der getat, daz da verstentlich ist; unde ouch die getat, daz da verstanne ist. Unde also unde wirt die selikeit betrahtet von teile dez gegenwurfes,
15 also ist got allein die selikeit; wan von dem ist man allein selig, daz man got verstat; alse St. Augustinus sprichet

360

in dem dritten capitel von der „Bihte": „Selig ist er, der dich erkant, ob er doch niht anders enwist." Aber von teile dez verstendigen so ist die selikeit etwaz geschaffens in den seligen creaturn; aber in got ist ez, nah dem, etwaz ungeschaffenes.

20 Ez ist zemerken, ob die gotlich selikeit innevalte [2] alle selikeit. Dez sache zemerken ist, daz alles daz, daz da begerlich ist, daz daz ist in einer ieklichen selikeit. Wan [3] daz war oder daz falsche, daz ist aller schinlichest in gotlicher selikeit. Aber von der schouwender selikeit hat er ein empzigü unde ein sicherü schouwunge sins unde aller andern dinge; aber von der
5 wurkender selikeit: rihtunge aller ellichi. Aber von der irdinscher selikeit, die da bestat in den liplichen gelüsten, unde in den richtuomen unde gewalt, unde in wirdikeit unde in guotem lümunt, nach dem unde Boecius sprichet in dem dritten capitele „Von der tröstunge," er hat fröde von im selber, unde die andern

361

alle [4] hat er ze einem lust; für den richtuom [5] alle
30 gnüege, die da geheizen mügen die richtuome; für die gewalt die almehtikeit; für die wirdikeit aller [6] rihtigunge; für den lümunt wunderung aller

---

[1] Faulty translation.
[2] Translator's version probably influenced by *complectatur* in the first objection of this article.
[3] Mistranslation.
[4] *de omnibus aliis* read as *omnia alia?*
[5] MS: "richtuoz."
[6] MS: "alle."

pliciter autem loquendo, qualibet re a se facta potest Deus facere aliam
meliorem.

I. q. 26, a. 1. c. Respondeo dicendum

—— 359

quod beatitudo maxime Deo com-
35 petit. Nihil enim aliud sub nomine beatitudinis intelligitur, nisi bonum per-
fectum intellectualis naturae; cuius est suam sufficientiam cognoscere in
bono quod habet; et cui competit ut ei contingat aliquid vel bene vel male,
et sit suarum operationum domina. Utrumque autem istorum excellentissime
Deo convenit, scilicet perfectum esse, et intelligentem. Unde beatitudo
40 maxime convenit Deo.

I. q. 26, a. 3. UTRUM DEUS SIT BEATITUDO CUIUSLIBET BEATI

Respondeo dicendum quod beatitudo intellectualis naturae consistit in actu
intellectus. In quo duo possunt considerari: scilicet obiectum actus, quod
est intelligibile; et ipse actus, qui est intelligere. Si igitur beatitudo conside-
45 retur ex parte ipsius obiecti, sic solus Deus est beatitudo: quia ex hoc solo
est aliquis beatus, quod Deum intelligit: secundum illud Augustini,

—— 360

in V libro
Confess.: *Beatus est qui te novit, etiam si alia ignoret.* Sed ex parte actus [7]
intelligentis, beatitudo est quid creatum in creaturis beatis: in Deo autem
est etiam secundum hoc, aliquid increatum.

50 I. q. 26, a. 4. UTRUM IN DEI BEATITUDINE OMNIS BEATITUDO INCLU-
DATUR

Respondeo dicendum quod quidquid est desiderabile in quacumque beati-
tudine, vel vera vel falsa, totum eminentius in divina beatitudine praeexistit.
De contemplativa enim felicitate, habet continuam et certissimam contem-
55 plationem sui et omnium aliorum: de activa vero, gubernationem totius
universi. De terrena vero felicitate, quae consistit in voluptate, divitiis,
potestate, dignitate et fama, secundum Boetium, in III *de Consol.*, habet
gaudium de se et de omnibus aliis,

—— 361

pro delectatione: pro divitiis, habet
omnimodam sufficientiam, quam divitiae promittunt; pro potestate, om-
60 nipotentiam: pro dignitate, omnium regimen: pro fama vero, admirationem

———

[7] *actus* omitted in certain versions.

creaturen.

Ez ist zemerken, wie die uzgaunge sin in got. Her zuo ist zesagen, daz die gotlich schrift in den dingen [1] der gotlichen namen, die da behörent zuo der uzgaunge, nützer. Aber dis usgaunge [haben] die mislich lerer
5 mislichen genomen. Wan etliche die namen dis uzgaunge nach dem unde daz werk fürgat von der sache. Unde also nam ez Arrius unde sprach, der sun gienge [us] von dem vatter alse sin erste creature, unde der heilige geist usgange von dem vater unde von dem sun als ein creature ir beider. Unde nach disem so wer weder sun noch der heilige geist gewarre got,
10 daz da dawider ist, daz man da sprichet von dem gotes sun in St. Johannis ewangeli in dem jungsten capitele.

362 ————————————————————————————————

„Daz wir sin in sinem gewarigen sun, daz ist der gewar got." Unde von dem heiligen geiste sprichet St. Paulus „Zuo den Corinthin," in dem dritten capitel: „Wissent ir niht, daz üwer gelider tempel sint dez heiligen geistes?" Aber einen tempel zehabenne,
15 daz ist alleine gotis.

Aber ander habent diz usgaunge genomen, nach dem unde die sache fürgat in dem werk, eintweder daz si daz werk beweget, oder ir glichnüsse dem werke indruket. Unde also nimet der Sabellius unde sprichet, daz man vater sprichet in dem so sprichet man sun, nach dem unde [der Vater]
20 fleisch an sich genomen hat von der megde. Unde nach dem heize er der heilig geist, nach dem unde er die redelichen creaturn heilig mahet unde sü zuo dem leben beweget. Aber dirre nemunge ist wider die worte dez herren, der von im selben sprichet in Johanne in dem fünften capitele: „Der sun mag niht getuon von im selber." Unde vil ander ding hat er ge-
25 sprochen, übermitz die bewisen ist, daz der niht der

363 ————————————————————————————————

sun ist, der der vatter ist.

Aber swer ernstlich betrahtet, so hat ietwederre uzgaunge genomen nach dem unde ez ist zuo etwaz uzwendiges. Unde dar umbe so hat entwederre gesast die usgaunge in got. Aber, sit daz alle uzgaunge sint nach etlicher tüewunge: [alse nach der tüewunge,] die sich da uzkeret in die uzern
30 materien, [2] ist etwaz usgaung zuo den ussern dingen; unde also nah der tüewunge, die da blibet in dem wirkenden, anders wirt gemerket etliche usgaunge zuo den inren dingen. Unde dis ist aller meist offenbar in dem verstan, dez getat, daz ist versten, blibet in dem verstendigen. Wan wer verstat, in dem daz er verstat, in dem so gat uz etwaz in den verstan, daz
35 da ist ein entphahunge des verstanden dinges, daz von siner küntlicheit

---

[1] Translator connected *divinis* with *nominibus*.
[2] MS: "naturen."

totius creaturae.

I. q. 27, a. 1. UTRUM PROCESSIO SIT IN DIVINIS

Respondeo dicendum quod divina scriptura, in rebus divinis, nominibus ad processionem pertinentibus utitur. Hanc sutem processionem diversi
40 diversimode acceperunt. Quidam enim acceperunt hanc processionem secundum quod effectus procedit a causa. Et sic accepit Arius, dicens Filium procedere a Patre sicut primam eius creaturam, et Spiritum Sanctum procedere a Patre et Filio sicut creaturam utriusque. — Et secundum hoc, neque Filius neque Spiritus Sanctus esset verus Deus. Quod est contra id quod dicitur de
45 Filio, I Ioan. ult.:

_____ 362

ut simus in vero Filio eius, hic est verus Deus. Et de Spiritu Sancto dicitur, I *Cor.* VI: *Nescitis quia membra vestra templum sunt Spiritus Sancti?* Templum autem habere solius Dei est.

Alii vero hanc processionem acceperunt secundum quod causa dicitur procedere in effectum, inquantum vel movet ipsum, vel similitudinem suam
50 ipsi imprmiit. Et sic accepit Sabellius, dicens ipsum Deum Patrem Filium dici, secundum quod carnem assumpsit ex Virgine. Et eundem dicit Spiritum Sanctum, secundum quod creaturam rationalem sanctificat, et ad vitam movet. — Huic autem acceptioni repugnant verba Domini de se dicentis, Ioan. V: *non potest facere a se Filius quidquam*; et multa alia, per quae
55 ostenditur quod non est ipse

_____ 363

Pater qui Filius.

Si quis autem diligenter consideret, uterque accepit processionem secundum quod est ad aliquid extra: unde neuter posuit processionem in ipso Deo. Sed, cum omnis processio sit secundum aliquam actionem, sicut secundum actionem quae tendit in exteriorem materiam, est aliqua processio ad
60 extra; ita secundum actionem quae manet in ipso agente, attenditur processio quaedam ad intra. Et hoc maxime patet in intellectu, cuius actio, scilicet intelligere, manet in intelligente. Quicumque enim intelligit, ex hoc ipso quod intelligit, procedit [3] aliquid intra ipsum, quod est conceptio rei intellectae, ex vi intellectiva proveniens, [4] et ex eius notitia procedens. Quam

[3] Var.: *in eo procedit.*
[4] Var.: *ex .... proveniens* omitted.

usgat; welche enphahunge die stimme bezeichent, unde heizet „ein wort dez herzen," daz da bezeichent ist mit dem wort der stimme.

Sit denne daz got ist über alle ding, so sint dü ding, die da in got sint, dü sint niht ze

364 ────────────────────────────────────

versten nach der wise der nidern creaturen, die da liplich
5 sint, sunder nah glichnüsse der öbersten creaturen, daz da sint die ver-
nünftigen creature; von dem ouch gebristet dez entphangenen glichnüsses
von der gotlicher offenbarung. [1] Unde dar umbe so ist die uzgaunge niht
zenemen, nach dem unde ez in den liplichen dingen ist, ... oder übermitz
tüewunge dekeiner sache in dem ussern werke, alse die hitze von dem
10 hitzende in dem, der da gehitzet ist; sunder nach einer fürnünftiger
usgaunge; alse daz vernünftig wort usgat von dem sprechenden, daz da
in im blibet. Unde also hat der gloube gesast die gotlichen usgaung.

Ez ist zemerken, daz die uzgaunge dez wortes in got heizet ein „gebe-
runge." Her zuo ist zesagen, daz wir dez namens der geberunge in zweier
15 hande wis gebruchen. Ein wis: gemeinlichen zuo allen geberlichen dingen
unde vergenklichen; unde also [ist] geberunge nihtez niht anders denne
wandelung von wesen in niht wesen. Dü

365 ────────────────────────────────────

ander wis: eigentlichen in den
lebenden dingen; unde also bezeichent die geberunge [den ursprung] etliches
lebendiges dinges von dem beginne, dem lebenden, zuo gefüegte. Unde
20 daz heizet eigentlichen „ein geburt." Unde doch heizet ein iekliches soliches
niht geborn, sunder eigentlichen daz da fürgat nach reden der glichnüsse.
Unde doch niht eins iekliches, wan die wirme, die da geborn werdent in
in den tieren, daz enthat niht reden der geberunge, unde also daz glichnüsse
nach dem geslehte; sunder ez wirt gesuochet zuo einer rede einer solicher
25 geberunge, daz da fürgat nach reden der glichnüsse in der naturn dez selben
gesteltnüsse; alse der mensche, der [2] gat für von dem menschen, unde daz
ros von dem rosse.

Aber in den lebenden dingen, die da von der maht gant uz in die getat
dez lebennes, alse die menschen unde die tier, die geberunge dü beslüzet
30 inne ietweder geberunge. [3] Aber unde ist dekein lebende, dez leben niht
usgat von der maht

366 ────────────────────────────────────

in die getat, unde ist, daz ein solichü uzgaunge funden
wirt in einem solichen lebenden dinge, daz beslüzet uz alzemale die [erste]
reden der geberunge; sunder ez mag haben reden der geberunge, die da eigen
ist der lebender ding.

---

[1] Latin sentence not understood?
[2] MS: "der der."
[3] MS: "begierde." Miscopied from "begerunge"?

35 quidem conceptionem vox significat: et dicitur *verbum cordis,* significatum
verbo vocis.

Cum autem Deus sit super omnia, ea quae in Deo dicuntur, non sunt
intelligenda

————————————————————————————————— 364

secundum modum infimarum creaturarum, quae sunt corpora;
sed secundum similitudinem supremarum creaturarum, quae sunt intellec-
40 tuales substantiae; a quibus etiam similitudo accepta deficit a repraesen-
tatione divinorum. Non ergo accipienda est processio secundum quod est
in corporalibus, vel per motum localem, vel per actionem alicuius causae in
exteriorum effectum, ut calor a calefaciente in calefactum; sed secundum
emanationem intelligibilem, utpote verbi intelligibilis a dicente, quod manet
45 in ipso. Et sic fides catholica processionem ponit in divinis.

I, q. 27, a. 2. c. Respondeo dicendum quod processio verbi in divinis
dicitur generatio. Ad cuius evidentiam, sciendum est quod nomine *genera-*
tionis dupliciter utimur. Uno modo, communiter ad omnia generabilia et
corruptibilia: et sic generatio nihil aliud est quam mutatio de non esse
50 ad esse.

————————————————————————————————— 365

Alio modo, proprie in viventibus: et sic generatio significat originem
alicuius viventis a principio vivente coniuncto. Et haec proprie dicitur *nati-*
vitas. Non tamen omne huiusmodi dicitur genitum, sed proprie quod procedit
secundum rationem similitudinis ....; non cuiuscumque, nam vermes qui
generantur in animalibus, non habent rationem generationis et filiationis,
55 licet sit similitudo secundum genus: sed requiritur ad rationem talis gene-
rationis, quod procedat secundum rationem similitudinis in natura eiusdem
speciei, sicut homo procedit ab homine, et equus ab equo.

In viventibus autem quae de potentia in actum vitae procedunt, sicut sunt
homines et animalia, generatio utramque generationem includit. Si autem sit
60 aliquod vivens cuius vita non exeat de potentia

————————————————————————————————— 366

in actum, processio, si qua
in tali viventi invenitur, excludit omnino primam rationem generationis; sed
potest habere rationem generationis quae est propria viventium.

Unde also hat die uzgaunge dez wortes in got reden der geberunge. Wan ez gat uz übermitz wise einer fürnünftiger tüewunge, die da ein wirkung ist dez lebens, von dem zuo gefüegeten beginne, alse da vor gesprochen ist; unde [nach] der reden der glicheit, wan die enphahunge dez verstans ist
5 ein glicheit dez verstandenen dinges; unde in der selben naturn, wan in got ist ez alles eins, verstan unde wesen. Unde da von: die uzgaunge dez wortes in got heizet ein geberunge, unde daz uzgande wort heizet der sun.

Ez ist zemerken, daz in got sint zwo usgaunge, daz ist: usgaunge dez wortes unde ein andrü. Her zuo ist zesagen, daz in got dekein usgaunge ist
10 denne

367

nach der tuowunge, daz sich niht enkeret in dekein usser ding, sunder ez blibet in dem wirkenden. Aber dirre [tuowunge in der] vernünftiger nature ist ein vernünftiges werk unde ein tüewunge [1] dez willen. Aber die usgaunge dez wortes merket man nach der vernünftiger tüewunge. Aber nach der wirkenge dez willen vindet man in uns ein ander usgaung: daz
15 ist usgaunge einer minnen, nach dem unde daz geminte ist in dem minnenden; alse übermitz die enphahunge .... dez wortes setzet man ein ander usgaunge in got, dü da ist ein uzgaunge der minnen.

Ez ist zemerken, daz die usgaunge der minne in got niht heizet ein geberung. Her zuo ist zemerken, daz diz ist ein underscheit dez verstans unde
20 dez willen, daz daz verstan wirt in der getat übermitz daz, daz daz verstanden ding ist in dem verstan nach siner glichnüsse; aber der wille wirt in der getat [niht] übermitz daz, daz etwaz gewoltes dinges [2] ist in dem willen, aber von dem unde

368

in daz gewolte dinge der wille hat etwaz neigunge.

Unde da von: die uzgaunge, die da zemerken ist nach reden dez verstans,
25 dü ist nach rede der glichnüsse; unde in dem so mag ez also vil rede haben der geberunge, wan ein iekliches geberendes gebirt im ein gliches. Aber die fürgaung oder die uzgaunge, die man da merket nach tuowunge [3] dez willen, die betrahtet man niht nach der rede der glicheit, sunder mer nach reden dez tribenden unde dez bewegenden in etwaz. Unde dar umbe: daz da uzgat
30 in got übermitz die wis der minne, daz engat nit uz alse ein gebornes oder als ein sun, sunder ez gat mer uz alse ein „geist," von welchem namen bezeichent wirt ein leblich bewegung oder ein tribunge, um daz wan etwer heizet bewegte von minnen oder getriben etwaz [4] zetuon.

Ez ist zemerken, daz allein zwo usgaunge sint in got. Dez [5] sache ze-

---

[1] MS: "töwnge."
[2] Did translator overlook *similitudo*?
[3] Var.: *actio*.
[4] MS: "oder etwaz."
[5] MS: "dz."

35 Sic igitur processio verbi in divinis habet rationem generationis. Procedit enim per modum intelligibilis actionis, quae est operatio vitae; et a principio coniuncto, ut supra iam dictum est: et secundum rationem similitudinis, quia conceptio intellectus est similitudo rei intellectae; et in eadem natura existens, quia in Deo idem est intelligere et esse,.... Unde processio verbi in divinis
40 dicitur generatio, et ipsum verbum procedens dicitur Filius.

I, q. 27, a. 3. c. Respondeo dicendum quod in divinis sunt duae processiones, scilicet processio verbi, et quaedam alia. Ad cuius evidentiam, considerandum est quod in divinis non est processio

——————————————————————————— 367

nisi secundum actionem quae non tendit in aliquid extrinsecum, sed manet in ipso agente. Huiusmodi autem
45 actio in intellectuali natura est actio intellectus et actio voluntatis. Processio autem verbi attenditur secundum actionem intelligibilem. Secundum autem operationem voluntatis invenitur in nobis quaedam alia processio, scilicet processio amoris, secundum quam amatum est in amante, sicut per conceptionem verbi res dicta vel intellecta, est in intelligente. Unde et praeter
50 processionem verbi, ponitur alia processio in divinis, quae est processio amoris.

I, q. 27, a. 4. c. Respondeo dicendum quod processio amoris in divinis non debet dici generatio. Ad cuius evidentiam, sciendum est quod haec est differentia inter intellectum et voluntatem, quod intellectus fit in actu per
55 hoc quod res intellecta est in intellectu secundum suam similitudinem: voluntas autem fit in actu, non per hoc quod aliqua similitudo voliti sit in voluntate, sed

——————————————————————————— 368

ex hoc quod voluntas habet quandam inclinationem in rem volitam. Processio igitur quae attenditur secundum rationem intellectus, est secundum rationem similitudinis: et intantum potest habere rationem generationis,
60 quia omne generans generat sibi simile. Processio autem quae attenditur secundum rationem voluntatis, non consideratur secundum rationem similitudinis, sed magis secundum rationem impellentis et moventis in aliquid. Et ideo quod procedit in divinis per modum amoris, non procedit ut genitum vel ut filius, sed magis procedit ut *spiritus*: quo nomine quaedam vitalis
65 motio et impulsio designatur, prout aliquis ex amore dicitur moveri vel impelli ad aliquid faciendum.

I. q. 27, a. 5. UTRUM SINT PLURES PROCESSIONES IN DIVINIS QUAM DUAE

merken ist, daz die uzgaunge in got

369 ———

niht genomen mügen werden, niht wan
nah den tuowungen, die da blibent in dem wirkenden. Aber solich uzgaunge
in der fürnünftigen naturen [unde] in got ensint nihtwan zwo, daz ist ver-
stan unde wellen. Unde da von ist zehalten, daz dekein ander usgaunge mügen
5 in got gesin, nihtwan der minnen unde dez wortes.

Ez ist zemerken, daz die widertragung in got dinklich sien. Her zuo ist
zewissen, daz in den dinge allein, von den man sprichet, daz si sin zuo etwaz,
vindet [1] etwaz nach der rede alleine unde niht nah dingen. Aber niht in den
andern geslehten, wan die andern geslehte, alse wielichi unde grözi, dü be-
10 zeichen nah eigener reden etwaz, daz etwem inhanget. Aber dü ding, dü da
heizent zuo etwaz, dü bezeichenent nach irre eigener reden alleine daz ge-
sihte [2] zuo etwaz. Unde diz gesihte ist etwenne in der nature der dinge, daz
ist, so etlichü ding nah iren naturen zuo einander [geordent sint] unde
habent etwaz

370 ———

neigunge zuo einander. Unde solich widertragung die müezen
15 dinklich sin. Alse in dem swaren lip ist neigunge unde ordenunge zuo einer
mittern stat; unde da von ist etlich gesihte in dem swarn nach gesihte der
mittern stat. Unde also dez glichez ist ez von solichen andern. Aber etwenne
so ist daz bezeichente gesihte übermitz dü ding, dü da heizent zuo etwaz,
alleine [3] in der begriffunge der rede, die da gebraht ist [4] von einem zuo dem
20 andern; unde denne so ist die widertragung der widertragung [5] allein, alse
so die rede glichet den menschen dem tiere, [6] unde also dez gestelnüsse zuo
dem geslehte. [7]

Aber so etwaz usgat von dem beginne der selber einiger nature, so ist
von not, daz si beide, daz ist der usgande unde daz, von dem er gat, die
25 koment zesamen in einer ordenunge; alse in derselplicheit der naturen.
Unde da von so ist von not, daz die widertragunge, die da nach den gotlichen
uzgaung zenemen sint, daz die dinklich

371 ———

sint.

Ez ist zemerken, daz in got die widertragunge ein ist mit siner wesunge.
Her zuo ist zesagen, daz in einem ieklichen geslehte dez zuovallens von
30 disen nünen sint zwei zeverstan. Unde der selber eins ist wesen, daz einem

---

[1] Cf. page 208, note 6.
[2] MS: "gesihite."
[3] MS: "ist alleine."
[4] Faulty translation.
[5] *rationis* read as *relationis*
[6] MS: "den tieri."
[7] MS: "geshete."

Respondeo dicendum quod processiones in divinis

——————————————————————————————————————— 369

accipi non possunt
nisi secundum actiones quae in agente manent. Huiusmodi autem actiones
in natura .intellectuali et divina non sunt nisi duae, scilicet intelligere et
velle. Relinquitur igitur quod nulla alia processio possit esse in Deó, nisi
35 verbi et amoris.

I, q. 28, a. 1. c. Respondeo dicendum quod relationes quaedam sunt in
divinis realiter. Ad cuius evidentiam, considerandum est quod solum in his
quae dicuntur ad aliquid, inveniuntur aliqua secundum rationem tantum, et
non secundum rem. Quod non est in aliis generibus: quia alia genera, ut
40 quantitas et qualitas, secundum propriam rationem significant aliquid alicui
inhaerens. Ea vero quae dicuntur ad aliquid, significant secundum propriam
rationem solum respectum ad aliud. Qui quidem respectus aliquando est in
ipsa natura rerum; utpote quando aliquae res secundum suam naturam ad
invicem ordinatae sunt, et

——————————————————————————————————————— 370

in vicem inclinationem habent. Et huiusmodi rela-
45 tiones oportet esse reales. Sicut in corpore gravi est inclinatio et ordo ad
locum medium: unde respectus quidam est in ipso gravi respectu loci medii.
Et similiter est de aliis huiusmodi. Aliquando vero respectus significatus per
ea quae dicuntur ad aliquid, est tantum in ipsa apprehensione rationis con-
ferentis unum alteri: et tunc est relatio rationis tantum; sicut cum comparat
50 ratio hominem. animali, ut speciem ad genus.

Cum autem aliquid procedit a principio eiusdem naturae, necesse est
quod ambo, scilicet procedens et id a quo procedit, in eodem ordine con-
veniant; et sic . . . . in identitate naturae, ... necesse est quod relationes quae
secundum processiones divinas accipiuntur, sint relationes

——————————————————————————————————————— 371

reales.

I. q. 28, a. 2. UTRUM RELATIO IN DEO SIT IDEM QUOD SUA ESSENTIA

Ad cuius evidentiam, considerandum est quod in quolibet novem generum
accidentis est duo considerare. Quorum unum est esse quod competit unicui-

ieklichen von disen nünen ¹ bekumet, nach dem unde ez ein zuoval ist. Unde
daz ist bekemlich ² in allen dingen in-einem-undergeworfnen-wesen; wan
dez zuo vallenden wesen ³ ist inwesen. Unde daz ander, daz da betrahtet
mag werden in einem ieklichen, daz ist die eigen rede selbe eins ieklichen
5 von disen ⁴ geslehten. Aber in den andern geslehten, als in der grosheit unde
in der wielicheit, in den nimet man ouch die eigen rede dez geslehtes nach
zuo fügunge zuo dem underwurf; wan die grössede heizet ein masse der
substancien, aber die wielichi ist ein bereitunge der substancien. Aber die
eigen rede der widertragung en nimet [man] niht nah einer zuofügunge
10 zuo .... ⁵

372 ──

etwaz uzzers.

Unde dar umbe unde betrahten wir die widertragung in den geschaffe-
nen dingen nach dem unde si widertragung sint, also vindet man, sü allein
sint zuohangendü wesen unde nit insindü wesen; also daz si bezeichenen
daz gesihte, daz ietweders widertragen ist, ⁶ durch daz wan ez von im meinet
15 oder keret in ein anders. Aber betrahtet man die widertragung nach dem
unde si zuoval sint, also sint si inhangende dem underwurf unde hant ⁷ ein
zuovelliges wesen in im.

Aber swaz in den geschafenen dingen zuovelliges wesen hat, nach dem
unde aber ez übergebraht wirt in got, so ist ez ein substentzelichez wesen;
20 wan nihtes niht ist in got alse ein zuoval in dem underwurf, sunder waz in
got ist, daz ist sin wesunge. Unde dar um: von dem, wan die widertragunge
in den geschaffenen dingen hant zuovelliges wesen in dem underwurfe; aber
die widertragunge, die da dinklich

373 ──

in got ist, die hat wesen gotlicher wesunge,
daz ⁸ mit im eins ist. Aber in dem, daz ez zuo etwaz heizet, daz enbezeichent
25 dekein habung zuo der wesunge, sunder mer zuo sinem ⁹ gegenwurf. Unde
also ist ez offenbar, daz die widertragunge in got, die da dinklich ist, ¹⁰ ist
eins mit der wesung nach dingen; unde enunderscheidet sich niht, nihtwan
nach der rede dez verstans, nach dem unde in der widertragunge getragen
wirt daz gesihte zuo dem gegenwurf, welcher gegenwurf niht innetreit den ¹¹
30 namen der wesung. Unde daz ist ouch offenbar, daz in got niht enist ein

---

¹ MS: "zweien."
² *Communiter* read as *convenienter.*
³ MS: "wesens."
⁴ MS: "disem."
⁵ Latin phrase omitted, changing the sense.
⁶ MS: "hat."
⁷ Faulty translation.
⁸ Translator connected *existens* with *essentiae* instead of with *relatio.*
⁹ *Suum* not connected with *essentiam.*
¹⁰ MS: "sint."
¹¹ Translator read: *qui non importat nominem.*

que ipsorum secundum quod est accidens. Et hoc communiter in omnibus est inesse subiecto: accidentis enim esse est inesse. Aliud quod potest considerari in unoquoque, est propria ratio uniuscuiusque illorum generum. Et in aliis quidem generibus a relatione, 12 utpote quantitate et qualitate, etiam propria
35 ratio generis accipitur secundum comparationem ad subiectum; nam quantitas dicitur mensura substantiae, qualitas vero dispositio substantiae. Sed ratio propria relationis non accipitur secundum comparationem ad illud in quo est, sed secundum comparationem

――――――――――――――――――――――――――――――――――――――― 373

ad aliquid extra.
    Si igitur consideremus, etiam in rebus creatis, relationes secundum id
40 quod relationes sunt, sic inveniuntur esse assistentes, non intrinsecus affixae; quasi significantes respectum quodammodo contingentem ipsam rem relatam, prout ab ea tendit in alterum. Si vero consideretur relatio secundum quod est accidens, sic est inhaerens subiecto, et habens esse accidentale in ipso.
    Quidquid autem in rebus creatis habet esse accidentale, secundum quod
45 transfertur in Deum, habet esse substantiale: nihil enim est in Deo ut accidens in subiecto, sed quidquid est in Deo, est eius essentia. Sic igitur ex ea parte qua relatio in rebus creatis habet esse accidentale in subiecto, relatio

――――――――――――――――――――――――――――――――――――――― 372

realiter existens in Deo habet esse essentiae divinae, idem omnino 13 ei existens. In hoc vero quod ad aliquid dicitur, non significatur aliqua habitudo
50 ad essentiam, sed magis ad suum oppositum. Et sic manifestum est quod relatio realiter existens in Deo, est idem essentiae secundum rem; et non differt nisi secundum intelligentiae rationem, prout in relatione importatur respectus ad suum oppositum, qui non importatur in nomine essentiae. Patet

---

12 Var.: *a relatione* omitted.
13 Var.: *omnino* omitted.

anders daz wesen der widertragung unde daz wesen der wesung, sunder ez ist eins unde daz selbe.

Ez ist zemerken, ob die widertragung in got dinklich geunderscheiden werdent.

5 Her zuo ist zemerken, daz von dem, daz etwaz etlichem zuogeleit wirt, so muoz daz sin, daz ellü ding im[1] zuogeleit sint, die da von der rede sint dez, daz da zuogeleit ist; alse swem[2]

374 ——————————————————————————————

„der mensche" zuogeleit wirt, dem wirt ouch zuogeleit die redelicheit. Aber von der rede der widertragunge ist daz[3] gesihte zuo einem andern, nach dem unde etwaz etlichem gegen 10 gesetzet wirt widertreglichen. Unde sint denne daz die widertragung in got dinklichen ist, alse gesprochen ist, so muoz daz sin, daz gegensetzunge widertreglich si.[4] Aber die widertreglich gegensetzunge die slüzet in irre rede die underscheidunge. Unde da von so muoz daz sin, daz in got si dinklich underscheit, niht nah einem blozen dinge, daz da die wesunge ist, in 15 der die höhste einikeit ist unde einveltikeit, sunder nach dem widergetragenen dinge.

Ez ist zemerken, daz vier widertragung sint in got, daz ist dinklich, daz ist veterlicheit unde sünlicheit unde geistung unde usgaunge.

Her zuo ist zesagen, daz nach dem philosophen in dem fünften capitel in 20 dem buoch „Methaphisica" ein ieklichü widertragunge die

375 ——————————————————————————————

fündiret eintweder über die wielichi,[5] alse zwiveltiges unde ein mittels; oder übermitz[6] die tüewunge oder die lidung, alse der da tuot unde daz da getan ist, der vater unde der sun, der herre unde der kneht. Aber sit denne, daz niht grosheit in got ist (wan er ist „gros ane grosheit," alse St. Augustinus 25 sprichet), unde dar umbe ist zehalten, daz in got dinklih widertragung[7] niht gesin enmag, denne nach der gefundierter tuowunge.[8] Aber ez ensint niht tuowunge, nach den uzga etwaz uzwendiges von got; wan die widertragunge gotis zuo den creaturn ensint niht dinklich in got. Unde da von ist zehalten, daz die dinklichen widertragunge in got niht genomen mügen werden niht 30 wan nach den tüewunge, nach den die uzgaunge in got nüt uswendig ist, sunder inwendig.

Unde solicher usgaunge sint allein zwo, alse da vor gesprochen ist; dirre

1 MS: "in."
2 MS: "swen."
3 MS: "daz ist daz."
4 Did translator read *quod relativa sit oppositio?*
5 *Quantitas* read as *qualitas.*
6 MS: "übmitz."
7 MS: "widertragungun."
8 *fundata* read as *fundatam?*

ergo quod in Deo non est aliud esse relationis et esse essentiae, sed unum et idem.

35 I. q. 28. a. 3. UTRUM RELATIONES QUAE SUNT IN DEO, REALITER AB INVICEM DISTINGUANTUR

Respondeo dicendum quod ex eo quod aliquid alicui attribuitur, oportet quod attribuantur ei omnia quae sunt de ratione illius: sicut

─── 374

cuicumque at-
tribuitur *homo,* oportet quod attribuatur ei esse rationale. De ratione autem
40 relationis est respectus unius [9] ad alterum, secundum quem aliquid alteri opponitur relative. Cum igitur in Deo realiter sit relatio, ut dictum est, oportet quod realiter sit ibi oppositio. Relativa autem oppositio in sui ratione includit distinctionem. Unde oportet quod in Deo sit realis distinctio, non quidem secundum rem absolutam, quae est essentia, in quae est summa unitas
45 et simplicitas; sed secundum hem relativam.

I. q. 28, a. 4. UTRUM IN DEO SINT TANTUM QUATUOR RELATIONES REALES,
SCILICET PATERNITAS, FILIATIO, SPIRATIO ET PROCESSIO

Respondeo dicendum quod, secundum Philosophum, in V *Metaphys.,* relatio omnis fundatur

─── 375

vel supra quantitatem, ut duplum et dimidium; vel supra
50 actionem et passionem, ut faciens et factum, pater et filius, dominus et servus, ... Cum autem quantitas non sit in Deo (est enim *sine quantitate magnus,* ut dicit Augustinus), relinquitur ergo quod realis relatio in Deo esse non possit, nisi super actionem fundata. Non autem super actiones secundum quas procedit aliquid extrinsecum a Deo: quia relationes Dei ad
55 creaturas non sunt realiter in ipso .... Unde relinquitur quod relationes reales in Deo non possunt accipi, nisi secundum actiones secundum quas est processio in Deo, non extra, sed intra.
Huiusmodi autem processiones sunt duae tantum, ut supra dictum est:

---

[9] *unius* omitted in certain manuscripts.

ein nimet man nach tuowunge dez verstans, daz da ist

376 ───────────────────────────────

ein usgaunge dez wor-
tes; die ander nah tuowunge dez willen, unde usgaunge der minne. Aber
nach einer ieklichen widertragunge muoz [man nemen] zwo widertre[g]lich
gegensetzunge;[1] der eine ist dez uzgande von dem beginne, unde die
5 andere[2] des beginnes selber. Aber die usgaunge dez wortes heizet ein ge-
burt, von der eigener rede, von der si bekumit den lebenden dingen. Aber
die widertragunge dez beginnes der geberungen in den lebenden volkome-
nen dingen heisset die „veterlicheit"; aber die widertragung dez usganden
von dem beginne heizet die „sünlicheit." Aber die usgaunge der minne enhat
10 dekeinen eigenen namen; unde da von noch ouch die [widertragunge], die
da von genomen [sint]. Sunder die widertragunge dez beginnes dire us-
gaunge heizet die „geistunge," aber die widertragung dez usgande die
„usgaunge"; wie doch daz ist, daz die zwene namen zuo den usgaungen
oder zuo den widertragungen[3] behören,

377 ───────────────────────────────

unde doch niht zuo den widertra-
15 gungen.

Ez ist zemerken, daz die persone bezeichent daz selbe daz, daz da vol-
komenest ist in aller der naturen, daz ist die selbestaung in der redelichen
naturen. Sit denne daz allez daz, daz volkomeste ist, got zuozelegen ist, durch
daz wan sin wesen innehat alle volkomenheit, so ist daz behörlich, daz der
20 name „persone" von got zesprechenne si. Doch niht in der selber wis, also
man ez sprichet von den creaturen, sunder in einer höchern wis; alse ander
namen, die von uns got ingesast sint, die man im zuoleit.[4]

Ez ist zemerken, daz vil personen in got sint. Wan der nam „persone" be-
zeichent in got die widertragunge alse ein selbes standez ding in der got-
25 licher naturen. Da vor ist bewiset, daz vil widertragungen sint dinklichen
in got. Unde dar nach volget, daz vil selbestande ding sint in gotlicher nature.
Unde daz ist, daz vil personen

378 ───────────────────────────────

sint in got.

Ez ist zemerken, daz allein sien drie personen in got. Nu ist daz bewiset,
daz vil personen sint vil widertragunge selbestande unde zuo einander
30 dinklichen underscheiden. Aber die dinklich underscheidunge zwischen den
gotlichen widertragunge enist nit denne von der rede der widertreglicher
gegensetzunge. Dar umbe so [müezen] zwo gegensast widertragunge zuo
zweien personen behören. Aber welhe widertragunge niht gegensetzelich

---

1   Cf. lines 32 and 33 below.
2   MS: "die andern."
3   Faulty translation.
4   Faulty translation. Perhaps *creatura* was read as *creator*.

quarum una accipitur secundum actionem intellectus, quae

———————————————————————— 376

est processio ver-
35 bi; alia secundum actionem voluntatis, quae est processio amoris. Secundum
quamlibet autem processionem oportet duas accipere relationes oppositas,
quarum una sit procedentis a principio, et alia ipsius principii. Processio
autem verbi dicitur generatio, secundum propriam rationem qua competit
rebus viventibus. Relatio autem principii generationis in viventibus perfec-
40 tis dicitur *paternitas*: relatio vero procedentis a principio dicitur *filiatio*.
Processio vero amoris non habet nomen proprium, ... unde neque relationes
quae secundum ipsam accipiuntur. Sed vocatur relatio principii huius pro-
cessionis *spiratio*; relatio autem procedentis, *processio*; quamvis haec duo
nomina ad ipsas processiones vel origines pertineant,

———————————————————————— 377

et non ad relationes.
45 I. q. 29, a. 3. c. Respondeo dicendum quod persona significat id quod est
perfectissimum in tota natura, scilicet subsistens in rationali natura. Unde,
cum omne illud quod est perfectionis, Deo sit attribuendum, eo quod eius
essentia continet in se omnem perfectionem; conveniens est ut hoc nomen
persona de Deo dicatur. Non tamen eodem modo quo dicitur de creaturis,
50 sed excellentiori modo; sicut et alia nomina quae, creaturis a nobis imposita,
Deo attribuuntur; ....
I, q. 30, a. 1. c. Respondeo dicendum quod plures esse personas in divi-
nis, ... Ostensum est enim .... quod hoc nomen *persona* significat in divi-
nis relationem, ut rem subsistentem in natura divina. Supra autem habitum
55 est quod sunt plures relationes reales in divinis. Unde sequitur quod sint plu-
res res subsistentes in divina natura. Et hoc est esse plures

———————————————————————— 378

personas in
divinis.
I, q. 30, a. 2. c. Respondeo dicendum quod, secundum praemissa, necesse
est ponere tantum tres personas in divinis. Ostensum est enim quod plures
60 personae sunt plures relationes subsistentes, ab invicem realiter distinctae.
Realis autem distinctio inter relationes divinas non est nisi in ratione oppo-
sitionis relativae. Ergo oportet duas relationes oppositas ad duas personas
pertinere: si quae autem relationes oppositae non sunt, ad eandem personam

sint, dez ist notdürftig, daz si zuo der selben personen behören. Unde dar
umbe die selbestande veterlicheit ist die persone dez vatters, unde die selbe-
stande sünlicheit ist die persone [des suns]. Aber die andern zwo wider-
tragunge die enhabent zuo entwederre persone gegensetzunge, sunder si
5 widersetzent in selber. Unde da von ist unmüglich, daz si beide einer [1] per-
sonen bekomen. Unde dar umbe so muoz daz sin, eintweder daz dirre

379 ──

einü bekome ietwederre personen; oder daz einü einre unde die ander der
anderren [bekome]. Unde da von so enmag es niht gesin, daz die usgangunge
bekome dem vatter oder dem sun: wan anders so volget daz dar nah, daz
10 die usgaunge des verstans, dü da ein geberung in got [ist], nach der [daz
man nimet] die veterlicheit unde die sünlicheit usgienge von der uzgaunge
der minne, nach der daz man nimet [2] die geistunge unde die usgaung; unde
were, daz die geberende persone unde die geborne uzgienge von der geis-
tunge, daz doch wider daz ist, waz gesprochen ist. Unde da von ist daz ze-
15 halten, daz die geistunge bekome der persone dez vatters unde der persone
dez sunes, so daz si dekein gegensetzlich widertragung [3] hat zuo der vetter-
licheit noh zuo der sünlicheit. Unde dar nach volget, daz daz behörlichen ist,
daz die usgaunge zuobehör der andern personen, die da heizet ein persone
dez heiligen geistes, dü da

380 ──

fürgat nach wis der minne. Unde also ist zehalten
20 daz allein drie personen in got sint, daz ist der vatter unde der sun unde der
heilige geist.

Ez ist zemerken, daz der name „driveltikeit" bezeichent in got ein beter-
miniertes zal der personen. Unde dar umbe alse man setzet menigi der
personen in got, also ist ouch zegebruchen dez namen der „driveltikeit"; wan
25 daz selbe, [daz] bezeichent „die menige" unbeterminieret, [daz bezeichent]
dirre name „driveltikeit" beterminiert. [4]

Ez ist zemerken, wie der sun ein anderre si von dem vater.

Her zuo ist zesagen, daz [5] in den dingen, die wir von der driveltikeit
sprechen, daz wir zwo gegengesast irrunge behüeten sülen, mezziclichen
30 zwischen iewederm der uzgande; [6] nach der irrunge dez, der da heizet
Arrius, der da sast mit der driheit der personen driheit der substancien;
unde ouch die irrunge dez, der heizet Sabellius, der da sast mit der guot-
heit [7] der wesunge

381 ──

die einikeit der personen.

[1] MS: "ein."
[2] MS: "minnet."
[3] Cf. page 310, line 31.
[4] MS: "umbeterminiert."
[5] MS: "daz man muoz."
[6] MS: "uzgat."   [7] *Unitas* read as *bonitas.*

necesse est eas pertinere . . . . Paternitas igitur subsistens est persona Patris,
35 et filiatio subsistens est persona Filii. Aliae autem duae relationes ad neu-
tram harum oppositionem habent, sed sibi invicem opponuntur. Impossibile
est igitur quod ambae uni personae conveniant. Oportet ergo quod vel una

——— 379

earum conveniat utrique dictarum personarum: aut quod una uni, et alia
alii. Non autem potest esse quod processio conveniat Patri et Filio, ... quia
40 sic sequeretur quod processio intellectus, quae est generatio in divinis, secun-
dum quam accipitur paternitas et filiatio, prodiret ex processione amoris,
secundum quam accipitur spiratio et processio, si persona generans et genita
procederent a spirante: quod est contra praemissa. Relinquitur ergo quod
spiratio conveniat et personae Patris et personae Filii, utpote nullam habens
45 oppositionem relativam nec ad paternitatem nec ad filiationem. Et per con-
sequens oportet quod conveniat processio alteri personae, quae dicitur per-
sona Spiritus Sancti, quae

——— 380

                    per modum amoris procedit, ... Relinquitur
ergo tantum tres personas esse in divinis, scilicet Patrem et Filium et Spiri-
tum Sanctum.
50   I, q. 31, a. 1. c. Respondeo dicendum quod nomen *trinitatis* in divinis sig-
nificat determinatum numerum personarum. Sicut igitur ponitur pluralitas
personarum in divinis, ita utendum est nomine *trinitatis*: quia hoc idem
quod significat *pluralitas* indeterminate, significat hoc nomen *trinitas* deter-
minate.

55   I. q. 31, a. 2. UTRUM FILIUS SIT ALIUS A PATRE

Oportet autem in his quae de Trinitate loquimur, duos errores oppositos
cavere, temperate inter utrumque procedentes: scilicet errorem Arii, qui
posuit cum trinitate personarum trinitatem substantiarum; et errorem Sabel-
lii, qui posuit cum unitate essentiae

——— 381

                    unitatem personae.

Aber zuo der irrung Arrij süllen wir vermiden in gotte den namen der „mislichi" unde der „underscheidunge," [1] daz man iht abneme einikeit der wesunge; aber wir mügen gebruchen dez namen der „underscheidunge," [1] durch die widertragunge [2] der gegensetzunge. Unde da umbe: wan man vindet in der schrift merklichen [3] die mislichi oder die underscheidunge [1] der personen, so nimet [4] die mislichi oder daz underscheit [1] für die underscheidunge. [1] Aber daz iht abgenomen werde die einveltikeit der gotlichen wesunge, so ist zevermiden der nam der „teilunge" oder „underscheidunge," die da ist der ganzheit in die teile. [5] Aber daz niht abgenomen werde die ebenglicheit, so ist zevermiden der name der „zerspreiunge." Unde daz iht abgenomen werde die glicheit, so ist zevermidenne der name dez „frömeden." Da sprichet St. Ambrosius in dem buoch „Von driveltikeit," daz in dem vatter unde in dem

382

sun ist „nit mishellunge [6] sunder ein gotheit."

Aber zuo der irrunge der Sabelliri sülen wir vermiden die einlicheit, daz iht abgenomen werde die gemeinsamikeit der gotlichen wesung. Unde da von sprichet Hylarius in dem sibenden capitel „Von der driveltikeit": „Den vatter unde den sun, swer die prediget einen sünderlichen got, der ist ein geistlicher diep." [7] Wir sülen ouch vermiden den namen der „geeinten," [8] daz iht abgenomen werde die zale der personen; unde da von sprichet Hylarius da selbes, [9] daz von got usgeslozen werde „daz verstan dez sünderlichen [10] oder der geeinigten." [8] Doch sprechen wir einen „einigen sun," wan ez ensint niht vil sun in got. Unde ensprechen wir niht einen „einigen got," wan die vilheit ist gemein. Unde dar umbe sülen wir vermiden den namen der „geschanten," [11] daz iht abegenomen werde die ordenunge der naturen von den personen. Unde da

383

von sprichet Ambrosius in dem beginne „Von

---

[1] Translator lacked the linguistic means to differentiate *differentia* and *distinctio*. Christmann's translation into modern German (Salzburg, Leipzig, 1939) translates *differentia* by "Unterschied," *distinctio* by "Unterscheidung."

[2] Cf. page 310, line 7.

[3] *authentica* not recognized as modifying *scriptura*.

[4] Cf. page 208, note 6.

[5] MS repeats after "in die teile" the words "Aber daz niht abgenomen werde die teile."

[6] *discrepans* read as *discrepantia*.

[7] *sacrilegum* read as *sacrilegus*?

[8] Translator read *uniti*?

[9] MS: "sebes."

[10] MS: "sünlichen."

[11] "die geschante," like "die geeinte" and "die geeinigte" above, seems to be intended as a verbal abstract formation. For the erroneous interpretation of *confusi* cf. page 104, note 3.

Ad evitandum igitur errorem Arii, vitare debemus in divinis nomen *diversitatis* et *differentiae,* ne tollatur unitas essentiae; possumus autem uti nomine *distinctionis,* propter oppositionem relativam. Unde sicubi in aliqua scriptura authentica diversitas vel differentia personarum invenitur, sumitur
30 diversitas vel differentia pro distinctione. Ne autem tollatur simplicitas divinae essentiae, vitandum est nomen *separationis* et *divisionis,* quae est totius in partes. Ne autem tollatur aequalitas, vitandum est nomen *disparitatis.* Ne vero tollatur similitudo, vitandum est nomen *alieni* ....: dicit enim Ambrosius, in libro *de Fide,* quod in Patre et

———————————————————————————————— 382

. Filio *non est discrepans, sed una*
35 *divinitas:* ....

Ad vitandum vero errorum Sabellii, vitare debemus *singularitatem,* ne tollatur communicabilitas essentiae divinae: unde Hilarius dicit, VII *de Trin.: Patrem et Filium singularem Deum praedicare, sacrilegum est.* Debemus etiam vitare nomen *unici,* ne tollatur numerus personarum: unde Hila-
40 rius in eodem libro [12] dicit quod a Deo excluditur *singularis atque unici intelligentia.* Dicimus tamen *unicum Filium*: quia non sunt plures Filii in divinis. Neque tamen dicimus *unicum Deum*: quia pluribus deitas [13] est communis. Vitamus etiam nomen *confusi,* ne tollatur ordo naturae a personis: unde

———————————————————————————————— 383

Ambrosius dicit, I *de Fide: Neque confusum est quod unum est, neque mul-*

[12] Var.: *libro* omitted.
[13] Var.: *pluralitas* for *pluribus deitas.*

der driveltikeit": „Ez enist niht geschant, daz ein [1] ist noch ez en [2] mag inwesen gesin, [3] wan ez ist ane underscheit." Ouch ist ze vermiden der name dez einwonenden, daz iht angenomen werde die geselleschafte der drier personen; wan ez sprichet Hylarius in dem vierden capitele „Von der drivel-
5 tikeit": „Uns ist niht zeveriehen, daz got ein einwoner si noch gemessen [4] si."

Aber dirre [name des andern], in eines mannes gesleht genomen, so [5] entreit er niht inne denne underscheidunge der underwurfe. Unde dar umbe mügen [wir] behörlichen sprechen, daz „der sun ist ein anderre von dem
10 vatter," daz ist ein anderre understan der gotlichen nature, alse er ist ein ander persone.

Ez ist zemerken, daz die küntlicheit daz heizet, daz da eigen der rede [6] des erkennens der gotlichen personen. Aber die gotlichen personen, die menigvaltigent [7] sich nach dem ursprunge. Aber zuo dem ursprunge

384 ─────────────────────────────

15 behöret „von dem ein anderre" unde „der von einem andern." Unde nah disen zwein wisen mag erkant werden die person. Unde dar umbe so mag die persone dez vatters niht erkant werden von dem, daz er von einem andern ist, sunder von dem, daz er von nieman ist; unde also nach disem teile so ist [sin] küntlicheit [8] die „ungebornheit." Aber alse vil alse etwer
20 von im erkannt wirt, [9] daz geschiht in zweier hande wise. Wan in dem der sun von im [ist], so wirt erkant von der küntlicheit der „veterlicheit." [10] Aber in dem unde der heilig geist von im ist, so wirt erkant von küntlicheit der gotlicher „geistunge." Aber der sun mag erkant werden, übermitz daz er von einem andern ist gebernde, unde also wirt erkant übermitz „sün-
25 licheit." [11] Unde von dem, daz einre ist von dem andern, [9] daz ist der heilig geist. Unde übermitz daz daz erkant wirt in der selber wis alse ouch der vatter, daz ist von der „gemeiner geistunge." Aber der heilig geist mag erkant werden von

385 ─────────────────────────────

    dem daz er ist von einem andern oder von den andern, unde also wirt er bekant übermitz die „usgaunge." Aber niht übermitz daz, daz ein anderre von im si, wan dekein gotlich person gat von im. Unde da

---

1 MS: "en."
2 MS: "ein."
3 *multiplex* omitted in translating.
4 *diversus* read as *dimensus*?
5 MS: "genoso."
6 Faulty translation.
7 MS: "menigfaltiget."
8 MS: "küntlichen." The endings *-en, -er* and *-eit* are easily confused.
9 Faulty translation.
10 MS: "veterlicher."
11 MS: "süntlicheit"

tiplex esse potest quod indifferens est. Vitandum est etiam nomen *solitarii,* ne tollatur consortium trium personarum : dicit enim Hilarius, in IV *de Trin.* : *Nobis neque solitarius, neque diversus Deus est confitendus.*

Hoc autem nomen *alius,* masculine sumptum, non importat nisi distinctio-
35 nem suppositi. Unde convenienter dicere possumus quod *Filius est alius a Patre* : quia scilicet est aliud suppositum divinae naturae, sicut est alia persona, ...

I, q. 32, a. 3. c. Respondeo dicendum quod notio dicitur id quod est propria ratio cognoscendi divinam personam. Divinae autem personae multiplicantur
40 secundum originem. Ad originem

―――――――――――――――――――――――――――――――――― 384

autem pertinet *a quo alius,* et *qui ab alio* : et secundum hos duos modos potest innotescere persona. Igitur persona Patris non potest innotescere per hoc quod sit ab alio, sed per hoc quod a nullo est : et sic ex hac parte eius notio est *innascibilitas.* Sed inquantum aliquis est ab eo, innotescit dupliciter. Quia inquantum Filius est ab eo,
45 innotescit notione paternitatis : inquantum autem Spiritus Sanctus est ab eo, innotescit notione *communis spirationis.* Filius autem potest innotescere per hoc quod est ab alio nascendo : et sic innotescit per *filiationem.* Et per hoc quod est alius ab eo, scilicet Spiritus Sanctus : et per hoc innotescit eodem modo sicut et Pater, scilicet *communi spiratione.* Spiritus Sanctus
50 autem innotescere potest per

―――――――――――――――――――――――――――――――――― 385

hoc quod est ab alio vel ab aliis : et sic inno-
tescit *processione.* Non autem per hoc quod allius sit ab eo : quia nulla divina persona procedit ab eo. — Sunt igitur quinque notiones in divinis : scilicet

von so sint nihcwan fünf küntlicheit in got, daz ist die „ungeberlicheit,” die „veterlicheit,” die „sünlicheit,” die „gemein geistung” unde die „uzgaunge.”

    Unde dirre sint allein vier widertragunge, wan die ungeberlicheit enist niht ein widertragunge niht wan übermitz widerleitunge, also daz als[w]o spreche. Ir sint allein vier [eigenschaft], wan die gemein geistunge ist niht ein eigenschaft, sit si bekümt zweien personen. Aber es sint dri küntlich [1] personlicheit, daz ist die persone setzent, daz ist veterlicheit unde sünlicheit unde usgaunge; wan die ungebornheit unde die gemein geistunge die heissent küntlicheit der „personen,” unde niht personlich.

    Ez ist zemerken,

386 ————————————————————————————————————

        alse St. Augustinus sprichet in dem einleften capitel „Von der driveltikeit,” daz worte gotis wirt offenbar in etlicher wis übermitz daz wort unsers verstans, daz nihtes niht anders enist denne ein tüwelichü entphahung unser küntlichi; wan sit daz wir [waz wir] tetticlich [wissen], [2] daz enphahen wir betrahtende, diz ist ein wort unsers verstans, unde diz ist, daz wir mit den uzern worten bezeichenen. Aber wan wir daz niht gar, daz wir von einer habunge wissen, mit getat dez gemüetes enphahen, sunder wir werden von [einem] verstenlichen dingen beweget zuo dem andern, unde da von ist, [daz] in uns niht en ist ein wort allein dez gemüetes, sunder vil, der keins [glichet unserem wissen]. Aber got, swaz der weis von der getat, [3] daz verstat er; unde dar umbe in dem gotlichen gemüete engat niht ein worte vor, daz ander nach; unde also er von einem wissen sich weis unde ellü ding. Noch sin wort enwere niht volkomen, alse St. Augustinus

387 ————————————————————————————————————

        sprichet in dem selben buoch, wan wer dekein ding minre in sinem worte denne in siner kunst. Unde da von: waz der vatter weis, daz sprichet er alles mit sinem einigen wort. Unde da von so ist daz notdürftig, daz ez daz selbe worte si, mit dem er sich selber sprichet unde mit dem er ouch ellü ding sprichet.

    Ez ist zemerken, daz sich die personlich eigenschaft helten in der wise in got zeunderscheiden die personen, alse sich haltent in den natürlichen dingen die substenzelichen forme zeunderscheiden die gesteltnüsse der dinge; aber doch, nach dem unde ez uzwendig [4] den creaturn zuo got genomen ist, so sint si zemale niht glich. Wan in den natürlichen dingen underscheidet sich etwaz übermitz˙ sin forme von dem andern in zweier han[de] wis. Ein wis nach der rehten zesamensetzunge [5] der forme zuo der formen;

---

    [1] Translator should have said "personlich küntlicheit;" cf. end of sentence.
    [2] *actu* connected with *scimus.*
    [3] *actu* connected with *scit.*
    [4] Faulty translation.
    [5] *oppositio* probably misread as *compositio;* cf. the translation of *oppositas* in the next clause.

innascibilitas, paternitas, filiatio, communis spiratio et *processio*

Harum autem tantum quatuor sunt relationes: nam innascibilitas non est
relatio nisi per reductionem, ut infra dicetur. Quatuor autem tantem *proprie-
tates* sunt: nam communis spiratio non est proprietas, quia convenit duabus
40 personis. Tres autem sunt notiones *personales,* idest constituentes personas,
scilicet paternitas, filiatio et processio: nam communis spiratio et innascibili-
tas dicuntur notiones *personarum,* non autem personales.

─── 386

QUODLIBET IV, A. VI, C.

Respondeo [6] dicendum, quod, sicut Augustinus dicit, 15 *de Trin.,* Verbum
45 Dei repraesentatur aliqualiter per verbum nostri intellectus, quod nihil est
aliud quam quaedam acceptio actualis nostrae notitiae: cum enim id quod
scimus, actu considerando concipimus, hoc verbum nostri intellectus est,
et hoc est quod verbo exteriori significamus. Sed quia nos non totum id
quod habitu scimus, actu mente concipimus, sed de uno intelligibili movemur
50 ad aliud; inde est quod in nobis non est unum solum verbum mentale: sed
multa, quorum nullum adaequat nostram scientiam. Sed Deus quidquid scit,
actu intelligit; et ideo in mente ejus non succedit verbum verbo: et sicut
eadem scientia scit se.... et omnia alia: nec esset ejus Verbum perfectum
ut Augustinus

─── 387

in eodem lib. dicit, si aliquid minus esset in ejus Verbo quam
55 in ejus scientia; unde quidquid Pater scit, totum unico suo Verbo dicit. Et
sic necesse est quod idem Verbum sit quo dicit se ipsum et quo dicit creaturam.

QUODLIBET IV, A. VII, C.

Respondeo dicendum, quod hoc modo se habent proprietates personales in
divinis ad distinguendum personas sicut se habent in rebus naturalibus for-
60 mae substantiales ad distinguendas species rerum; sic tamen quod a creatu-
ris exempla ad Deum assumpta non omnino similia sunt. In rebus autem
naturalibus distinguitur aliquid per formam suam ab alio dupliciter. Uno
modo secundum directam oppositionem formae ad formam; et hoc modo

[6] Parma edition, vol. IX, p. 511.

unde in dirre wis so underscheidet sich ein ieklich natürlich ding von

388 ───

allen gesteltnüssen sines geslehtes; die da gegengesast forme hant, nach
dem unde daz geslehte wirt geteilet von gegengesasten underscheidunge;
alse der saphire wirt geunderscheiden von siner forme von allen den andern
5 gesteltnüssen [1] dez steines. In einer andern wis wirt daz natürlich ding ge-
underscheiden nach der formen, nach dem unde man si hat unde nit enhat;
unde in dirre wise, daz ez hat etliche natürlich forme, nach dem ist ez
underscheiden von allen den, die niht dise forme hant; als der saphirus
der ist underscheiden übermitz sin natürlich formen nit allein von allen den
10 andern geslehten dez steines, sunder von den gesteltnüssen der tiere unde
der wachsender ding.

    Unde also ist zesprechenne, daz der sun von siner sünlicheit under-
scheiden ist von dem vatter nach der widertreglicher gegensetzunge der
sünlicheit zuo der vetterlicheit, aber von

389 ───

dem heiligen geist ist er under-
15 scheiden von der sünlicheit, übermitz daz der heilig geist nit enhat die
sünlicheit, die da der sun hat.

    Ez ist zemerken: daz sehen der glorien der seligen [2] gescheit in zweier
hande wis. Ein wis: daz man begriffe, waz die glori selbe si, unde welchü
si unde wie groz si si. Unde also enmag nieman [3] die glori gesehen niht
20 wan der in der glorien ist, wan ez übergat die begirde unde daz verstan
dirre, die da niht befunden habent der glorien. Wan diz ist daz verborgen
himelbrot unde der geschriben name in daz steinlin, den nieman erkant
nihtwan der da nimet, alse ez geschriben ist in Apokalipsim in dem andern
capitel. In einer andern wis so geschit zesehen die glori der seligen, alse
25 si gesehen werdent, die seligen selber, in etlicher [unge]reter glorien unde
von einem fürtreffenden verstan. [4] Unde also sehent die verdampten vor
dem iungsten tag die glorie

390 ───

der heiligen, aber niht nach dem iungesten
tage: durch daz, daz si dar nach von der geselleschaft der heiligen ge-
fromedet werden, also daz si zuo der höchsten iamerkeit koment, unde dar
30 umbe daz si der gesiht der heiligen niht wirdig gehab[et] [5] werden; wan
der etwaz sieht, der hat geselleschaft mit dem, daz er sicht.

    Ez ist zemerken, daz die geistlichen gebresten in den [6] verdampneten
[niht] genomen werdent, daz da bezeichent Ezechiel in [dem] driund-

---

1 MS: "gesteltnüsses."
2 MS: "seligeit," cf. page 316, note 8.
3 MS: "niema."
4 *intellectum* read as *intellecto.*
5 Hyphen after "gehab-" indicates omitted syllable.
6 MS: "der."

distinguitur unaquaeque res naturalis ab

omnibus speciebus sui generis; quae 388
35 habent formas oppositas, secundum quod genus dividitur oppositis differen-
tiis; sicut sapphyrus distinguitur sua forma ab omnibus aliis speciebus lapi-
dum. Alio modo distinguitur res naturalis per suam formam secundum
habere et non habere; et hoc modo quod habet aliquam formam naturalem
distinguitur ab omnibus non habentibus formam illam, sicut sapphyrus per
40 suam formam naturalem distinguitur non solum ab aliis generibus lapidum,
sed a speciebus animalium et plantarum.

Sic ergo dicendum, quod Filius sua filiatione distinguitur quidem a Patre
secundum oppositionem relativam filiationis ad paternitatem, sed a

389

Spiritu
sancto distinguitur filiatione, per hoc quod Spiritus sanctus non habet filia-
45 tionem quam Filius habet.

QUODLIBET VIII, A. XVI, C.

Respondeo dicendum, quod videre gloriam beatorum dupliciter contingit.
Uno modo ut capiatur quid sit ipsa gloria, et qualis et quanta; et sic nullus
potest videre gloriam nisi qui est in gloria: superat enim et desiderium
50 et intellectum eorum qui non sunt in ea; hoc enim est manna absconditum, et
nomen novum scriptum calculo, quod nemo novit nisi qui accipit, ut habetur
Apocal. 2. Alio modo contingit videre gloriam beatorum, ut videantur ipsi
beati esse in quadam gloria inenarrabili et excedente intellectum; et sic
damnati ante diem iudicii vident gloriam

390

sanctorum, non autem post diem
55 iudicii: quia tunc erunt penitus a sanctorum consortio alienati, ut qui ad
summum jam miseriae pervenerunt, et ideo nec etiam sanctorum consortio
digni habebuntur: nam videns aliquod consortium habet cum eo quod videt.

QUODLIBET VIII, A. XVII, C.

Respondeo dicendum, quod vitia spiritualia in damnatis continuantur; quod

drissigisten [1] capitel, do er sprach, daz die unmilten „mit iren waffenen nidergant zuo der helle." Unde da von ist in in volkomener nide, zuo dem daz behöret truren von eines andern guot, daz er niht enhat. Unde also so wolten si ouch, daz si alle übel litten, daz si lident. Wan erlöset werden
5 von übele ist etwaz guotes. Unde etlicher nide, in etlichen ouch in disem leben allein wirt er starke, [2] daz si ir aller nahsten

391 ▬▬▬▬▬▬▬▬▬▬▬▬▬▬▬▬▬▬▬▬▬▬▬▬▬▬

hassent von dem guot daz si hant. Unde fürbas der nide von menen wolten si ir nechsten niht alse ouch die andern von der verdampnüsse losen die mit den andern verdampt werden; [3] unde sint betrüebet, ob si die andern wissen selig. Unde
10 doch unde solten si niht verdampt werden, sunder etliche behalten werden, so wolten si doch die nechsten lieber erlösen von der verdampnüsse [4] denne die andern; unde wan si ouch in dem von hazze gepint werden, ob si die andern sehent, daz si behalten werdent, unde die iren verdampt. Unde übermitz daz so wolt der rih niht siner nehsten verdampnüsse.
15 Ez ist zemerken, daz ane zwivel zehalten ist, daz die gotlich wesung in dem ewigen leben unmittellich von dem geschaffenen verstan gesehen wirt. Her zuo ist zesagen, daz in dem vernünftigen gesihte drier hande mittel ist. Ein mittel, under dem daz daz verstan siht, daz in bereit zesehenne;

392 ▬▬▬▬▬▬▬▬▬▬▬▬▬▬▬▬▬▬▬▬▬▬▬▬▬▬

unde daz ist in uns daz lieht dez wirkenden verstan, daz sich da heltet zuo
20 unserm müglichen verstan, alse daz lieht der sunnen zuo dem ougen. Ein ander mittel ist, von dem man sicht. Unde daz sint die verstentlichen gesteltnüsse, daz daz müglich verstan beterminieret; unde ez haltet sich zuo dem müglichen verstan alse daz gestelnüsse dez steines zuo dem ougen. Daz dritte ist, in dem etwaz gesehen wirt. Daz ist etlich ding, übermitz
25 daz wir in bekentnüsse komen anderre dinge, alse wir in dem werke die sache sehen, unde in einem der widerwertigen sieht [5] man daz ander. Unde diz mittel heltet sich zuo dem verstan, alse der spiegel zuo dem [6] liplichen gesihte, in dem daz ouge etliche ding sieht. Unde dar umbe: daz erste mittel unde daz ander enmachent niht ein mittelich gesiht; wan unmittelich heize
30 ich einen stein sehen, wie doch daz ist, daz ich in übermitz sin gesteltnüsse, daz ich in dem ougen enphangen

393 ▬▬▬▬▬▬▬▬▬▬▬▬▬▬▬▬▬▬▬▬▬▬▬▬▬▬

han, unde übermitz daz lieht in sehe. Wan daz gesiht wirt nüt getragen in disü mittel als in die gesihtigen ding, sunder übermitz disü mittel wirt ez gebraht in ein gesihtig, daz da [ist] uzwendige

---

[1] MS: 'in dri und daz issigilten."
[2] Cf. the translation of *invalesco* with "vergraben" on page 6.
[3] Sentence completely unintelligible.
[4] MS: "verdapnüsse."
[5] MS: "sieh."
[6] MS: "den."

significatur *Ezech. 32, 27,* ubi dicitur de impiis: *quod cum armis suis ad in-*
35 *fernum descendunt*; et ideo in eis perfecta invidia est, ad quam pertinet
dolere de bono alterius quod ipse non habet; et sic etiam vellet omnes pati
malum quod ipse patitur: liberari enim a malo, quoddam bonum est. Quae
quidem invidia in aliquibus etiam in hac vita tantum invalescit, ut suis
propinquissimis

———————————————————————————————— 391

etiam invideant de bonis quae non habent ipsi. Unde multo
40 amplius damnati, invidia stimulante, vellent, suos propinquos cum omnibus
aliis esse damnatos; et dolebunt, si sciant aliquos esse salvatos. Sed tamen
si non omnes debent damnari, sed aliqui servari, magis vellent suos propin-
quos quam alios a damnatione liberari: quia in hoc etiam invidia torquebun-
tur, si videant salvari alios, et suos damnari; et per hunc modum dives dam-
45 natus nolebat suorum damnationem.

QUODLIBET VIII, A. I, C.

Respondeo dicendum, quod absque dubio tenendum est, quod divina essen-
tia in patria immediate ab intellectu glorificato videatur. Ad cujus evidentiam
sciendum est, quod in visione intellectiva triplex medium contingit esse.
50 Unum sub quo intellectus videt, quod disponit eum ad videndum;

———————————————————————————————— 392

et hoc
est in nobis lumen intellectus agentis, quod se habet ad intellectum possibi-
lem nostrum sicut lumen solis ad oculum. Aliud medium est quo videt; et
hoc est species intelligibilis, quae intellectum possibilem determinat, et habet
se ad intellectum possibilem sicut species lapidis ad oculum. Tertium medium
55 est in quo aliquid videtur; et hoc est res aliqua per quam in cognitionem
alterius devenimus; sicut in effectu videmus causam, et in uno . . . . contra-
riorem videtur aliud; et hoc medium se habet ad intellectum sicut speculum
ad visum corporalem, in quo oculus aliquam rem videt. Primum ergo medium
et secundum non faciunt mediatam visionem: immediate enim dicitur aliquis
60 videre lapidem, quamvis eum per speciem ejus in oculo receptam

———————————————————————————————— 393

et per
lumen videat: quia visus non fertur in haec media tamquam in visibilia; sed
per haec media fertur in unum visibile, quod est extra oculum. Sed tertium

daz ouge. Sunder daz dritte mittel machet mitteliches gesiht; wan daz gesicht wirt dez ersten getragen in den spiegel alse in daz sihtilich ding, von dem man mittelich nimet daz gesteltnüsse dez dinges in im selber. [1] Unde also dez gliches: daz erkennelich verstan bringet die sache dez ungeschaffenen [2]
5 in daz geschaffen alse in etwaz verstentliches, von dem ez übergat in daz erkennen. Unde wan wir gotlich wesung in dirre zit in iren werken bekennen, so ensehe wir sin nüt unmittelichen. Unde da von wirt in dem ewigen leben diz mittel enzogen. Ouch enwirt da [3] dekein mittele nach [4] dekeinen gesteltnüssen der gotlicher wesunge informierende daz verstan; wan

394 ──────────────────────────────

10 so etlich unmittelich gesehen wirt übermitz gestelnüsse, so muoz daz sin, daz daz gesteltnüsse dis ding offenbar nach dem [vollen] wesen siner gestelnüsse; wan anders so ensprech man nit, daz diz ding unmittelich gesehen werde, sunder etlichü siner beschetwunge, alse die glicheit in dem ougen wirde übermitz sin varwe, daz da ist ein beschetwetes lieht. Sit daz
15 ein iekliches, [daz] enphangen wirt in etwem, in im werde enphangen nah wis dez enphahenden, so ist ez unmüglich, in dem geschaffenen verstan die [gesteltnüsse der] gotlichen wesunge [ze enphangen, die si] volkomenlichen nah aller ire redenne müge geoffenbare. Unde da von: unde were daz, daz gotlichü wesunge übermitz dekein solich glichnüsse von uns gesehen
20 wirde unmittelichen, [5] so ensehen wir niht die gotlichen wesung sunder etlichen schatten, der sin wer. Dar um so bestat daz, daz allein daz erst mittel wirt in dem gesihte,

395 ──────────────────────────────

daz ist daz lieht der glorien, von dem unser verstan volmachet wirt zesehenne die gotlichen wesung, von dem David sprichet: „In dinem lieht sehen wir daz lieht." Aber dis lieht enwirt niht
25 notdürftig zuo dem, daz ez verstendig mache in der maht, [6] daz daz verstentliche si in der getat, zuo dem daz uns [7] notdürftig ist daz liehte dez wirkenden verstans; wan die gotlich wesung, sit daz si ist von der materien gescheiden, so ist si übermitz sich selber von der getat verstentlichen; sunder ez ist alleine notdürftig zevolmachenne daz verstan, zuo dem daz nu daz
30 lieht dez wirkenden verstans guot ist. Unde dar umbe: daz vorgesprochen lieht der glorien ist envollen gnuog zuo dem verstan zevolmachen, zesehenne die gotlichen wesung, um daz wan die gotlich wesung alle zemal ein verstentlich lieh ist. Unde da von: daz lieht der glorien, daz kümet von ir nider

---

[1] Possibly to be explained by a text-variation reading: *speciem rei in se ipso.*
[2] Translator did not recognize the verbal function of *cognoscens,* and read *in causato* as *incausati.*
[3] MS: "dz."
[4] Translator omitted *scilicet* and took *secundum* as a preposition.
[5] *immediate* connected with *videretur.*
[6] Faulty translation.
[7] MS: "nu"; perhaps *nobis* misread as *nunc.*

medium facit visionem mediatam: visus enim prius fertur in speculum
35 sicut in visibile, quo mediante accipit speciem rei visae in specie vel speculo:
similiter intellectus cognoscens causam in causato, fertur in ipsum causatum
sicut in quoddam intelligibile, ex quo transit in cognitionem causas. Et quia
essentia divina in statu viae in effectibus suis cognoscitur, non videmus eam
immediate; unde in patria, ... tale medium penitus subtrahetur. Similiter
40 etiam non est ibi medium secundum, scilicet aliqua species essentiae divinae
intellectum informans: quia

————————————————————————————————————— 394

quando aliquid videtur immediate per speciem
suam, oportet quod species illa repraesentet rem illam secundum completum
esse suae speciei; alias non diceretur res illa immediate videri, sed quaedam
umbra ejus; sicut si similitudo lucis in oculo fieret per modum coloris, qui
45 est lux obumbrata. Cum autem omne quod recipitur in aliquo, recipiatur in
eo per modum recipientis; impossibile est in intellectu creato similitudinem
divinae essentiae recipi, quae eam perfecte secundum totam suam rationem
repraesentet. Unde si per aliquam similitudinem talem essentia divina a nobis
videretur, immediate non videremus essentiam divinam, sed quamdam um-
50 bram ejus.
Restat ergo quod solum primum medium erit in illa visione,

————————————————————————————————————— 395

scilicet lumen
gloriae, quo intellectus perficietur ad videndum essentiam divinam; de quo
in *Psalm.* 35, 19: *In lumine tuo videbimus lumen.* Hoc autem lumen non
est necessarium ad hoc quod faciat intelligibile in potentia esse intelligibile
55 in actu, ad quod est nobis necessarium lumen intellectus agentis; quia ipsa
divina essentia, cum sit a materia separata, est per se actu intelligibilis; sed
erit necessarium tantum ad perficiendum intellectum, ad quod etiam nunc
lumen intellectus agentis valet. Praedictum autem lumen gloriae sufficienter
perficiet intellectum ad videndum divinam essentiam, eo quod ipsa essentia
60 divina totaliter lux intelligibilis est. Unde lumen gloriae ab ea in intellectum

[in daz verstan,] unde daz tuot ez von gesiht der

396 ▬▬▬▬▬▬▬▬▬▬▬▬▬▬▬▬▬▬▬▬▬▬▬▬▬▬▬▬▬▬▬▬▬▬▬▬

gotlicher wesunge [in dem verstan], daz ez tuot von gesihte der andern verstentlichen ding, die niht lieht alleine sint, sunder si sint ouch die verstentliche gesteltnüsse dez dinges mit dem lieht; alse daz sinlich lieht unde wer ez übermitz sich
5 selber, so were sin gnuog zuo sinem gesihte, daz ouge zevolbringen ane ander glichnüsse.

Ez ist zemerken, ob got dekeinen lip bewege ane mittele. Dar zuo anwirt man also, daz die gemein ordenung, die gotlich geordent ist, die hat daz, daz die liplichen creaturn von im beweget werdent übermitz mittel des
10 geistes. Wan ez sprichet St. Augustinus in dem dritten capitel „Von der driveltikeit": „Doch werdent die groben libe unde die nidern übermitz die subtilen unde die mechtigen von etlicher ordenunge gerihtet, unde also werdent si alle übermitz einen geist dez lebens, einen redelichen, gerihtet." Unde ouch ist geschriben über daz buoch, daz da heizet „Genesi," daz Got
15 vorgesast

397 ▬▬▬▬▬▬▬▬▬▬▬▬▬▬▬▬▬▬▬▬▬▬▬▬▬▬▬▬▬▬▬▬▬▬▬▬

habe ein geistlich creaturen einer liplichen. Unde doch enist die gotlich maht dirre ordenunge niht zuogebunden, er müge wol ane die ordenunge der andern sache wirken ´etwaz, so im ez gevalle; alse ez offenbar ist in dem werk der zeichen. Daz andern stukelin ist, ob ellü dü ding, die natürlich beweget werdent, ob die beweget werden von dienste der engelen,
20 die da bewegent die himelschen libe. Daz dritte stüke ist, ob die engele beweger sin der himelschen libe. Disen zweien stüken antwerte ich mit einander. [1] Wan daz ander stüke hanget von dem dritten, unde daz dritte hanget von dem ersten. Wan unde werdent die libe gerihtet von got mit mittele der geistlichen creaturen, [2] aber zuo dem werke dez gotlichen rihtens
25 behöret [3] die liplich bewegde, alse St. Augustinus sprichet über daz buoch daz da heiset „Genesi," da von ist

398 ▬▬▬▬▬▬▬▬▬▬▬▬▬▬▬▬▬▬▬▬▬▬▬▬▬▬▬▬▬▬▬▬▬▬▬▬

daz nachvolgende, daz got übermitz die geistlichen creaturen die himelschen libe bewege. Unde da sprichet offenlichen Augustinus: „Als er beweget übermitz die zit [4] unde die stat die libe, also bewegt er ouch übermitz die zit die selichen libe," [5] daz doch
30 Dyonisius loukent in dem andern buoch, wie ez doch St. Augustinus in eime zwivel lat in dem andern capitele „Über Genesi." Aber daz die himelschen

---

1 MS repeats.
2 MS: "craturen."
3 MS: "behözet."
4 MS: "libe."
5 Translator apparently attempted to condense the long quotation.

descendens facit hoc respectu

—————————————————————————————————————— 396

divinae essentiae in intellectu quod facit respectu aliorum intelligibilium, quae non sunt lux tantum, sed species rei intellectae simul, et lumen; sicut si lux sensibilis per se existeret, ad ejus
35 visionem sufficeret lumen oculum perficiens sine aliqua similitudine.

OPUSCULUM XXII. DECLARATIO QUADRAGINTA DUO QUAESTIONUM AD MAGISTRUM ORDINIS

Primus articulus in schedula propositus, est, an Deus moveat aliquod corpus immediate.
40 Ad quod respondendum videtur, quod ordo communis divinitus institutus hoc habet, ut corporalis creatura ab ipso moveatur, spiritu mediante. Dicit enim Augustinus in III *De Trinit.* cap. IV: *Quemadmodum corpora grossiora et inferiora per subtiliora et superiora quodam ordine reguntur, ita omnia corpora per spiritum vitae rationalem*; et VIII *Super Gen.* ad litteram
45 cap. XXII, dicit *Deus,*

—————————————————————————————————————— 397

spiritualem creaturam corporali praeposuit. Neque tamen divina potentia est huic ordini alligata, quin possit quandoque praeter ordinem causarum secundarum aliquid agere, cum sibi placuerit; sicut patet in operibus miraculosis.
Secundus articulus est, an omnia quae moventur naturaliter, moveantur
50 ministerio Anglorum moventium corpora coelestia.
Tertius articulus est, an Angeli sint motores corporum coelestium.
His duobus articulis simul respondendum. Videtur quod secundus dependet ex tertio, tertius autem articulus dependet ex primo. Si enim corpora reguntur a Deo mediante spirituali creatura; ad ipsum autem opus regiminis
55 pertinet motio corporum, ut Augustinus dicit VIII *Super Genes.* ad litteram, c. XX; consequens

—————————————————————————————————————— 398

est quod Deus per spiritualem creaturam moveat coelestia corpora. Et ibidem expresse dicit Augustinus: *Sicut per tempus et locum movet corpus, ipse tamen per tempus non est conditus spiritus; ita per tempus movet conditum spiritum, ipse tamen nec per tempus nec per locum
60 motus conditor spiritus.* Esse quidem animata corpora coelestia Damascenus negat in II libro cap. VI, licet hoc Augustinus sub dubio relinquat in II

libe von den geistlichen creature [1] beweget werden, dez engedenke ich niht,
daz ich daz gelesen habe, daz daz von dekeim heiligen oder von dekeim
phylosophen geloukent [2] si. Doch si daz, daz die engele bewegen die himel-
schen libe, doch so enkeret sich daz niht in dekeinen zwivel dekeines wisen
5 menschen, ez si ein iekliche bewegunge der nidern libe von der bewegung
dez himelschen libes gesachet, daz ouch von philosophen mit reden beweret
ist, unde ouch von brüefungen ist ez offenbar, unde ouch von der lere der
heiligen

399 ───

wirt ez bestetiget. Wan, alse gesprochen ist, ez sprichet St. Augus-
tinus in dem dritten capitel „Von der driveltikeit," daz „die groben liben
10 unde die nidern von den obern unde von den subtilen gerihtet werdent von
etlicher ordenunge." Unde St. Dyonisius sprichet in dem vierden capitel
„Von den gotlichen namen," daz „der reie der sunnen getragen wirt [3] zuo
der geberung der sinlichen libe, unde beweget in zuo dem lebenne, unde
spiset in, unde tuot in wachsen unde volbringet in." Unde da von volget
15 daz dar nach, daz ellü ding, die da natürlichen beweget werdent, daz die
beweget werdent von dem dienste der engele bewegende die himelschen
libe.

Daz ander stüke ist, ob ez unbetrogenlichen bewiset si, daz die engel sin
beweger der himelscher libe, so daz si got niht unmittelichen die selben libe
20 [bewegende].

Her zuo antwert ich, daz die phylosophen, unde die platoni unde ouch
die paripatetici, habent sich gepint, diz zebrüevenne mit

400 ───

reden, die si cref-
tig rede ahtetten. Unde ir rede fundieret uf die vorgesagten ordenunge der
ding, daz got die nidersten übermitz die obersten rihte, daz ouch die heiligen
25 lerer gloubent. Daz aber die himelschen libe alleine von iren naturen be-
weget werden, alse die swaren libe oder die liehten, daz ist zemale unge-
louplich. Unde da von: ez si denne daz [4] si beweget werden unmitteliche [5]
von goto, [6] anders so volget daz dar nah, daz die himelschen libe sele habent
unde beweget werden von iren eigenen selen, oder daz si beweget werden
30 von den engelen, daz doch bezer ist gesprochen. Ez waren etlich philosophen,
die sasten den lip der ersten [7] himelscher libe von got geweget werden ane
mittel dekeiner fürnünftikeit, sunder mitel der eigenen sele, aber die

1 MS: "creaturure."
2 *legatum* read as *negatum*?
3 Latin misunderstood.
4 MS: "dz si denne dz."
5 MS: "unmittel-che."
6 Cf. page 262, note 3.
7 Faulty translation.

Super Genes. ad litteram cap. XVIII. Sed coelestia corpora a spirituali crea-
tura moveri, a nemine Sanctorum vel philosophorum legatum legisse memini.
35 Hoc igitur supposito quod Angeli moveant coelestia corpora, hoc in dubium
nulli sapienti vertitur quin omnes motus naturales inferiorum corporum ex
motu coelestis corporis causentur; quod et ratione a philosophis est proba-
tum, et experimento apparet, et auctoritatibus Sanctorum

399

confirmatur: quia,
ut dictum est, Augustinus in III *De Trinit.* dicit, quod *corpora grossiora*
40 *in inferiora per subtiliora et superiora quodam ordine reguntur*: et Diony-
sius dicit, IV cap. *De Divinis Nominibus,* quod *solis radius ad generationem
sensibilium corporum confert, et ad vitam ipsam movet, et nutrit, et auget
et perficit.* Unde consequens est quod omnia quae naturaliter moventur, mo-
veantur ministerio Angelorum movente corpora coelestia.
45 Quintus articulus est, an infallibiliter sit probatum, Angelos esse motores
coelestium corporum, supposito Deum non esse immediatum motorem illorum
corporum.
Quibus respondeo, quod philosophi tam platonici quam peripatetici hoc
probare conati sunt

400

rationibus quas efficaces reputaverunt; et eorum ratio-
50 nes fundantur super praedicto rerum ordine, quod scilicet Deus inferiora
per superiora regit, ut etiam sancti Doctores tradunt. Quod autem corpora
coelestia a sola natura sua moveantur, sicut corpora gravia et levia, est
omnino impossibile: unde nisi moveantur a Deo immediate, consequens est
quod vel sint animata coelestia corpora, et moveantur a propriis animabus;
55 vel quod moveantur ab Angelis, quod melius dicitur. Fuerunt tamen aliqui
philosophi, qui posuerunt corpus primum coelestium corporum moveri a
Deo, non mediante alia intelligentia, sed mediante anima propria; alia vero
coelestia corpora moveri mediantibus intelligentiis et animabus.

andern himelsche libe werden beweget übermitz mittel der vernünfikeit unde der selen.

Ez ist zemerken, daz ouch ein ander stük [ist]

401 ───

ob alle nidern libe, die natürlich[1] [in] ir wesen geleitet sint übermitz wege der bewegung, gerihet
5 werden von den engelen übermitz mitel der bewegung der himelschen libe.

Unde[2] ouch ein ander stüke ist, ob der mensche wissen müge, ob er die gnade habe.

Ez ist ze merken, daz etlich ding in drier hande wis erkant mag werden. Ein [wiz]: übermitz die erschinunge. Unde in dirre wis so mag etwer
10 wissen, ob er die gnade habe. Wan diz offenbaret etwenne got etlichen[3] menschen von etlicher sünderlicher wirdikeit durch daz, daz die sicher fröde ouch in disem leben in in anvahe, unde daz si mit grozerre zuoversiht unde crefticlicher[4] grözer werke ervolgeten, unde deste bas die übelen ding dis zitlichen lebens bas liden mohten; alse zuo St. Paulus gesprochen wart
15 in dem zwelften capitele „Zuo den Corinthin": „Dir begnüege min gnade."

In einer andern wis so bekennet der mensche etwaz übermitz sich

402 ───

selber, unde daz sicherlichen. Unde also enmag nieman wissen die sicherheit der gnade übermitz sich selber. Wan sicherheit die enmag niht gehabt werden von dekeime, ez si denne daz man 'ez müge übermitz sin eigen be-
20 ginne ervinden; unde also so hat man dise sicherheit von besliezung, die bewisen sint übermitz die unbewiselichen ellichen beginne, wan nieman mohte wissen ob er die kunst hette dekeines erkennens, unde wiste er dez beginnes niht. Nu ist ein beginne unde ein ende der gnaden, daz ist got, der von siner wirdikeit uns unerkant ist; nach dem unde Job sprichet, in
25 dem sehsundedrizigsten capitel, „Sehent der groz got verwinnet min kunst." Unde dar umbe so mag in uns niht bekant werden sicherlichen, ob er von uns ist oder bi uns, nah dem unde Job sprichet in dem nünden capitel, „Unde ist, daz er zuo mir kümit, so ensihe ich sin nüt; aber unde gat er von

403 ───

mir, so verstan ich sin niht." Unde da von so enmag der mensche nit sicher-
30 lichen wissen, ob er sicherlich die gnade habe, nach dem unde St. Paulus sprichet, in dem ersten capitel, „Zuo den Corinthin": „Aber ich enurteil mich selber niht; aber der mich da urteilt, daz ist der herre."

In der driten wis wirt erkant etwaz geschihtlichen[5] übermitz etlichü zeichen. Unde in der wis so mag etwer erkennen, ob er die gnade habe,

---

[1] MS repeats "natürlich."
[2] Note that MS returns to the *Summa* text as if in continuation of the preceding *Opusculum.*
[3] MS: "etlichem."
[4] MS: "-*chcher.*"
[5] *Conjecturaliter* read as *contingenter?*

35 Sextus articulus est an omnia inferiora naturaliter in esse producta per
viam motus, regantur per Angelos mediantibus motibus corporum coelestium.

━━ 401

SUMMA THEOLOGICA

I-II. q. 112, a. 5. UTRUM HOMO POSSIT SCIRE SE HABERE GRATIAM

Respondeo dicendum quod tripliciter aliquid cognosci potest. Uno modo,
40 per revelationem. Et hoc modo potest aliquis scire se habere gratiam. Revelat
enim Deus hoc aliquando aliquibus ex speciali privilegio, ut securitatis gau-
dium etiam in hac vita in eis incipiat, et confidentius et fortius magnifica
opera prosequantur, et mala praesentis vitae sustineant: sicut Paulo dictum
est, II *ad Cor.* XII: *Sufficit tibi gratia mea.*
45 Alio modo homo cognoscit aliquid per seipsum.

━━ 402

et hoc certitudinaliter. Et
sic nullus potest scire se habere gratiam. Certitudo enim non potest haberi
de aliquo, nisi possit diiudicare per proprium principium: sic enim certitudo
habetur de conclusionibus demonstrativis per indemonstrabilia universalia
principia; nullus autem posset scire se habere scientiam alicuius conclusionis,
50 si principium ignoraret. Principium autem gratiae, et obiectum eius, est ipse
Deus, qui propter sui excellentiam est nobis ignotus; secundum illud *Iob*
XXXVI: *Ecce, Deus magnus, vincens scientiam nostram.* Et ideo eius prae-
sentia in nobis vel absentia per certitudinem cognosci non potest, secundum
illud *Iob* IX: *Si venerit ad me, non videbo eum: si autem abierit,*

━━ 403

non in-
55 *telligam.* Et ideo homo non potest per certitudinem diiudicare utrum ipse
habeat gratiam; secundum illud I *ad Cor.* IV: *Sed neque meipsum iudico:
qui autem iudicat me, Dominus est.*

Tertio modo cognoscitur aliquid coniecturaliter per aliqua signa. Et hoc
modo aliquis cognoscere potest se habere gratiam: inquantum scilicet per-

in dem unde er bevindet, daz er in got gelustiget wirt unde daz er ver-
smahet die weltlichen ding, unde in dem unde der mensche dekein totsün[de]
von im weis, nach der wise man verstan mag, daz da gescriben ist in Apo-
kalipsi, in dem andern capitel, „Dem verwinnenden gibe ich verborgen
5 himelbrot, daz nieman erkant, nihtwan der da nimet." Wan der, daz ist,
der da nimet, übermitz etlich ervindunge der süessikeit erkant,[1] daz der
niht ervindet, der ez niht ennimet. Doch so ist diz erkantnüsse

404 ━━━

unvolkomen.
Unde da von sprichet St. Paulus, in dem ahtenden capitele, „Zuo den
Corinthin," „Ich enbin mir selber niht wissende, doch bin ich dar inne niht
10 gerehtgemachet." Wan alse man sprichet in dem salter, „Die sünde, wer
erkant die? Von minen ougen,[2] herre, mache mich rein."
Ez ist zemerken, ob die ablassung der sünden si die gerehtmachunge dez
bösen. Daz ist zesagen daz die gerehtmachunge, daz ist zesagen, alse si
genomen wirt in ein[er] lidenden wis, so treit si inne die bewegung zuo
15 der gerehtikeit, alse die hitzunge die da beweget ist[3] zuo der hitze. Wan
aber die gerehtikeit innetreit von irre rede etlich gereht ordenunge, so mag
man si nemen in zweier hande wis. In einer wis : nach dem unde si innetreit
rehte ordenunge in dem getat dez menschen, unde ouch .... die rehtigunge
in zuofüegenge zuo einem andern sunderlichen

405 ━━━

menschen; ez si daz si [si]
20 ein gemeinü rehtikeit, die ordenet [nah der] rehtigunge der getat des men-
schen in zuofüegung zuo einem gemeinen guot einre gemenigi, alse ez
offenbar ist in dem fünften capitele in dem buoch daz da heizet „Heticorum".
In einer andern [wis] so heizet die gerehtikeit durch daz, daz si inne-
treit etlich rehtigung der ordenung in der inrelichen[4] bereitunge dez men-
25 schen, nach dem unde daz obereste dez menschen got undertenig ist unde
die nidern crefte undertenig sint der[5] obersten, daz ist der bescheidenheit.
Unde diz bereitunge heizet der phylosophus in dem fünften capitele dez
buochez „Methaphisica" die gerehtikeit „in einer glichnüsse gesprochen."
Unde die selbe gerehtikeit ist in dem menschen in zweier hande wis. Ein
30 wis : übermitz einre einveltiger geberunge, dü da ist in einer beroubunge
zuo der forme. Unde in der wis so möhte die rehtmachung ouch

406 ━━━

zuobehören
dem, der niht in der sünde were, so er solich gerehtikeit von got enphangen,

---

[1] MS: "unde erkant."
[2] *Occultis* read as *oculis,* or "ougen" copied from "tougen"?
[3] *Sicut et* read as *sicut est.*
[4] MS: "irrelichen."
[5] MS: "den."

cipit se delectari in Deo, et contemnere res mundanas; et inquantum homo
non est conscius sibi alicuius peccati mortalis. Secundum quem modum po-
35 test intelligi quod habetur *Apoc.* II, *Vincenti dabo manna absconditum, quod
nemo novit nisi qui accipit,* quia scilicet ille qui accipit, per quandam expe-
rientiam dulcedinis novit, quam non experitur ille qui non accipit. Ista tamen
cognitio

—————————————————————————————————— 404

imperfecta est. Unde Apostolus dicit, I *ad Cor.* IV: *Nihil mihi
conscius sum, sed non in hoc iustificatus sum.* Quia ut dicitur in Psalmo
40 XVIII: *Delicta quis intelligit? Ab occultis meis munda me, Domine.*

I-II. q. 113, a. 1. UTRUM IUSTIFICATIO IMPII SIT REMISSIO PECCATORUM

Respondeo dicendum quod iustificatio passive accepta importat motum
ad iustitiam; sicut et calefactio motum ad calorem. Cum autem iustitia de sui
ratione importet quandam rectitudinem ordinis, dupliciter accipi potest. Uno
45 modo, secundum quod importat ordinem rectum in ipso actu hominis. Et
secundum hoc iustitia ponitur virtus quaedam: sive sit particularis iustitia,
quae ordinat actum hominis secundum rectitudinem in comparatione ad alium
singularem

—————————————————————————————————— 405

hominem; sive sit iustitia legalis, quae ordinat secundum rectitu-
dinem actum hominis in comparatione ad bonum commune multitudinis; ut
50 patet in V. *Ethic.*
Alio modo dicitur iustitia prout importat rectitudinem quandam ordinis in
ipsa interiori dispositione hominis: prout scilicet supremum hominis sub-
ditur Deo, et inferiores vires animae subduntur supremae, scilicet rationi. Et
hanc etiam dispositionem vocat Philosophus, in V *Ethic.,* iustitiam *metapho-
55 rice dictam.* Haec autem iustitia in homine potest fieri dupliciter. Uno quidem
modo, per modum simplicis generationis, quae est ex privatione ad formam.
Et hoc modo iustificatio posset

—————————————————————————————————— 406

competere etiam ei qui non esset in peccato,
dum huiusmodi iustitiam a Deo acciperet: sicut Adam dicitur accepisse

alse man sprichet, daz Adam en[phieng] ursprünglich gerehtikeit.

In einer andern wis mag die gerehtikeit in dem menschen genomen wer-
den nach der rede der bewegung, dü da ist von eime, daz wider ist, zuo
einem andern, daz wider ist. Unde nach dem so treit gerehtmachunge inne
5 etlich überwandelung von einre wis der ungerehtikeit in die wis[1] der ge-
rehtikeit, die da gesprochen ist. Unde in der wis so sprechen wir von der
gerehtikeit dez bösen menschen, nach dem unde St. Paulus sprichet, „Zuo
den Romeren” in dem vierden capitel, „Ime, der da [niht] wirket, aber
dem gloubenden in got, der da gerehtmachet den bösen.” Unde wan die
10 bewegde mere genemet wirt von dem ende, zuo dem die bewe[ge]de ist,
denne von dem, von dem daz si ist, unde dar um von solicher überwande-
lung, von der etwer übergewandelt wirt

407
                                        von einer wis der [un]gerehtikeit
übermitz ablazunge der sünden, so wirt der nam genomen von dem ende
zuo wem, unde heizet ein gerehtmachung dez bösen.
15 Ez ist zemerken, ob zuo der ablasunge der schulden, dü da heizet ein
gerehtmachunge dez bösen, zuo der suochet man ingiesung der gnaden.

Ez ist zesagen, daz der mensche sündende got erzürnet. Aber die erzür-
nunge wirt dekeim[2] verlazen niht, wan ez werde denne daz gemüete dez
erzürnten[3] versünt von dem, der da erzürnet.[4] Unde nach dem so sprichet
20 man, daz uns die sünde verlazen sien, daz uns got versuonet[5] wirt oder
gefridet wirt, welcher fride bestat in der liebin, in der uns got liep hat.
Aber die gotliche liebi, alse vil si von teile gotlicher getat ist, alse vil ist
si ewig unde unwandelich. Aber also vil als zuo dem werke, daz er uns
indruket, etwenne wirt ez zerbrochen daz ist daz wir

408
                                        etwenne von im
25 enphallen unde etwenne so werden wir aber widergebraht. Aber daz werke
der gotlichen liebi in uns, daz da abgenomen wirt übermitz die sünde, daz
ist die gnade, von der daz der mensche wirdig wirt dez ewigen lebennes,
von der uzgeslozen wirt die tötlichen[6] sünden.[7] Unde also möhte man niht
verstan die ablazunge der sünden, ez enwere denne da die ingiezunge der
30 gnaden.

Ez ist zemerken, ob man suoche zuo der gerehtikeit dez bösen bewegung
dez frigen willen.

Ez ist zesagen, daz die gerehtmachung dez bösen geschiht von dem, daz

---

1 MS: "in ein die wis."
2 MS: "dekein."
3 MS repeats "werde" after "erzürnten."
4 MS: "erzürneten."
5 MS: "versuochen."
6 MS: "tötlichem."
7 *Excludit* read as *excluditur*.

originalem iustitiam.

35 Alio modo potest fieri huiusmodi iustitia in homine secundum rationem motus qui est de contrario in contrarium. Et secundum hoc, iustificatio importat transmutationem quandam de statu iniustitiae ad statum iustitiae praedictae. Et hoc modo loquimur hic de iustificatione impii; secundum illud Apostoli, *ad Rom.* IV: *Ei qui non operatur, credenti autem in eum qui*
40 *iustificat impium,* etc. Et quia motus magis denominatur a termino ad quem quam a termino a quo, ideo huiusmodi transmutatio, qua aliquis transmutatur

─── 407

a statu iniustitiae per remissionem peccati, sortitur nomen a termino ad quem, et vocatur iustificatio impii.

I-II, q. 113, a. 2. UTRUM AD REMISSIONEM CULPAE, QUAE EST IUSTIFICATIO
45 IMPII, REQUIRATUR GRATIAE INFUSIO

Respondeo dicendum quod homo peccando Deum offendit, ... Offensa autem non remittitur alicui nisi per hoc quod animus offensi pacatur offendenti. Et ideo secundum hoc peccatum nobis remitti dicitur, quod Deus nobis pacatur. Quae quidem pax consistit in dilectione qua Deus nos diligit. Dilec-
50 tio autem Dei, quantum est ex parte actus divini, est aeterna et immutabilis: sed quantum ad effectum quem nobis imprimit, quandoque interrumpitur, prout scilicet ab ipso

─── 408

quandoque deficimus et quandoque iterum recuperamus. Effectus autem divinae dilectionis in nobis qui per peccatum tollitur, est gratia, qua homo fit dignus vita aeterna, a qua peccatum mortale excludit.
55 Et ideo non posset intelligi remissio culpae, nisi adesset infusio gratiae.

I-II, q. 113, a. 3. UTRUM AD IUSTIFICATIONEM IMPII REQUIRATUR MOTUS LIBERI ARBITRII

Respondeo dicendum quod iustificatio impii fit Deo movente hominem ad

der mensche von got beweget werde zuo der gerehtikeit. Wan er ist, „der da gerehtmachet den bösen," alse St. Paulus spriche „Zuo den Romeren," in dem vierden capitel. Got der beweget allü ding aber nach ieklicher wis, als wir in den natürlichen dingen sehen, daz anders von im beweget werdent
5 die swaren

409

ding unde anders dü liehten ding durch die mislichen naturn ietweders. Unde da von bewegt er die menschen zuo der gerehtikeit nach der wis der menschelichen naturen. Aber der mensche der hat nach siner eigener naturen, daz er si eins frigen willen. Unde dar umbe: in dem, der da hat gebruchunge dez frigen willen, der wirt niht beweget von got zuo
10 der gerehtikeit ane bewegunge dez frien willen. Aber also so güzüt er in die gabe der gnaden volklichen, [1] daz er ouch mit der ingiezung beweget den frigen willen zuo der gabe der gnaden zeenphahen, in den, [2] die da sint dirre bewegunge begriflich.

Ez ist zemerken, ob man zuo der gerehtmachunge dez bösen suoche die
15 bewegung dez glouben.

Ez ist zesagen, alse gesprochen ist, die bewegung dez frigen willen wirt gesuochet zuo gerehtigunge dez bösen, nach dem unde dez menschen gemüet beweget

410

wirt von got. Aber got der beweget die sele dez menschen si bekerende zuo im selben, alse man sprichet in dem Salter nach einre andern
20 schrift, „Du, got, bekerend [3] machet uns lebende." Unde dar umbe: zuo der gerehtigunge dez bösen wirt gesuochet die bewegung dez gemüetes, von dem [4] ez bekeret wirt in got. Aber die erstun bekerunge in got geschiht übermitz den glouben, nach dem unde St. Paulus sprichet „Zuo den Juden," in dem einliften capitel; „Der da zuo got gan sol, der muos gelouben, daz
25 er ez ist." Unde dar um so suochet man zuo der gerehtigunge dez bösen den gelouben.

Ez ist zemerken, ob der mensche etwaz von got verdienen müge.

Ez ist zesagen, daz lön unde verdient werdent getragen zuo eime. Wan diz heizet ein lon, daz etwem widerwegen wirt umbe die widergeltunge der
30 werk oder der arbeit, alse ein lon dez selben. Unde da von, alse vergelten den rehten [5] lon umbe daz ding, daz man

411

von etwem enphangen hat, ein getat ist der gerehtikeit, also ouch widerwegen den lon dez werkes oder der arbeit ist ein getat der gerehtikeit. Nu ist die gerehtikeit ein eben-

---

1   Translator may have had a variant text.
2   MS: "dem."
3   MS: "dü got bekerte."
4   MS: "von dem von dem."
5   MS: "den rehten den lon."

iustitiam: ipse enim est *qui iustificat impium,* ut dicitur *Rom.* IV. Deus
35 autem movet omnia secundum modum uniuscuiusque: sicut in naturalibus
videmus quod aliter moventur ab ipso gravia

———————————————————————————————————— 409

et aliter levia, propter diver-
sam naturam utriusque. Unde et homines ad iustitiam movet secundum con-
ditionem naturae humanae. Homo autem secundum propriam naturam habet
quod sit liberi arbitrii. Et ideo in eo qui habet usum liberi arbitrii, non fit
40 motio a Deo ad iustitiam absque motu liberi arbitrii; sed ita infundit donum
gratiae iustificantis, quod etiam simul cum hoc movet liberum arbitrium
ad donum gratiae acceptandum, in his qui sunt huius motiones capaces.

I-II. q. 113, a. 4. UTRUM AD IUSTIFICATIONEM IMPII REQUIRATUR MO-
TUS FIDEI

45 Respondeo dicendum quod, sicut dictum est, motus liberi arbitrii requiritur
ad iustificationem impii, secundum quod mens hominis movetur

———————————————————————————————————— 410

a Deo.
Deus autem movet animam hominis convertendo eam ad seipsum; ut dicitur
in Psalmo LXXXIV, secundum aliam litteram: *Deus, tu convertens vivifi-
cabis nos.* Et ideo ad iustificationem impii requiritur motus mentis quo con-
50 vertitur in Deum. Prima autem conversio in Deum fit per fidem; secundum
illud *ad. Heb.* XI: *Accedentem ad Deum oportet credere quia est.* Et ideo
motus fidei requiritur ad iustificationem impii.

I-II, q. 114, a. 1. UTRUM HOMO POSSIT ALIQUID MERERI A DEO

Respondeo dicendum quod meritum et merces ad idem referuntur; id enim
55 merces dicitur quod alicui recompensatur pro retributione operis vel laboris,
quasi quoddam pretium ipsius. Unde sicut reddere iustum pretium pro re

———————————————————————————————————— 411

accepta ab aliquo, est actus iustitiae; ita etiam recompensare mercedem operis
vel laboris, est actus iustitiae. Iustitia autem aequalitas quaedam est; ut patet

glicheit, als ez offenbar ist in dem fünften capitele in dem buoch „Ethicorum." Unde dar um ist einvelticlich zewischen den gerehtikeit, der da einvelticlich ebenglicheit ist. Aber der, der da niht einvelticlichen ebenglicheit ist, der enist ouch niht einvelticlichen gerehtikeit. Aber etlicher gerehtikeit bewegunge [1] mag sin, alse etlichez vetterliches rehte oder herschendez, alse ouch da selbes der phylosophus sprichet. Unde durch daz: in den, in den einveltiklichen gereht ist, alse ist ouch einveltiklichen die rede der verdient unde dez lones. Aber in den, in den daz nach etwaz da gereht ist unde ouch werke, unde niht einvelticlichen, in den ist ouch niht einvelticlichen die reden der verdient, sunder niht wan nach etwaz, in dem unde da behalten wirt

412 ──────────────────────────────────

die rede der gerehtikeit; wan unde also verdienet der sun etwaz von dem vatter, unde kneht von dem herren.

Aber nu ist diz offenbar, daz zwischen got unde den menschen die alre gröst unglicheit ist; wan si sint verre von ein andern unentlichen, unde waz dez menschen guotes ist, daz ist von got. Unde dar umbe so mag dez menschen dekein gerehtikeit zuo got [sin] nach ebenglicheit, sunder nach etlicher glichung, in dem unde daz ietweders wirket nach siner wis. Aber die wise unde die mazze der menschelichen tugent ist dem [2] menschen von got. Unde dar umbe: die verdient dez menschen bi got enmag niht gesin nihtwan nah fürsetzunge der gotlicher ordenunge, alse daz, daz der mensche ervolget von got übermitz sin wirkunge alse einen lon, zuo dem daz got geahtet hat im die tugent oder die craft dez wirkennes; alse ouch die naturlichen dinge daz ervolgen übermitz ir eigen bewegung unde wirkung, zuo dem

413 ──────────────────────────────────

si von got geordent sint. Doch habent si underscheit: wan die redelichen creaturn bewegent sich selber zewirkenne übermitz iren frigen willen, unde da von hat sin tuowunge eigen rede der verdiente, daz da niht enist in den andern creaturen.

Ez ist zemerken, ob der mensche verdienen müge die ersten gnade.

Es ist zesagen, daz die gabe der gnaden in zweier hande wis zemerken ist. Ein wis: nach rede der begnadter [3] gabe. Unde also ist ez [4] offenbar, daz ein iekliche verdient widerstrite der gnade, wan, als St. Paulus sprichet „Zuo den Romeren" in dem zehenden capitele: „Unde ist ez von den werken, so enist es nu niht von der gnade." In einer andern wis mag man ez betrahten nah der naturen dez dinges, die [5] da gegeben wirt. Unde also envellet ez ouch nit under daz verdient dez, der die gnade niht enhab, durch daz wan

1 *Modus* read as *motus.*
2 MS: "dez."
3 MS: "begnagter."
4 MS: "ze."
5 *Quae* connected with *natura.*

per Philosophum, in V *Ethic*. Et ideo simpliciter est iustitia inter eos quorum
est simpliciter aequalitas: eorum vero quorum non est simpliciter aequalitas,
non est simpliciter iustitia, sed quidam iustitiae modus potest esse, sicut dicitur
quoddam ius paternum vel dominativum, ut in eodem libro Philosophus dicit.
40 Et propter hoc, in his in quibus est simpliciter iustum, est etiam simpliciter
ratio meriti et mercedis. In quibus autem est secundum quid iustum, et [6]
non simpliciter, in his etiam non simpliciter est ratio meriti, sed secundum
quid, inquantum salvatur ibi

—————————————————————————————————— 412

iustitiae ratio: sic enim et filius meretur aliquid
a patre, et servus a domino.
45   Manifestum est autem quod inter Deum et hominem est maxima inaequa-
litas: in infinitum enim distant, et totum quod est hominis bonum, est a
Deo. Unde non potest hominis ad Deum esse iustitia secundum absolutam
aequalitatem, sed secundum proportionem quandam: inquantam scilicet uter-
que operatur secundum modum suum. Modus autem et mensura humanae
50 virtutis homini est a Deo. Et ideo meritum hominis apud Deum esse non
potest nisi secundum praesuppositionem divinae ordinationis: ita scilicet ut
id homo consequatur a Deo per suam operationem quasi mercedem, ad quod
Deus ei virtutem operandi deputavit. Sicut etiam res naturales hoc conse-
quuntur per proprios motus et operationes, ad quod

—————————————————————————————————— 413

a Deo sunt ordinatae.
55 Differenter tamen: quia creatura rationalis seipsam movet ad agendum per
liberum arbitrium, unde sua actio habet rationem meriti; quod non est in
aliis creaturis.

I-II, q. 114, a. 5. UTRUM HOMO POSSIT SIBI MERERI PRIMAM GRATIAM

Respondeo dicendum quod donum gratiae considerari potest dupliciter.
60 Uno modo, secundum rationem gratuiti doni. Et sic manifestum est quod
omne meritum repugnat gratiae: quia ut *ad Rom.* XI Apostolus dicit, *si ex*
operibus, iam non ex gratia. — Alio modo potest considerari secundum
naturam ipsius rei quae donatur. Et sic etiam non potest cadere sub merito

---

[6] Var.: *et operationes.*

si fürtriffet die glichunge der

414 ─────────────────────────────

naturen. Unde doch um daz, wan der men-
sche hindernüsse hat, die [1] wil er [in] sünden ist, zeverdienen die gnade;
unde daz hindernüsse ist die sünde selber. Aber dar nach, unde ieze einer
die gnade hat, so enmag die selbe gnade, die man iez hat, nit vallen under [2]
5 verdienunge, wan der lon ist ein ende dez werkes, aber die gnade ist ein
beginne eines ieklichen guoten werkes in uns. Unde also: unde ist, daz
ieman dekein begnate gaben verdient mit der craft der vorgander gnaden,
unde die gab enist ieze [3] nit die erste gnade. Unde also ist ez offenbar, daz
ieze im nieman verdienen mag die ersten gnade.

10 Ez ist zemerken, ob ieman einem [4] andern verdienen müge die ersten
gnade.

Her zuo [5] ist zesagen, daz, swie wol daz ist, daz diz niht geschehen müge
nach glicher [6] wirdikeit der verdientheit von nieman denne allein von
Christo, doch so mag ez von zimlicher verdientheit [geschehen].

415 ─────────────────────────────

Wan [sit]

15 der mensche, der in gnade ist, erfüllet den willen gottis, nu ist daz zimlich,
nach glicheit der früntschafte, daz got erfülle dez menschen willen in
behaltunge dez andern, wie doch daz ist, daz etwenne hindernüsse ist von
dem, für den daz der heilig bittet.

Ez ist zemerken, ob ieman im selber verdienen müge die widerbringunge
20 nah dem valle.

Her zuo ist zesagen, daz ez niht gesin enmag, noch von glicher wirdikeit
der verdientheit noch von zimlichi der verdienheit. Von glicher wirdikeit
der verdientheit so enmag ez im selber nieman verdienen, wan die rede
diz verdienens hanget von der bewegde der götlicher gnade, die da zemale
25 zerstoret wirt von der nachvolgenden sünden. Wan ellü die guoten ding, die
der nach ieman von got ervolget, von welhen daz er widerbraht wirt, die
envallent niht under daz verdient, alse von bewegde der vordersten

416 ─────────────────────────────

gnade,

biz er sich zuo den guoten dingen nit enstreket. [7]

Ouch die verdient der zimlichi, von der daz etwer [einem andern] ver-
30 dienet die ersten gnade, wirt gehindert, daz die wirkung der gnade mit
ervolget wirt, durch daz hindernüsse der sünde, daz in dem ist, für den

---

[1] MS: "die die."
[2] MS: "unde der." Cf. p. 344, line 10.
[3] MS: „iete."
[4] MS: "einen."
[5] This sentence is a free résumé rather than a translation.
[6] MS: "gotlicher." Cf. line 24 below.
[7] Mistranslation.

non habentis gratiam: tum quia excedit proportionem

—————————————————————————————— 414

naturae ; tum etiam
quia ante gratiam, in statu peccati, homo habet impedimentum promerendi
gratiam, scilicet ipsum peccatum. — Postquam autem iam aliquis habet
35 gratiam, non potest gratia iam habita sub merito cadere : quia merces est
terminus operis, gratia vero est principium cuiuslibet boni operis in no-
bis, ... Si vero aliud donum gratuitum aliquis mereatur virtute gratiae prae-
cedentis, iam non erit prima. Unde manifestum est quod nullus potest sibi
mereri primam gratiam.

40   I-II. q. 114, a. 6. UTRUM HOMO POSSIT ALTERI MERERI PRIMAM GRATIAM

Ex quo patet quod merito condigni nullus potest mereri alteri primam
gratiam nisi solus Christus.
Sed merito congrui potest aliquis alteri mereri primam gratiam.

—————————————————————————————— 415

Quia
enim homo in gratia constitutus implet Dei voluntatem, congruum est, secun-
45 dum amicitiae proportionem, ut Deus impleat hominis voluntatem in salva-
tione alterius : licet quandoque possit habere impedimentum ex parte illius
cuius aliquis sanctus iustificationem desiderat.

I-II, q. 114, a. 7. UTRUM HOMO POSSIT SIBI MERERI REPARATIONEM POST
LAPSUM

50   Respondeo dicendum quod nullus potest . . . . neque merito condigni, neque
merito congrui. Merito quidem condigni hoc sibi mereri non potest, quia ratio
huius meriti dependet ex motione divinae gratiae, quae quidem motio in-
terrumpitur per sequens peccatum. Unde omnia beneficia quae postmodum
aliquis a Deo consequitur, quibus reparatur, non cadunt sub merito ; tan-
55 quam motione prioris —————————————————————————— 416

gratiae usque ad hoc non se extendente.
Meritum etiam congrui quo quis alteri primam gratiam meretur, impeditur
ne consequatur effectum, propter impedimentum peccati in eo cui quis

man verdienet. Unde dirre ieklichez kümet zesamen in einer personen. Unde
da von enmag im nieman verdienen die widerbringung nach dem valle.

Ez ist zemerken, ob der mensche verdienen müge die zuonemung der
gnaden.

5 Ez ist zesagen, daz diz vellet [1] under daz verdienen der glichwirdikeit,
zuo dem daz sich streket die bewegde der gnaden. Aber die bewegung
etlichez bewegenden dinges, daz enstreket sich nit allein zuo dem iungsten
ende der bewegde, sunder ouch zuo allem fürgang in der bewegung. Aber
daz ende der bewegunge der gnaden ist daz ewig leben, aber fürgank in
10 dirre bewegde ist übermitz zuonemunge

417 ───

der gnaden oder der minne, nach
dem unde in den „Sprichwörtern" Salomons ist, in dem zehenden capitel,
„Der gerehten phede gat für als ein schinendez lieht unde wehset biz zuo
dem volkomnen tage," der da ist der tag der gnaden. Unde also dar umbe
so vellet die zuonemunge der gnaden under die verdienunge der glich-
15 wirdikeit.

Ez ist zemerken, ob ieman volhertung verdienen müge.

Ez ist zesagen, sit daz der mensche naturlichen [hat] den frigen willen,
gneigliche zuo guot unde zuo übel, so mag der mensche in zweier handen
wis haben von gotte volhertung in guot. Ein wis: nach dem unde er sinen
20 frigen willen endent zuo guot übermitz die volendeten genaden, daz da
geschiht in der glorien. In einer andern wis: von teile der gotlichen bewe-
gunge, die den menschen neigent zuo guot bis zuo dem ende. Unde also
denne alse ez von den gesprochen

418 ───

offenbar ist, so vellet daz under daz
menschelich verdienen, daz da zuogeglichet wirt zuo der bewegung dez
25 frigen [willen] die rihti [2] beweget von got alse ein ende, aber nit daz,
daz da zuogeglichet wirt zuo der vorgesaster bewegung alse daz beginne.
Unde da von ist offenbar, daz die volhertung der glorie, dü da ist ende
der vorgesagter bewegung, vellet under daz verdienet, wan ez hanget
allein von gotlicher bewegunge, dü da ist ein begin aller verdientheit.
30 Nu git [3] got vergebens die volhertung dez guoten, unde also git er diz
einem ieklichen vergebens.

Ez ist zemerken, ob daz zitlich guot valle under daz verdient.

Ez ist zesagen, daz daz, daz da vellet under daz verdient, daz ist ein
lon, daz da hat ein rede etlichez guotes. Aber nu ist dez menschen guot in
35 zweier hande wis. Ein guot ist einveltiklich, daz ander nach etwaz. Daz
einveltig guot dez menschen ist sin iungstez ende, nach dem unde David

---

[1] MS: "vollet."
[2] *directi* read as *directe.*
[3] MS: "ist."

meretur . . . . hic enim utrumque in unam personam concurrit. Et ideo nullo modo aliquis potest sibi mereri reparationem post lapsum.

I-II, q. 114, a. 8. UTRUM HOMO POSSIT MERERI AUGMENTUM GRATIAE
40 VEL CARITATIS

Respondeo dicendum quod, ... illud cadit sub merito condigni, ad quod motio gratiae se extendit. Motio autem alicuius moventis non solum se extendit ad ultimum terminum motus, sed etiam ad totum progressum in motu. Terminus autem motus gratiae est vita aeterna: progressus autem
45 in hoc motu est secundum augmentum

—————————————————————————————————— 417

caritatis vel gratiae, secundum illud *Prov.* IV : *Iustorum semita quasi lux splendens procedit, et crescit usque ad perfectum diem,* qui est dies gloriae. Sic igitur augmentum gratiae cadit sub merito condigni.

I-II, q. 114, a. 9. UTRUM HOMO POSSIT PERSEVERANTIAM MERERI

50 Respondeo dicendum quod, cum homo naturaliter habeat liberum arbitrium flexibile ad bonum et ad malum, dupliciter potest aliquis perseverantiam in bono obtinere a Deo. Uno quidem modo, per hoc quod liberum arbitrium determinatur ad bonum per gratiam consummatam: quod erit in gloria. Alio modo, ex parte motionis divinae, quae hominem inclinat ad bonum usque
55 in finem. Sicut autem ex dictis patet

—————————————————————————————————— 418

illud cadit sub humano merito, quod comparatur ad motum liberi arbitrii directi a Deo movente, sicut terminus : non autem id quod comparatur ad praedictum motum sicut principium. Unde patet quod perseverantia gloriae, quae est terminus praedicti motus, cadit sub merito : . . . . quia dependet solum ex motione divina, quae est principium
60 omnis meriti. Sed Deus gratis perseverantiae bonum largitur, cuicumque illud largitur.

I-II, q. 114, a. 10. UTRUM TEMPORALIA BONA CADANT SUB MERITO

Respondeo dicendum quod illud quod sub merito cadit, est praemium vel merces, quod habet rationem alicuius boni. Bonum autem hominis est
65 duplex : unum simpliciter, et aliud secundum quid. Simpliciter quidem bo-

sprichet, „Mir

419 ═══════════════════════════════════

ist guot, got anzehangen." Unde dar nah ellü ding, die da zimlichen ordenent zuo disem ende. Unde disü vallent einveltiklich under daz verdient. Aber daz guot, daz da ist nah etwaz unde niht einveltiklichen dez menschen, ist daz im da ist alse ein guot nu, oder daz im guot ist nach
5 etwaz. Unde disü envallent niht einvelticlichen under der verdient, sunder nach etwaz.

Unde also ist zesagen : unde ist, daz die zitlichen guot betrahtet werdent durch daz unde si nütze sint zuo dem werke der tugent, von den wir geleitet werden in daz ewig leben, nah dem so vallent si die rihti unde einvel-
10 tiklichen under [1] daz verdient, alse ouch die zuonemung der gnaden unde ouch ellü dü andern ding, von den dem menschen geholfen wirt, zekomen zuo der selikeit, nach der ersten gnade. Wan got git allein [2] den gerehten mannen von den zitlichen guot unde von dem übelen, alse vil ez in [3] nütz

420 ═══════════════════════════════════

ist zekomen in daz ewig leben. Unde also vil sint einvelticlichen guot disü
15 zitlichen ding. Da von sprichet man in dem Salter : „Den got fürhtenden wirt dekein guot geminret;" unde anderswa. sprichet David : „Ich enhan den gerehten nie gesehen verlazen."

Aber unde betrahtet man disü zitlichen ding an in selber, also ensint [si] niht einvelticliche guot den menschen, sunder nach etwa. Unde also
20 vallent si nit einvelticlich under daz verdient sunder nach etwaz : nach dem unde die menschen beweget werdent von got ze etlichen zitlichen dingen zewerken, in den si ir meinunge ervolgen von gottes gunst. Alse die selikeit einveltich ein lon ist der werke der gerehtikeit übermitz die widertragung zuo der gotlicher bewegung, unde also so hant dü zitlichen guot, alse si
25 an in selber sint, reden dez lones, oder von habung dez gesihtez zuo der gotlicher bewegung, von der der menschen wille

421 ═══════════════════════════════════

beweget werdent, disü zervolgenne, wie doch daz si, daz si in disen dingen der zit niht alle guot meinunge habent oder rehte.

422 ═══════════════════════════════════

[1] MS: "unde der."
[2] *Tantum* not connected with *quantum.*
[3] MS: "im."

num hominis est ultimus finis eius, secundum illud Psalmi LXXII: *Mihi*

—— **419**

30 *autem adhaerere Deo bonum est*: et per consequens omnia illa quae ordinantur
ut ducentia ad hunc finem. Et talia simpliciter cadunt sub merito. — Bonum
autem secundum quid et non simpliciter hominis, est quod est bonum ei ut
nunc, vel quod ei est secundum aliquid bonum. Et huiusmodi non cadunt sub
merito simpliciter, sed secundum quid.

35   Secundum hoc ergo dicendum est quod, si temporalia bona considerentur
prout sunt utilia ad opera virtutum, quibus perducimur in vitam aeternam,
secundum hoc directe et simpliciter cadunt sub merito; sicut et augmentum
gratiae, et omnia illa quibus homo adiuvatur ad perveniendum in beatitudi-
nem, post primam gratiam. Tantum enim dat Deus viris iustis de bonis tem-
40 poralibus, et etiam de malis, quantum eis expedit ad

—— **420**

                                             perveniendum ad vi-
tam aeternam. Et intantum sunt simpliciter bona huiusmodi temporalia. Unde
dicitur in Psalmo: *Timentes autem Dominum non minuentur omni bono*;
et alibi: *non vidi iustum derelictum*.

    Si autem considerentur huiusmodi temporalia bona secundum se, sic non
45 sunt simpliciter bona hominis, sed secundum quid. Et ita non simpliciter
cadunt sub merito, sed secundum quid: inquantum scilicet homines moventur
a Deo ad aliqua temporaliter agenda, in quibus suum propositum consequun-
tur, Deo favente. Ut sicut vita aeterna est simpliciter praemium operum
iustitiae per relationem ad motionem divinam, ... ita temporalia bona in se
50 considerata habeant rationem mercedis, habito respectu ad motionem divinam
qua voluntates hominum

—— **421**

                           moventur ad haec prosequenda; licet interdum in
his non habeant homines rectam intentionem.

—— **422**

LATIN-GERMAN GLOSSARY

From the point of view of the lexicographer, this section of the glossary will seem the more important of the two, and it has therefore been developed more inclusively and more thoroughly. We have tried to make it complete (except for minor conjunctions, prepositions, and the like), both as to the words used and their several meanings. The proper differentiation of meaning compelled us to give modern German translations in many cases; these follow immediately upon the Latin, and are followed in their turn by the MHG equivalent. Page references will enable the user to find the given word in context, in case our interpretation seems questionable in any way. Here the asterisk signifies that the Latin word is not found in Diefenbach's glossary.

A

abicere (1) ablehnend verwerfen: verwerfen 137, (2) (psychologisch) unterdrücken: verwerfen 193.

abire scheidend weitergeben: gân von 403.

absconditus: *manna absconditum*: daz verborgen himelbrot 390, 404.

absens niht gegenwertig 169.

absolute ohne Einschränkung, gültig im vollen und eigentlichen Sinne des Wortes, ohne Rücksicht auf irgendwelche Umstände: blözlich(en) 105, 136, 188, 305, 356-57; eigentlichen unde blözlichen 124

absolutus nicht bedingt, beziehungslos: blôs blözlich 124, 168, 375; *voluntas absoluta* das unbedingte Wollen: der blosse wille 124.

abstinere sich enthalten: sich en(t)ziehen von 178, 239.

abstrahere (1) freimachen von, abstreifen: abziehen von 35; ziehen von 292; (2) in erkenntnistheoretischem Sinne „abstrahieren": abziehen von 79, 292; (3) *in abstracto* ohne Rücksicht auf das Einzelding: in der abgezogenheit 17, 103

abundantia Überfluß: überflüzikeit 339.

abundare überfliezen 273.

abundans fölklich 59; überflüzig 135, 193.

accedere (ad) sich nähern: gân zuo 293, 315, 411.

acceptio (1) Inempfangnahme, Annahme: enphahung 254, 334, 387; (2) interpretierende Auffassung: nemung 363; (3) unterstellende Annahme: —

accidens (1) außerwesentliche Eigenschaft (im Gegensatz zu „*proprium*"): zuoval 9, 174, 280; (2) Eigenschaft als Kategorie im Gegensatz zu „*substantia*": der zuoval 373; daz zuovallen 372; daz zuovallende wesen 372.

accidentalis: *forma accidentalis* zuovellig forme 7; *esse accidentale* zuovelliges wesen 373.

accidentaliter zuovellichen 14.

accidere (1) geschehen, vorkommen: geschehen 295, 299, 325; (2) gedanklich einfallen: zuovallen 127

accipere (1) als Gabe empfangen: emphahen 68, 248, 407, 410, 412; nemen 390, 394, 404; (2) in bestimmten Sinne auffassen: nemen 19, 71, 363, 365, 372, 380, 405; verstan oder nemen 82; (3) als wirklich annehmen: nemen 315, 364-65, 370-71, 376-77; (4) (Beispiel oder Gleichnis) hernehmen: empfahen 16, 365.

*acquisitus erworben (im Gegensatz zu „*infusus*"): *scientia acquisita*: ein gewunnen kunst 78-79; *virtus acquisita*: ein gewunnene tugent 227, 253-54.

*actio das aktive Wirken (im Gegensatz zum Erleiden): tat 23; getat 364; tüliche 16; tügunge 16; tüwunge tuowunge 23, 25, 79, 109, 171, 174, 210, 370, 376, 414; wirkunge 196, 210; *actio gratiarum* dankunge der gnaden *a. intellectus* ein vernünftiges werk 368.

activus wirkend tätig: wirkund, wurkund, wirkend 191, 231, 357, 361; wirklich, würklich 191, 193, 218, 300, 343; gete(t)lich 300; tüwelich 195; *vita activa*: *vita contemplativa*: wirkendes, würkliches, tüweliches leben: schouwendes, schouweliches leben 191, 193, 195, *virtus activa* getetlich craft 300.

actor der werke 342.

actualis (1) in einer Tätigkeit bestehend: *cogitatio actualis*: tülichi gedenkung 315; (2) wirklich, tatsächlich stattfindend: *acceptio actualis*: tüwelichü entpfahung 387.

*actualitas Verwirklichtsein: tülichi 279; *esse est actualitas* Dasein' ist Verwirklichtsein: wesen ist ein tülichi 279.

actus (1) Wirklichkeit (im Gegensatz zur bloßen Möglichkeit): tat 14, 71; getat 84, 280; *actu* in der tat 84; tuowung 280; mit der getat 72; von der getat 84; tetticlich 387; *actus primus* ein luter getat 295; (2) Tat, Tätigkeit, Handlung: getat 67, 121, 251, 259; tuowung 252; werk 259; tat 21.

adaequare gleich machen, genau anpassen: glichen 150, 297; **adaequari* gliche werden 152.

*adaequatio zuoglichung 307.

addere zuolegen 12, 107, 181.

additio (1) der Akt des Hinzufügens: zuolegung 359; (2) das Hinzugefügte:

*adesse bi-sin 281; dâ-sin 280, 409; gegenwertig sin 291.

adhaerere anhangen 234, 420.

adimplere erfüllen 124, 222.

adipisci erlangen: gefâhen 189; gewinnen 54, 153, 188; vâhen 190.

*adjectio Hinzufügung: zuo-werfung 12.

adjungere zuo-fügen 9

adjuvare helfen 251; *adjuvari* geholfen werden 420.

*admiratio wunderung 42, 362.

*admonitio manung 349.

adoptio Annahme. an Kindes statt: wunschung 126.

adoptivus gewinschet, gewunschet 125-26, 250.

*adoratio anbettunge 128-29.

adultus gewachsen 140.

advenire hinzukommen zu: (*anima carni*) *a.* (dem fleisch) zuokomen 47; *beatitudo animae*) *a.* (der sele) zuokomen 155.

adversari im Widerspruch stehen mit: widerwertig sin 42.

advocatus vorsprecher 121.

aequalis glich 38; ebenglich 276.

aequalitas ebenglicheit 382, 412-13.

aestimare (richtig oder unrichtig) für etwas halten: (*magni pretii*) *a.* (eins grosen lons) wert ahten 186; (*vera vel*) *aestimata* (*bonitas*): (die waren oder die) gewanten (guotheit) 332.

aeternus ewig 31, 231, 408: ewiglich 37;

ab aeterno von anegenge 127; ewicliche 37.

*aeternaliter ewiclichen 122.

affectus die in einem körperlichen oder geistigen Zustand bestehende (positive) Reaktion auf äußere Dinge, daher oft ‚Verlangen': begirde 193, 213; *a. reverentiae* Gefühl der Ehrfurcht: begirde der wirdekeit 56-57; *a. sensualitatis* Zustand des sinnlichen Begehrungsvermögens: begirde der sinlicheit 121-22; *a. passionis* der durch körperliche Veränderung verursachte Affekt: begerunge der lidunge 335.

*afficere in einen Zustand setzen: *affici* betrübet werden 336; wirken 147.

affirmatio positive (im Gegensatz zur negativen) Aussage: verjehunge 210

affluentia zuofliezunge 192.

agens das tätig Wirkende: der, daz wirkende, würkende 49-49, 113, 201, 280, 320, 356, 368, 370; *agenda* die wirklichen dinge 166, 171.

agens tätig wirkend: (*intellectus*) *agens* ein wirkliches, wirkendes (verstan) 78, 396.

agere tätig wirken, in Tätigkeit setzen: wirken 27, 43, 74, 167, 210; werk 23; tüwen 170; tuon 258; werken 421.

*aggravatio Verhärtung: beswerunge, beswarunge 213.

*agi geschehen 119; getriben werden 55-56.

*agibilis ausführbar, tunlich: würklich 202.

agnoscere erkennen, anerkennen: *a. peccatum* die sünde bekennen 214.

albedo wissede 58, 276.

*alienari verstoßen werden: gefromedet werden 391.

aliqualis ein lihter 278

alimentum Nahrung: fuotunge 220.

alleviare erleichtern: lichtern 340.

alligatus beschränkt: *huic ordini alligatus* an diese Ordnung gebunden: dirre ordenunge zuogebunden 398.

alterare anders machen: andern 47, 86.

*alteratio anderunge 47.

amare minnen 19, 32, 153, 185, 229, 332, 368.

ambulare gehen gân 110, 147; wandelen 155, 255.

amicitia Freundschaft: früntlichü minne 185; früntschaft 416.

amicus fründ 194; frünt 232.

*amissio Verlust (einer Gunst): verliesunge (der gnaden) 92

amittere verlieren: verliesen 151, 236.

amor minen 19; minne 153, 165, 185, 229,

247, 256, 329; *Amor* Heiliger Geist: minne 314.

amplitudo Weite: witunge 293.

analogia Verhältnisgleichheit: überrede 278.

analogice im Sinne der Verhältnisgleichheit: in einer höchern reden 317.

anathema im Banne: verbannen 12, 101.

ancilla Dienerin: dirne 139.

angelicus engelsch 33, 80.

anima sele 2, 8, etc.; *a. rationalis* die redeliche sele 44; *potentiae animae* seliche mehte 256.

animalis sinnlich (im Gegensatz zu *intellectualis*): *appetitus animalis* sinnliches Verlangen: tierlich begirde 319; vehelich begirde 326.

animatus beseelt: *animata* geselichte ding 310; *inanimatus* ungeselicht 229; *animatus esse* sele haben 401.

animus (1) Geist, Verstand: daz gemüte 211; (2) sinnliches Begehrungsvermögen daz gemuot, gemüte 93, 234; (3) Mut: daz gemüte 408.

annuntiare ankündigen: künden 138.

*annuntiatio Ankündigung: kundunge 139.

*antecedenter velle von dem vorganden willen welle 324.

aperiri sich öffnen: ufgetan werden 143.

apertus offen 285, 291.

apparere (1) klar und einleuchtend werden, erhellen: offenbar sin 9, 147-48, 399; schinen 12; offenbaren 273; (2) jemandem erscheinen, vor die Augen kommen: erschinen 139; schinen 217.

appetere begehren: begeren 96, 162, 168.

*appetibilis begehrenswert: begerlich 168, 202, 279, 280.

*appetitivus aktiv begehrend: begerlich 164, 166, 170, 329; *potentia a.* begerliche maht 166; *virtus a.* begerliche craft 170, 329.

appetitus (1) Begehrungsvermögen: *a. sensitivus* sinliche begirde 91, 93; *a. sensualitatis* begirde der sinlicheit 121; (2) Akt des Verlangens: begirde 161, 164, 222; begerunge 164.

applicare anwenden auf: zuolegen 101.

applicatio (1) Anschließung an, Berührung: gemeinunge 169; gemeinsamunge 169; (2) Anwendung, Verwendung: zuofügunge 175.

apponere (gratiam) (gnade) ingiezen 213.

apprehendere mit einem Erkenntnisvermögen erfassen: begrifen 92, 140.

apprehensio Erfassung durch ein Erkenntnisvermögen: begrifunge 94, 178, 187, 371.

*apprehensivus wahrnehmend oder erkennend: begriflich 165, 169.

approbare anerkennend billigen: bewern 141.

aptitudo Geeignetsein für, Hinordnung auf: gevelligi 32.

aptus geeignet, hingeordnet auf: bereit 229; gevellig 31; zimlich 229.

arbitrium Entscheidungsvermögen, Akt des Entscheidens: wille 135-36, 348, 414, 418.

argumentari durch Gründe beweisen: brüven 133.

argumentum Beweis(grund): brüfung 274.

ars körperliche oder geistige Fertigkeit: kunst 31, 223 (*cf. scientia*).

articulus stüke 398, 401; stukelin 262, 398.

artifex kunst- künstmeister 30-31, 111, 298.

*artificialis künstlich hergestellt, nicht natürlich: künstlich 305.

artificiata künstlich hergestellte Dinge: die künstlichen ding 31, 298.

ascendere (in Deum) sich aufschwingen: (in got) gan 120.

*ascensio Himmelfahrt: ufart 116.

assentire zustimmen: volgen 3, 53.

assequi erreichen, gewinnen: folgen 305.

asserere behaupten: verjehen 138.

assignare rationem den Grund angeben: bezeichenen 4; bewisen 355.

assimilari sich verähnlichen: sich (gotte) glichen 234.

*assistens (sozusagen) dabeistehend: zuohangend (wesen) 373.

assumere (1) (eine menschliche Natur) annehmen: ufnemen 16-17, 19, 22-25, 27; annemen 25-29, 48, 363; (2) in den Himmel fahren: ufenphahen 133; *ad Deum assumptus* zuo got genomen 388.

*assumptibilis annehmbar: annemelich 31-33, 44.

assumptio (1) Annahme (einer menschlichen Natur): annemunge 22; ufnemung 16; (2) Aufnahme (in den Himmel): himelvart 133.

attendere (1) sein Augenmerk richten auf: betrahten 44; merken 49, 102, 349; (2) *attenditur* sich feststellen lassen: ze merken sin 30, 32, 188, 315; (3) *attenditur* verstanden oder angenommen werden: gemerket werden 43, 364; man merket 58, 368-69.

attingere heranreichen an, erreichen: anrüren 32, 287 ruren zuo 63; rüren (m. Aff.) 183, 219; widervaren 341.

*attribuere zuschreibend aussagen: zuogeben 12, 80, 259; zuolegen 57, 119, 374.

*attributum zuogabung 25.

auctor Urheber: ein gewaltiger 122-23; ein ortfrümer 123.

auctoritas (1) beweisende (Kraft einer) Stelle: ortfrümung 41; die heilige lere 155; lere 263, 349, 399; (2) Urheber= schaft: ortfrümung 115.

audere wagen: künsch sin 156.

audire erhören: erhören 145.

auditus Gehörsinn: daz gehörde 213.

auferre wegnehmen: benemen 150.

augere vermehren, wachsen lassen: meren 116; grözen 204; wahsen tuon 400; *augeri* zuonemen 63, 65.

*augmentum das Größerwerden, Wachsen: zuonemung 65, 417-18, 420.

authenticus zuverlässig verbürgt: merk= lich 382.

auxilium Hilfe: helfe 6, 54, 225, 246, 347.

avaritia Geiz: gittikeit 222.

avarus geizig: der gittig 201.

avertere abwenden: abekeren 76, 211; bekeren von 235.

B

beatitudo (1) das Glücklichsein: selikeit 191, 360; (2) ewige Seligkeit: selikeit 20, 152, 360, 420; (3) selig gepriesenes Tun: selikeit 191-94.

beatus selig 21, 191, 285; *beati* die seligen 390.

beneficium Wohltat: guotes ding 416; miltekeit 267; wolgetan ding 247.

bonitas Gutheit: guotheit 1, 117, 172, 249; güti 172-73.

bonum (1) was subjektiv für jemanden gut ist, das Gut, das Wohl: *temporalia b.* die zitlichen guot 420; *b. hominis* dez menschen guot, daz guot des men= schen 419; guot den menschen 420; *quid nobis sit b.* waz uns guot si 326; *ratio appetibilis et boni* ein rede der begerlichi unde des guotes 280; *bonum quoddam* etwaz guotez 178; (2) was objektiv ontologisch und ethisch gut ist, die Güte, das Gute, der Wert: *b. hu= manae naturae* die guotheit 150; *b. na= rae creatae* daz guot 150; *privatio b.* beroubung des guoten 299; *flexibile ad bonum et ad malum* gneiglich zuo guot unde zuo übel 418; *ratio b.* eigen= schaft der guoti 216; rede der guot= heit 1; rede der guoti 173; *appetitus dicitur bonus prout est boni* die begirde heizet guot wan si des guoten ist 304; *summum bonum* daz öberste guot 1.

bonus guot 20, 118, 156, 171, 304.

*breviter kürtzilich 262.

brutus tierisch: sinlich 190; unbesint 58, 310.

C

cadere (1) psychologisch: einfallen: *c. in intentione* in sin meinunge vallen 49; (2) logisch: zu etwas gehören, unter etwas fallen: gefallen 21; vallen 415-17; (3) moralisch fallen: vallen 214, 344.

caelestis himelsch 40, 74, 261, 399.

calefacere heiß machen: hitzen 75, 201, 261, 357; *ad calefaciendum* zuo der hit= zunge 88; ze hitzenne 354; *calefaciens* der hitzende 365.

*calefactibilis: *esse calefactibile* daz, daz gehizet mag werden 357.

*calefactio das Heißmachen: hitzunge 261, 299, 405.

*calefactivus hitzend 357.

caliditas Wärme: hitze 63.

calor Wärme, Hitze: hitze 63, 74, 405.

capax empfänglich für etwas: begriflich 130, 292, 341, 410; begrifende 45.

capacitas Empfänglichkeit, Aufnahmefähig= keit: begriffunge 61.

capere verstehend erfassen: begriffen 287, 390.

capitalis den Kopf betreffend: houptilich 222-23; *vitium c., peccatum c.* houpt= sünde 222-23.

caput: *c. Ecclesia* houpt der cristenheit 66.

*carentia das Fehlen: darbung 115.

carere fehlen, nicht vorhanden sein: man= geln 71, 172, 296; darben 116, 156.

caritas Liebe zu Gott: minne 66, 72, 116, 165, 213, 287, 417-18; gotliche minne (im Gegensatz zu *amor, dilectio, amici= tia*) 185.

carnalis fleischlich (im Gegensatz zu *spiri= tualis*): *corpus c.* fleischlichen lip 40; *appetitus c.* fleischliche begirde 239.

caro (1) Fleisch, Körper (im eigentlichen Sinne): fleische 2, 40, 47; lip 41; (2) Fleisch im Sinne einer Gesinnung: vall 6;

casus (1) Abfall, Sündenfall: vall 6; (2) Zufall: *casu* von geschihte 302.

Catholicus cristenlich 101, 273.

causa Ursache: sache 42, 59, 347, 353; *c. agens* wirkende s. 80; *c. efficiens* wirkende s. 51; *c. finalis* entliche s. 223, 346; *c. media* mitterste s. 43; *c. particularis* teilliche s. 89; *c. prima* erste sache 43, 339; *c. secunda* die andere s. 339, 398.

*causalitas Ursächlichkeit: sechlichkeit 43-44, 300.

causare verursachen: sachen 16, 90, 209, 399; schaffen 22, 394.

cavere vermeiden: *errores c.* irrunge be= hüten 381.

cedere einräumend zugeben: verjehen 11.

celebrari (1) abgehalten werden: begangen werden 12, 108; (2) vornehmen: *opera ex voto celebrari* ob si geschehen von dem glübede 135.

***certitudinaliter** unfehlbarerweise: sicherlichen 350, 403.

certitudo Gewißheit, Sicherheit: sicherheit 140, 273, 349, 403; *per c.* sicherlichen 403-4.

certus (1) sicher (Erkenntnis oder Erreichung eines Zieles): sicherlich 93, 193, 348; gewiß 85; (2) genau bestimmt: sicher 322; *certissimus* sicher 361; *certissime* sicherlichen 348.

cessare (1) aussetzen: *cessante motu* so ufgehört wirt die bewegung 263; alse die bewegunge ufgehörde 264; (2) *c. ab peccato* daz man die sünden lazet 236.

***circulatio** Tautologie, Kreisbewegung: umberingelunge 356.

circumcidere besniden 141.

circumcisio besnidunge 141.

circumscribere abgrenzen: umbesprechen 24; *esse incircumscriptum* daz wesen ane abnemung 88.

circumstantia besondere Umstände: ding die allumbe sint 168; biwesende dinge 180; bewisunge 174, 181; biwisunde 174.

cito schnell: schiere 242.

claritas das Leuchten (der Verklärung): verklerunge 145; clarheit 145-46.

claudere schließen, zumachen: besliezen 212.

***claudicatio** das Hinken: *defectus claudicationis* der gebreste dez hinkenden 210

coactio Zwang: getwang 267.

coarctare einschränken: *natura coarctata et limitata* betwungen unde gezilet 293.

***coarctatio** Einschränkung, Einengung: *c. formae* betwingunge der formen 293

***coepere** anfangen: beginnen 94.

cogitare (1) denken: gedenken 316; (2) wissen: betrahten 184.

cogitatio (1) Akt des Denkens: gedenkunge 315; (2) (*pl.*) die Gedanken: *c. mortalium* die tötlichen gedenke 244.

cogitatus (*n.*) die gedenke (*pl.*) 82.

cognitio erfassendes Erkennen: daz, die bekenntnüsse 153-54, 187, 213, 284, 393; bekennen 19, 154, 256, 284-85; erkennen 283, 301, 304, 394; erkantnüsse 404.

cognitum Erkenntnisgegenstand: bekantes ding 318; daz bekant 283; daz erkante ding 162; daz erkante 293.

***cognoscens** fähig, etwas zu erkennen: (1) (*n.*) dü erkentlichen ding 292-93; daz erkenntliche 293; der bekennende 284, 293; daz erkennende ding 293; (2) (*pr. part.*) erkennlich 294, 394.

cognoscere (1) erfassend erkennen: bekennen 32, 77, 81, 168, 224, 244, 251, 291; erkennen 6, 18, 24, 81, 83, 281; gesehen 281; (2) geschlechtlich erkennen: slaffen bi 181

***cognoscibilis** erkennbar: erken(t)lich 84, 285; bekentlich 280; erkennelich 286; zebekennen 209.

***cognoscitivus** fähig, etwas zu erkennen: erkenntlich 293-94; bekentlich 169.

collabi zusammenbrechen: niderfallen 31.

collatio (1) Vergleichung durch Zusammenstellung: versamnunge 42; (2) *habere c.* Konferenz halten: versamenunge 167.

comedere ezzen 201, 216; ***comedi** sich verzehren: geessen werden 97.

***commemorare** erwähnen: bewisen 42.

commendare preisend empfehlen: loben 142.

***commensurare** ins richtige Verhältnis bringen, anpassen: messen 196.

***commensuratio** richtiges Verhältnis: glichmessunge 7.

***commissio** Begehen (einer Schuld): tuowunge 200.

committere (1) anvertrauen, unterwerfen: lazen 136; (2) begehen (eine Schuld): tuon 237.

***communicabilis** mitteilbar: sich gemeinend 150.

***communicabilitas** Mitteilbarkeit: gemeinsamikeit 383.

communicare (1) mitteilend teilnehmenlassen: gemeinen 1, 16, 320; gemeinede machen 264; (2) in etwas übereinstimmen: sich gemeinen in 276.

communicatio (1) Akt des Mitteilens: gemeinsamunge 336; (2) das Gleichsein, die Übereinstimmung: glicheit der gemeinsamunge 276; (3) Umgang, (geschäftlicher) Verkehr: gemeinunge 334.

communio (1) gemeinsamer Besitz: gemeinsamung 28; (2) Verbindung, Gemeinschaft: gemeinsamung 112.

communis (1) gemeinsam: gemein 25, 26, 86, 229, 307, 406; (2) allgemein, gewöhnlich: gemein 357; *in communi* in der gemeinheit 330, 347.

communior weniger spezialisiert: einveltigest 186.

***communiter** (1) immer und ohne Ausnahme: gemeinlich(en) 89, 90; ganze 90; (2) allgemein und in gleicher Weise: gemeinlichen 354, 365.

***commutabilis** veränderlich: wandelich 207.

commutatio (1) Umänderung: — (2) Tausch, Handel: wandelunge 334.

*commutativus austauschend: *justitia c.* die wandeliche gerehtikeit 334.

comparare (1) vergleichen: zuofügen 45; glichen 223, 371; (2) *comparari* in Beziehung stehen: geglichet werden 304; zuogeglichen werden 419.

comparatio (1) Vergleich, Gegenüberstellung: zuofügung 150; (2) Beziehung, Verhältnis: zuofügung 64, 195, 372, 405-6.

compati neben sich vertragen: *corpus non compatitur secum aliud corpus* der lip mag mit im niht liden keinen andern lip 289.

competere eigen sein, zukommen, entsprechen: bekomen 1, 284, 360; zuobehören 23, 407; eigen sin 23; behörlich sin 75, 360; zimlich sin 119, 229.

complacere gefallen: wolgefallen 169.

complere erfüllend vollenden: erfüllen 128.

complexio Struktur, Zusammensetzung: complexie 7.

componere zesamensetzen 9.

compositio Zusammensetzung, Zusammengesetztsein: zesammensetzunge 7.

comprehendere (1) einbegreifend enthalten, umfassen: begrifen 29, 286-87, 347; (2) erschöpfend erkennen, erfassen: begrifen 80-81, 285-87; (3) erfassen (im Gegensatz zu nachjagen): begrifen 287.

comprehensio (1) Umfassung, In-sich-einbegreifen: begriffunge 286; (2) erschöpfende Erkenntnis: begriffunge 286; (3) Erfassen (im Gegensatz zum Suchen): begriffunge 152, 154, 287.

comprehensor Besitzer Gottes (im Gegensatz zu *viator*): gebrucher 97; anschouwer gotlicher wesunge 64.

*comprobare als richtig anerkennen: bewern 137; bewisen 141.

conari versuchen (mit Anstrengung): sich pinen 12, 400; sich üben 350.

concedere (1) eine Wahrheit einräumend zugestehen, bestätigen: verlihen 35, 310; verjehen 107; (2) schenkend verleihen, erweisen: verlihen 61, 133, 257.

conceptio (1) Empfängnis: enphahung 22, 53-54, (2) Begriff, Vorstellung: enphahung 314, 364, 367.

conceptus Begriff: daz empfangene wort 30.

concipere (1) empfangen durch Zeugung: enphahen 90, 138; (2) begrifflich erfassen, formen: enphahen 302, 358, 387.

conclusio erschlossenes Urteil: daz erkennen 403; besliezung 273, 403.

concordans billigend übereinstimmend: glichellend 180; mithellend 180-81.

concordare concordieren 306.

concretus: *nomina c.* die gestamneten namen 103; *significare in concreto* besonders und speziell bezeichnen: in der gesamtheit bezeichenen 99.

concupiscentia das Verlangen: begerung 246.

concupiscibilis (1) Begehrungsvermögen: die begerlichi 186; die begerlicheit 188, 192; (2) aktiv begehrend: begerlich 219.

concurrere zusammentreffen, beitragen zur Setzung von etwas: zesamenkomen 154, 417; zesamenloufen 417.

condemnare verdampnen 12, 114.

condemnatio verdampnüsse 5.

condere erschaffen, herstellen: machen 151; setzen 31.

condignum das Angemessene (cf. p. 416): glichwirdikeit 417; *ex condigno* wirdeclichen 20.

conditio (1) Beschaffenheit, besondere Art: eigenschaft 5, 60, 117, 243, 249, 348; wis 28, 410; ding 188; (2) Bedingung, Umstand: eigenschaft 168.

conferre (1) beitragen zu etwas: tragen zuo 400; (2) spenden, verleihen: bringen 340, 394; geben 62.

confessio bihte 361.

confirmare erhärten, bestätigen: bestetigen 400; kreftigen 57; sterken 260, 272.

confirmatio Bestätigung: sterkunge 274; verjehunge 274.

confiteri (1) aussagen: verjehen 118; (2) zugeben: verjehen 118; (3) öffentlich bekennen: verjehen 354.

conformari übereinstimmen: glichgeformet werden 322; geformet werden 304.

conformis gleichförmig: glichförmeg 316; mitförmig 68, 125; einformig 125.

conformitas Gleichförmigkeit: einförmikeit 125.

confortare stark machen: kreftigen 282.

confusio (1) Gemenge: unordenunge 7 (*incorrect*); unere 114 (*incorrect*); (2) Verwirrung, Verschwommenheit; (3) Schmach, Bestürzung: —

confusus (1) vermengt: geschendet 80; die geschante 383; geschant 384 (*all incorrect*); (2) verschwommen, unbestimmt: — (3) beschämt, schmachvoll: —

congregare sammeln: samen 201.

*congruens angemessen: bevellich 151; *congruenter* behörlichen 255.

*congruentia Angelegtsein, Angemessenheit: gevelligi 32.

congruere angepaßt, angemessen sein: zimlichen sin 253.

congruitas Angemessenheit, Schicklichkeit: gevelligi 33, 45.

congruus angemessen, geziemend: behörlich 138; zimlich 415-16.

conjunctio Zuſammenfügung: zesamen-
fügunge 17; zuofügunge 138.

***conjunctus** verbunden: nahe 194; zuo-
gefüget 366-67.

conjungere verbinden, zuſammenfügen:
zuofügen 2, 59, 70, 257; zesamenfügen
17-18, 131-32.

***connaturalis** mit der Natur eines Dinges
gegeben: natürlich 80, 228-29, 252; mit-
natürlich 80; glichnatürlich 227.

connectere verbinden, verknüpfen: zesa-
mensliezen 201; zesamenbinden 203;
zesamenstriken 315.

***connexio** natürlicher Zuſammenhang:
zesamensliezunge 202.

conqiescere Frieden und Ruhe finden:
ruowen 162.

conscientia Gewiſſen: conscientie 175.

conscius esse ſich (einer Sache) bewußt
ſein: wissen 404; sich selber wissende
sin 405.

conscriptio Einſchreibung: beschribunge
351-52.

consecrare heiligen: gesegenen 142; hei-
ligen 136.

consecratio „Weihe", Weſensverwand-
lung von Brot und Wein: consacrie-
runge 148.

consecutio Erreichung: erfolgung 152;
volgunge 159; ervolgen 159.

consensus Zuſtimmung, Einwilligung:
verhenknüsse 139; gevolgunge 170-71.

consentire einwilligen: gevolgen 169, 170.

***consequens (est)** folgerichtig (ſein):
dar nach volget 11, 380, 401; so ist ez
nachvolgende 399; ist daz behörlich
236; also waz ez, ouch behörlich 39.

consequenter: c. se habere ad mit etwas
gegeben ſein: sich gevolglichen halten
zuo 88.

consequi (1) erreichen, erlangen: ervolgen
159, 233, 242, 326, 348-49, 413; volgen
348; (2) folgen auf, aus: ervolgen 43,
50, 88, 96, 166; ervolget werden 89,
417; (3) begleiten, verbunden ſein mit:
volgen zuo 326.

conservare erhalten: behalten 281, 339.

considerare (1) beachten, nicht überſehen:
betrahten 167-68, sagen 367, 372; ver-
stan 372; (2) beobachten, feſtſtellen: be-
trahten 15, 387; merken 15, 360; wis-
sen 370; (3) theoretiſch als etwas auf-
faſſen: betrahten 13, 77, 372-73, anse-
hen 124; merken 414; verstan 67.

considium Sitzung: zesammensitzung
167.

sonsiliari ſich beratſchlagen: rat nemen
326.

consiliarius Ratgeber: ratgebe 351.

consilium Überlegung, Ratſchluß: rat 6,
164, 166.

consistere (1) beſtehen (in): besten, be-
stan 16, 20, 152, 279, 338, 360, 408; (2)
exiſtieren, Beſtand haben in: bestan 77.

consolatio tröstunge 361.

consors Teilhaber: c. divinae naturae teil-
nemer der gotlichen n. 254.

consortium (1) Teilhabe: geselleschaft
264; (2) Geſamtheit der Teilhaber, Ge-
meinſchaft: geselleschaft 384, 391; die
gesiht 391.

conspicere ſtaunend gewahr werden: ver-
stan 274.

constituere (1) zuſtande bringen, bilden:
setzen 14, 48, 157, 240; (2) constitui
(ex) gebildet werden aus, beſtehen aus:
gesast werden von 6, 41; gesast sin
von 71; constitutus in gratia in gnade
sin 416.

consuere gewon sin 142; consuevit vocare
gewönlich geheizen ist 67.

***consuetus** gewöhnlich: gewonlich 137;
gewon 351.

***consummatio** Vollendung: volbringung
270.

consummatus: gratia c. die vollendete
gnade 418.

consurgere erſtehen, ſich erheben: ufstan
248, 269.

contemnere ſich nichts machen aus, ge-
ring einſchäßen: versmahen 192, 241,
404.

contemplatio Schau, Betrachtung: schou-
wunge 91, 187, 361.

contemplativus ſchauend, im Schauen be-
ſtehend: schouwend 191, 195, 361;
schouwelich 195.

continentia Enthaltſamkeit: küscheit 246;
chuschkeit 245.

continere enthalten, einſchließen: haben
298; halten 99, 148, 197, 282; inneha-
ben 197, 357; innehalten 298; begrifen
323, 358.

contingentia die nicht nottwendig ſeienden
Dinge: die geschihtilichen dinge 168;
die geschihten 166.

contingenter auf nicht nottwendige Art und
Weiſe: geschihtichlichen 348.

contingere (1) eintreten, der Fall ſein:
geschehen 9, 63, 182, 215, 242, 263; be-
hörlich sin 172; beschehen 178, 181;
(2) erreichen, berühren: berüren 280;
(3) jmdm. zukommen: etwenne sin 337.

continuari genomen werden 391.

continuatio anhaltende Fortdauer: emp-
zigunge 246.

continuere anhaltend fortſetzen: empzic-
lichen volherten 182.

continuus anhaltend, beständig: empzig 361.

contradictio Widerspruch: widersprach 358.

contrahere sich zuziehen: enphahen 218; *contrahi a* komen von 218.

contrariari entgegenstehen: wider sin 331.

contrarius (1) diametral entgegengesetzt: widerwertig 191, 202; (2) *contrarium* das diametrale Gegenteil: daz widerwertige 393; eines, daz wider ist 407.

contristari traurig sein: betrübet werden 94; truren 94.

contueri gewahr werden: ansehen 156.

conveniens angemessen passend: bekömlich 1, 2, 5, etc.; behörlich 2, 3, 30, etc.

convenienter entsprechend und daher richtig: bekemlich(en) 30, 35; behörlich(en) 160, 258, 384; eigentlichen 256, 258, 260.

convenientia (1) Übereinstimmung: behörlicheit 276, 310.

convenire (1) zukommen eigen sein: bekomen 1, 23, 380, 386; gezemen 120; zuo behören 380, (2) übereinstimmen (in), sich treffen (in): zesamenkomen 15-16, 371.

conversio (1) Umwandlung: verwandelung 149; (2) Hinwendung: bekerung 207, 411.

conversus: *e converso* anders 346; hinwider 113, 332; darwider 218.

convertere (1) *converti* sachlich dasselbe sein wie: sich miteinander keren 84, 171; (2) *converti* umgewandelt werden in etwas: gewandelt werden (in) 8; (3) *convertere* hinwenden zu, richten auf: keren in 208; bekeren zuo 230, 411; bekeren in 411; keren zuo 233; *converti ad* sich keren zuo 202; (4) zu Gott hinwenden, bekehren: sich keren 214.

cooperari (1) unterstützen: mit wirken 115, 259, 260; (2) beitragen zu: —

corporalis förperhaft: liplich 105, 139, 187, 283, 291; liphaftig 283.

corporeus förperhaft: liplich 155; liphaftig 283.

corpus Körper, Leib: lip 8, 69; *c. mysticus* cristenheit 71; *coelestis c.* himelsch lip 401.

correspondere entsprechen: antwerten 356-57.

corrumpi vergehen, zerstört werden: verderben 236; ze nihtü werden 33, 46, 328; verderbet werden 299.

corruptibilis dem Vergehen unterworfen: vergenklich 85, 365.

corruptio (1) das Vergehen: vergenklicheit 85, 327; zergenklicheit 85; zer-

störunge 262; beroubunge oder zerstörunge 327; (2) die Verderbtheit, das Schlechtsein (im Gegensatz zu *perfectio*): krankeit oder vergenklichi 149; vergenklicheit 230, 243; verderbunge 236; zerstörung 239.

corruptus verdorben, schlechter geworden: zergangen 39; vergangen 227; verdorben 242; vergenklich 238.

creare erschaffen: schepfen 16, 29, 332; *creatus* geschaffen 361, 373, 395.

creatura (1) Geschöpf: creature 1, 2, etc.; *c. rationalis* die redelichen creaturn 414; (2) die Schöpfung: ellü ding 388.

crescere wachsen: zuonemen 63; wahsen 418.

crispus krauskopfig: reide 106.

culpa Schuld: schulde 56, 90, 340, 408; sünde 409.

cultus Verehrung: anbettunge 131; dienst 136.

cupere begehren nach: begeren 97, 234; zuken 194.

cupiditas Gier, Begierde, Habgier: begerung 187; gittikeit 220-21.

custodire behüten: behüten 247, 351.

D

damnare verdampnen 13, 324, 392; *damnari* verdampt werden 392; *damnatus* der verdampte 390; der verdampnete 391.

***damnatio** verdampnung 344; verdampnüsse 214-15, 236, 340; schaden 214.

***datio** das Geben: gebung 334.

***debere** (1) *debere* + *infin.* verpflichtet sein: soln 48, 196, 201; schuldig sin 209; (2) *deberi, debitum esse* geschuldet sein werden: zuo behören 131, 197; schuldig sin 338-39; man ist schuldig 338; behörlich sin 174, 339; (3) *debere* + *dat.* + *acc.* jemandem etwas schulden: schuldig sin 150, 193.

debilis schwach: krank 194.

debitus sein sollend, geschuldet, notwendig: (1) *noun* behörlich wesen 3; schulde 338; (2) *adj.* schuldig 159; behörlich 172, 174, 201; zimlich 242.

decens geziemend: behörlich 174.

decidere: *in nihilum d.* in nihtü vallen 238; *d. ab fine* von disem ende vallen oder abvallen 344.

decipere täuschen: betrogen werden 111.

declarari sich kundtun: vercleren 145.

declaratio Ankündigung: verklerunge 140.

***declarativus** kundmachend: verklerend 306.

decor Schmuck: *d. gratiae* gezierde der gnaden 236-37.

deesse fehlen: niht enhan 33; gebresten 33, 42, 82, 123.

defectus Mangel, Nichtvorhandensein dessen, was nicht fehlen sollte (*syn. w. privatio*) gebrest(e)(en) 4, 88-90, 210, 336-37, 343.

deferre bringen, übertragen: bringen 131-32.

deficere (1) mangelhaft sein, versagen, nicht zum Ziele kommen: gebresten 90; im gebrast 6; vergan 352-53; (2) mangeln: gebresten 172; bresten 172; (3) *d. ab* zurückbleibend etwas nicht erreichen, etwas verscherzen: (ge)vallen von 322, 343, 353; enphallen von 354, 409.

*****definitio** logische Abgrenzung, Definition des Wesens: die endenunge 9, 36, 306; die entlicheit 40; bewisunge 306; bewisendes ding 359.

*****deformitas** Häßlichkeit: entstellung 327; entformung oder entstellung 236

*****deiformitas** Gottähnlichkeit: gotformikeit 285.

delectabilis Genuß verschaffend: lustlich 162, 182.

delectari Lust haben: gelustiget werden, sin 162, 288, 404.

delectatio genießendes Ergötzen: lust 154, 219, 246, 330, 362; fröude 91; lustlichi 162; lustlicheit 161.

delere tilgen: vertilken 4, 240, 353; tilken 352.

*****deletio** Tilgung: vertilkunge 353.

delictum Sünde: sünde 5, 405.

demonstrare kundmachen: zeigen 143, 314; offenbaren 145, 315.

*****demonstrativus** beweisbar (syn. mit *demonstrabilis*): die bewisen sint 403.

denominare nennen, benennen: heizen 319; nemen 317, 407.

denuo noch einmal: anderwerbe 237.

*****deordinari** die Richtung verlieren: entordent werden 236, 242.

depellere vertriben, verdriben 336.

dependere abhängig sein von: hangen von 155, 224, 247, 255, 419.

deprehendere verstehen: begrifen 189.

deputare (1) dafür halten: — (2) geben, zuweisen: ahten 413; (3) zuschreiben, *see p. 96, line 3*.

derelictus verlazzen 421.

derivari (1) Ausfluß sein von, sich herleiten von: niderkömmende sin 52; (2) übergehen auf, überfließen auf: nidergan 70; niderkomen 75, 85, 91, 146, 255.

derivatio Ausfluß: nidergaunge 52.

derogare (dignitati) (die wirdikeit) nemen 38.

descendere niederfahren, =kommen: erschinen 144; niderkomen 144, 396; nidergan 391.

describere niederschreiben: beschriben 137; schriben 351.

desertum die wiesti 55.

deservire dienen, dasein für: dienen 213.

desiderabilis begehrenswert: begerlich 361.

desiderare begehren, Verlangen haben nach: bitten 121, 416; begeren 158, 285.

desiderium Verlangen: begirde 136, 158, 188, 194, 285, 288, 330; begerunge 187.

desinere aufhören: lan, lazen 73, 149, 325.

desistere Abstand nehmen von: ufziehen 182.

desolatio zerstörung 313.

desperatio Hoffnungslosigkeit: mistrost 189; missedinge 190.

desponsare gemehelen 136.

destinare bestimmen (im Sinne von prädestinieren): fürbereiten 342.

designare bezeichen: bezeichenen 48, 369.

determinare abgrenzend bestimmen, festlegen auf: enden 64, 418; determinieren 12, 151, 224, 381, 393.

*****determinatio** einschränkender Zusatz: beterminierunge 105.

detrimentum schaden 236.

devenire (*ad, in*) gelangen zu: komen (in, zuo) 225, 339, 393.

dicere 1) sagen (im allgemeinen Sinne), eine Meinung ausdrücken: a) aktiv: sprechen 3, 10, 12, 13, 16, 17, 356, 358, 363, 382, 384, 388, sagen 176; *dicere* + Aff. + Infin. sprechen 7, 15, 175, 362, sagen 14, 16, 175; b) passiv: *dicitur* man sagt: man sprichet 5, 355, 356, 358-359, 362-363; *dicitur omnia posse Deum* man sprichet, got vermag ellü ding 355; *ex dictis* von den gesprochenen 418; *dicendum* ez ist zesagen 19, 29, 38, 87, 89, 173-5, ez ist zemerken 2, 3, 4, 8, 11, 15, 358-360, ez ist zewissen 1, 29, .ez ist zesprechenne 389; 2) jemanden als etwas bezeichnen, jemanden dies oder jenes nennen: a) doppelter Aff. heizen 253, cf. 363; b) doppelter Nom. (*Deus dicitur omnipotens* got ist geheizen almehtig 355) heizen 10, 13, 19, 246, 351, 355, 357, 364-8, 372, 384, 411, geheizen sin 246, 355, 355, 356, sin 16, 372, man sprichet daz 16; c) Nom. + Infin. (*Deus omnia posse dicitur* man sprichet got vermag ellü ding 355) heizen 17, 355, 393, man sprichet daz 355, ist zesagen daz 4, so heizet man daz 355; 3) einen bestimmten Ausdruck als Aussage gebrauchen, von etwas reden: *natura dicitur* man spricht von „Natur": die nature heizet 10; *assumptio dicitur* die ufnemung ist geheizen 17; *possibile dicitur* man sprichet müglich 355; *nomen persona de Deo dicitur* der name person von got ze sprechenne ist 378; *alio modo dicitur justitia* so heizet die gerehtikeit 406 (*cf. also* 18, 351, 355, 370, 406); 4) ausdrücken, hinweisen auf: *bonum dicit rationem appetibilis* guot heizet die rede des begerlichen dinges 279 („gut' weist auf den Aspekt des Begehrtseins hin).

dictamen vorschreibender Ausspruch: gedihtunge 175.

dictare vorschreiben: heizen 194.

dies Judicii der jungste tag 155, 390, 391; *dies gloriae* tag der gnaden 418.

***differenter** auf verschiedene Weise: underscheidenlichen 186; *d. tamen* doch habent si underscheit 414.

differentia Verschiedenheit: underscheit 16, 71, 199, 249, 308, 368, 382; underscheide 248; underscheidunge 16, 359, 382, 389.

differre verschieden sein, sich unterscheiden: underscheiden 9; sich underscheiden 75, 200, 279, 374; gescheiden sin 132; underscheiden sin 199, 200, 252, 26; geunderscheiden sin 200; *d. secundum rationem* nach redenne underscheiden sin, s. underscheiden 75, 252, 279; *d. a* gescheiden sin von 132; *d. specie* underscheiden sin von dem (den) gesteltnüsse(n) 199, 200; s. underscheiden nach den getenden 200.

difficilis pinlich 355.

dificultas: *d. ad bonum* unmügelich[eit] zuo guot 89; *cum d. adiscibile* mit arbeiten zegewinnen 188.

diffundere giezen 320.

dignitas Wert, Seinsvollkommenheit: wirdikeit 32-3, 43, 132, 335, 361.

dignus würdig, angemessen: wirdig 151, 275, 391, 409.

dijudicare etwas beurteilend entscheiden: ervinden 403; wissen 404.

diligenter ernstlich 364.

dilectio Liebe (d.h. Willensakt): liebi 185, 228, 230, 247-48, 344, 408-9, minne 66, 340; daz minnen 346.

diligere minnen 4, 62, 228-29, 249, 333, 344-46; liep han 408.

dimidium ein mittels 376.

diminuere beeinträchtigen: minren 116, 204.

diminutio Beeinträchtigung: minrunge 109.

dimittere (1) etwas aufgeben: ufhören

184; (2) jemanden lassen, aufgeben: lan 287; (3) (eine Strafe) erlassen: vergeben 340.

directe direkt, geradewegs, eigentlich: die rihti 180, 207, 208, 215, 420; *indirecte* die unrihti 207.

directivus Richtung gebend: rihtend 223.

directus direkt, einfach: reht 388.

dirigere Richtung geben, auf ein Ziel lenken: rihten 76, 196, 198, 222, 246; berihten 245.

discedere abweichen: entwichen 208.

discere lernen 86, 268.

disciplina Unterricht, Erziehung: zuht 213.

***discordans** nicht übereinstimmend: mishellig 174, 179; mishellend 175.

discrepantia Abweichung: mishellunge 383.

discretio: *d. spiritum* underscheidung der geiste 275.

disparitas Ungleichheit: zerspreiunge 382.

dispensare austeilen, spenden: teilen 269; geben 339.

dispensatio Anordnung, Machtwunder: teilung 91, 140.

dispensator der austeilende Verwalter: spender 335.

disponere (1) etwas (nach einem Plane) ordnen: bereiten 7; besetzen 252; (2) geeignet machen für, vorbereiten auf: bereiten 193, 195, 254, 392.

dispositio (1) anordnender oder verfügender Akt: bereitunge 93, 119; teilunge 118; (2) Zustand, Verfassung: bereitunge 253, 347, 372, 406; (3) Zustand der Geeignetheit, Veranlagung: bereitunge 159.

***dispositivus** geeignet machend: ist ein bereitunge zuo 191.

dissentire in der Meinung abweichen: entwichen 42.

dissimilitudo unglicheit 306.

***distans** fern: verre 189, 288.

distare (1) *d. ab* Abstand haben von: stan von 131-32; verre sin von 413; (2) *hac distat inter* dies ist der Unterschied zwischen: daz ist daz underscheit 303.

distinctio (1) Akt der Unterscheidung, das Auseinanderhalten, Klassifizierung: underscheidunge 35, 198, 263, 310; underscheit 199, 311, 324; (2) Geschiedenheit, Unterschied: underscheit 87, 375; underscheidung 24, 275, 379, 382, 384.

distinguere (1) auseinanderhalten: underscheiden 102; (2) *distingui* auseinandergehalten werden: undergescheiden 102; underscheiden werden 102; *d. in* eingeteilt werden in: underscheiden übermitz 196; (3) *distingui* verschieden

fein, ſich unterſcheiden: underscheiden
sin 388; sich underscheiden 24, 388;
geunderscheiden werden 199, 315, 374,
389; (4) *distinctus* verſchiedenartig: ge-
scheiden 113; geunderscheidet 73;
underscheiden 379.

distribuere (1) austeilen: geben 334;
(2) ſich in der Bedeutung erſtrecken auf:
teilen 81.

distributio näher beſtimmende Ausage:
verjehunge 355.

***diversificari** ſich verſchiedenartig geſtal=
ten: mislich werden 198.

diversimode auf verſchiedene Art und
Weiſe: mislichen 191, 269, 306.

diversitas Andersheit, Verſchiedenheit:
mislichi 199, 269, 382.

diversus verſchieden, anders: mislich 67,
72, 110, 134, 228, 269, 410.

divertere ſich abwenden von: sich abkeren
201.

dividere (1) teilen, verteilen auf: teilen
101; *quod mare dividatur* daz sich daz
mere von einander teile 274; (2) *dividi*
(in Klaſſen) eingeteilt werden: geteilet
werden 270, 389; gescheiden werden
256; geunderscheiden werden 271.

divinitas Gottheit: gotheit 104, 109, 110,
116, 146, 383.

divinitus von Gott aus: gotlich(en) 50,
54, 139, 211, 343, 397.

***divisim** im Sinne der Teilung: teillichen
25.

***divisio** Teilung: underscheidunge 382.

divitiae Reichtümer: richtuom 192, 220,
361; vergenkliche dinge 220.

docere lehren: leren 57, 67, 87, 145.

doctor Lehrer: lere 273; lerer 57, 274,
401; ortfrümmer 58.

doctrina Lehre: lere 57, 87, 218, 274.

dogma Lehrſatz, Lehre: lere 39.

dolere traurig ſein: truren 391; betrübet
sin 392.

dolor Schmerz: smertze 91; leide 92.

dominari herrſchen: herschen 68.

dominatio: *see p. 74, note* 2.

***dominativus**: *jus d.* Herrenrecht: vetter-
liches reht 412.

dominica: *oratio D.* daz heilige gebet
245.

dominium Herrſchaftsgewalt: herschung
132.

dominus, *domina* (1) Herr, Herrgott:
herre 41, 404-5; got 421; (2) Herr:
herre 360, 376.

donare ſchenken: begaben 51.

donatio Gabe: gabe 60.

donum Gabe, Geſchenk: gabe 5, 55; *d.
gratuitum* begnate gabe 414-15.

***dubitatio** Zweifel: zwifel 105.

dubius zweifelhaft: zwifellich(en) 167,
355; *sub dubio relinquere* in eime zwifel
lan 399; *absque dubio* ane zwivel 392;
in dubium verti sich in einen zwifel
keren 399.

***ductivus** leitend: leitend 223.

dulcedo Süßigkeit, Lieblichkeit: süzikeit
161, 404.

dulia Tugend des ſich Unterwerfens: er-
bietung der eren 131.

duplex zweifältig: zwifeltig 61, 140, 182,
358; zweier hand 43, 419.

duplicare verdoppeln: zwiveltigen 182.

dupliciter in doppelter Bedeutung, auf
zwei verſchiedene Weiſen: in zweier
hant wis, 2, 414, 418.

duplum das Doppelte: zwifeltiges 376.

durare fortdauern: volherten 85.

E

Ecclesia cristenheit 66, 117, 140.

***effectivus** bewirkend wirklich 119; wir-
kende 318.

effectus das Bewirkte: werkunge 195;
wirkunge würkunge 58, 231, 417;
werk(e) 42-43, 195, 259, 350, 365, 393-
94, 408-9.

efficacia Wirkfähigkeit: craft 143, 224.

efficaciter mit Erfolg: crefticlichen 270.

efficax wirkfähig: creftig 120, 401, mehtig
272.

elargiri ſpenden: geben 336.

electio das Auswählen: erwelunge erwel-
lunge 164, 166, 185, 344, 346, 350.

elementum Urbeſtandteil: die elemente 7.

elevari erhöht werden: erhaben werden
18, 153, 242, 292; uferhaben werden 18;
übererhaben werden 151.

elicere hervorlocken: fürloken 206.

eligere auswählen: erweln 166, 344-45,
351; fürerweln 250; *electus* der erwelte
346.

emanatio Ausſtrömung: usgang 365.

emendare beſſernd zurechtbringen: gereht-
vertigen 97; rehtvertigen 97.

eminentia Vorrang, höhere Vollkommen=
heit: vorschinung 56; hocheit 75.

eminentius in höherer Art und Weiſe:
aller schinlichest 361; in einer höche-
ren wis 131.

emollire erweichen: weichen 213; er-
weichen 211.

***emptio** Kauf: verkouffung 334.

emundare völlig reinigen: heiligen 134.

ens das Seiende: ein wesendes ding 61,
74, 83-84, 209, 286; wesen 171, 280;
wesentheit 209, 357; *ens et verum con-
vertuntur* wesendü ding unde war sich
miteinander kerent 83.

entitas Seinsgehalt, Seinsform: wesentheit 319.

enumerare aufzählen: zellen 269.

***enuntiare** kund machen: künden 57.

errare (1) umherirren: — (2) einen Fehler machen: irren 90, 175, 180.

erroneus irrend, irrtümlich: (irrunge) 12, 34; valsche 35; irrend 109, 180.

error Irrtum: irren 180; irrunge 105, 180, 348, 382-83.

erudire unterrichten: leren 108.

esse (1) sein: sin 1, 2, 3 *etc.*; gesin 150; (2) existieren, wirklich (so) sein: gesin 2, 36, 63, 149, 315, 370, 376, 380; in wesen gesin 384; (3) das (von einer *essentia* abgemessene) Sein: wesen 61-62, 146, 331, 367; *esse mali* bös zesin 299; *esse habere* wesen haben 19, 36; *esse infinitum* unentlich wesen 357; *esse personale* personlich wesen 19, 21, 50; *esse naturale* wesunge 249; *esse rationale* redelicheit 375; redelich wesen 359; (4) stattfinden, zustandekommen: geschehen sin 18.

essentia das Wesen, die Wesenheit: wesung 8, 15, 21, 80, 210, 297, etc.; wesen 378.

***essentialis** wese(n)lich 21, 25.

***essentialiter** im Sinne der Wesenheit: nach der wesung 191; wesenlichen 165.

esurire hungern: hungern 194.

Eucharistia unseres herren lichamen 148.

evadere entweichen: entwichen 95.

evenire geschehen 324, 348.

eventus das Geschehen, Eintreten: die geschiht 184-85, 244.

evidentia Einsicht: *ad cuius e. sciendum est* zuo welcher offenbarung ze wissen ist 191, 294.

evitare vermiden 382.

exaudire erhören 57, 123-24.

excaecare blind machen: verblenden 214.

excaecatio Verblendung, Blindheit: blendung 211; verblendung 211.

excedere überschreiten, hinausragen über: fürkomen 62; vorgan fürgan 143, 160, 197; fürtreffen 231, 243, 264, 341, 390, 414.

excellens vollkommen, hervorragend: *excellentior* höcher 192, 378; wirdiger 275.

excellentia Vorrang, Vollkommenheit: wirdikeit 116, 129, 221, 403; erberkeit 129.

***excellentissime** aller volkomenest 55; alre volkomlichest 360.

excelsus: in excelsis in der höchi 86.

excitare hervorrufen, auslösen: erwecken 216.

excludere ausschließen, aufheben: usslie-zen 28, 53, 158, 383, 409; usbezliesen 367.

excusare enschuldigen 180.

excusatio entschuldigung 138, 142.

***executio** Ausführung: ervolgung 221-22, 342.

exemplar Vorbild, Modell: bilde 301; bilderinne 145.

***exemplaris** vorbildlich: biltlich 30-31.

exemplum (1) Beispiel: zeichen 273; (2) Vorbild, vorbildliches Beispiel: bilde 122, 142.

exercere (1) ausüben, vollbringen: üben 165; (2) zulassen: uoben 90.

exercitus Kriegsheer: dienst 234; her 223.

exhibere (1) jemandem etwas erweisen, geben, tun: erbieten 128, 132, 137, 193; *exhibitus* geschehen 248; (2) jemandem etwas anbieten, überlassen: erbieten 70; darerbieten 5.

exhortari auffordernd ermahnen: raten 349.

exigere erfordern, verlangen: heischen houschen 136, 160, 232, 339; *exigebat* houschende waz 136.

exire (1) herauskommen, gehen: gan von 134; (2) verlassen, durchbrechen: uzgan 323; (3) von einem zum andern übergehen: uzgan 366.

existere dasein, wirklich sein: sin 43, 45, 84, 243, 331, 374, 397; wesen 82, 331; stan 36, 343; bestan 311.

existimare glauben, meinen: wänen 321.

expectare hoffend erwarten: erbiten 53; beiten 54; warten 123; biten 162.

expedire förderlich sein: zimlich sin 244; nütz sin 420.

expellere vertriben 337.

experientia das Erfahren, Kennenlernen: brüfnüsse 169; ervindung 409.

experimentalis die Erfahrung betreffend: mit brüfnüssen 78; brüvelich 79.

experimentum Erfahrung: brüfung 399.

experiri erfahren, kennen lernen: ervinden 404.

expetere verlangen: heischen 139.

explere vollbringen: ervüllen 146.

explicatio das Auseinanderlegen, Darstellung: uzlegung 119.

expresse ausdrücklicherweise, treffend: offenlichen 399.

experimere sprachlich ausdrücken: offenbaren 121-22.

(se) extendere sich ausstrecken auf, übergreifen auf: sich streken 32, 82, 117, 356, 417; sich keren 94; sich gestreken 283.

***extensio** Ausdehnung, Umfang: uzerbietung 60; uzstrekung 182, 293.

exterior (1) *sensus e.* der etwas Äußer=
liches wahrnehmende Sinn: die uzzern
sinne 67; (2) äußer=, von außen: lip-
lich 192; uzzer 76, 116, 181, 232; us-
wendig 182, 260; *exterior* (adv.) uz-
wendig 76, 217.

extra außerhalb, außen: uzwendig (+
gen.) 294, 323, 359, 394; uzwendig 376;
aliquid e. etwas uzwendiges 364; etwas
uzzers 373; *processio ad. e.* zuo den
ussern dingen 364.

extremus Endpunkt: der uzzerste 131.

extrinsecus äußerlich außenstehend: *ali-
quid e.* etwaz daz uzwendig ist 296; ein
usser ding 368; etwaz uzwendiges 376.

F

facere (1) hervorbringen, bewirken: ma-
chen 19, 28; wirken 49; tüen 79; tuon
226, 338, 376, 397; getuon 226, 338, 363;
tüwen 226, 261, 350; tügen 277; ge-
machen 358-59; *factus* geschehen 49;
fieri gemachet sin 14; (2) eine Tätig=
keit auslösen, verursachen: machen 154;
(3) *f. ad.* wichtig sein für: tuon 262.

facies antlüze 318.

facile ohne Schwierigkeit: liederlich 168.

facilis leicht: liehtlich 252; lihtiklich 56.

*factibilis machbar: geschihtlich 358.

facultas Fähigkeit, Möglichkeit: maht 18,
60, 220, 284, 341; craft 257; müglichi
153.

falsus logisch unwahr: falsch 37, 179, 361.

fama guter Ruf: guot lümunt 361; lü-
munt 362.

favere begünstigen, gönnen: günner sin
105; *Deo favente* von gottes gunst 421.

felicitas selikeit 157, 338, 361.

felix glückselig: selig 139, 328.

fenestra venster 212; ouge 213.

ferri sich zuwenden, gerichtet sein auf:
sursum ferri ufwert gan 21; *voluntas
fertur* der wille braht wirt 177-78; wirt
getragen 179; *visus fertur* daz gesiht
wirt getragen 394; wirt gebraht 394.

fervens heiß: brinnend 193

fictio täuschender Schein: *fictio incarnalis*
glichsenunge der infleischung 37.

fides Gläubigkeit, Glaube als Akt oder
als Geglaubtes: der glaube(n) 11, 52,
138, 143, 365, 410; *fidem percipere* glou-
ben 138.

fieri (1) werden, entstehen, kommen: ge-
werden 17, 77, 323, 342, 409; werden
27, 93, 368, 395; (2) geschehen, sich er=
eignen, zustandekommen: geschehen 6,
23, 48-49, 232, 350, 411; (3) getan wer=
den, gemacht werden: tuon 352; gewer-
den 245, 261, 300, 358; werden 302;

filiatio Sohnschaft: sunlicheit 25, 125, 375,
377; sünlicheit 386, 389, 390.

finalis (1) am Ende stehend: *beatitudo f.*
entlich selikeit 195; *f. sententia* entlich
sentencie 171; jungste sentencie 170;
entlich urteile 170; (2) auf das Ziel
hinziehend: *causa finalis* entliche s. 223,
346.

finire abgrenzen: enden 150.

finis (1) Ende, Abschluß, Grenze: ende
71, 246; (2) Zweck, Ziel: ende 2, 42,
418-20.

*finitus endlich, begrenzt: entlich 61, 81;
geendet 61, 314.

firmare festmachen: festenen 241.

firmiter fest, unverlierbar: crefticlichen
245, 352.

firmus fest, unerschütterlich: stark 352.

flectere (1) beugen, biegen, lenken, um=
stimmen: neigen 349; (2) sich zu etwas
wenden: no example, but see *flexibilis*.

flexibilis *see* flectere 2; gneiglich 418.

fomes Zündstoff, Reizung: neigunge oder
fütunge der sünden 134; neigunge 91,
135.

forma: *f. substantialis* substenzlich forme
7, 47.

*formalis die Form betreffend: förmelich
10, 199; **formale* förmelichen 164; *for-
maliter* förmelichen 165.

*formativus gestaltend, formend: forme-
lich 90.

fortitudo (die Tugend der) Stärke oder
Festigkeit: sterke 199; sterki 165.

*fortius stärker: sterker 225; creftig-
licher 402.

frequenter oft: empziclichen 93.

frui genießen (im Gegensatz zu *uti*): ge-
bruchen 21, 232, 288.

fruitio Genuß (im Gegensatz zu *usus*):
gebruchung 21, 53-54, 154, 161, 287.

frustra vergebens: vergebens 33, 79.

fundamentum Grundlage: fülmunt 352.

*fundari sich gründen, stützen auf: fun-
dieren fündiren 338, 357, 375-76, 401.

futurus zukünftig: künftig 74, 94-95, 188,
191; künfticlich 274.

G

gaudere sich fröwen 330.

gaudium (eine aus der geistigen Erkennt=
nis springende) Freude: fröde 329, 330,
361, 402.

gemere seufzen: ersüfzen 97.

genealogia übergeburt 137.

*generabilis erzeugbar: *generabilia et
corruptibilia* die vergenklichen unde
geberlichen ding 365; geberlich 85.

generalis allgemein: gemein 243.

generaliter allgemein: gemeinlich 72.

*generare (1) (organisch) erzeugen: geberen 380; (2) verursachen: geberen 369; **generans* ein geberendes 369; **generari* entstehen: geborn werden 149, 366.

generatio (1) das Entstehen durch Veränderung: geburt 14; geberung 85, 262, 400, 406; (2) (biologisch) Zeugung: geberunge 136, 150, 218, 365-68, 377, 380; daz gebern 218; geburt 377.

gentes die heiden 145.

genus (1) Geschlecht: *de genere (Adae, Abrahae)* von dem gesleht (Adams, Abrahams) 38, 141; *totum humanum g.* alles menschliche geslehte 78; (2) Gattung (im Gegensatz zu *species*): geslehte 307, 389; (3) eine der 10 Kategorien: geslehte 86, 370; (4) Typ: *genera linguarum* dü geslehte der zungen 275.

gerere: gestum geschehen 119.

gestare tragen 139.

gignere gebären: gebern 133, 366, 369, 380.

gloria himmlische Herrlichkeit, Verklärung: glorie 51, 70, 146, 285, 418-19; ere 50; glorificierunge 55; gnade 418.

glorificare überirdisch verklären: glorificieren 146, 271.

gloriosus überirdisch verklärt: glorificiert 145-47.

glossa glose 318.

gradus Vollkommenheitsstufe: grat 43, 63, 151, 269.

graece in kriethscher zungen 301.

gratia (1) Erkenntlichkeit, Dank: *gratias agere* gnade sagen 123; gnade danken 123, 247; (2) Gnade, Gnadengeschenk: gnade 5, 50, 228, 247, 415-17; *gratia gratum faciens* ein gnade die den menschen gneme machet 257; *gratia gratis data* gnade die da vergebens gegeben wirt 257; (3) Gunst, wohlwollende Gesinnung: gnade 18, 247, 250.

gratificare sich jemandem günstig erweisen, jemanden begnaden: begnaden 62.

*gratificatio begnadung 62.

gratis umsonst, freiwillig und ohne Verdienst: vergebens 18, 50, 57, 247, 256, 419; begnate 19, 247; gnedelich 51; gnade 248.

gratuitus unverdient gegeben: vergeben 18; begnadt 228-29, 233, 414-15; *gratuito* von gnaden 250.

gratus angenehm, wohlgefällig: geneme 256, 257, 275; begnat 19, 247.

gravis swar 203, 371, 401; *gravia et levia* die swaren ding unde dü liehten ding 409.

gravitas: *g. peccatorum* swarheit der sünde 203; *g. terrae* swarheit der erden 64.

gressus Schritt, Gang: gang 266.

grossus: *grossior: corpora g.* aus grobem Material: grob 397, 400.

gubernare zum Endziel leiten: rihten 76, 209, 343, 345.

gubernatio Lenkung (zum Endziel): rihtunge 68, 76, 209, 342, 361; rihte 76.

gubernator Lenker, Leiter: rihter 335; schifman, der daz schif rihtet 209.

gula Völlerei: frasheit 201.

gulosus gefräßig: der vressig 201; der frasse 198.

H

habere (1) besitzen: haben 155, 312, 316, 319, 320, 328, 330; gehaben 158; ihht 314; *habitu respectu* von habung dez gesihtez 421; (2) *habere gewinnen haberi* sich gewinnen lassen, erschlossen, festgestellt werden: haben 353, 403; gehaben 153; *supra habitum est* da vor ist bewiset 378; *ut habetur Apocal.* alse es geschriben ist 390, 404; (3) halten für: haben 19, 391; (4) *se habere* sich gehaben, sich verhalten: sich halten 33, 333; *se h. ad, in eine Rolle spielen bei*: sich halten 166, 359, 388; *se h. ad. in* Beziehung stehen zu: sich halten 24, 26, 27, 88, 191, 393; (5) *haberi* geschriben sin 390, 404; (6) *gratum habet* begnadet, begnat het 247; (7) *habitus (adj.)* gehabt 167; (8) *habitus* als gegeben vorausgesetzt: von habung 421.

habitualis als Zustand existierend: *gratia h.* habende gnade 20; gnade der habunge 22; heblichü gnade 51; *donum h.* hebliche gabe 233, 237.

habitudo (1) Verhältnis, Beziehung: die habung 11, 153, 223, 268, 356, 374; (2) Haltung zu, Verhalten gegenüber: habung 153.

habitus (1) Fertigkeit, dauerhafte Anlage (eine besondere Art der *qualitas*): habunge 19, 52, 387; (2) Gestalt: *in habitu columbae* in einem kleit einer tuben 145.

haeresis Irrlehre: ketzerie 13, 41, 104.

haereticus Irrlehrer: ketzer 105, 109, 197.

homicida Totschläger: mansleke 198.

homicidium Totschlag: *species homicidii* gesteltnüss der mansleke 200.

homo mensch(e) 1, 6, 10, 11, 34, *etc.*; ieman 415-6.

honor öffentliches Ansehen: ere 128; erunge 129.

honorabilis ehrwürdig, angesehen: erber 68.

honorare eһren: eren 128.

hostilis feinдliϫ: vigend 313.

huiusmodi (1) *adjektivisch* des gliches 25, 90, *etc.*; (2) *absolut* des gliches von den selben 174, *etc.*; soliϫ 174.

humanitas daß Menſϫſein, Menſϫþeit: menſϫliϫü nature 10; *h. Christi* die menſϫeit Christi 70.

humanus menſϫ(e)liϫ 2, 10, *etc.*; menſliϫer 273.

humiliari ſiϫ demütigen 214.

humilitas Demut: demütikeit 192.

hyperdulia übererbietunge 131.

*****hypostasis** daß ſelbſtänдig Seiende, der Träger der Afziдentien: ſelbeſtaunge 11, 12; ſelbeſtandunge 11, 13; ſelbeſtadung 130.

I

idea Jdee: bilde 301.

idem (1) *prädikativisch*: *idem est* diz iſt alleint 175; *omnino idem* alzemale daz ſelbe 9; *eadem est* ſo iſt ez eins 75; (2) *attributiv*: ein 271; (3) *absolut*: *ad idem* zuo eime 411.

identitas ſelplicheit 371.

ignire füwer machen 265; *igniri* füre werden 281.

ignis für 21, 74.

ignorantia Niϫtwiſſen, Unwiſſenþeit (ſꝩnonꝩm mit. unд im Gegenſatz zu *nescientia*): unwiſſentheit 89, 91, 180, 244.

ignorare niϫt ϝennen: niht wiſſen 42, 45, 361, 403.

ignotus unbeϝannt: unerkant 147, 403.

illegitime (*natus*) uneliϫ (geborn) 137.

illicitus unerlaubt: unurlouplich 93.

illico ſogleiϫ: zehant 6.

illuminare erleuϫten: erlühten 61, 147, 211-12, 281.

illuminatio Erleuϫtung: erlühtunge 212.

ille der ſelbe 35.

illustrare erleuϫten: erliuhten 237, 268.

illustratio Erleuϫtung: erlühtung 225, 237.

imaginari ſiϫ vorſtellen: bilden 140; *imaginatus* (*passiv*) gebildet 39.

imaginatio (1) Einbilдungskraft: bildunge 92, 283; (2) Tätigkeit der Einbilдungskraft, Reſultat: —

imaginativus: *vis imaginativa* daß ſinnige Vorſtellungsvermögen: biltliche craft 169.

imago Naϫbild: *ad imaginem Dei* zuo einer bildunge gotis 45, 68, 129, 307.

imitari (**Deum**) (got) nahvolgen 313.

imitatio (**Dei**) zuovolgung 311; nahvolgung 309, 310.

*****immanere** im Jnnern bleiben: inne beliben 147.

*****immaterialis** unſtoffliϫ: unmaterilich 293.

*****immaterialitas** Stoffloſigϝeit: unmaterilicheit 293.

immediate unmittilich(en) 275, 280, 392-93, 395, 400-1, ane mittele 397.

immittere: *lumen gratiae immittit* wirfet inewendig das lieht der gnaden in die ſele 213.

*****immixtus** niϫt verbunden mit: ungemiſchet 294.

immobilis ϝeiner Veränderung unterworfen: unbeweglich 31; *immobiliter* unbeweglich 325.

*****immortalitas** untötlicheit 55, 151.

immunis (**a poena**) ſtraffrei, niϫt ſtrafpfliϫtig: unſchuldig 137.

immunitas Freiþeit von: unſchulde 135.

*****immutabilis** unveränдerliϫ: unwandelich 8, 325, 408.

impedimentum Hinderniß: hindernüſſe 191, 212, 415-17.

impedire hindern 94, 323, 417.

impellere þintreiben auf: triben 369.

impendere ſϫenϝen: *quod aliquid ei gratis impendat* daz er im gnade tuot 248.

imperare gebieten 206, 223.

imperfectus unvollenдet, unvollϝommen: unvolkomen 8, 114, 163, 405.

impius gottloß, pfliϫtvergeſſen, böſe: böse 340, 405, 408-11; unmilte 208, 391.

implere erfüllen 39, 119-21, 158, 288, 416.

implicare einſϫließen: besliezen 357; haben inne beslozen 358.

imponere einführen, ſetzen: insetzen 166, 348, 378.

importare beſagen, bedeuten, in ſiϫ begreifen: innetragen 16-17, 42, 120, 374, 384, 405-7; tragen 22, 374; bringen 90.

impossibilis unmügliϫ 24 *etc.*; ungeloupliϫ 401.

impressio Abдruϫ: indrukung 312.

imprimere aufдrüϫen: indruken 52, 363, 408.

*****impulsio** Antreibung: tribunge 369.

impulsus: *contra intentionem impulsus* wider die anvehtun der bekerunge 246.

imputare anreϫnen: zihen 209.

inaequalitas unglicheit 413.

*****inanimatus** unbeſeelt: ungeſelicht 229, 310.

incarnari Fleiſϫ werden: ingefleiſchet werden 2, 3, 5, *etc.*

incarnatio Fleiſϫwerдung: infleiſchung 17; fleiſchunge 43.

*****incautela** Unvorſiϫtigϝeit: umbehuotheit 138.

*****incertitudo** Ungewißþeit, Unſiϫerþeit: unſicherheit 166.

incertus unſiher 167.

*inchoatio Anfang, erſte Stufe: beginne 191; anvahunge 195.

incidere vallen in 324.

incipere anfangen: beginnen 325; anheben 149, 281; anvahen 16, 49, 67, 402.

*incircumcisus unbesniten 142.

incisio das Einſchneiden: houwen 111.

incitare bewegen, antreiben: bewegen 217, 345; *i. ad peccandum* bewegen zuo sündenne 217; *i. ad diligendum* bewegen zuo minnene 345.

inclinare neigen 204, 208, 252, 303, 418.

*inclinatio: *i. ad* neigung zuo 169, 183, 320, 371; neigunge in 369.

includere einſchließen: besliezen (in) 9, 171; inbesliezen (in) 286; innebesliezen 344, 366; innevalten 361; sliezen (in) 375.

inconfusus ungeschendet 80; *cf. confusus.*

incontinens ſich nicht beherrſchend: unküsche 179.

inconveniens unmüglich, abzulehnen: unbehörlich 46.

*inconvertibiliter unwandelbarerweiſe: ungewandelich 114.

*incorporeus nicht förperhaft: unliphaftig 283.

incorruptibilis unvergenklich 8.

*incorruptio Unzerſtörbarkeit: unverkenklicheit 97.

increatus ungeſchaffen: ungeschaffen 29, 80, 314, 361; ungeschepft 314.

incurrere verfallen in, erleiden: vallen in 236; *incurritur haeresis* kumet gern ketzerie 104.

*indemonstrabilis unbeweisbar: unbewiselich 403.

*indeterminate auf unabgegrenzte Weiſe: unbeterminiert 381.

*indetractibilis nicht erniedrigend: daz man niht hinder reden sol 90.

indifferens *indifferenter* (1) nicht verſchieden, gleichmäſſig: ununderscheidenlich 26, 110; ane underscheit 103, 110, 308, 384; (2) ethiſch neutral: weder guot noch böse 175.

indigere nötig haben: bedürfen 5, 18, 32, 156, 225.

indirecte auf einem Umwege, nicht direft: die unrihti 208.

inditus eingegeben, eingepflanzt: ingesetzet 224; ingephlanzt 258.

*individuari zu einem Einzelding werden: unteilliche werden 37, 300.

individuus einzeldingig: unteillich 10, 12.

individuum Einzelding: daz unteillich 34; daz unteilliche ding 35, 38.

*indivise ungeteilt 114.

inducere (1) hervorrufen, entſtehen laſſen: bringen 95; inleiten 160, 323; (2) antreiben zu: leiten zuo 193; leiten in 204; (3) führen zu, in: inleiten in 245.

*induratio *see obduratio.*

inenarrabilis unausſprechlich: ungeret 390.

*inesse innesein, getragen werden von: inne sin 10; inwesen 372; *i. subjecto* in einem undergeworfenen wesen 372.

infallibilis unfehlbar: unbetrogenlich umbetrogenlich 348.

*infallibilitas Unfehlbarkeit: ane betriegen 267.

*infallibiliter unfehlbar: unbetrogenlichen umbetrogenlich 267, 348, 400.

infamia ſchlechter Ruf: unlümunt 138; böser lümunt 137.

infectio ſchädliche Wirkung: wirkung 219, 244.

inferior (1) niedriger im örtlichen Sinne: nider 64; (2) Körper der ſublunariſchen Region: *inferiora* die nidersten 401; die nidern libe 397, 402; (3) untergeordnet, auf niedrigerer Stufe ſtehend: nider 239, 406; niderst 105, 109.

inferre (1) antun, zufügen: bringen 56, (2) *inferri* geschehen 96; zuo komen 96.

inficere ſchädlich wirken auf: wirken in 219.

infidelis ungeloubig 137.

infimus zu unterſt ſtehend: nider 365.

infinitas Unbeſchränktheit: unentlicheit 293.

infinitus unbeſchränkt, unendlich: unentlich 29, 61-62, 81, 150, 354; *in infinitum* bis in die unentlicheit 85, 150, 233; unentlichen 413.

infirmitas Schwachheit: krankeit 89, 204; siecheit 6.

infirmus ſchwach: siech 227.

influentia Einfließen, Eingießung: infliezunge 51, 59; influz 59, 86.

influere (1) hineinfließen laſſen, eingießen: infliezen 69; (2) einwirken, Einfluß ausüben: infliezen 59, 70; fliezen in 76.

*influxus Einwirkung, Einfließen: infliezunge 51; influsse 52; daz infliesen 76.

informare eine Form oder Seinsweiſe geben: informieren 394; *intellectus informatur* unser verstan wirt geformet 295.

infrigidare abfühlen: kelten 201.

infundere eingießen: uzgiesen 332; ingiezen 46, 251, 410.

*infusio Eingießung: ingiezung 408-9.

infusus eingegoſſen: *virtutes infusae* die ingegozzenen tugende 227, 254; *scientia infusa* die ingegozen kunst 80.

*ingenerabilis nicht erzeugbar, nicht entstehbar: ungeberlich 8.

ingenium Scharffinn, Verständnis: *velocitas ingenii* snelheit des sinnes 157.

inhabitare einwohnen: *mentem inhabitat* inne wonet dem gemüt 66, 70.

inhaerentia Anhaftung, Anhängen: inhangung 219.

inhaerere anhaften an: anhangen 4; inhangen 169, 211, 268, 370, 373; *inhaerens subjecto* sint inhangende dem underwurf 373.

inimicus Feind, Teufel: vigende 39.

initium Anfang: beginne 22, 221

injuria unreht 96.

injustitia ungerehtikeit 407-8

innasci entstehen: ingeborn werden 15.

*innascibilitas das Nichtgeborenwerdenkönnen: ungebornheit 385-86; ungeberlicheit 386.

innotescere bekannt werden, sich offenbaren: geoffenbart werden 3; erkant werden 3, 385; bekant werden 386.

*inordinatio Ungeordnetsein unordenunge 40; unordentlicheit 241.

*inordinate auf eine gegen die richtige Ordnung verstoßende Weise: ungeordnet 104; unordenlichen 207.

*inordinatus was gegen die richtige Ordnung verstößt: ungeordent 184, 196, 220; unordenlich 135, 241.

inquinare beflecken: entreinen 195.

inquisitio (1) *i. finis* das Verfolgen des Zieles: suochunge 154; (2) *i. rationis* die untersuchende, forschende Tätigkeit des Verstandes: vorschunge 166-67; ervorschunge 167.

insensibilis ohne Sinne, empfindungslos: umbesint 130, 190.

inseparabiliter untrennbar: mit unscheidenliheit 104; an teilunge 114.

insistere bestehen auf, eifrig betreiben: bi sin (*w. dat.*) 136.

inspicere schauen: ansehen 143.

inspirare eingeben, einhauchen: ingeisten 47, 233.

instans: *in primo instanti* in dem ersten nu 140; in der ersten gegenwertiger stunde 53; von anegenge 64; *in eodem instanti* in der ersten stunt 47.

instinctus: *instinctu naturali* von natürlicher tribung 190, 328.

instituere einsetzen, setzen in: setzen 31; ordenen 397; leren 141.

instruere lehren, unterrichten: leren 121, 138, 273; geleren 272.

*instrumentalis werkzeuglich: *virtus i.* gezouliche craft 148.

*instrumentaliter nach Weise eines Werkzeuges: gezoulichen 69.

instrumentum Werkzeug: gezouwe 113, 172.

insurgere sich empörend erheben: ufstan 239.

integer vollständig, ganz gan(t)z 6, 77.

integritas ünverfehrtheit: ganzheit 226.

*intellectivus (1) geistiger Erkenntnis fähig: *potentia i.* das geistige Erkenntnisvermögen: die verstentliche maht 256; (2) zum vernünftigen Teile der Seele gehörig: *visio i.* geistige (nicht sinnliche) Anschauung: das vernünftige gesiht 392.

intellectualis (1) nicht körperlich, übersinnlicher Natur: *appetitus i.* vernüfticliche begirde 326; (2) geistiger Erkenntnis fähig: verstendig 10, 308-9; verstentlich 307; vernünftig 32, 360, 365, 368; fürnünftig 370.

intellectus (1) Erkenntnisvermögen: verstan 224, 284; bekenen 225; vernunft 45; vernünftikeit 360; (2) Erkenntnisinhalt: verstan 37, 305, 316; verstentnüsse 318; (3) Erkenntnisakt: verstan 164; (4) Auffassung, Sinn: verstan 263; (5) geistige Substanz: verstan 45, 190.

*intelligens (1) erkennend: verstendig 364; verstentlich 295; (2) mit Verstand begabt: vernünftig 360.

intelligentia (1) Erkenntnisakt: verstan 85, 374; (2) Erkenntnisinhalt, Begriff: verstan 383; (3) geistige Substanz: vernünftikeit 401.

intelligere (1) geistig erfassen: verstan 25, 104, 297, 304, 308, 313, 319; verstan 364; bekennen 294, 319; erkenen 405; (2) auffassen: verstan 35; versten 104, 365; merken 289.

intelligibilis (1) erkennbar: verstentlich 284, 360; verstendig 396; (2) zur Erkenntnis befähigend: verstentlich 284, 296, 297; (3) übersinnlich, vernünftig: fürnünftig vernüftig 365; verstentlich 302.

intendere (1) anstreben: meinen 14, 234; (2) Spannug geben, anspannen: meinen 182; *i. voluntatem* den willen meinen 182; (3) meinen, behaupten: meinen 223.

intensio Spannung, Intensität: inwendikeit 182.

intensivus: *quantum ad quantitatem intensivum* nach sin grözi inwendiklichen 58.

intensus gespannt, intensiv: innewendig 183, 333; inre 333.

intentio (1) Absicht: *i. est prior operatione* sin meinung ist vor sinem werke 49; meinung 163, 201, 221, 422; (2) Begriff: *i. boni* Begriff des Guten: meinunge des guoten 234.

interdum der zit 422.

interesse wichtig sein: *non interest* dar entzwischen en ist niht 104.

interior inner: inre 67, 76, 181, 189, 259; *sensus interiores* die inren sinne 67; *influxus i.* innerer Einfluß: daz inre infliesen 76; inrelich 238, 406; *dispositio i.* inreliche bereitunge 406.

interius im Innern, von innen heraus: innewendig 76; inwendig 92, 216, 233; inrelich 235; inrelichen 260; *i. influere* innerlich beeinflussen: innewendig fliezen in 76.

interpellare sich verwenden für: vehten 132.

interpretatio Auslegung: bedütung 275.

interpretativus auslegend: versten ze geben 124.

interrogare fragen 118.

interrumpere unterbrechen, abbrechen: zerbrechen 408; zerstoren 416.

intime aller innigest 281.

intimus innig 281.

intra: *processio Deo non est extra sed intra* nüt uswendig sunder inwendig 376; *processio ad intra* usgaunge zuo den inren dingen 364.

intrinsecus: *non i. affixus* nicht innerlich eingefügt: nit insindü wesen 373.

introducere einführen: inleiten 47.

introitus Zugang: ingank 144.

*****inutilis** *doctrina esset i.* so were sin lere üppig 57.

invalescere starke werden 391.

inveniri (1) vorkommen, sich finden: man findet 44-45, 90, 354, 368, 382; funden werden 174; vinden 309, 370; *si i. posset* unde mag man vinden 9; (2) sich als etwas herausstellen, befunden werden: man findet 373.

*****inventio** das Auffinden: vindung 213.

invidere hassen 392.

invidia Neid: hazze 392; nide 391.

invisibilis unsichtbar: unsihtig 140, 262.

invocatio Anrufen: anrüfunge 145.

involuntarius nicht gewollt, unwillentlich: unwillig 205; *involutarium* das Nichtgewollte: der unwillige 181, 183.

ira zorn 21, 96.

*****irascibilis** das abwehrende Streben: zornlicheit 188-89, 192; zörnlich 189, 192.

irrationabilis unvernünftig: unredelich 177.

irrationalis (= *irrationabilis*) unredelich 33, 229.

J

jejunium vasten 201.

judex rihter 82.

judicare (1) eine juristische oder praktische Entscheidung fällen: urteilen 170; *neque meipsum judico* aber ich en urteil mich selber niht 404; (2) etwas beurteilen: rihten 170; merken 28; bewisen 170.

judicium (1) juristisches Urteil, Rechtsspruch, Entscheidung: urteile 5, 204; gerihte 166, 240; (2) Urteil (im Sinne von Beurteilung): urteile 93; (3) Urteil (im Sinne einer definierenden Aussage): gerihte 304.

jugulare erwürgen: wirgen 200.

jus das Recht: rehte 412.

justificare vor Gott rechtfertigen, gerecht machen: gerehtigen 75; gereht machen 75, 240, 246, 405, 407, 409; lebende machen 261.

*****justificatio** Rechtfertigung, Gerechtmachung vor Gott: gerehtigung 5, 410-11; gerehtmachunge 405, 407-10; rehtmachung 406; gerehtikeit 407, 409; bekerung 411.

justitia (1) Gerechtigkeit (im Sinne einer Richtschnur oder Tugend): rehtikeit 406; gerehtikeit 39, 70, 324, 335; rihtunge 335; *j. commutativa* die wandelih gerehtikeit 334; *j. distributiva* ein geblichü gerehtikeit 334; *j. legalis* gemeinü rehtikeit 406; (2) Gerechtigkeit (im Sinne einer dispositio), Recht(be)schaffenheit: gerehtikeit 405-7, 409, 413; *j. originalis* ursprünglich gerehtikeit 407.

justus recht, gerecht: reht 411; gereht 234, 412, 418, 420.

juvare helfen 348, 350.

L

labor arbeit 411-12.

laborare arbeiten 232.

laesio Verletzung: smertze 92, 95.

lapidare steinigen: versteinen 137, 200.

lapis stein 305.

lapsus Sündenfall: vall 416-17.

large (1) im weiteren Sinne: gemeinlich 287; in einer gemeiner wis 200; *ly omnia potest accipi magis large* man mag daz wort ellü ding verstan oder nemen noch gemeinlichen 82; (2) reichlich: *largius* miltiklicher 339.

largiri spenden: geben 251, 419.

latine in latinen 301.

latria Dienst, Verehrung: dienstlich anbetunge 130; anbettunge in der dienstlicher wise 131.

laudabilis lobenswert: löblich 96; ze loben 135.

laus lob 250.

legalis geſetzmäßig: *justitia t.* gemeinü rehtikeit 406.

lepra Auſſatz: uzſetzikeit 89.

levare aufheben: *l. festucam* einen halmen zehabenne 176.

levis leicht: lieht 401; *levia* dü liehten ding 410.

lex (1) Geſetz im allgemeinen: e 351; *lex Dei* gotlich gebot 181, 196; (2) Geſetz des Alten Bundes: e 6, 142.

liber frei von Notwendigkeit: *liberum arbitrium* der frige wille 141, 348; *libere* vrilich 204.

liber vitae daz lebende buoch 351-53; daz buoch dez lebennes 352-53.

liberalitas Großmütigkeit, Freigebigkeit: friheit 151, 194, 336.

liberare bewahren vor, befreien von: erlöſen 5, 391-93; erledigen 137, 142, 267.

liberator erlöſer 5.

libertas: *l. arbitrii* friheit dez willen 348.

ligare binden: *ligatus* gebunden 134; *habet manum ligatum* lame hant 263.

limes Grenze: *infra limites* innerhalb der Grenzen: nidewendig den zilen 80.

***limitari** beſchränkt ſein auf: gezelte ſin 4; gezelte werden 29; gezielet werden 62; *potentia limitata* gezíltü maht 29; *esse infinitum non limitatum ad* ein unentlich weſen unde niht gemeſſen zuo 357.

lingua zunge 275.

littera Stelle aus einem Buch: ſchrift 411.

localis: *motus l.* bewegunge von einer ſtat zuo der andern 149; *localiter moveri* beweget werden von einer ſtat zuo der andern 33, 149.

locatus: *locata sunt in loco* dü beſteteten ding ſint in der ſtat 289.

***locativus** örtlich machend: *virtus l.* ſtetliche craft 289.

locus (1) Ort, Stelle, wo etwas iſt: ſtat 64, 371; (2) Raum (im Sinne einer umſchließenden Grenze) ſtat 149, 289, 290, 399; *Deus omnem locum replet* got erfüllet ein ieklich ſtat 289; (3) Stelle (im metaphoriſchen Sinne): *loco animae* an der ſtat der ſele 41.

loqui (1) von etwas ſprechen, etwas behandeln: reden von 171, 309; ſprechen von 407; (2) ausſagen von: ſprechen von 381; (3) ſich ausdenken: *proprie loquendo* eigentlichen zeſagen 188.

luctus Kummer, Trauer: klage 193.

lugere: *beati qui lugent* ſelig ſint die da weinent 193.

lumen lieht 80, 85, 225, 235, 237, 396; *l. intellectus agens* daz lieht des wirkenden verſtans 80; *l. infusum* lieht

daz ingegozen iſt 80; *l. gratiae* lieht der gnaden 225.

lux lieht(e) 62, 212, 395-96; *l. sensibilis* daz ſinlich lieht 397.

luxuriosus der unküſcher 198.

ly: *ly omnia* daz wort „ellü ding" 81.

M

macula Mafel: besmitzunge 236.

magis mer 95, 333; lieber 392; *m. calidum* mer warme 354; *m. conveniens* mer behörlich 30; *m. vel minus* mer unde minre 268.

magisterium Amt eines Lehrers: meiſterſchaft 273.

magnificus großartig: grözer 402.

magnitudo Größe: grözunge 268; grozheit 268; grözi 163.

magnus groz 403; *m. sine quantitate* groz ane grozheit 376.

majestas Hoheit, Erhabenheit: magencraft 135.

malitia Schlechtigkeit (Gegenſatz zu *bonitas*): bosheit 22, 177.

malus (1) jemandem ſchädlich und unzuträglich, ſubjektiv ſchlecht: das übel(e) 56, 92, 94, 95; *malum terribile* daz leſterlich übele 56; *pati malum* übel liden *mala praesentis vitae* die übelen ding dis zitlichen lebens 402; (2) objektiv ſchlecht, d.h. durch *privatio debitae perfectionis: caput malorum* ein houbet aller böser dinge 76; *mala* böſü ding 299; *esse mali est privatio boni* bös zeſin iſt ein beroubunge des guoten 299; *flexibilis ad bonum et ad malum* gneiglich zuo guot unde zuo übel 418.

mandatum Vorſchrift, Gebot: gebot 118; gebotte 141.

manere bleiben: geſin 240; beliben 80, 370.

manifestare kundmachen: offenbaren 57, 273.

manifestatio Offenbarung, Kundmachung: offenbarunge 57, 258, 356.

***manifestativus** kundmachend: offenbarend 306.

manifestus offenſichtlich: offenbar 2, 19, 49, 233, 415.

manna himelbrot 390, 404.

materia (1) Stoff, ſtoffliche Urſache: *m. sensibilis* die ſinlichen materie 36; *m. determinata* die beterminierte materie 40; (2) Gegenſtand, Objekt einer Tätigkeit: materie 205.

materialis: *materialis — formalis* materilichen — formelichen 165; *materialiter — formaliter* materilichen — formelichen 199.

materialitas Stofflichkeit: materilicheit 294.

maximus *maxime* aller meist 2, 49, 52, 59; alre gröst 60, 413.

medians: *mediante* durch Vermittelung von: von mittele 261; übermitz mittel 19, 42, 44, 49; übermitz 98; mittelich 394.

mediator mitteler 5, 131.

mediatus durch ein -anderes vermittelt, mittelbar: mittelich 393-94.

medicina arzenie 227.

***medicinaliter** erbermekliche 215.

medium (*n*.) (1) Mittelglied, Mittelstellung: *m. tenens* heltet den mittern wege 14; mittel 43, 48, 50; (2) Mittel zum Zweck, Werkzeug: mittel 42; die mittern 321; (3) Mittelbegriff im Schlusse: *m. dicitur respectu principii* daz mittel geheizen ist nach dem gesihte des beginnes 42; mittel 392.

medius in der Mitte befindlich: *medio modo* in der mittern wis 15; *esse m.* en mitten sin 43-44; *media causa* die mitterste sache 43; die mittelich sache 323; *ad locum medium* zuo einer mittern stat 371.

melior besser 150, 359.

melius (*adv.*) baz 2, 38; bezer 401.

membrum glide 222; *membra* gelidere 67.

meminere sich erinnern: gedenken 399.

memoria Gedächtnis im Sinne eines Vermögens: gedenknüsse 351-52.

mens die geistig erkennende Seele: gemüte 21, 41-42, 66, 97, 138, 195, 211, 259, 301, 410.

mensura Maß: mazze 60, 62, 64, 269, 317, 372, 413.

mentalis: *verbum mentale* wort dez gemütes 387.

mentio: *mentionem facere* rede tuon 41; rede han 133.

merces lon 411-13, 415, 419, 421.

mereri verdienen 140, 183, 232, 236, 347, 411, 413-15.

meritorius verdienend, verdienstlich: verdientlich 20; lonber 114, 161, 228; lonberliclich 141; *causa meritoria* sache der verdientheit 347.

meritum verdienstliches Werk: daz verdiente 20, 21, 115, 346, 414, 420; die verdient 411-14, 417, 420; die verdienunge 415, 418; die verdientheit 415-16; daz verdienent 419; daz verdienen 416-17, 419; *merito congrui* von zimlichi der verdientheit 416; von zimlicher verdientheit 415; *merito condigni* von glicher wirdikeit der verdientheit 416.

metaphorice in einer glichnüsse 222, 351, 406.

metus Furcht: vorhte 204.

miles Krieger: ritter 234, 247, 351.

ministerium Dienstleistung: helfe 263; dienst 137, 398, 400.

ministrare verschaffen, liefern: dienen 218.

minueri mangeln: geminret werden 421.

***miraculosus** wunderbar: zeichenlich 147; *opus m.* werk der zeichen 274, 398; *miraculose* in wis eines zeichens 225.

miraculum Wunder: wunderlich ding 276.

mirari sich wundern 42.

miser elend: erbermig 335.

miseria Elend, Not: krankheit 3; armuot 337; jamerkeit 337, 391; gebresten 336; erbermede 337.

misericordia Barmherzigkeit: erbermede 214, 336, 339; erbarmherzikeit 335.

misericors erbarmherzig 195, 335; *misericorditer* von erbermede 340.

missio sendung 66.

mitis senftmütig 193.

mittere senden 6, 66, 342; *mitti* gelazen werden 341.

mixtum etwaz daz gemischet ist 7.

mobilis (1) veränderlich: beweglich 264; (2) *mobile* das Veränderliche: beweglich 205.

***mobiliter** beweglichen 31.

moderate gemäßigt: meslich 193; messiclichen 192.

modificatus bemessen: gemessen 314.

modus Art und Weise des Auffassens oder des Geschehens: wis 128; *uno modo* ein wis 2, 6, 13, 36; *secundo modo* in der andern wis 3; *eo modo* in der wis 5; *nullo modo* in dekeiner wis 11; *alio modo* in einer andern wis 7; ein ander wis 13; *medio modo* in der mittern wis 15.

moralis sittlich: *actus m.* getat der sitte 205; getat der sitlicheit 205; *habitus m.* habunge der sitte 206.

mori sterben 208.

morbus krankheit 6.

mors tot 41, 90.

mortalis (1) sterblich: tötlich 70, 98, 291; (2) tötlich *peccatum mortale* tötliche sünde 240, 409; totsünde 353, 404.

***mortaliter** tötlichen *peccare m.* tötlich(en) sünden 236, 238.

mos sitte 136.

motio (1) Veränderung, Aktuierung, Anregung, Bewegung im aktiven Sinne einer Handlung (*cf. movere*): bewegung 233-34, 369, 417, 418-19, 421; bewegede 234, 398, 416-17; *per motionem* *primi moventis* übermitz bewegunge dez ersten bewegenden 233; *m. corporum* die liblich bewegede 398; *m. moventis* bewegung etlichez bewegenden dinges 417; *m. divinae* gotliche bewegung 418-19, 421; (2) Bewegung als Vorgang (*cf. moveri*): bewegung 410.

motivus bewegend: beweglich 68; *causa motiva* bewegliche sache 219.

motivum daz was bewegt und verursacht: bewegung 91-92, 201; bewegde 92; *m. doloris* bewegung des leides 92; *m. tristitiae* bewegde der trurikeit 92.

motor beweger 398, 400.

motus (1) daz sukzessive sich Verändern, das in Bewegung sein: bewegung 149, 399, 405, 407, 417; bewegede 407, 417; *per viam motus* übermitz wege der bewegung 402; *motus localis* bewegung von einer stat zuo der andern 149; (2) das Tätigsein, das sich Regen: bewegung 68, 141, 410, 419; bewegede 109, 120, 135, 141, 153, 172; bewege 190; *m. liberi arbitrii* bewegde, bewegung dez frigen willen 141, 410; (3) das aktive Bewegen: bewegung 33, 417; *m. gratiae* bewegung der gnaden 417.

movens Bewegendes, Beweger: (1) (*n.*) daz bewegende 369; *primum m.* die erste bewegede 86; der erster bewegende 234; *m. et motum* daz bewegende unde daz bewegete 112, 280; *motio moventis* die bewegung etlichez bewegenden dinges 417; (2) (*adj.*) bewegwegend 110, 263, 400; beweglich 263.

movere (1) verändern, von einem (Ort oder) Zustand in den andern überführen: bewegen 33, 110, 262-64, 363, 397-99; (2) speziell, ein Seelenvermögen (z.B. den Willen) zu der ihm eigenen Tätigkeit „bewegen" oder anreizen: bewegen 55, 110, 265-67, 410, 414; *interius m.* innerlich bewegen 272; *m. liberum arbitrium* den frigen willen bewegen 410.

mox snellich 240.

multiplex manigfaltiglich 276.

multiplicari sich menigvaltigen 384.

multiplicitas Vielfachheit: menigvaltikeit 297.

multipliciter in der Weise des Vielfachen: manigveltiglichen 25.

multitudo (1) Menge, Anzahl: menige 73, 76, 335; gemenigi 406; (2) Vielheit, Mannigfaltigkeit (*m. transcendens*): vilheit 203; menigveltikeit 203.

mundanus: *condemnere res mundanas* die weltlichen ding versmahen 404.

mundare reinigen 142; rein machen 405.

munditia Reinheit: *m. cordis* die reinunge dez herzen 195.

mundus: *beati mundo corde* selig sint, die da rein dez herzens sint 195.

mundus Welt, Weltall: welt 66, 72.

munus Geschenk: gabe 22, 123.

mutari verändert, beeinflußt werden: gewandelt werden 349.

mutatio (1) das Sichverändern, das Übergehn von einem Zustand in den andern: wandelung 15, 325, 365; *m. Dei* wandelung gotiz 15; (2) das Ändern, Auswechseln: wandelung 16, 149; *m. loci* Auswechseln der Umgebung: wandelung der stat 149; *m. consistit in actione et passione* die wandelunge bestat in der tüliche unde in der lidunge 16. See also *transmutatio*.

mysterium Geheimnis: heimlicheit 12, 145-46.

N

narratio Bericht: rede 42.

nasci (1) geboren werden: geborn werden 134, 136; *natum esse* von Natur aus veranlagt sein: geborn sin 32; sin ze 182; (2) durch Geburt existierend: *nascens* geberde 385.

natio Geschlecht: geburt 22.

nativitas geburt 21, 133, 366; *ab nativitate* von der geburt 22.

natura (1) Wesen, Wesenheit: nature 1, 2, 6, 8, 9, 10, 238, etc.; *status naturae integrae* zit der unschulde 238; *status naturae corruptae* zit der schulde 238; zit der vergenklichen nature 238; (2) Substanz, Ding dieser Welt: *n. creata* die geschaffene nature 2; (3) Geburt: nature 21; (4) Reich der Wirklichkeit: *in rerum n.* in der dinge nature 37; *esse naturae* das wesen der naturen 71.

naturalis (1) von Geburt an besessen: natürlich 21-22; (2) dem Wesen, der Natur eines Dinges entsprechend: natürlich 21-2, 32, 66, 69, 71, 90, 95; *naturaliter* naturlichen 158, 418; naturlichen 329, see also *connaturalis*; (3) den Neigungen entsprechend, die ein Ding seiner Natur zufolge hat: *reliquit hominem in lege n.* liez den menschen in der e der naturen 6; (4) zum Reich der körperlichen Dinge und der physischen (sublunarischen) Ordnung gehörend *corpus n.* natürlichen lip 262; *res n.* die naturilichen ding 305; (5) die der Natur der Ursache entsprechende Wirkung: *motus n.* see pp. 264, 399; *naturaliter moveri* natürlichen beweget werden 400.

necessarius logisch oder ontologisch not=
wendig:notdurftig notdürftig 2, 168,
348, 396; notdurfticlichen 108; *si ne-
cessarium fuerit* ob sin not ist 193.

necesse: *n. est* ez ist notdürftig 61, 388;
von not ist 51, 73, 108, 371; *non est n.*
ez en ist notdurft 240.

necessitas (1) Notdurft, Bedürfnis: not=
durft 32-33, 194; (2) logische oder on=
tologische Notwendigkeit: notdurft 212,
483; *ex n.* von not 297.

negare verneinen, abstreiten: loukenen
399; verlouken 107.

negatio negative Bestimmung, Mangel,
privatio: louknunge 200-1.

negligentia Versäumnis: versümnüsse
180.

nemo dekein 399.

nequam ruchlos, böse: böse 22.

nescire niht enwissen 244, 354, 363.

nihilum: *in n. decidere* in nihtü fallen
238.

niti sich bemühen: sich mügen 239.

nobilis wertvoll, vollkommen: edel 268;
nobilius edelicher 115.

nobilitas Vollkommenheit: edelkeit 115.

nocivus schedelich 92.

nocumentum schaden 137.

nolle: *noli vocare* so solt du niht laden
194.

nomen (1) Wort, sprachlicher Ausdruck
eines Begriffes: name 34, 99; (2) Name:
name 74.

nominare (1) *n. nomen* einen Namen nen=
nen, aussprechen: alle namen die ge=
nennet sint 74; (2) als etwas bezeich=
nen, nennen: nemen 303; nennen 79;
heizen 303; *nominari* heizen 303.

non ens niht wesen 357.

non esse niht wesen 357, 365.

noscere kennen, wissen: *qui te novit* der
dich erkant 361; *novit Dominus* daz
bekant der herre 352; *qui omnia novit*
der ellü ding bekannte hat 245; *nemo
novit* nieman erkant 390, 404.

notificari definiert werden: erkant wer=
den 306.

notio Merkmal, Kennzeichen einer gött=
lichen Person: kuntlicheit 384-86.

notitia Kenntnis, Kunde: küntlichi 387;
küntlicheit 316, 364; bekentnüsse 225,
353; erkentnüsse 352.

novus: *de novo* von nüwes 149; von nü=
wens 149, 325.

nudus bloz 291.

numerus zal(e) 27, 30, 64, 383.

*****nuntius** bote 129.

nutrire ernähren: spisen 137, 400.

O

obdurare hart machen: verherten 214.

obduratio verhertung 211, 213.

obedientia gehorsam(i) 119, 142.

obediens gehorsam 119.

obedire gehorsam sin 118, 221.

objectum (1) der Gegenstand einer Tä=
tigkeit oder einer Fertigkeit: gegenwurf
165, 187, 294, 357, 360; *o. fidei* der
gegenwurf des glouben 52; *recipere
speciem ab objecto* gesteltnüsse nemen
von dem gegenwurfe 53; (2) Ziel, Re=
sultat: *o. gratiae est Deus* ende der
gnaden daz ist got 403.

obligare mit Schuld beladen: binden 38.

oblivisci vergezzen 351.

*****obscuratio** Verdunkelung: beschetwunge
212.

obscuritas: *o. ignorantiae* verdunkernüsse
der unwissentheit 244.

obsequium dienst 139.

obsistere entgegenstehen: darwider sin
124.

obstaculum hindernüsse 213.

obtinere (1) besitzen: behabet han 97;
(2) erlangen, bekommen: haben 418;
verkriegen 20.

obumbratus verdunkelt, abgeblendet: be=
schetwet 395.

occisio tötung 327.

occultus verborgen 275.

occurrere (1) vorkommen: begegenen
241; (2) es fällt ihm ein, er kommt dar=
auf: begegenen 168.

oculus ouge 68.

odium hasse hazze 329, 331.

offendere beleidigen, sich wenden gegen:
erzürnen 408.

offensa Beleidigung: erzürnunge 408;
gebrest 237.

offerre darbringen: bringen 216-17, 139;
zuobringen 217.

officium ampt(e) 60, 73, 131.

olim dereinst: wilent 13, 108, 141, 351.

omissio Unterlassung: lazunge 200.

omnipotens almehtig 354-57; algewel=
tig 2.

omnipotentia Allmacht: al(le)mehtikeit
87, 355-57; maht 357-58.

onus Bürde: burden 142.

operari tätig sein, wirken: wirken 110,
143, 183, 241, 253, 350, 413; *gratia ope-
rans* wirkende gnade 259; *gratia coo-
perans* mittewirkende gnade 259.

operatio (1) Tätigkeit, Tun: wirkung 18-
20, 109, 110, 118, 151, 259, 294, 413;
werk(e) 49, 79, 259, 360; *perficere effec-
tum per operationem* erfüllen die wür=
kunge übermitz wirkung 231; (2) Be=

wirkung: *o. alicuius effectus* die wirkung etliches wirkennes 259.

*operativus: *virtus o.* Vermögen zur Tätigkeit: wirkliche craft 112.

operatus daß Bewirkte: daz geworhte ding 109, 110.

opinio Meinung: wan 35, 40, 114, 228; rede 134.

oportet müezen (*plus infin.*) 24, 30, 254, 375, 411; behörlichen sin 380.

*opponi entgegenstehen, im Gegensatz stehen zu, unvereinbar sein mit: widerwertig sin 91, 199, 357; widersetzen 287; engegensetzen 287; gegenwirflich sin 329; gegengesetzet werden 375.

opportunitas Gelegenheit: zimlicheit 183; helfe 222.

oppositio Gegensatz, Entgegensetzung: gegensetzung 375, 379, 382, 389.

oppositum (1) Gegenteil: gegenwurf 374; (2) entgegengesetzt: gegengesast 381, 389; gegensast 379; gegensetzelich 379.

opus Werk, Tätigkeit: werk(e) 4, 20, 58, 135, 159, 190, 349, 412; würkung 190.

orare beten: bitten 119, 359; betten 119, 120.

oratio (1) Gebet: gebet gebette 119, 349, 350; *o. Dominica* daz heilige gebet 245; (2) Ausspruch, Rede: wort 305.

ordinare (1) abstufen, Rangfolge bestimmen: ordenen 109, 152; (2) in ein richtiges Verhältnis bringen, ordnen, regulieren: ordenen 165, 197-99; 405-6; (3) hinordnen auf ein Ziel, bestimmen für: ordenen 4, 153, 166, 414; *res in finem o.* dü ding in ir ende zeden 341; (4) *ordinari* a) die Aufgabe haben, führen zu: ordenen zuo 20, 57, 255, 420; geordnet werden 214; behören zuo 214; b) bestimmt sein für: geordent werden 354.

ordinatio (1) Hinordnung auf ein Ziel, Beziehung: ordenung 120; daz geordente 352-53; (2) Verordnung, Anordnung: *divina o.* gotliche ordenung 413.

ordo (1) Anordnung, Gliederung, Abstufung: orden 6; ordenunge 7, 401, 406; (2) Hinordnung auf, Bestimmung: ordenunge 31, 242; ende 242.

organum: *actus corporalis o.* der liplichen orgenen 283.

originalis ursprünglich 4, 407; **originaliter* ursprünglich 4.

origo ursprung 136, 219, 310, 384.

oriri entspringen: geborn werden 307; enspringen 93, 223.

ossa gebein 36, 40.

ostendere aufzeigen, beweisen, nachweisen: zeigen 3, 306; bewisen 35, 48, 379, 363; sprechen 34.

P

pacari befriedigt werden: versünt werden 408; versuonet oder gefridet werden 408.

pacificus fridesam 196.

palpare betasten, streicheln: grifen 110.

parcere schonend sein gegen: vertragen 349.

pars (1) Teil: daz teile 10, 45, 48; (2) *ex parte* seitens, mit Rücksicht auf: von teile 17, 30, 408, 418; nach teile 59; von rede 49.

participare (1) teilnehmen an, teilhaben an: teilehaftig werden 51, 112, 256, 268; (2) *participatus* teilgenommen und mitgeteilt: *p. similitudo* teilgenomenü glicheit 126; *virtus p. a Christo* craft, die von Christo teilhaftig ist 148.

participatio Teilnahme, Teilhabung: teilheftikeit teilhaftekeit 118, 148, 158, 249, 254; teilnemung 63, 85; teillicheit 31.

*participative im Sinne der Teilnahme: teilhaftig 126.

*participativus im Sinne der Teilnahme: geteilt 31.

particularis besonders, einzeln: teillich 89, 227, 229; *in particulari* in einer teillichi 346.

*partim zum Teil: ein teil 153.

parum wenig: lützel 262.

parvulus klein 68.

passibilis leidensfähig: lidelich 98, 146.

passio (1) Zustand, Eigentümlichkeit: *p. transiens* fürgande lidunge 147; (2) Gemütserregung, Leidenschaft: lidunge 92-94, 96, 335; *p. irascibilis* zornlich lidunge 189; lidunge der zornlicheit 192; *p. concupiscibilis* lidunge der begerlicheit 189, 192; (3) Leiden im Sinne von Schmerz, insbesondere die Passion Christi: marter 98, 122; daz er liden muost 92; (4) das Verändertwerden, Erleiden einer Wirkung: lidunge 16, 196, 376.

*passive lidende 342; in einer lidenden wis 405.

passivus: *potentia p.* lidende maht 32.

patere offenbar sein: beweret sin 263; offenbar sin 1, 412, 418; schinen 13.

paternitas Vaterschaft: vetterlicheit 25, 375, 377, 386, 389.

paternus: *jus paternum* vetterliches rehte 412.

pati (1) eine Wirkung, Veränderung erleiden: liden 109; (2) Schmerz erleiden: gemartert werden 105; liden 391.

patiens der Gegenstand einer transeunten

Tätigkeit: *agens patiens* der wirkende
der lidende 75.
patria das himmlische Vaterland: selikeit
72; ewigez leben 392, 394.
paucus: *post pauca* dar nach über lüzel
351.
pax fride 195, 408.
peccare sündigen: sünden 39, 324, 408;
gesünden 238.
peccator sünder 324.
peccatum Sünde: sünde 4, 89, 205, 415,
417; *p. mortale* totsünde 353, 404; töt-
liche sünde 409; *p. originale* erbesünde
32, 218.
pecunia Vermögen, Besitz: das guot 92,
201; daz zitliche guot 221.
per se übermitz sich selber 36, 114; sub-
stentzlich 7.
perceptibilis faßbar: enphenklich 3o6.
percipere erfassend wahrnehmen: befin-
den 92, 404; vernemen 123, 168; en-
phangen 123.
perducere hinführen zu: leiten 231, 420;
fürleiten 232; fürbringen 352.
peregrinari in der Fremde sein: ellende
sin 155.
peregrinatio Reisen im Ausland: ellendi-
keit 155.
perfectio (1) Zustand der Vollkommenheit
oder der Vollständigkeit: volkomenheit
19, 55, 269, 357; (2) Akt der Vollendung,
des Vollkommenmachens: volkomenheit
296; (3) zur Vollkommenheit beitragen-
de einzelne Eigenschaft: volkomenheit
296; *eius essentia continet omnem per-
fectionem* sin wesen inne hat alle vol-
komenheit 378.
perfectum Vollendung: volkomenheit 78.
perfectus fertig gemacht, vollendet, voll-
kommen: volkomen 7, 19, 52, 55, 140-41,
160, 277, 418; *perfecte* volkomenlichen
58, 395; volkomenlich 299; *perfectis-
simus* volkomeist. 52; (aller) volko-
menest 141, 277; *perfectissime* aller vol-
komenlichest 55.
perficere vollenden, zur Vollkommenheit
bringen: volmachen 52, 166, 225, 213,
253, 396; volbringen 145, 182, 202, 231,
397, 400; erfüllen 231.
perforare erstechen: stichchen 200.
perfundi durchtränken: begossen werden
286.
perhibere: *testimonium p.* gezüknüsse
geben 145.
permanentia Dauer: daz bliben 158.
permanere bleiben, fortdauern: beliben
80, 147.
permittere erlauben: verhengen 343-44;
lan 214.
permutare verwandeln 8.

perpetrare begehen, verüben: *p. peccatum*
eine sünde verkriegen 220.
*__perpetuo__ ewiklichen 158.
perseverantia Ausdauer, Beharrlichkeit:
volhertung 245, 418-19.
perseverare beharren, ausdauern: vol-
herten 245.
persona vernünftige Einzelsubstanz: per-
sone 8, 34, 417.
personalis (1) persönlich, zu einer *persona*
gehörend: personlich 19; (2) personen-
haft, eine *persona* konstituierend: per-
sonlich 125, 386, 388.
personalitas Personhaftigkeit: person-
licheit 25, 26, 30.
persuadere die Überzeugung erwecken: ra-
ten 216-17, 272.
pertinere (*ad*) gehören zu: behören zuo
1, 9, 362, 377, 379, 385, 391, 398; gehö-
ren zuo 11, 345.
pertingere heranreichen an, erreichen:
rüren zuo 64, 285, 312, 313; anrüren
59; komen zuo 63; *quando pertingit
ultimum gradum caloris* wenne daz er
rüret den jungesten grat der hitze 63.
*__pertrahi__ sich beziehen auf: *p. ad supposi-
tum* sich auf den Naturträger beziehen:
zuo dem underwurf gezogen werden
107.
pervenire (*ad, in*) erreichen, an etwas
herankommen: komen zuo 65, 341, 420;
p. ad terminum zum ende komen 65;
p. ad vitam aeternam in daz ewig leben
komen 421.
perversus verkehrt, unrichtig: widerwer-
tig 97.
pervigil esse wachen 239.
petere erbitten: houschen 123, 246; bit-
ten 181.
phantasma Vorstellung: fantasiunge 79,
155; *abstrahere a phantasmatibus* ab-
ziehen von der fantasiunge 79.
phantasticum nur eingebildet, scheinbar:
fantasilich 40.
placere gevallen 398.
placitus gefallend, angenehm: bevellich
119.
planta wachsende creatur 311; wachsen-
des ding 58, 389; phlantze 293.
plantare phlanzen 78.
Platonici die junger platoni 36; platoni
400.
plene ein vollen 58; volkomenlichen 53,
86; volleklichen 58; volkliche 55.
plenitudo Fülle, volles Maß: volheit 51,
57, 58, 171.
plenus voll, ohne Abzug: vol 21, 55; *ad
plenum* vollen 244.
plerumque sehr oft: dike 93.
pluralitas Mehrheit (Gegensatz: *unitas*

Einzeligkeit): menigi 381; vilheit 383.

plures vil 383.

poena Strafe: pine 137, 236, 328; büze 223; *reatus poenae* die schulde der sünden 236.

poenitentia Reue: rüwe 240, 349.

poenitudo Reue: rüwe 349.

***poenosus** schmerzhaft: pinlich 182.

pollere sich auszeichnen, hervorragen: gelobt werden 136.

pondus Schwere: swarheit 240; die wage 64.

ponere (1) (wörtlich) hinsetzen, hinstellen: setzen 248; giezen 213; *potestas ponendi animam meam* gewalt, min sele von mir ze legen 41; (2) (übertragend) eine Behauptung aufstellen, etwas als vorhanden ansetzen: setzen 20, 41, 50, 364, 368, 381.

portare tragen 111.

positio (1) Aufstellung, Behauptung: sezzunge 15; (2) Annahme, Unterstellung: wan 42.

posse vermögen 150, 245, 355-56; mügen 27, 29, 416-17; ist ze … 414.

possibilis möglich, was sein oder geschehen kann: müglich 151, 350, 355, 357, 393; (*noun*) müglichi 357; etwaz mügliches 357.

possibilitas müglichkeit 63.

posteri die nachkömlinge 4.

posterior nachfolgend: nachgende 346; niderre 271; *posterius* dar nach 48.

postulare verlangen, beten: heischen 125; *orando p.* heischen unde bitten 123.

potentia (1) *p. ad agere* Macht, Vermögen, Kraft, Möglichkeit zu handeln: maht 28, 290, 355, 358, 398; *p. activa* wirkende maht 87, 357; *p. motiva* bewegende maht 263; (2) *p. ad esse* Anlage, Möglichkeit etwas anderes zu werden: maht 366; *potentia* mit der maht 72; *in p.* in der maht 71, 85, 396; *p. passiva* lidende maht 32.

***potentialitas** unverwirklichte Möglichkeit: *nihil potentialitatis* nihtez niht mügliches 295.

potestas (1) Vermögen, Kraft zu einer Tätigkeit, Macht, Gewalt: gewalt 3, 41, 56, 118, 288, 361-62; (2) „Herrschaft", als Name eines der neun Engelchöre: gewaltiger engel 74.

potio trank 162.

practicus sich auf das Handeln beziehend: *intellectus p.* des würklichen verstans 155.

praebere darbieten, gewähren: bieten 208; bütten 260; darbieten 222; *auxilium p.* helfen 208.

praecedere vorangehen: vor-, fürgan 19, 20, 346, 415.

praeceptum Vorschrift: gebot 132, 351.

praecipere gebieten, vorschreiben: bieten 175; gebieten 142, 345.

praecludere verschließend versagen: besliezzen 144.

praecogitatus im voraus gewußt: vorbedaht 184.

***praeconceptio** vorgefaßte Idee, Begriff: vorenphahunge 305.

***praeconsiliatus** vorher überlegt: vorgeraten 167.

praedestinare vorherbestimmen (insbes. zur ewigen Seligkeit): für-, vorbereiten 68, 73, 126-27, 250, 341-42, 349, 351; fürsehen 126.

praedestinatio Vorherbestimmung (insbes. zur Seligkeit): fürsihtikeit 250; für-, vorbereitunge 72, 126-27, 342, 348, 352; fürbereiten 127.

***praedeterminare** vorherbestimmen: vorbeterminieren 321.

praedicare aussagen (im Sinne der Logik): setzen 102, 317; sagen 10, 99, 102; predigen 102, 108, 383.

praedicatio Aussage (im Sinne der Logik): sagunge 99.

praedicatum das Ausgesagte: das gesaget 102; das sagte ding 107; das gebrüfet 356; brüfunge 356.

praedictus schon erwähnt, vorher angeführt: vorgenant 342; vorgesprochen 32, 246, 396; gesprochen 407; vorgesagt 33, 401, 419; vorgesast 419.

praeeminentia Vortrefflichkeit, hervorragende Art und Weise: fürschinunge 18.

***praeexigere** voraussetzend als Bedingung fordern: houschen 265.

***praeexistentia** Vorexistenz: vorgesin 342.

***praeexistere** vorher existieren: vorsin 248, 253, 302, 341; sin 338, 361; vorstan 153.

***praefigere** festsetzen, bestimmen: fürstecken 64; vorsetzen 60.

***praehabere** vorausbesitzen: begriffen 357.

***praeintelligere** voraussetzen: e verstan 33.

praejudicare nachteilig sein: unrehte tuon 115.

praelatio amtliche Würde: prelatschaft 129.

praemeditatio Vorbedenken: betrahtunge 242; fürbetrahtunge 242.

praemittere: *ex praemissis* von vorgesagten dingen 39; *contra praemissa* wider daz waz gesprochen ist 380.

praemium Belohnung, Lohn: lon 20, 161, 183, 195, 419, 421.

*praeordinare im voraus anordnen: ordenen 127, 347; verordenen 128.

praeordinatio die im voraus getroffene Anordnung: fürordenung 126; fürbereitung 349.

praeparare vorbereiten: bereiten 232, 235.

praeparatio Vorbereitung: bereitunge 232, 265; fürbereitung 347.

praeponderare mehr wiegen als, aufwiegen: widerwegen 150.

praeponere über etwas setzen, vorsetzen: vorsetzen 398.

*praescientia Vorherwissen: fürwissentheit 344, 346.

praescire im voraus wissen: fürwissen 354.

praesens (1) gegenwärtig (Gegensatz: *futurus*): gegenwertig 94, 188; (2) irdisch und zeitlich (Gegensatz: ewig): *in praesenti vita* in disem gegenwertigen leben 239; *praesentis vitae* dis zitlichen lebens 402; (3) gegenwärtig (Gegensatz: *absens*): gegenwertig 153; *Deo p.* got gegenwertig 156.

praesentia Gegenwärtigkeit, Gegenwart: gegenwertikeit 154; *p. Dei* gegenwertikeit 290; *Dei p. in nobis vel absentia* ob er von uns ist oder bi uns 403.

praestantius überlegen: vorstande 75.

praesupponere (1) etwas voraussetzen, als wirklich verlangen: fürsetzen 189, 233, 249, 338; (2) *praesupponi* vorhergehen, Voraussetzung sein für: see p. 284, note 5.

*praesuppositio Voraussetzung: fürsetzung 413.

praeter ane 26, 30, 35, 78.

praetermittere underwegen lan 201; *praetermitti* vor gelazen werden 338.

*preveniens: *gratia p.* vor- fürkomendü gnade 270.

praevenire vorausgehen: fürkomen 93.

praevisio: *praevisiones futurorum* vorgesehen künftigen ding 292.

prandium imbis 194.

pretiosus von hohem Wert: küstlich 254.

pretium Preis: lon 185, 411.

prex Bitte, Gebet: gebet(te) 348, 350.

primogenitus der erste geborne 38, 68.

principalis (1) wichtigst, fundamental: *p. differentia* die vorderest underscheit 16; *p. doctor* ein vorderester lerer 57; *principales conclusiones* die beginlichen besliezunge 273; (2) übergeordnet: *virtus p.* dü vorderlichest tugent 143; *principalius* ze vorderst 5.

principaliter zunächst: ze allen vorderest 54, 70.

principari herschen 223.

principatus fürsten engel 74.

principium (1) Anfang: beginne 42; *a principio* von dem beginne 20, 22, 46; von anegenge 46, 71; (2) Quelle, letzte Bedingung, auf die ein bestimmtes Sein oder Tätigsein sich gründet: *p. individuans* die unteillichen beginne 9; *p. essentiale* die wesenlichen beginne 21; beginne 151, 215, 305, 314, 377, 415, 419; (3) Erkenntnisgrundsatz, Prinzip: beginne 273, 403.

privare einer natürlichen Vollkommenheit berauben: berouben 227; *privari* verliesen oder beroubet werden 236.

privatio das Nichtdasein einer daseinsollenden Vollkommenheit: beroubunge 200, 299, 406.

privatus privat, nicht öffentlich: *bonum privatum* das beroubet guot 239.

privilegium Vorrecht: fürteil 135; wirdikeit 402; sünderliche ere 133.

probare nachweisen, beweisen: beweren 94, 272, 280, 399; bewisen 400; brüven 36, 400.

procedere (1) fortschreiten, übergehen von einem auf das andere: *p. de potentia in actum* uzgan von der maht in die getat 366; *p. in infinitum* fürgen bis in die unentlicheit 233; (2) methodisch verfahren, vorgehen: uzgan 381; (3) hervorgehen aus, seinen Ursprung haben in: uzgan von 362, 367, 369, 371, 376; fürgan von 25, 52, 201, 347, 366, 381; *effectus procedit a causa* das werk fürgat von der sache 362; *procedens* der usgande 367, 377, 381.

processio Hervorgehen: uzgaunge 362, 368-69, 377, 380, 386; usgangunge 314, 380; usgengunge 314; fürgang 369, 417; fürgangunge 313.

processus Verfahren, Methode: fürgank 190.

procurare besorgen: schaffen 137.

prodigium Wunderzeichen: wunder 57.

prodigus Verschwender trenker 198.

prodire (1) übergehen in: *in actum p.* fürgegan in ein getat 243; (2) hervorgehen aus: uzgan 380.

producere hervorbringen, in die Wirklichkeit überführen: leiten 231, 401-2; für bringen 310, 313-14; uzleiten 314; *p. in esse* in wesene leiten 261.

*productivus fürbringend 301.

*proesse helfen 139.

proferre (1) hervorbringen: *judicium p.* ein urteile fürbringen 167; (2) sprachlich ausdrücken, vorbringen, vortragen: fürbringen 272, 275; *prolatus* fürbraht 104.

profiteri bekennen: (*fidem*) verjehen 143.

profluere fürvliezen 248.

profundus gründlich 281.

progredi übergehen auf: fürgan oder uzgan zuo 296.

progressus der fortschreitende Verlauf: *p. in motu* fürgang in der bewegung 417.

prohibere (1) verbieten 175, 346; (2) abfallen von: behuoten von 135.

proles Sprößling: kint 135.

promereri sich verdienen: verdienen 415.

promissum Verheißung: gelübde 254.

promittere versprechen: geheizen 362.

promovere förderlich sein: *p. in salutem* fürdern in die selikeit 350.

prompte bereitliche 252.

promptus bereite 139.

pronitas: *p. ad malum* neigunge ze übele 89.

pronuntiare bekanntmachen: offenbaren 275.

propagari sich fortsetzend erhalten: ervolt werden 136.

propassio marter 94; liden 94.

propinquitas Nähe: nacheit 59, 68, 139.

propinquus (1) nahe, nahe stehend: nahe 43, 51, 59, 73, 86, 189; (2) verwandt: der nehste 391-92.

propinquitas Nähe: nacheit 59.

proponere jemandem etwas vorlegen, vorstellen, vorschlagen: uslegen 121; fürlegen 166, 170, 216-17; fürbringen 178; fürsetzen oder bringen 216.

proportio (1) Verhältnis, Proportion, Verhältnisgleichheit: glichung 413, 416; (2) Umstände, Verhältnisse: glichung 337; glicheit 338; (3) (über die) Verhältnisse, (außerhalb der) Reichweite: *excedere proportionem* fürtreffen die glichunge 231, 243, 341, 414.

proportionari im richtigen Verhältnis stehen: sich glichen 283; *proportionatus* geglichet 80, 231, 226, 341.

propositio Urteil, Aussage, Behauptung: fürlegung 98, 102, 107.

propositum Vorsatz, Ratschluß: fürsatze 246; meinung 62, 421; *p. perseverandi in bono* fürsatze ze volherten in guot 246.

proprie im eigentlichen Sinne: eigentlich, eigenlichen 20, 35, 55, 188, 307, 366; eigen 35.

proprietas individuelle oder spezifische Eigentümlichkeit, Eigenheit: eigenschaft 26, 80, 69, 125, 224, 306, 386, 388; *proprietates personales* die personlichen eigenscheft 26.

proprium Kennzeichen, Eigentümlichkeit: daz eigen 169, 205.

proprius der Art oder dem Individuum eigen: eigen 1, 12, 118-19, 199, 377;

eigen wille 118-19 *propria voluntate* von irem eigenen willen 118; *explicatio propriae voluntatis* uslegung des eigenen willen 119; *quae sunt propria* dü da behörent zuo unde eigen sint 117.

prorumpere: *in anorem p.* fürbrechen in die minne 316.

prosequi anstreben: erfolgen, ervolgen 402, 422.

protegere beschirmen: beschetwen 245-46.

provenire hervorkommen: komen 5, 237; fürgan 248, 348; fürkomen 22, 348.

proverbium sprichwort 351.

providentia Vorsehung, voraussehende Fürsorge: fürsihtikeit 135, 214, 244, 341-43, 348.

providere voraussehend sorgen für: fürsehen 342, 350; versehen 251.

provocare hervorlocken: *provocat amorem* lokent für die minne 332.

proximus (1) (*adj.*) nechst 234, 348; (2) (*noun*) der nechste 193 ebenmensche 195-96.

prudentia (Tugend der) Klugheit: fürsihtig wisheit 202; fürsihtikeit 345.

pulchritudo Schönheit: schonheit 157, 187, 269.

punire strafen: pinen 324, 340; *puniri* büzen 223.

punitio Strafe: pine 56.

purus (1) rein, unbefleckt: (2) rein, unvermischt, bloß: *ex pura liberalitate* rein, bloß aus Großmut: von der luterre friheit 151; (3) bloß, nicht mehr als: luter 20, 110, 130, 160; *ab homine puro* von einem menschen, der einveltichlich ein mensche ist 291.

puta nämlich, zum Beispiel: ahte 55, 58, 90, 96, 107, 123.

putative zum Schein: wanlichen 39.

Q

quadruplex vierslaht 137.

quaerere forschen: suochen 42; fragen 81.

quaestio Problem, Frage: frag 42; fraget 255.

qualitas Beschaffenheit: wielichi 147; 250-51, 370, 372; wielicheit 252, 372.

quantitas Größe, das Großsein: grosheit 173, 372, 376; grözi 58, 370; grössede 372.

quaternarius Vierzahl: die zale von viere 359.

quiescere zur Ruhe kommen, ruhen: ruowen 162-63.

quietare befriedigen, beruhigen: *q. appetitum* die begirde rüwigen 161; *q. desiderium* die begirde gerüwig machen 288.

quietatio Befriedigung, Ruhen: ruowe 154; *q. amantis in amato* ruowe dez minnenden in dem geminten 154.

R

radius Strahl: schin 118; reie 400.

radix Wurzel: wirzel 339; wurzel 220; wirzelen 330; sache 220.

rapere rauben: rouben 201.

ratio (1) Vernunft (im Sinne eines allgemeinen oder diskursiven Erkenntnisvermögens): *admiratio absque r. esse non potest* die wunderunge enmag niht gesin ane die redelicheit 42; *per rationem* übermitz die reden 92; *judicium rationis* das urteile der bescheidenheit 93; bescheidenheit 93-94, 109; (2) Erkenntniskraft: *voluntas rationis* wille der bescheidenheit 124; (3) Erkenntnisinhalt, Begriff, Vorstellung: *ratio alicuius fiendi* die rede etliches gewerdennes 342; *repugnat rationi possibilis* widerwertig der rede der müglichi 357; *secundum rationem tantum* alleine nach reden 15; *rationes humanas* den menschlichen bescheidenheiten 170; (4) Sinn, Bedeutung: *secundum propriam rationem* nach sinen eigenen reden 317; *ratione humanae naturae* von der reden der menschlicher naturen 107; (5) Hinsicht, Beziehung: *secundum aliam et aliam rationem* nach einer andern reden 336; (6) Gesichtspunkt, Aspekt: *secundum rationem similitudinis* nach der rede der glicheit 369; *rationem boni* eigenschaft der guoti 216; (7) Wesen, wesentlicher Charakter: *ad rationem speciei humanae* zuo der rede des gesteltnüsses 14; *ratio ideae* eigenschaft dez bildez 303; (8) Grund, Ursache: *huius ratio* dez rede 39; *secundum rationem causae meritoriae* (etc.) nach der rede der sache der verdientheit 346-47; (10) Begründung: *cuius ratio potest esse triplex* dez ist ein drivaltig bewisunge 149; (11) Verständnis, Einsicht (im Sinne eines *habitus*): *r. recta agibilium* richtige Einsicht in das was zu tun ist: rehte bescheidenheit der würklicher dinge 202; *r. falsa* valsche bescheidenheit 179; (12) Art und Weise: wis 332.

ratiocinari schließend erkennen: reden 1.

rationabiliter bescheidenlichen 114.

rationalis vernünftig: bescheidenlich 230; redelich 1, 10, 27, 414.

realis wirflich, außerhalb des Denfens seiend: dinklich 153, 371, 376, 378-79.

realiter wirflich, der Sache nach: dinklich 15, 370, 373-75; dinklichen 163-64, 375, 379.

reatus strafwürdiger Zustand: schulde 235-36.

recedere sich entfernen von: entwichen 202, 238, 241, 324; scheiden von 73; sich scheiden von 202.

*receptivus aufnehmend: enphenklich 51, 294.

recessus: *per recessum ab ordine* von der entwichunge von der ordenung 208.

recipere aufnehmen: enphahen 47, 142, 144, 393, 395; nemen 53; widerbringen 235.

*recognitio Anerkennung: widerdankunge 248.

recognoscere (dankbar) anerkennen: erkennen 123.

recompensare auszahlen, erstatten: widerwegen 411-12.

recompensatio Dankeserwiderung: widergelten 247.

recreatio Erneuerung, Wiedergeburt: widermachunge 256.

recte wahr, richtig, ohne Abschweifung von der Norm: rehte 211, 355; die rihte 159; *rectius* sicherlichers 355.

rectitudo Richtigkeit, Wahrheit: rehtikeit 159; gerehtikeit 306; rehtigung 405-6.

*rector rihter 68.

rectus richtig, wahr: gereht 180, 306; reht 202, 405, 422.

recuperare widergebraht werden 409.

recusare weigern: niht lazen 193.

reddere (1) bezahlen, zurückgeben: *debitum r.* schulde gelten 338; *justum pretium r.* den rehten lon vergelten 411; (2) werden: *per hoc redditum immunis a poena* übermitz daz so wirt si unschuldig geantwurtet von der pine 137.

redimere loskaufen, erlösen: erlösen 142.

reducere (1) zurückführen zu, hinbringen zu: *r. ad Deum* zuo got (wider)leiten 257, 272; (2) (eine Schluß- oder Kausalfette) verfolgen bis, zurückführen auf: *reducitur in primum actum* wirt widergeleitet in die getat selber 210; *reducitur in Deum* leitet in got 210; (3) überführen in (einen neuen Zustand): *r. de potentia ad actum* usleiten in die getat 71; in die tat bringen 77; zuo der tat bringen 83; *r. ad perfectum* zuo der volkomenheit bringen 78; (4) auf eine Formel bringen, in eine bestimmte Klasse einreihen: *reducitur ad dispositionem materiae* widergeleitet wirt zuo der bereitunge der materien 347.

*reductio Zurückführung auf: widerleitunge 386.

redundare Überfluß haben: überfliezzen 135, 146.

*reduplicatio Wiederholung des Subjektbegriffes: zwifaltigung 106; zwiveltikeit 107.

referri sich beziehen auf, eine Beziehung auf etwas enthalten: widergetragen werden 331, 353, 357; widertragent sin 161; getragen werden 162, 411; man mag widertragen 192; *referre* bringen zuo 230.

refugere zurückschrecken vor: fliehen 95, 158.

refulgere aufleuchten: erschinen 135.

*regenerari widergeborn oder anderwerbe geborn werden 254.

regeneratio widergeberung 256.

regere leiten, kontrollieren: rihten 397-98, 400-1; bewegen 110.

regimen Leitung, Kontrolle: rihtung 91; rihtigung 362; das rihten 398.

regnum (caelestis) daz riche des himeles 144.

regredi widerkeren 55.

regulare bestimmen, Richtschnur sein für: regulieren 240; regelen 240.

relabi widervallen 324.

relatio Beziehung: widertragung 15, 16, 310, 370, 372, 377, 386, 421.

*relative im Sinne einer Beziehung: widertreglichen 375.

relativus eine Beziehung einschließend: widertreglich 375; widergetragen 375; *oppositio relativa* die widertreglich gegensetzunge 375, 379, 389.

relaxare nachlassen, mildern: verlan 340; vergeben 340.

religio (1) gottgeoffenbarte Lehre: geistlicheit 306; (2) Ordensstand: —

relinquere (1) etwas (in einem Zustande) lassen: lan 6, 212, 312, 399; (2) bleiben, übrig gelassen werden: *non relinquitur mihi* wirt nihtes niht gelazen 150; (3) logisch: *relinquitur es* folgt: ist zehalten 32, 33, 100, 312, 380.

remanere bleiben: beliben 6, 24, 87, 140, 235-36.

remedium Heilmittel: arzenie 4, 142.

remissio Erlassung, Vergebung: ablazunge 405, 408-9.

remittere (1) entspannen, schwächer machen: *r. voluntatem* den willen zelazenne 183; (2) Strafe nachlassen, erlassen: verlazen werden 408.

remotio Aufhebung, Wegnahme, Beseitigung: abnemung 337.

remotus in der Ferne stehend, entfernter:

verre 44, 278; *causa remota* verre sache 203.

removere (1) *removeri ab* sich entfernen von, abfallen von: fallen 245; (2) aufheben, beseitigen (im logischen oder unlogischen Sinn): *remoto enim primo removentum alia* wan von dem daz daz erste abevellet so vallent ouch die anderen abe 331; *r. impedimentum* die hindernüsse abnemen 192.

renatus widergeborn 245.

renovare vernüwern 45.

reparare, reparari wiederherstellen: widerbringen 31, 152, 236-37, 239, 416.

*reparatio Wiederherstellung: widerbringunge 32, 151, 416-17; *ad reparationem* ze widerbringenne 2.

repellere widertriben 96.

repentinus plötzlich, unvermutet: *in repentinis* in snellicheit 241.

replere ausfüllen: erfüllen 22, 134, 289.

repraesentare abbildend darstellen, ausdrücken: zeigen 283; offenbaren 165, 282, 312, 387, 395; geoffenbaren 395; *repraesentari* offenbar werden 387.

repraesentatio Darstellung, symbolischer Ausdruck für: offenbarung 311, 365.

reprimere unterdrücken: *reprimi per voluntatem* getruket werden übermitz den willen 206; *motus sensualitas r.* bewegunge der sinlicheit widerstan 239.

reprobare (1) als unrichtig erklärend verwerfen: verwerfen 130; (2) einen Menschen von der Seligkeit ausschließen: verwerfen 343, 345; *reprobatus* der verworfene 349.

reprobatio Ausschließung von der Seligkeit: verwerfunge 343-44; berespunge 214.

reprobus der verdampte 340.

repugnare unvereinbar sein mit: widerkriegen 89; einwider striten 89; widerstriten 414; widerwertig sin 41, 356-57; widersin 363.

reputare halten für: *quas efficaces reputaverunt* die sie creftig ahtetten 401.

requirere erfordern, als logisch notwendig verlangen: suochen 89, 120, 150, 237, 366, 408, 410-1; *quod ad perfectionem requiritur* daz gesuochet wirt zuo der volkomenheit 19; behören: *utrum ad beatitudinem requiratur comprehensio* ob zuo der selikeit behör begriffung 152.

res Sache, Ding: *r. naturalis* naturlich ding 413; *in rerum natura* in der dinge nature 37.

resistere widerstehen: widerstan 56, 239.

respectus Beziehung, Hinblick, Hinsicht:

gesihte 370-71, 421; *per respectum ad* im Hinblick auf: übermitz daz gesihte zuo 68; übermitz die rede zuo 355.

respectu in Hinsicht auf, in Bezug auf: nach gesihte 371; nach dem gesihte 42; von gesihte 54, 88, 260, 397; in einer gegenwertikeit 164.

respicere (1) sich beziehen auf, sich verhalten zu: ansehen 52, 55, 220; *sicut gratia respicit essentiam animae ita virtus respicit potentiam* alse die gnade ansieht die wesunge der sele, alse sieht die tugent an ir maht 52; (2) einer Sache entgegensehen: vürchten 56; (3) gerihtet sein auf: ansehen 84, 329, 330; *amor respicit bonum* die minne sieht an das guot 330.

respondere (1) eine Antwort geben: antwerten 400; (2) eine Antwort sein auf, entsprechen: antwerten 154, 287.

responsio Antwort: antwirtung 261.

respuere von sich weisen, ausspeien: versmahen 142.

restare übrig bleiben: bestan 395.

restaurare wiederherstellen: widerbringen 31.

resultare entspringen, sich entwickeln: enspringen 318.

resumere wiederaufnehmen, wiederbekommen: widernemen 155; nemen 106.

resurgere (1) sich (aus dem Zustand der Sünde) wieder erheben: uferstanden 236-37; ufersten 236; wider uf gestan 235; ufgestan 235; (2) auferstehen: erstan 97.

resurrectio Auferstehung: urstende 122.

retinere behalten: halten 352; behalten 91.

retrahere abhalten von: ziehen 192, 207; widerziehen 192.

retribuere wiedererstatten, vergüten: vergelten 334.

retributio Vergütung, Wiedererstattung: widergeltung 411.

revelare offenbaren: erschinen 54; offenbaren 402.

revelatio Offenbarung: erlühtunge 274; erschinunge 402.

reverentia (1) Ehrfurcht, Ehrerbietung: wirdikeit 56-57, 129; ere 194; (2) Ehrwürdigkeit: —

risibile das Lachenkönnen: lachen 103.

S

sacra scriptura heilige schrift 4.

sacramentum Heilmittel: sacramenta 148.

sacrilegus gottlos: geistlicher diep 383.

saeculum Welt: *in futuro saeculo* in der künftigen zit 74.

sagitta Pfeil: der schozz 322; daz schoz 341.

*sagittans Schütze: der schiezzende 341; der schietz 322.

saltem vielleicht: villiht 150.

salus Heil, Seligkeit: heil 215, 274; selikeit 179, 214, 345, 350; *salus aeterna* das ewige leben 343; die ewige selikeit 343, 347.

salvare (1) aufrecht erhalten: behalten 63, 335, 412; (2) erlösen, erretten: erlösen 40; *salvari* selig werden 324; behalten werden 392.

salvatio Errettung: behaltung 416.

salvatus errettet: selig 392.

salvus (1) selig, errettet: selig 324; (2) *salva distinctione* bei strenger Wahrung des Unterschiedes: niht wan alleine die underscheidung 24.

sanare gesund machen, wiederherstellen: gesunt machen 3, 230-31; *sanari* gesunt werden 228.

sanatio Wiederherstellung: gesuntmachunge 239.

sanctificare heiligen: heiligen 133-34, 138; gesegenen 143; heilig machen 363.

sanctitas Heiligkeit: heilikeit 50.

sanctus heilig 12, 350, 416.

sanitas (1) Genesung, Heilung: gesuntheit 162, 274; (2) Gesundheit: gesundheit 317, 318.

sanus gesunt 227.

sapere wissend verstehen: verstan 308.

sapiens wise 359, 399; wiser mensch 399.

sapientia (1) das Buch der Weisheit: wisheit 22; (2) Weisheit (im Sinne eines *habitus*): wisheit 25, 64, 86, 130.

satiari satt werden: gesettet werden 158.

satisfacere (juristisch) Genüge tun, wieder gutmachen: bessern 39; genuog tuon 89, 132, 150.

saticfactio Genugtuung: genuogtuowing 149; besserunge 39.

scientia (1) Wissen (als Akt oder *habitus*): kunst 76-77, 82, 116, 175, 292, 298, 388; wissen 298, 387, 403; *s. beata* selige kunst 80; *s. infusa* ingegozzen kunst 80; *s. divina* götliche kunst 82; *s. visionis* kunst des gesihtes 85; (2) Wissenschaft: kunst 129, 273.

scire wissen, mit Gewißheit erkennen: wissen 124, 354, 387-88, 402; vorwissen 354; merken 368; *scitus* gewest 355.

scribere schriben 77; *scriptus* geschriben 353, 390; beschriben 353.

scriptura das Geschriebene, die (heilige) Schrift: schrift 41, 349, 382; *s. libri* daz .buoch 352.

scrutari durchsuochen 125.

secare schneiden, spalten: slahen 205.

secundum quid in gewisser Hinsicht (Gegensatz zu *absolute* und *simpliciter*):

nach etwas 49, 102, 161, 310, 412, 420.

securis Axt: akese 111

sedere sitzen 326.

semita Pfad: *Justorum s.* der gerehten phede 418.

semper immer: alzit 114, 170, 324.

sensibilis (1) zum sinnlichen Seelenteil gehörig: *dolor s.* der sinlich smertze 91; (2) fähig, mit den Sinnen wahrzuneh= men: (besint) *see insensibilis* (3) sinn= fällig, was durch die Sinne wahrge= nommen werden kann: sinlich 35, 36; *res sensibiles* die sinlichen ding 217, 400; *sensibilia* sinlichü ding 225; *sen= sibile* daz sinlich ding 295.

sensitivus (1) sinnlich erkennend, zu sinn= licher Erkenntnis fähig: *anima s.* sin= liche sele 77; *vis s.* sinneliche craft 68, 91; (2) (nicht geistiger, sondern) sinnlicher Natur: *appetitus s.* sinnliche begirde 93-95, 110, 241; *pars s.* der sinliche teil 96, 283.

sensualis was Objekt einer körperlichen Begierde ist: *sensualia* die sinlichen ding 120.

sensualitas das körperliche Begehrungs= vermögen: sinlicheit 120-21, 239; sinlich bewegung 135.

sensus (1) Sinnesorgan: sinn 169, 213, 217, 219, 294-95, 319; *s. interiores et ex= teriores* die uzzern so die inren sinne 67; (2) Sinn, Bedeutung einer Stelle: ....; (3) Aft des Begehrens: sinn 169.

sententia (1) Urteil, Entscheidung: urteile 170; sententie 170; (2) Denkspruch, Lehre: sentencie 35.

sentire (1) empfinden, fühlen, wahrneh= men: vinden 295; befinden 117; (2) zustimmend aufnehmen: *s. de Domino* befindent in dem herren 170.

seorsum nur, ganz allein: sunderlich 112.

separari absondern: gescheiden werden 291; *separatus* gescheiden 9, 294, 396; abgescheiden 190.

separatio Absonderung, Abtrennung: teilunge 382.

sepelire begraben 105.

sequela das Befolgen: *s. passionum irascibilis* nachfolgung der zörnlicher lidunge 192.

sequi (1) folgen (im Sinne einer logischen Schlußfolgerung): *et sic sequeretur* unde so volget daz dar nah 7, 29, 354, 378, 380; (2) sich richten nach, bestimmt sein durch: volgen 296; *potentia activa sequitur formam* die wirkende maht volget siner formen 87; (3) zeitlich folgen, die Folge von etwas sein:

per sequens peccatum von der nach= volgenden sünden 416; *eventus sequens* die nachvolgent geschiht 184-85; *multa mala possunt sequi* vil übels erfolget mag werden 184-85; (4) als Ziel ver= folgen: volgen unde niezen 230; (5) Folge leisten, gehorchen: volgen 179.

sermo rede 273.

servare erhalten: (1) erretten: behalten 392; (2) erhalten, aufrecht erhalten: behalten 138, 328.

servire dienen 69.

servus kneht 103, 376.

signaculum zeichen 352.

signanter treffend: bezeichentlichen 308.

significare bezeichenen 8, 9, 17, 23, 99, 387.

significatio Bedeutung, Sinn: bezeich= nung 99.

significativus anzeigend, Anzeichen für etwas: bezeichenlichen 318.

signum (1) Wunderzeichen: zeichen 57; (2) Zeichen für etwas, Wahrzeichen, Symbol: *s. fidei* zeichen des glouben 141; *s. rei sacrae* zeichen des heiligen dinges 148; (3) Schriftzeichen, Mal: zeichen 341.

similis ähnlich: glich 30, 45, 190, 276, 301, 388; *similior* aller glichest 45.

similis Gleichnis, Vergleich: glicheit (*see* p. 264, *note* 6).

similiter also ouch 112; dez gliches 23, 37, 394.

similitudinarie vergleichsweise, in über= tragenem Sinne: in einer glichnüsse 73.

similitudo (1) Ähnlichkeit (Gegensatz zu *differentia*): glicheit 126, 265, 276-77, 282, 303, 305, 307; (2) Vorbild oder Ab= bild (im Erkennenden): glichnüss 169, 281-82, 290-91, 298, 300, 367, 369, 395; *s. exemplaris* biltlich glichnüsse 30, 31; (3) Vergleich: glichnüss 66, 67.

simplex (1) bloß, schlechthin, nit mit et= was anderem verbunden: *voluntas s.* der einfeltige wille 122, 333; (2) einfältig, dumm: (3) einfach, nicht zusammenge= setzt: einveltig 13, 168, 406; *in simpli= cibus* in den einfeltigen dingen 87.

simplicitas (1) Einfachheit (im Sinne des nicht Zusammengesetzt=seins): einvel= tikeit 375, 382; (2) Dummheit: ....; (3) Aufrichtigkeit:

simpliciter schlechthin, unbedingt, ohne eine Beziehung auf etwas anderes einzu= schließen: einveltig -tich 183, 353, 421; einveltiklich(e) 105, 419, 420-21; ein= velticlichen 49, 84, 105, 124, 253, 421.

simul zugleich: miteinander 24, 43, 48, 290, 398; *simul....dum* miteinander....

unde 46, 48; uf der stat . . . . so 47;
simul esse glich sin 71.

singularis (1) einen einzelnen Fall dar=
stellend, einzig, eigentümlich für: sun=
derlich 19, 74; (2) einzeln, das Ein=
zelwesen: sünderlich sunderlich 383,
405; *in singularibus* in den sunderlichen
dingen 36, 300; *in singulari* im einzel=
nen: in der sunderlichi 301.

singularitas Einzelheit: einlicheit 383.

***singulus** einzeln, jeder einzelne: sünder=
lich 52, 237, 290.

sistere bleiben: sin 93.

sitis turst 90.

sitire türsten 194.

***socialis**: *animal s.* ein gesellich tiere
197.

solitarius einsam, für sich allein existie=
rend: alwent einke 196; einwoner 384;
einwonend 384.

solum allein, ausschließlich: allein(e) 24,
419; *non s.* nit allein 417; niht allein
102.

solus bloß, rein: *per solam compositionem*
übermitz alleine zesamensetzunge 7.

somnium troum 292.

sonare erklingen: hellen 103, 186.

sonitus Klang: don 95.

sortiri empfangen, erhalten: komen von
202; genomen werden 408; teilheftig
werden 272.

specialis besonders, einzigartig: sünder=
lich 50; *specialiter* sunderlich 118; sün=
derlichen 159; sunderlingen 144.

species (1) Anblick, Anschauung: *ambu-
lare per speciem* übermitz gesteltnüsse
156; (2) äußere Gestalt: . . . .;
(3) Erkenntnisbild: *s. cogniti* der geist
des erkannten 293; *s. intelligibile* ver=
stentlichü gesteltnüsse 79, 393; *recep-
tivus specierum* enphenklich der ge=
steltnüsse 294; *representari per s.* über=
mitz getende oder gesteltnüsse geof=
fenbart werden 282, 395; Idee: *s. in
mente divina* getende in dem gotlichen
gemüte 305; (4) Wesenheit, Artbegriff,
Typ: getende 200; gesteltnüsse 200,
395; (5) Art (im Gegensatz zum In=
dividuum): gesteltnüss 14; *essentia
speciei* wesung des gesteltnüsses 8;
ratio s. Wesen der Art: rede des gestelt=
nüsses 9, 14.

spectare ad in Beziehung stehen zu: be=
hören zuo 82.

speculativus: *intellectus s.* der schouliche
verstan 155.

speculator Wächter: der schouwer 208.

speculum Spiegel: spiegel 298, 318, 393-
94.

sperare hoffen: zuoversicht haben 55,

153; gedinge haben 188; gedingen 189.

spes Hoffnung: der gedinge 53, 187, 287,
330; zuoversicht 53, 95, 154, 191.

spirare hauchen: *spirans* geistunge 380.

***spiratio** Hauchung: geistunge 375, 377,
380, 383, 385-86.

spiritualis (1) unkörperlich, geistig: geist=
lich 57, 391, 398-99; (2) dem Geiste,
nicht den Sinnen unterworfen, geistig,
vergeistigt: geistlich 97; (3) geistlich,
kirchlich: . . . .

spiritualiter im geistigen Sinne: geistli=
chen 68.

spiritus (1) Geist, unkörperliche Sub=
stanz: *S. Sanctus* der heilige geist 27,
55; (2) Geist als Funktion der mensch=
lichen Seele: geist 44, 45; (3) Gesin=
nung, geistige Haltung: geist 192, 275;
(4) treibende Kraft: geist 369.

splendens schinend 418.

splendere strahlen: erschinen 135.

sponsus brütigom 136.

spontaneus nicht aufgezwungen, aus sei=
nem Willen geschehend: willig 194; wil=
liklich 193.

stabilitus gestetigt 306.

stare (1) stehen (einer Behauptung):
haec positio s. non potest daz enmag
niht bestan 41, 148, 253; (2) stehen
bleiben: stille stan 274.

statim sofort, schnell: zehant 5, 153, 188;
uf der stat 46.

status (1) Stellung und Funktion in der
menschlichen Gesellschaft: ordenung 60;
(2) Zustand: ordenunge 243; wis
407-8; *s. generationis* ordenunge der
geberung 85; *in s. naturae integrae*
in dem state der naturen ganzheit 226;
zit der unschulde 228; zit der nature
der unschult 230; *in s. naturae cor-
ruptae* zit der unschulde 227-28; zit der
vergenklichen naturen 227; *in s. viae*
in dirre zit 394.

stella sterne 323.

stricte: *s. et proprie* eigentlichen 286.

suaviter suoziclichen, süzicliche 252.

subdere (1) weiterführend bemerken: (ein
rede) underwerfen 138, 155, 260; (2)
subdi unterstellt, unterworfen sein: un=
dertenig sin 240, 355, 357, 406; under=
geworfen sin 290, 343; under sin 348.

sublatus benomen 134.

subjacere unterliegen, unterstellt sein:
undergeworfen sin 32; undertenig sin
3, 263, underligen 158.

subjectio Unterordnung: undertenikeit
117-18; underwerfung 118.

subjectum (1) Träger von Seinsweisen:
underwurf 61-63, 255, 372-73; gegen=
wurf 219 ein undergeworfener 372;

(2) Träger einer Aussage, Satzgegen-
stand: *praedicatum repugnat subjecto*
die brüfunge ist widerwertig dem un-
derwurfe 356; (3) Gegenstand einer
Wissenschaft: . . . .

subjectus unterstellt, unterworfen: under-
geworfen 82; undertenig 76, 117, 236.

subjicere unterwerfen: underwerfen 121;
subjici undertenig sin 237.

subruere zerstören: undertuon 11.

subsequi zeitlich folgen auf: nachkommen
270; nachvolgen 20, 271.

subsistere für sich und nicht in etwas
anderem existieren: bestan 13, 36;
selbestan 12, 13, 36, 378-79; *subsistens*
selbestaung 378; selbestande 12, 16,
36.

subsistentia (1) die Seinsweise des Für-
sich-bestehens: selbestaung 12; substan-
cie 46; (2) das was für sich besteht:
substancie 12; selbestandunge 12.

substantia Substanz: substancie 10, 12,
43, 104, 148, 372, 381; *s. intellectualis*
vernüftige creature 365.

substantialis substenzilich 359; *formae s.*
die substenzilich forme 47, 388; *esse s.*
ein substenzeliches wesen 373; *dif-
ferentia s.* substentziliche underschei-
dung 359.

substantialiter substentilichen 148, 166.

subtilis fein, scharfsinnig: subtil 397, 400.

*subtractio Entziehung: *s. a fomite* en-
ziehung von der neigunge 135; *s. gra-
tiae* underziehunge der gnade 211.

subtrahere entziehen, wegnehmen: under-
ziehen 209, 350; enziehen 394.

succedere zeitlich folgen: *non succedit
verbum verbo* en gat niht ein worte
vor, daz ander nach 387.

successive zeitlich aufeinanderfolgend:
als vor unde nach 290.

succurrere helfen 352.

sufficere hinreichend sein: begnügen 402;
genuog sin 75, 397.

sufficiens hinreichend: genüglich 158,
217, 300; genuog 5, 224; *sufficienter*
envollen genuog 396.

sufficientia (1) das Hinreichen: *s. virtutis*
begnuogunge der craft 226; (2) Be-
friedigung, Befriedigtsein: *suam s. cog-
noscere* begnuogde erkennen 360; *om-
nimoda s.* alle genüge 362.

sumere auffassen, in einem besonderen
Sinne verstanden werden: nemen 382,
384.

summus höchste Stufe: *in summo immate-
rialitatis* in der aller hochsten unmate-
rilicheit 294.

*sumptio Annahme, Zu-sich-nahme: uf-
nemung 23.

*superaddere noch hinzufügen: zuoliegen
174; zuogefallen 224; überfallen 4;
über zuo legen 228.

*superadditio Hinzufügung: zuoval 229.

superare übersteigen: übergan 390.

superbia Hochmut, Stolz: hochvart 5, 70,
221.

*supereminenter überragend: überschin-
lich 282.

superfluere Überfluß haben an: überflies-
sen in 192.

superfluus unnötig, überflüssig: übrig
349; überflüzig 201.

*superior oberer, höherer: oberst 45, 67,
109, 401; höher 151; mechtig 397.

*supernaturalis übernatürlich 228, 250.

supervenire dazukommen: überkomen
174.

supponere (1) als etwas auffassen, an-
nehmen oder unterstellen: *que suppo-
nuntur ut principia* die da undersetzent
alse begin 273; *supponendo quod* unter
der Voraussetzung, daß: undersetzlich,
daz 35; (2) *s. pro* zur Beziehung stehen,
für etwas stehen, etwas bezeichnen:
*nomen homo potest s. pro quolibet homine
singulari* der name mensche mag un-
derstan für einen ieklichen sunder-
lichen menschen 99, 100; *persona Filii
pro qua supponit nomen Deus* für die
man undersetzet den namen got 99;
potest supponere pro mag undergesezzet
werden 100; (3) *supponi naturae* einer
bestimmter Natur unterstellt werden,
Träger dieser Natur sein: undergesast
werden 101.

*suppositum das einer bestimmten Natur
unterworfene Einzelwesen: underwurf
9, 34, 384; gegenwurf 107; understant
129; understan 384.

supremus höchst: öberst 110, 365; oberest
406.

sursum aufwärts: ufwert 21.

susceptio Aufnahme, Akt des Annehmens:
enphenlicheit 233.

suscipere empfangen, aufnehmen: enpha-
hen 12, 235; annemen 38; an sich
nemen 42.

suscitare erwecken: erkiken 70.

suspensus gespannt, angespannt: ufge-
zogen 163.

suspicari vermuten, ahnen: übergesehen
werden 105.

sustinere auf sich nehmen, ertragen: liden
402; vertragen 142.

T

tabula tavel 77, 351.

tactus (1) Tastsinn, Gefühlsinn: berürunge 67; *sensus t.* die sinliche berürde 92; (2) Berührung:....

temperantia Tugend der Mäßigkeit: getempertheit 199.

temperate maßvoll: mezziclichen 381.

temporalis zitlich 207, 221, 419, 420; *temporaliter* (zitlich) 421.

tempus zit 43, 399.

tendere (in) in Bewegung sein auf, streben nach: *t. in beatitudinem* meinung haben in die selikeit 97; meinen in 98; sich keren in 161; *t. in finem* sich fügende sin in daz ende 160; *bonae in quae tendit* daz guot daz der sündende meinet 202; sich keren in 105, 303, 368; merken in 165; uskeren in 364; gan in 202; meinen oder keren in 373.

tenebrae vinstri 299; vinsternüsse 4.

tenebrescere vinster werden 274.

tenebrosus blint oder vinster 212.

tenere (1) für etwas verstehen oder halten: nemen für 107; *teneri formaliter* förmelichen gehabt werden 107; (2) *teneri* verpflichtet sein: schuldig sin 176, 180-81; (3) innehaben, besitzen: han 287-88; begriffen 288; *in memoria t.* in dem gedenknüsse halten 351; (4) in einem Zustande erhalten: han 288; (5) behaupten, eine Meinung halten: halten 392.

*****tentatio** Versuchung bekorung 246; *et ne nos inducas in t.* unde inleit uns niht in bekorung 245.

terminare (1) *terminari ad* hinziehen auf, seine Erfüllung finden in: beterminiert werden zuo 14; geendet werden zuo 36; (2) *terminari* seinen Abschluß finden: beterminiert werden 47; (3) begrenzen, bestimmen:....

terminus (1) Grenze, Grenzpunkt: ende 60; *t. ad quem* ende zuo wem 408; ende zuo dem die bewegede ist 407; *terminus a quo* ende von dem die bewegede ist 407; (2) Abschließendes Ziel eines Prozesses: *t. assumptionis* ende der ufnemung 17, 22, 23, 415; ende 419; *attingere t.* den termin rüren 183; (3) sprachlicher Ausdruck, Begriff: ende 99.

terra land 313; erde 64.

terrenus auf der Erde seiend, irdisch: irdinsch 361.

terribilis furchterregend: lesterlich 56.

testimonium Zeugnis: gezüge 42, 87; gezuknüsse 137, 145.

testis Zeuge: gezüge 139.

*****theologicus** gotlich 199; *virtutes t.* gotliche tugenden 199.

timere führten 56, 421; erfürhten 95.

timidus furchtsam: vorhtlich 244.

timor Furcht: vorhte 55, 56, 94.

tolerare liden 97.

tollere aufheben unmöglich machen: abnemen 11, 24, 138, 142, 336, 382-84, 409; undertuon 24, 236; *non t. aliquid de praemio* niht minren von 183.

torqueri gepint werden 392.

totalitas gantzheit 58.

totaliter gänzlich: gar 192; gentzlichen 58; gentziclichen 135, 239; zemale 54; alzemale 11; alle zemal 396.

totum (1) das Ganze: die gantzheit 9, 49, 128, 229, 382; alles 24; daz ganze 298; *in toto* zemale 249; (2) das Weltganze: *t. universum* ellicheit 229.

totus ellü 49; all 417; *tota natura* die nature alzemale 48.

tradere überliefernd berichten: sagen 133; glauben 401; offenbaren 3; *nihil in Scriptura traditur* von dem enhaltet man nihtes niht in der heiligen schrift 133.

traducere: fortpflanzend übertragen auf: *traductum est* gezogen waz 4.

trahere (1) mit sich fortreißen, beeinflussen: ziehen 93; (2) hinziehen zu: ziehen 237.

tranquillus befriedigt, ruhig: gerüwig 193.

transcendere über etwas hinausgehen, übersteigen: übergan 21, 32, 120.

transferre (1) wegnehmen von: *oravit a se calicem transferri* da den kelche von im genomen werde 122; (2) übertragen auf: überbringen 373.

transfiguratio Verklärung: verwandelunge 145-46.

transire (1) zeitlich übergehen: fürgan 235; *passio transiens* vorübergehende Eigenschaft: fürgande lidunge 147; (2) übergehen auf etwas: *operationes quae transeunt* wirkunge die da gant in die uzzern werke 294; (3) übergehen zu einem neuen Zustand: *t. in cognito* übergan in daz erkennen 302.

transitorius vergänglich: fürvarende 158.

transmissio das (ans Ziel) Bringen: sendung 341; übersendung 342.

transmittere bringen zu (einem Ziel): senden 341; überbringen 341.

transmutare verändern: überwandeln 7, 407.

transmutatio Veränderung, Umwandlung: verwandelunge 49; überwandelunge 407.

tribuere geben 335.

tribus Stamm: gesleht 68.

trinitas driheit 381; dritheit 311; driveltikeit 2, 313, 381, 387.

triplex driveltig 117; *tripliciter* in drier hant wis 6, 402.

tristari traurig sein: betrübet werden 92; betrübet sin 336.

tristis traurig: betrübet 41.

tristitia Trauer, Schmerz: betrübede 96, 245, 331, 336; trurikeit 91, 94, 96, 329.

triumphator signünfter 349.

tutela Schutz: sicherheit 137.

U

ubique: *esse u.* über alle wesen 289.

ultimum das Äußerste, die Vollendung: das jungste 63.

ultimus zu oberst stehend, letzte Vollendung habend: das jungste ende 63; jungst 43, 152, 159, 233, 248.

ultra (1) *adv.* weiter, darüber hinaus: fürbas 224; (2) *prep.* über ... hinaus: für 264; über 284.

umbra beschetwung 395; schatten 395.

unda Woge: uf den enden des meres 147.

ungere salben 104.

unicus (1) einzig: *u. Filius* einiger sun 383; *u. Deus* einiger got 383; *u. Verbum* einig wort 388; (2) Einzigkeit: *intelligentia unici* Begriff des Einzigen: daz verstan der geeinigten 383; *nomen unici* name der geeinten 383.

unigenitus eingeborn 51, 133.

unio Vereinigung, Verbindung: einunge 6, 7, 11.

unire vereinigen: *(sibi) u.* mit sich vereinigen: einigen 27; an sich einigen 43, 44; *uniri* zuogeeinigt werden 11, 22; geeiniget werden 14, 86; *uniens* der einunde 17 *unitum* das geeinigt 17.

unitas (1) Einzeligkeit oder mathematische Einheit (Gegensatz zu *pluralitas* und *multiplicitas*): von der vilheit zuo der einikeit 203; einikeit 359; (2) Nichtgeteiltheit: einikeit 375; *u. essentiae* einikeit der wesunge 382; *u. personae* einikeit, einunge der persone(n) 18, 104.

universalis allgemein: ellich 62, 168, 212, 279, 403; *causa u.* ellichü sache 211; *in universali* in der ellichi 300.

universum Weltall: ellichi 361; alle dinge 335.

univocus gleichnamig und gleichartig zugleich: einhellig 277; *univoce* einhellichen 13, 317.

urere brinnen 205.

urina harn 317.

usus (1) Brauchbarkeit, Gebrauchsmöglichkeit: *u. aedificii* die niezunge des bouwes 134, 314; (2) Besitz und Gebrauch: *usus liberi arbitrii* gebruchunge 410.

uterus lib 46; der muoter lib 133.

uti (als Mittel zum Zweck) gebrauchen, benützen: gebruchen 111-12, 122, 381-82; niezen 192; nützen 362.

utilis brauchbar, nütze: nütze 168, 420.

utilitas (1) Vorteil, Nutzen nutze 258; (2) Brauchbarkeit: nutz 337.

uxor e wip 181.

V

valere (1) ausreichen, die nötige Kraft haben: guot sin 396; (2) wert sein: vermügend sin 157.

*****variabilitas** wandelberkeit 167.

varius verschieden: manigvaltig 244.

vegetare ermuntern, kräftigen: creftigen 271.

vehementius crefticlicher 339; freislichen 137.

velle wellen, wollen 178, 325, 345-46, 370.

velleitas schwaches, nicht zur Ausführung gelangendes Wollen: wille 124.

velocitas snelheit 157.

venditio Verkauf: kauffe 334.

venerari verehren: eren 130.

veneratio Verehrung: erbietung der erwirdikeit 116; ere 130.

venialis leicht verzeihlich: teglich 238-39.

venter Leib: der muoter libe 134.

verbum (1) Wort: wort, worte 2, 30; *v. cordis .... v. vocis* wort des herzen .... wort der stimme 364; (2) Wort im Sinne einer göttlichen Person: *V. Dei* daz gotis wort 31; daz ewige wort 38, 43, 70; daz wort 2; daz gotlich wort 14.

vere werlich 20; für war 17, 94; gewerlichen 99; gewarltich 132; *v. et proprie* eigentlichen 100.

veritas (1) Wahrheit: warheit 35, 51, 86; (2) Wirklichkeit 100 *see note* 3.

verti sich keren 399.

verus (1) (logisch): war 100; gewar 100, 306; (2) (ontologisch): gewarig 363; war 39, 305; gwar 39, 114, 156, 212, 305, 335, 363; warig 305; (3) *verum* das Wahrsein: warheit 304; daz ware 304; daz war 306.

vestigium Spur: fuozstaphe(n) 311, 314.

vestis kleid 129.

vexillum baner 234.

via (1) Weg, Straße: weg 135; (2) Weg des Lebens (Gegensatz: *patria*): daz zitliche leben 72; *in statu viae* in dirre zit 394; (3) Methode: *per viam motus* übermitz wege der bewegung 402.

viator Erdenwaller: wegman 97.

victoria signunft 234.

victus Unterhalt, Nahrung: notdurft 90.

videre sehen, scheinen, verstehen: sehen

98, 282, 390, 409; gesehen 211, 282, 284, 390; ansehen 81, 82, 156, 283-84, 292; *non visum* das nicht Sichtbare: niht sihtig 53; ungesihtig 52, 53.

videri (+ infin.) zu sein scheinen, offensichtlich sein: geahtet werden 105; *v. pertinere* wan daz schinet daz daz behörte 39; *ne favere v.* daz wir iht gönner sien 105, 182; *melius v. dicendum* so dunket ez besser ze sagen ze sin 134; *v. pertingere* man ahtet daz si rüren 313; *quod recedere v.* von dem man sich versieht daz 324; *v. difficile* ez mag zwivellichen sin 355.

vigere lebenskräftig sein: grünen 67.

vincere überwinden: verwinnen 38, 403-4; überwinden 38.

vindicta Vergeltung: rache 96.

violentia Gewalttätigkeit (im Sinne eines *habitus*): frevele 204.

virginalis megtlich 28.

virginitas magtuom 135-36; küscheit 136.

virgo magt 137; megde 363.

virtualiter der Möglichkeit nach: crefticliche(n) 316.

virtuosus wirkungsfähig: tugentlich 161.

virtus (1) Kraft, Tätigkeitsvermögen eines Dinges: craft 2, 58, 68, 90, 210, 252, 415; tugent 68, 143; craft oder tugent 413; (2) Kraft (im Sinne eines persönlichen Wesens oder eines Engels): engel 74; (3) Möglichkeit: *virtute* ? (4) Tugend, Fertigkeit zur Setzung guter Handlungen: tugent 20, 52-53, 116, 252, 255-56, 420; craft 256; (5) Höchstleistung, Wunder: *operatio virtutum* werke der tugenden 274.

vis Vermögen, Kraft: craft 91, 219, 406; *vis naturae* craft 6; *vis sensitiva et motiva* sinneliche unde bewegeliche craft 68.

visibilis gesihtig 262; *visibile* Gegenstand des Sehens: daz, ein gesihtig ding 394; daz sihtlich ding 394.

visibiliter sihtihlichen 140.

visio (1) das Schauen, Sehen: gesiht(e) 187, 392-94; *v. Dei* gesihte 85, 154-55, 287, 291, 395, 397; angesiht 156; anschouwunge 159; (2) Gesicht, Erscheinung: gesiht 139.

visivus sehend: sihtig 282.

visus (1) das Sehen, Schauen: gesihte 172, 213; (2) Gesichtssinn: gesiht 283, 393-94.

vita (1) das Leben als Existenzform des Organischen: leben 69; (2) Art, Richtung und Inhalt des menschlichen Lebens: leben 70, 90; *v. aeterna* daz ewig leben 231, 343, 353, 409, 417, 420-21; selikeit 421; *v. activa* wirkendes leben 191; *v. contemplativa* schouwendes leben 191; *v. voluptuosa* gelustiges leben 191.

vitalis das Leben betreffend: leblich 369.

vitare vermeiden: miden 208; verwinnen 158; vermiden 177, 238, 382-84; sich behüten vor 138.

vitium (1) Fehlen, Gebresten, Mangel: gebrest 6; (2) Laster: *ira per v.* zorn übermitz gebresten 96; untugent 202; sünde 222; *v. spiritualia* geistliche gebresten 391.

*vivens Lebewesen: lebendiges ding 366; lebendez ding 366-67, 377; daz lebende 366.

vivere leben, lebendig sein: leben 313, 366.

vivificare beleben, erneuern: lebende machen 70, 411.

vivus belebt, lebend: lebend 264.

vocare (1) mit einem Namen bezeichnen: heizen 3, 40, 406; *vocari* heizen 377, 408; (2) einladen, berufen: laden 194; ruoffen 271.

vocatio Berufung: ladung 350.

*volitum gewollt: gewoltez ding 368.

voluntarie gewollt, freiwillig, spontan: williclich 212; williclichen 139.

voluntarium Freiwilligkeit, das Gewolltsein: der willige 204.

voluntarius gewollt, aus einem Willen entspringend: willeg 180, 206, 335; williclich 206.

voluntas (1) (geistiges) Begehrungsvermögen, Wille: wille 153, 215, 377, 421; (2) Wille als Akt des Wollens: wille 3, 18, 19, 136, 416.

voluptas Genuß, Lust: liplich gelüst 361.

voluptuosus lustvoll: lüstlich 192; gelustig 191.

votum daz gelübede 136; *v. emittere* glüben 136.

vovere gelübde tuon 135; gelüben 136.

vox Wort, sprachlicher Ausdruck: stimme 101.

vulnerari verwunden: gewundet werden 92.

vulva der muoter lip 134.

Z

zelus Eifer: *ira per zelum* zorn übermitz minne 97.

GERMAN-LATIN GLOSSARY

In preparing this section of the glossary, it seemed unnecessary to list words which offer no special deviations from the forms and meanings given in Lexer's MHG dictionary. What we have included, however, are in the main the following: (1) spelling forms not recorded in Lexer, indicated by an asterisk; (2) meanings of known spelling forms not recorded in Lexer. To these two groups we have added some words of late occurrence; and we have listed each MHG word which occurred in the MS with more than one Latin equivalent. In general, we have followed Lexer as to both spelling (including hyphenation and the circumflex accent) and alphabetization (grouping *c* and *k*, *f* and *v*); but we have often listed spelling variants which Lexer does not know.

A

*abe-gezogenheit in der — *in abstracto* 17, 103.

*abe-kêren (1) *avertere* 76; (2) *divertere* 201; (3) abgekeret *aversus* 211.

abe-lâzunge *remissio* 405, 408.

abe-nemen (1) *deputare* 101; (2) *removere* 191; (3) *tollere* 11, 24, 138, 142, 336, 382, 409.

abe-nemunge (1) *remotio* 337; (2) ane — *incircumscriptum* 88.

abe-vallen (1) *decidere* 344; (2) *removeri* 331².

abe-ziehen (1) *abstrahere* 79; (2) abegezogen *abstructus* 35.

*ahte (imv zu ahten) z.B. *puta* 55; alse ahte *puta* 58.

ahten (1) *aestimare* 186; (2) *deputare* 413; (3) *imputare* 209; (4) *reputare* 401; (5) *videre* 313.

al (1) *omnis* 48; (2) *totus* 24, 49; (3) alle die wile *quandiu* 170.

al-ein: niht wan alleine *salvus* 24.

*al-eint idem 175.

alle-wec: alwent einke *solitarius* 196.

al-umbe adj. ding die allumbe sind *circumstantia* 168.

al-ze-mâl -male (1) *omnimodus* 95; (2) *omnino* 8, 9; (3) *quodammodo* 82; (4) *praecipue* 193; (5) *totaliter* 11; (6) *totus* 30, 48.

al-zît (1) *continuo* 240; (2) *semper* 114, 170.

*an-betunge anbettunge (1) *adoratio* 128, 129; (2) *cultus* 130; (3) *latria* 130.

ander (1) *aliter* 345; (2) *alterius* 35; (3) *ceteri* 44, 45; (4) *secundario* 24; (5) *secundus* 43, 398.

anders (1) *aliter* 92; (2) *aliud* 34, 37;

(3) *alioquin* 78; (4) *e converso* 346; (5) wan anders *alioquin* 310; *aliter* 57; (6) anders niht denne *nisi* 103.

anders-wâ *aliter* 79.

anderwerbe (1) *denuo* 237; (2) *iterum* 309; (3) — geborn *regenerare* 254.

âne (1) *absque* 41; (2) *praeter* 26, 30, 35, 78; (3) *sine* 42.

ane-genge: von — (1) *a principio* 46, 71; (2) *ab aeterno* 127; (3) *a primo instanti* 64.

an-gesiht *visio* 156.

an-hangen (1) *adhaerere* 234, 420; (2) *inhaerere* 4.

an-heben *incipere* 149², 281, 325.

an-nemen (1) *assumere* 25; (2) *suscipere* 38.

*an-nemlich *assumptibilis* 31, 32, 33, 44.

*an-remunge *assumptio* 22, 45.

an-rüeren (1) *attingere* 32, 287; (2) *pertingere* 59.

*an-ruofunge anrüfunge *invocatio* 145.

an-schouwaere anschower *comprehensor* 64.

an-schouwunge *visio* 159.

an-sehen (1) *considerare* 124; (2) *contueri* 156; (3) *inspicere* 143; (4) *respicere* 52, 55, 84, 220; (5) *videre* 82, 156, 283.

an-tragen *impendi* 215.

ant-werten anwerten (397) (1) *correspondere* 356; (2) *reddere* 137; (3) *respondere* 154, 263, 287.

*ant-wirtunge *responsio* 261.

an-vâhen (1) *advenire* 326; (2) *incipere* 16, 49, 67, 325, 402.

an-vâhunge *inchoatio* 195.

*an-vehtun *impulsus* 246.

apostel *discipulus* 92.

arbeit (1) *difficultas* 188; (2) *labor* 411.

arbeiten (1) *laborare* 232; (2) *satagere* 350.

armuot *miseria* 337.

B

baz (1) *melius* 2, 38; (2) *potius* 310.

be-gegenen *occurrere* 168, 241.

be-ger-lich (1) *appetitivus* 164, 166, 170; (2) *appetibilis* 202; (3) *concupiscibilis* 219; (4) *desiderabilis* 361.

be-ger-licheit (1) *concupiscibilis* 188; (2) *irascibilis* 192.

be-ger-lîchen *appetibilis* 168.

***be-ger-lichî** (1) *appetibilis* 280; (2) *concupiscibilis* 186.

be-gern (1) *appetere* 96, 162, 168, 229; (2) *cupere* 97, 234; (3) *desiderare* 158, 285.

be-gerunge (1) *appetitus* 164; (2) *affectus* 335; (3) *concupiscentia* 246; (4) *desiderium 'vel cupiditas* 187.

be-gin *beginne* (1) *inchoatio* 191; (2) *initium* 22, 221; (3) *principium* 9, 20, 42, 151.

***be-gin-lich** *principalis* 273.

be-ginnen (1) *coepere* 94; (2) *incipere* 325.

be-girde (1) *affectus* 56, 122, 193; (2) *appetitus* 91, 93, 121, 190; (3) *desiderium* 136, 188, 285.

be-gnâden *gratificare* 62.

be-gnâdunge *gratificatio* 62.

***be-gnat** (1) *gratuitus* 228, 229, 233; (2) *gratus* 19, 247; (3) *gratiae* 230; (4) *gratis* 247.

***be-gnate** adv. *gratis* 19.

***be-gnuogde** *sufficientia* 360.

***be-gnuogunge** *sufficientia* 226.

be-grîfen (1) *apprehendere* 92, 140; (2) *capere* 287, 390; (3) *comprehendere* 29, 80, 81; (4) *continere* 323, 358; (5) *deprehendere* 189; (6) *tenere* 288; (7) begrifend (a) *capax* 45, (b) *praehabens* 357.

be-grif-lich (1) *apprehensivus* 165, 169; (2) *capax* 130, 292, 341.

be-grifunge (1) *apprehensio* 94, 178, 187; (2) *capacitas* 61; (3) *comprehensio* 152, 154, 286.

be-halten (1) *conservare* 281, 339; (2) *retinere* 91; (3) *salvare* 63, 335, 392, 412; (4) *servare* 138, 328, 392.

be-haltunge *salvatio* 416.

be-hören zuo (1) *ordinari* 214; (2) *pertinere* 1, 9; (3) *requiri* 152; (4) *spectare ad* 82.

be-hör-lich -lîch (1) *congruus* 138; (2) *consequens* 236; (3) *conveniens* 2, 3, 30; (4) *convenientius* 4, 358; (5) *debitum*

3, 172, 201, 339; (6) *decens* 174; (7) — sin (a) *competere* 75, (b) *contingere* 172.

***be-hör-licheit** *convenientia* 276, 310.

***be-hör-lîchen** (1) *congruum* 138; (2) *congruenter* 255.

be-huoten behüten (1) *custodire* 247, 351; (2) *cavere* 381; (3) *prohibere* 135; (4) sich — vor *vitare* 138.

beide (1) *ambo* 371; (2) *uterque* 165.

beiten *expectare* 54.

be-kant-lich bekentlich (1) *cognoscibilis* 280 (2) *cognoscitivus* 169.

be-kantnisse -nüsse (1) *cognitio* 153, 187, 213, 284; (2) *notitia* 225.

be-kennen (1) *agnoscere* 214; (2) *cognoscere* 32, 77, 81, 168, 244, 251; (3) *noscere* 245, 352; (4) zebekennen sin *cogniscibilis* 299.

be-kennen (1) *cognitio* 19, 154, 256; (2) *intellectus* 225.

be-kêren (1) *avertere* 235; (2) *convertere* 214, 230.

be-kêrunge (1) *conversio* 207; (2) *justificatio* 411.

be-komen -kümet -kümit (1) *competere* 1, 284; (2) *convenire* 1, 23; (3) *conveniens esse* 1, 30.

be-lîben (1) *manere* 80; (2) *permanere* 80, 147; (3) *remanere* 6, 24, 87, 148.

be-lîben *permanentia* 158.

be-nemen (1) *abferre* 150; (2) benomen *sublatus* 134.

be-quâme bekemlich(en) (1) *convenienter* 30, 35; (2) aller bekemlichest *convenientissimum* 30.

be-quâme-lich (1) bekemlich sin *convenire* 37; (2) bekenlicher *convenientius* 2.

be-reit (1) *aptus* 229; (2) *dispositus* 265; (3) *promptus* 139.

be-reiten (1) *disponere* 7, 193, 254; (2) *praeparare* 232, 235.

***be-reit-lîche** *prompte* 252.

be-reit-schaft *dispositio* 313.

be-reitunge (1) *dispositio* 93, 119, 159, 253, 347; (2) *praeparatio* 232, 265; (3) — zuo *dispositivus* 191.

be-respunge *reprobatio* 214.

be-rihten *dirigere* 245.

be-roubet, adj. *privatus* 230.

be-roubunge (1) *corruptio* 327; (2) *privatio* 200, 299, 406.

be-rüerde -rürde *tactus* 92.

be-rürunge *tactus* 67.

bescheidenheit *ratio* 93, 96, 109, 202.

be-scheiden-lich *rationalis* 230.

be-scheiden-lîchen *rationabiliter* 114.

be-schetwen (1) *protegere* 245, 246; (2) beschetwet *obumbratus* 395.

be-schetwunge (1) *obscuratio* 212; (2) *umbra* 395.

be-schrîbunge *conscriptio* 351.

be-setzen *disponere* 252.

be-sliezen (1) *claudere* 212; (2) *implicare* 357; (3) *includere* 9, 171; (4) *praecludere* 144.

be-sliezunge *conclusio* 273, 403.

*be-smitzunge *macula* 236.

be-stân (1) *consistere* 16, 20; (2) *existere* 311; (3) *resistere* 170; (4) *restare* 395; (5) *stare* 41, 148, 253; (6) *subsistere* 13, 36.

be-stetet: dü besteteten ding *locata* 289.

be-swerunge -swarunge *aggravatio* 213.

*be-terminieren (1) *determinare* 12, 40, 151; (2) *terminare* 14, 47.

*be-terminiert-lich *determinatus* 224.

be-trahten (1) *attendere* 44; (2) *cogitare* 184; (3) *considerare* 13, 15, 77; (4) *praeconsiderare* 338.

be-trahtunge *praemeditatio* 242.

be-triegen (1) betrogen werden *decipi* 111; (2) âne — *infallibilitas* 267.

be-trüeben: betrübet (1) *tristis* 41; (2) betrübet werden (a) *affici* 336; (b) *tristari* 92; (c) *contristari* 94; (3) betrübet sîn (a) *dolere* 392; (b) *tristari* 336.

*be-twingunge *coarctatio* 293.

be-twungen *coarctatus* 293.

*be-vellich (1) *congruens* 151; (2) *placitus* 119.

be-vinden (1) *percipere* 92, 404; (2) *sentire* 117, 170.

be-wären beweren (1) *approbare* 141; (2) beweret sin *patere* 264; (3) *comprobare* 137; (4) *probare* 94, 272, 280, 399.

be-wege *motus* 190.

be-wegede (1) *motus* 109, 120, 153; (2) *motio* 234, 398; (3) *movens* 86; (4) *motivum* 92.

be-wege-lich (1) *motivus* 68, 219; (2) *mobilis* 205.

be-wege-liche beweglichen *mobiliter* 31.

be-wegen (1) *movere* 33, 55, 206; (2) *incitare* 217, 345; (3) bewegend *movens* 110, 112, 280; (4) bewegt *motus* 112, 266, 280.

*be-weger *motor* 398, 400.

be-wegunge (1) *motus* 33, 68, 149; (2) *motivum* 91, 92, 201; (3) *motio* 234; (4) *movens* 234.

be-wîsen (1) *assignare* 355; (2) *commemorare* 42; (3) *comprobare* 141; (4) *habere* 378; (5) *judicare* 38; (6) *ostendere* 35, 48; (7) *probare* 400

*be-wîsend (1) *demonstrativus* 403; (2) daz bewisende ding *definitio* 359

be-wîsunge (1) *definitio* 306; (2) *ratio* 149.

be-zeichenen (1) *assignare* 4; (2) *designare* 48; (3) *significare* 8, 23, 99.

be-zeichen-lîchen (1) *significativus* 318; (2) bezeichentlichen *signanter* 308.

bezzer (1) *melior* 150, 359; (2) *potior* 264, 275.

bezzern *satisfacere* 39.

bezzerunge *satisfactio* 39.

bieten (1) *imperare* 206; (2) *praebere* 208, 260; (3) *praecipere* 175.

bildärinne *exemplar* 145.

bild bilde (1) *exemplar* 301; (2) *exemplum* 122, 142; (3) *idea* 310; (4) *imago* 68, 129, 307.

bilde-lich biltlich (1) *exemplaris* 30, 31; (2) *imaginativus* 169.

bilden *imaginari* 39, 140.

bildunge (1) *imaginatio* 92, 283; (2) *imago* 45.

binden (1) *ligare* 134; (2) *obligare* 38.

*bî-sîn (1) *adesse* 281; (2) *insistere* 136.

bitten (1) *desiderare* 121, 416; (2) *orare* 119, 350; (3) *petere* 181.

*bî-wesunge bewesunge bewisunge *circumstantia* 174, 181.

*bî-wesende: bewisunde ding *circumstantia* 173, 180.

*blendunge *excaecatio* 211.

blint (1) *caecus* 172; (2) *tenebrosus* 212.

blôz (1) *absolutus* 124; (2) *nudus* 291.

blöz-lîche -lichen *absolute* 105, 136, 188, 305, 337.

böse (1) *impius* 340; (2) *malus* 76, 299; (3) *nequus* 22; (4) böser *peior* 182.

bringen (1) *conferre* 340, 344; (2) *deferre* 131, 132; (3) *ferre* 177, 178, 394; (4) *importare* 90; (5) *inducere* 95; (6) *inferre* 56, 344; (7) *offerre* 139, 216, 217; (8) *reducere* 77, 78, 83; (9) *referre* 230.

brinnen (1) brinnend *fervens* 193; (2) *urere* 205.

bû: bow (1) *aedificatio* 270; (2) *aedificium* 315.

D

*dankunge *actio* 248.

dannen danna: unde — von *et inde* 67, 305.

dâr da (1) *ibidem* 399; (2) darnach *postea* 354; *per consequens* 49; *postmodum* 71; (3) dar umbe *ergo* 50; *ideo* 25; (4) da von *ideo* 404.

darben *carere* 116, 156.

*dar-bieten *praebere* 222.

*darbunge *carentia* 115.

*dar-erbieten *exhibere* 5.

*darwider (1) *e converso* 218; (2) — sîn *obsistere* 124.

*dâ-sîn (1) *adesse* 280, 409; (2) *ibi esse* 290.

daz ist (1) *scilicet* 364; (2) *videlicet* 22.

dekein (1) *aliquis* 81; (2) *alius* 78; (3) *nemo* 399; (4) *nullus* 34, 81; (5) *omnis* 78; (6) *quiscumque* 86; (7) *quivis* 86.

dienen (1) *deservire* 213; (2) *ministrare* 218; (3) *servire* 69.

dienst (1) *cultus* 136; (2) *exercitus* 223; (3) *ministerium* 137, 398, 400; (4) *obsequium* 139.

diep (1) fur 198; (2) geistlicher — *sacrilegus* 383.

ding (1) *conditio* 188; (2) *res* 37; nach dingen *secundum rem* 10, 374; (3) alle dinge *universum* 335; (4) guot ding *beneficia* 416; (5) geschehen ding *facti* 49; (6) müglich ding *possibilis* 355; wesendes ding *ens* 61, 286.

*dink-lich *realis* 153, 371.

*dink-lîch- lichen *realiter* 15, 163, 164, 370.

diser *humanus* 50.

drî-heit *trinitas* 311, 381.

drivaltec driveltig *triplex* 117.

drî-valtec-heit driveltikeit *trinitas* 2, 381.

durch (1) *per* 115; (2) *propter* 44, 50.

E

*ebenglîcheit *aequalitas* 382, 412.

eben-mensche *proximus* 195, 196.

eigen *proprius* (1) 1, 12, 118, 119, 199; (2) eigen sîn *proprie competere* 23.

eigen adv. *proprie* 35.

eigen *ihht *habere* 314.

eigen(t)-lîche(n) (1) *absolute* 124; (2) *convenienter* 256, 258; (3) *proprie* 20, 35, 55, 188; (4) *stricte et proprie* 286; (5) *vere et proprie* 100; (6) aller eigentlichest *propriissime* 23.

eigen-schaft (1) *conditio* 5, 60, 117, 168, 243, 249; (2) *proprietas* 26, 80, 125, 386; (3) *ratio* 177, 216, 303.

ein (1) *idem* 75, 277; (2)*unum et idem* (3) tin ieklich *quiscumque* 344.

einander (1) mit — *simul* 24, 48; (2) under — *ad invicem* 202; (3) zuo — *ad invicem* 48, 202, 370.

einec einig einke (1) *solitarius* 196; (2) *unicus* 383².

einen: einunde *uniens* 17; geeinigt *unitus* 17.

einen: geeinte *unicum* 383.

ein-förmec-heit einformikeit *conformitas* 125.

ein-hellec einhellig *univocus* 277.

*ein-hel-lîchen *univoce* 13, 317.

einigen *unire* 14, 27, 43, 44; einiget *unitus* 86.

einigen: geeinigte *unicum* 383.

*ein-licheit *singularitas* 383.

eintweders ... niht *neutrum* 131; eintweder ... oder *vel* ... *vel* 33.

einunge (1) *unio* 6, 7, 11; (2) *unitas* 18.

ein-valtec einveltig adv. *simpliciter* 183.

ein-valtec einveltigest *communius* 186.

*ein-valtec-lich einveltichlich *purus* 291; einvelticlicher *simplicior* 168.

*einwider-strîten repugnare 89.

*ein-wonend *solitarius* 384.

*ein-woner *solitarius* 384.

ellende sîn *peregrinari* 155.

el-lendec-heit ellendikeit *peregrinatio* 155.

ellich *universalis* 62, 168, 211, 279.

ellicheit *totum universum* 229.

*ellichî (1) *universum* 361; (2) in der — *in universali* 300.

emzec empzig *continuus* 361.

emzec-lîchen empziclichen *frequenter* 93.

emzigunge empzigunge *continuatio* 246.

ende (1) *finis* 2, 42; (2) *objectum* 403; (3) *ordo* 242; (4) *terminus* 17, 60, 407; ende zuo wem *terminus ad quem* 408.

ende-lich (1) *finalis* 170, 171, 195, 346; (2) *finitus* 61, 81.

*ende-licheit *definitio* 40.

enden (1) *determinare* 64, 418; (2) *finire* 150; *finitus* 61, 314; (3) *terminare* 36.

*endenunge *definitio* 9.

endunge *definitio* 36, 306.

*en-gegen-setzen *opponi* 287 (footnote).

en-phâhen einphangen (1) *accipere* 68, 248; (2) *concipere conceptus* 30, 90, 138, 302, 358; (3) *contrahere* 218; (4) *participare* 73; (5) *percipere* 123; (6) *recipere* 47, 142, 144; (7) *suscipere* 12, 235.

enphâhunge (1) *acceptio* 254; (2) *conceptio* 22, 53, 54, 314.

enphenc-lich (1) *perceptibilis* 306; (2) *receptivus* 51, 294.

enphenc-lîcheit *susceptio* 233.

*ent-formunge *deformitas* 236.

ent-ordenen *deordinare deordinatus* 236, 242.

ent-springen (1) *oriri* 93, 223; (2) *resultare* 318.

*ent-stellunge *deformitas* 236, 327.

ent-wîchen (1) *discedere* 208; (2) *dissentire* 42; (3) *evadere* 95; (4) *recedere* 202, 238, 324.

ent-wîchunge *recessus* 208.

en-ziehen (1) *abstinere* 178, 239; (2) *retrahere* 207; (3) enzogen werden *subtrahi* 394.

*en-ziehunge *subtractio* 135.

epistel *epistola* 28.

er-barmec erbermig *miser* 335.

er-barmec-lîche *medicinaliter* 214.

er-bermede (1) *misericordia* 214, 336; (2) von — *misericorditer* 340.

er-bietunge der eren *dulia* 131.

êre (1) *gloria* 50; (2) *honor* 128; (3) *privilegium* 133; (4) *reverentia* 194; (5) *veneratio* 130.

êren (1) *honorare* 128; (2) *venerari* 130.

er-hören (1) *audire* 145; (2) *exaudire* 57, 123, 124.

er-kant (1) *notus* 147; (2) erkante dinge *cognita* 162; (3) — werden (a) *innotescere* 3, 385; (b) *notificari* 306.

er-kant-lich erken(t)lich (1)*cognoscibilis* 84, 285; (2) *cognoscens* 394; (3) *cognoscitivus* 293, 294; (4) die erkentlichen ding *cognoscentia* 292, 293.

er-kennen (1) *cognoscere* 6, 18, 81, 83; die erkennenden ding *cognoscentia* 293; (2) *intelligere* 405; (3) *noscere* 361, 404; (4) *recognoscere* 123.

er-kennen (1) *conclusio* 403; (2) *cognitio* 283, 301.

er-liuhten (1) *illuminare* 61, 211, 212, 281; 2) *illustrare* 237, 268.

er-liuhtunge (1) *illuminatio* 212; (2) *illustratio* 225, 237; (3) *revelatio* 274.

er-lösen (1) *liberare* 5, 391, 392; (2) *redimere* 142; (3) *salvare* 40.

er-schînen (1) *apparere* 139; (2) *descendere* 144; (3) *refulgere* 135; (4) *splendere* 135; (5) erschinen *revelatus* 54.

er-schînunge *revelatio* 402.

***erst-ge-born** *primogenitus* 38, 68.

êrunge *honor* 129.

er-vinden (1) *dijudicare* 403; (2) *experiri* 404.

er-vindunge *experientia* 404.

er-volgen (1) *consequi* 43, 50, 88, 96, 159, 166, 233; (2) *prosequi* 402; (3) ervolget werden (a) *consequi* 89; (b) *sequi* 184, 185.

er-volgunge (1) *consecutio* 152; (2) *executio* 221, 222, 342.

er-vorschunge *inquisitio* 167.

er-vüllen (1) *adimplere* 124, 222; (2) *complere* 128; (3) *explere* 146; (4) *implere* 39, 119, 121, 158; (5) *perficere* 231; (6) ervolt werden *propagari* 136; (7) *replere repletus* 22, 134, 289.

er-zürnunge *offensa* 408.

***ete-wa**: nach etwa *secundum quid* 421.

ete-wenne (1) *aliquando* 255; (2) *interdum* 202; (3) *quandoque* 93, 71, 153.

êwe: e (1) *lex* 6, 196; (2) *matrimonium* 139.

êwic: daz ewige leben (1) *vita aeterna* 231; (2) *patria* 392.

ezzen (1) *comedere* 201, 216; (2) *manducare* 232; (3) geessen werden *comedi* 97.

G

gabe (1) *donatio* 60; (2) *donum* 5, 55; (3) *munus* 22, 123.

gân (1) *ambulare* 110, 147; (2) *ferri* 21; (3) *procedere* 248; (4) gân in (a) *ascendere* 120; (b) *tendere* 202; (c) *transire* 294; (5) gân von (a) *abire* 403; (b) *exire* 134, (6) gân zuo *accedere* 293.

***ganze** (1) *totum* 298; (2) *communiter* 90.

ganz-heit (1) *integritas* 226; (2) *totalitas* 58; (3) *totum* 9, 49, 128, 229, 382.

geben (1) *dare* 104, 147; (2) *dispensare* 339; (3) *elargiri* 336; (4) *largiri* 251; (5) *perhibere* 145; (6) *tribuere* 335.

ge-ber-lich *generabilis* 85, 365.

ge-bern gebären (1) *gignere* 133; (2) geborn werden (a) *generari* 149, 366; (b) *nasci* 32, 134, 136; (c) *oriri* 307; (3) *generatio* 218; (4) gebernd (a) *generans* 369; (b) *nascens* 385.

ge-berunge *generatio* 85, 136, 150, 218, 218, 262, 365.

ge-bet gebette (1) *oratio* 119, 245, 349, 350; (2) *prex* 348, 349.

ge-bieten (1) *imperare* 223; (2) *praecipere* 142, 345.

***geb-lich** *distributivus* 334.

geborn (1) *natus* 55; (2) wider geborn *renatus* 245; (3) erst geborn *primogenitus* 38, 68.

ge-bot (1) *lex* 181; (2) *mandatum* 118, 141; (3) *praeceptum* 132.

ge-brest gebresten (1) *defectus* 4, 88, 210; (2) *miseria* 336; (3) *offensa* 237; (4) *vitium* 6, 96, 391.

ge-bresten (1) *deesse* 33, 42, 82; (2) *deficere* 6, 90, 172.

ge-brûchen (von) (1) *frui* 21, 232, 288; (2) *uti* 111, 112, 122.

***ge-brûcher** *comprehensor* 97.

ge-brûchunge (1) *fruitio* 21, 53, 154, 287; (2) *usus* 134, 410.

gebunge (1) *datio* 334; (2) *distribuens* 334.

ge-burt (1) *generatio* 14; (2) *natio* 22; (3) *nativitas* 21, 133, 366.

ge-denk (1) *cogitatio* 244; (2) *cogitatus* 82.

ge-denken (1) *cogitare* 316; (2) *meminere* 399.

***ge-dihtunge** *dictamen* 175.

ge-dinge (1) *spes* 53, 187, 287; (2) gedinge haben *sperare* 188.

***gegen-setze-lich** *oppositus* 379.

***gegen-setzen** gegengesast gegensast *oppositus* 27, 379, 381, 389.

***gegen-setzunge** *oppositio* 375, 379, 389.

gegen-wertec -wertig (1) *praesens* 94, 153, 156, 188; (2) — sin *adesse* 291.
gegen-wertec-heit (1) *praesentia* 154, 290; (2) in einer — *respectu* 164.
gegen-wertec-lich *praesens* 330.
*gegen-wirf-lich sîn *opponi* 329.
gegen-wurf (1) *objectum* 52, 53, 165; (2) *oppositum* 374; (3) *subjectum* 219; (4) *suppositum* 107.
*ge-glîchen (1) *adaequare* 150; (2) *comparari* 304.
ge-hôr-sam (1) *obediens* 119; (2) — sin *obedire* 118, 221.
ge-hôr-sam *gehorsami *obedientia* 119, 142.
geist (1) *Deus* 294; (2) *species* 293; (3) *spiritus* 27, 44, 55, 192, 275.
geist-lich (1) *spiritualis* 57; (2) — diep *sacrilegus* 383.
geist-lîche (1) *spirituale* 97; (2) *spiritualiter* 68.
geist-licheit *religio* 306.
*geistunge *spiratio* 375, 377, 385, 386.
ge-lîch (1) *aequalis* 38; (2) *similis* 30, 45, 190, 301; (3) *simul* 71; (4) — werden *adaequari* 152; (5) von — wirdikeit *condignus* 416; — formen *conformare* 322; — natürlich *connaturalis* 227.
ge-lîch: dez gliches (1) *huiusmodi* 25, 90; (2) *ita etiam* 40; (3) *similiter* 23, 37.
ge-lîcheit (1) *proportio* 338, 416; (2) *similitudo* 126, 276; (3) *similis* 320 (cf. footnote).
ge-lîchen (1) *adaequare* 297; (2) *comparare* 223; (3) *proportionare* 80, 226, 231, 283, 341.
ge-lich-förmeg *conformis* 316.
*ge-lîch-geformet werden *conformari* 322.
ge-lîch-hellend *glichellend concordans* 180.
*ge-lîch-messung *commensuratio* 7.
ge-lîch-nisse -nüss -nüsse (1) *similitudo* 14, 30, 31, 66, 169; (2) in einer — *metaphorice* 222, 351, 406; *similitudinarie* 73.
*ge-lîchsenunge *fictio* 37.
ge-lîchunge *proportio* 231, 243, 337, 413.
*ge-lîch-wirdikeit *condignus* 417, 418.
ge-lübede (1) *promissum* 254; (2) *votum* 136; (3) — tuon *vovere* 135.
ge-lüben (1) *vovere* 136; (2) *votum emittere* 136.
ge-lustig *voluptuosus* 191.
ge-mehelt *desponsatus* 136; — werden *desponsari* 136.
ge-mein (1) *communis* 25, 26, 89, 229, 307; (2) *generalis* 243; (3) *legalis* 406.
*gemeinede machen *communicare* 264.
ge-meinen (1) *communicare* 1, 61, 276; (2) gemeinend *communicabilis* 150.

ge-mein-heit in — *in communi* 330, 347.
ge-mein-lîch (1) *communiter* 89, 90, 365; (2) *generaliter* 72; (3) *large* 82; (4) *largius* 287.
*ge-mein-samikeit *communicabilitas* 383.
*ge-mein-samunge (1) *applicatio* 169; (2) *communicatio* 276, 336; (3) *communio* 28, 112.
ge-meinunge (1) *applicatio* 169; (2) *communicatio* 334.
ge-menigi *multitudo* 406.
ge-müete -muot -muote -müt (1) *animus* 93, 211, 234; (2) *mens* 21, 41, 66, 97, 138, 195.
ge-näme -neme gneme (1) *acceptum* 19; (2) *gratus* 256, 257, 275.
ge-nüege-lich *gnüglich sufficiens* 158, 217, 300.
ge-nuoc *sufficiens* 5, 224; — sin *sufficere* 75.
*genuoc-tuon *satisfacere* 89, 132, 150.
*genuoc-tuowunge *satisfactio* 149, 150.
genzen-lîche *gentziclichen totaliter* 135, 239.
genz-lîchen *totaliter* 58.
ge-offen-bâren *repraesentare* 395.
ge-reht (1) *certus* 348; (2) *justus* 234; (3) *rectus* 180, 306.
*gerehtigen *justificare* 75.
*ge-rehtigunge *justificatio* 5, 410, 411[2].
ge-rehtikeit (1) *justificatio* 409; (2) *justitia* 39, 70, 334, 324; (3) *rectitudo* 306; (4) *veritas* 337.
*ge-reht-machen *justificare* 75, 240, 246, 405, 407.
ge-reht-machunge *justificatio* 405[2], 407, 410.
*ge-reht-vertigen *emendare* 97.
ge-ruowec -rüwig *tranquillus* 193; — machen *quietare* 288.
*ge-sam-heit: gesamptheit; in der — *in concreto* 99[2].
ge-schehen (1) *accidere* 295, 299, 325; (2) *celebrari* 135; (3) *contingere* 9, 63, 182, 215, 263; (4) *evenire* 324, 348; (5) *exhibere* 248; (6) *fieri* 6, 48, 49, 232; (7) *gerere* (8) *inferre* 96; (9) — sin *esse* 18.
ge-scheiden (1) *distinctus* 113; (2) *separatus* 9; (3) gescheiden sin *differre* 132.
geschendet *geschant confusus* 80, 383-84.
ge-schiht (1) *contingentia* 166; (2) *eventus* 184, 244; (3) von — *casu* 302; (4) von — der einunge *unio facta est* 23.
*ge-schihtec -ig *contingens* 167.
*ge-schihti-lich (1) *contingens* 168; (2) *factibilis* 358.
ge-schihtec-lîchen *contingenter* 348.
ge-segenen (1) *consecrare* 143; (2) *sanctificare* 143.

ge-sehen (1) *cognoscere* 281; (2) *videre* 211, 282.

*ge-sêlicht *animatus* 310 (cf. ungeselicht).

ge-selle-schaft (1) *consors* 264; (2) *consortium* 391.

ge-siht (1) *consortium* 391; (2) *respectus* 42, 54, 68, 88, 260; (3) *visio* 85, 139, 154, 187, 287; (4) *visus* 172, 213, 283, 393.

ge-sihtec (1) *visibilis* 262, 394; (2) *visus* 53 cf. ungesihtig 52.

ge-sîn (1) *esse* 2, 36, 63, 149, 315; (2) *manere* 240.

ge-sleht (1) *genus* 38, 78, 86, 185, 275, (2) *tribus* 68.

ge-steltnisse *species* 9, 14, 79.

ge-streken *extendere* 283.

ge-sunt *sanus* 227; — werden *sanari* 228.

ge-sunt-heit *sanitas* 162, 272, 317-18.

*ge-sunt-machen *sanare* 3, 230, 231.

*ge-sunt-machunge *sanatio* 239.

ge-täne -tende *species* 200, 282, 305.

ge-tât (1) *actio* 364; (2) *actus* 67, 71, 72, 84, 121, 251, 259, 280, 295.

*gete-lich *activus* 300.

*ge-tempert-heit *temperantia* 199.

ge-vallen (1) *cadere* 21; (2) *deficere* 322; (3) *placere* 398.

ge-vellec -vellig *aptum* 31.

*ge-velligi (1) *aptitudo* 32; (2) *congruentia* 32; (3) *congruitas* 33, 45.

ge-volgen *consentire* 169.

*ge-volg-lichen *consequenter* 88.

*ge-volgunge *consensus* 170, 171.

ge-waltec (1) *auctor* 122, 123; (2) *potestas* 74.

*ge-wâr *verus* 39, 100, 114, 156, 212, 305, 363, 362.

*ge-wârig *verus* 363.

*ge-wâr-lîch *verissime* 132.

ge-wêr-lîchen *vere* 99.

ge-winnen (1) *acquirere* 78, 79, 253; (2) *adipisci* 54, 153, 226; (3) zegewinnen *adipiscibilis* 188.

ge-won (1) *consuetus* 351; (2) — sîn *consuere* 142.

ge-ziuge -züge (1) *testimonium* 42, 87; (2) *testis* 139.

ge-ziugnus -zügnüss *testimonium* 137, 145.

*ge-zou-lich *instrumentalis* 148; *ge-zou-lichen *instrumentaliter* 69.

ge-zouwe *instrumentum* 113, 172.

giezen (1) *diffundere* 320; (2) *ponere* 213.

gîtec-heit gittikeit (1) *avaritia* 222; (2) *cupiditas* 220.

glôrje glori glorie *gloria* 51, 70, 116, 285.

glôrificieren -zirn (1) *glorificare* 146, 271; (2) glorificiert *gloriosus* 145.

glôrificierunge *gloria* 55.

gloube (1) *fides* 11, 52, 143; (2) *fides catholica* 365; (3) *symbolum* 108.

glouben (1) *credere* 119; (2) *fidem percipere* 138; (3) *tradere* 401; (4) zeglouben *credibilis* 138.

gnade (1) *gratia* 5, 50, 123; (2) *gratia vel caritas* 417; (3) tag der — *dies gloriae* 418; (5) von — *gratuito* 250.

*gnêde-lîch *gratis* 51.

*gneig-lich *flexibilis* 418.

got-formec-heit *deiformitas* 285.

got-lich (1) *divinus* 24; (2) *theologicus* 199; (3) — wort *Verbum* 14.

gote-lîcheit *scientia divina* 76.

grôz (1) *magnus* 376, 403; (2) wie — *quantus* 390; (3) grözer *major* 203; *magnificus* 402; (4) aller gröst *maximus* 60, 413.

grözede grössede *quantitas* 372.

grôz-heit (1) *magnitudo* 268; (2) *quantitas* 173, 372.

*grôzi (1) *magnitudo* 163; (2) *quantitas* 58, 370.

*grôzunge *magnitudo* 268.

grüenen *vigere* 67.

grüezen: gegrüsset sist du *ave* 133.

grünt-lich *profundus* 281.

güete *guoti (1) *bonitas* 172, 173; (2) *bonum* 216.

H

haben (1) *continere* 298; (2) *habere* 288; (3) *tenere* 107, 288; (4) zewerden haben *fieri* 302; (5) habend *habitualis* 20; (6) gehabt *habitus* 167.

habunge (1) *habitus* 19, 52, 223; (2) *habitudo* 11, 153; (3) gnade der — *gratia habitualis* 22.

halten (1) *continere* 99, 148, 197, 282; (2) *retinere* 352; (3) *tenere* 392; (4) *tradere* 133; (5) sich — *se habere* 333; (6) sich — alse *se habere ut* 33; (7) sich — zuo *se habere ad* 24, 26, 88, 166; (8) ist zehalten *relinquitur* 32, 33, 100, 312.

hân (1) *tenere* 287; (2) niht enhan *deesse* 33.

hand (1) *manus* 110; (2) zehant *statim* 188; (3) zweier hande *duplex* 43; (4) in zweier hant wis *dupliciter* 2, 13.

haz (1) *invidia* 392; (2) *odium* 329, 331.

heiden *gentes* 145.

heiligen (1) *consecrare* 136; (2) *emundare* 134; (3) *sanctificare* 133, 148.

heischen (1) *exigere* 160, 232; (2) *postulare* 125.

heizen (1) *denominare* 319; (2) dici 2, 10, 17, 246, 350; (3) *dictare* 194; (4) *nominare* 303, 342; (5) *vocare* 90, 406.

helfe (1) *auxilium* 6, 54, 225, 347; (2) *ministerium* 263; (3) *opportunitas* 222.

helfen (1) *adjuvare* 251, 260; (2) *auxilium praebere* 208; (3) *iuvare* 350; (4) *succurrere* 352; (5) helfen mitwirken *cooperare* 257, 258; (6) nihtes geholfen *nihil profuisset* 139.

her (1) *acies* 234; (2) *exercitus* 234.

herschen (1) *dominare* 68; (2) *principari* 223; (3) *herschend dominativus* 412; (4) die herschenden engel *dominatio* 74.

*her-über *super illud* 5.

hinder-nisse (1) *impedimentum* 191, 212; (2) *obstaculum* 213.

hitze (1) *caliditas* 63; (2) *calor* 63, 74.

hitzen (1) *calefacere* 75, 201; (2) *calidum facere* 261; (3) **hitzend calefactivus* 357; (4) das gehizet mag werden *calefactibilis* 357.

*hitzunge (1) *calefactio* 261, 299; (2) *calefaciens* 88.

hôch (1) *arduus* 188; (2) höcher (a) *altior* 255; (b) *excellentior* 192, 378; (c) *superior* 151; (3) höchst (a) *altior* 68; (b) *summus* 1, 59.

höhe: in der höchi *in excelsis* 86.

*houbet-büeze *capitis poena* 223.

houschen (1) *exigere* 136, 339; (2) *petere* 123, 246; (3) *praeexigere* 265; (4) houschen unde bitten *orando postulare* 123.

I

ieklich (1) *cuiuscumque* 35; (2) *omnis* 16, 67, 358; (3) *quislibet* 27, 86; (4) *unusquisque* 81; (5) ieklich....niht *neutrum* 90.

ihht *see* eigen.

în-be-sliezen *includere* 286.

*în-druken *imprimere* 52, 363.

*în-formieren *informare* 394.

in-geisten ingegeistet *inspiratus* 233; ingegeistet sin *inspirari* 47.

în-giezen (1) *apponere* 213; (2) *infundere* 46, 251, 252; (3) ingegozzen *infusus* 80, 227, 254.

în-giezunge *infusio* 408, 409.

*în-hangen *inhaerere* 169, 211, 268.

*în-hangunge *inhaerentia* 219.

în-leiten (1) *inducere* 160, 245, 323; (2) *introducere* 47.

*inne-be-lîben *immanere* 147.

*inne-be-sliezen (1) *implicare* 358[2]; (2) (2) *includere* 344[2].

*inne-haben *continere,* 197, 357, 378.

*inne-halten *continere* 298.

inner (1) *intensus* 333; (2) *interior* 67, 76, 181, 189, 259; (3) inre ding *intra* 364.

*inne-sin *inesse* 10; insind *intrinsecus* 373.

*inne-tragen *importare* 16, 17, 42, 120, 374.

*inne-valten *includi* 361.

inne-wendic (1) *intensus* 333; (2) *interius* 76.

*inne-wonen *inhabitare* 66.

*inne-würken *afficere* 147.

*in-phlanzen ingephlanzt *inditus* 258.

*în-setzen (1) *imponere* 166, 348; (2) ingesetzet *inditus* 224; (3) ingesast *impositus* 378.

*insind *see* inne-sîn.

*în-vleischen ingevleischet werden *incarnari* 2, 3, 5, etc.

în-vleischunge *incarnatio* 4, 7, 8, 18, 19, 21, etc.

în-fliezen *influere* 59, 69, 70.

în-fliezen, n. *influxus* 76.

în-fliezunge (1) *influentia* 51, 59; (2) *influxus* 51.

în-fluz (1) *influentia* 59, 86; (2) *influxus* 52.

J

jung jungst *ultimus* 43, 63; zuo dem jungesten ende *ad specialem finem* 234; jungster tag *dies judicii* 390.

K

kelten *infrigidare* 201.

kêren (1) *convertere* 208; (2) *tendere in* 373; (3) — *zuo* 233; (4) sich — (a) *se extendere* 94; (b) *tendere* 161; (5) sich — in (a) *tendere in* 165, 303, 368; (b) *verti in* 399; (6) sich — miteinander *converti* 84, 171; (7) sich — zuo *convertere an* 202.

kint (1) *filius* 76, 255; (2) *proles* 135; (3) *puer* 140.

kiusche-heit küscheit chuschkeit (1) *continentia* 245, 246; (2) *virginitas* 136.

kleit (1) *habitus* 145; (2) *vestis* 129.

komen (1) *advenire* 142; (2) *devenire* 225; (3) *incurri* 104; (4) *pervenire* 341; (5) komen für *excedere* 62; (6) komen von *contrahi a* 217; *sortiri* 202; *provenire* 5, 237; (7) komen zuo *devenire* 339; *pertingere ad* 64; *pervenire ad* 65.

konkordieren *concordare* 306.

*consacrierunge *consecratio* 148.

conscienzje (1) *conscientia* 175; (2) *ratio* 178.

concîlje (1) *concilium* 12; (2) *synodus* 108.

kraft (1) *efficacia* 143, 224; (2) *facultas* 257; (3) *virtus* 2, 58, 210, 252, 323; (4) *vis* 6, 68, 91, 219.

krankeit (1) *corruptio* 149; (2) *infirmitas* 89, 204; (3) *miseria* 3; (4) *morbus* 6.

kreftic *efficax* 120, 401.

kreftic-lich crefticlicher (1) *fortius* 402;
(2) *vehementius* 339.

kreftic-lîche (1) *efficaciter* 270; (2) *firmiter* 245, 352; (3) *virtualiter* 316.

kreftigen (1) *confirmare* 57; (2) *confortare* 282; (3) *vegetari* 271.

kriechisch kriethsch *graecus* 301.

kristen-heit (1) *corpus mysticus* 71; (2) *Ecclesia* 66, 117, 150.

kristen-lich *catholicus* 101, 273.

künden (1) *annuntiare* 138; (2) *enuntiare* 57.

***künt-lich-î** *notitia* 387.

***künt-licheit** (1) *notio* 384, 385; (2) *notitia* 316, 364, 387.

***künsch sîn** *audere* 156.

kunst (1) *ars* 31, 223; (2) *scientia* 76, 77, 80, 82, 85, 116, 175, 292.

koste-lich *köstlich pretiosus* 254.

***kunstmeister** künstmeister künstemeister *artifex* 30, 31, 111, 112, 298.

künst-lich (1) *artificialis* 305; (2) *artificiatus* 31, 298.

L

ladung *vocatio* 350.

lam *ligatus* 263.

lâzen lân (1) *cessare ab* 236; (2) *committere* 136; (3) *desinere* 73, 149, 325; (4) *mittere* 341; (5) *permittere* 214; (6) niht — *recusare* 193; (7) *relinquere* 6, 150, 212, 312, 399; (8) *remittere* 183.

lâzunge *omissio* 200.

leben (1) *vita* 69; (2) daz ewige — (a) *patria* 392, 394; (b) *salus aeterna* 343; (3) daz zitliche — *via* 72.

lebend (1) *vivens* 366; (2) *vivus* 264; (3) lebende machen (a) *justificare* 261; (b) *vivificare* 70, 411.

leiten (1) *perducere* 231, 420; (2) *producere* 231, 261, 420; (3) *reducere* 210, 257.

***leitend** *ductivus* 223.

***leng-licher** *diuturnus* 182.

***lêre** *doctor* 273.

lêre (1) *auctoritas* 155, 264, 349; (2) *doctrina* 57, 87, 218; (3) *dogma* 39.

lêren (1) *docere* 57, 67, 87, 145; (2) *erudire* 108; (3) *instituere* 141; (4) *instruere* 121, 138.

lesterlich *terribilis* 56.

lichamen unsers herren *Eucharistia* 148.

lide-lich *passibilis* 98, 146.

liden (1) *compati* 289; (2) *pati* 109, 391; (3) *sustinere* 402; (4) *tolerare* 97.

***lîdende** (1) *patiens* 75; (2) *passivus* 32; (3) *passive* 342, 405.

lîdunge *passio* 16, 92, 96, 147, 192, 335, 376.

liebe *liebi dilectio* 185, 228, 230, 247, 408.

lieht (1) *lumen* 80, 85, 225, 235; (2) *lux* 62, 212.

***liht-lich** *facilis* 252.

lihtec-lîche *de facili* 56.

liep hân *diligere* 408.

lieber *magis* 392.

lîp (1) *caro* 41; (2) *corpus* 8, 69; (3) *uterus* 46; (4) der muoter lip (a) *uterus* 133; (b) *venter* 134; (c) *vulva* 134.

lîp-haftig *corporeus* 283; — ding *corporalia* 283.

lîp-lich (1) *corporalis* 105, 139; (2) *corporeus* 155; (3) *exterior* 192.

loben (1) *commendare* 142; (2) zeloben *laudabilis* 135; (3) gelobt werden *pollere* 136.

lôn (1) *merces* 411, 412; (2) *praemium* 20, 161, 183, 421; (3) *pretium* 186, 411.

lôn-baere lonber (1) *meritorius* 114, 161; (2) *meritum* 161.

***lonberliclich** *meritorius* 141.

***lonlich** *meritorius* 20.

liumunt lümunt (1) *fama* 361, 362; (2) böser — *infamia* 137.

louknunge *negatio* 200-1.

lust-lich luslich (1) *delectabilis* 162, 182; (2) *voluptuosus* 192.

lust-lîcheit *delectatio* 161.

***lustlichi** *delectatio* 162.

lützel (1) *parum* 262; (2) über — *post pauca* 351.

M

machen (1) *condere* 151; (2) *facere* 14, 19, 28, 111; (3) das gemachte ding *factus* 28.

maezec-lîchen (1) *moderate* 192; (2) *temperate* 381.

maht (1) *facultas* 18, 60, 220; (2) *potentia* 4, 27, 28, 32, 71, 72, 85, 87, 166, 263; (3) *potestas?*

manec-valtec-heit (1) *multiplicitas* 297; (2) *multitudo* 203.

manec-valtec-lich *multiplex* 276.

man-slecke -sleke *homicida* 198.

man-slege -sleke *homicidium* 200.

marter (1) *passio* 98, 122; (2) *propassio* 94.

materje-lich *materialis* 199.

materje-lîcheit *materialitas* 294.

***materilichen** *materialiter* 165.

mehtig (1) *efficax* 272; (2) *superior* 397; (3) mehtiger *potissimus* 148.

meinen (1) *intendere* 14, 182, 223; (2) *tendere in* 98, 202, 373.

meinunge (1) *intentio* 49, 163, 201, 221, 234; (2) *propositum* 62, 421; (3) — haben *tendere in* 97.

meister *aedificator* 302.

meister-schaft *magisterium* 273.

menige *meinge *menigi (1) *multitudo* 73, 76, 335; (2) *pluralitas* 381; (3) *plures* 167.

menslicher *humanus* 273.

mêr (1) *magis* 30, 95, 252, 268, 333, 354; (2) *major* 268, 359; (3) *potius* 202, 258; (4) niht mer denne *tantum* 35.

merken (1) *attendere* 49; (2) *attendi* 30, 32, 43, 58, 102, 188, 315 (gemerken werden) (3) *considerare* 15; (4) zemerken *dicendum* 2, 4; (5) *intelligere* 289; (6) *judicare* 28; (7) *scire* 368; (8) — in tendere in 165.

merk-lîchen (*authenticus*) 382.

mezzen (1) *commensurare* 196; (2) gemezzen (a) *limitatus* 357; (b) *modificatus* 314.

minne (1) *amor* 153, 165, 185; (2) *caritas* 66, 72, 116, 165, 185; (3) *dilectio* 66, 340; (4) *zelus* 97; (5) früntlichü — *amicitia* 185.

minnen *amor* 19.

minnen (1) *amare* 19, 32, 185, 229; (2) *diligere* 4, 228, 229, 249, 333; (3) gemint (a) *amatus* 153; (b) *dilectus* 62. Note: gemeinnet 340.

minnende *amans* 153.

minnern (1) *diminuere* 116, 204; (2) *minuere* 421; (3) *tollere* 183.

***mislichi** *diversitas* 199, 269, 382.

misse-hellec *discordans* 174, 179.

***misse-hellend** *discordans* 175.

misse-hellunge *discrepans* 383.

misse-lich *diversus* 67, 72, 110, 134, 172, 269; — werden *diversificari* 198.

misse-lîchen *diversimode* 191, 269.

misse-dinge *desperatio* 190.

***mitformig** -förmis *conformis* 68, 125.

***mithellend** *concordans* 180, 181.

***mitnatürlich** *connaturalis* 80.

mittel mittels *medium* 42, 43, 48, 50; ane — *immediate* 397; ein mittels *dimidium* 376; übermitz — *medians mediante* 19, 42, 44, 49, 261.

mitteler (1) *mediator* 5, 131; (2) *medius* 131.

mittel-lich (1) *mediatus* 393, 394; (2) *medius* 323.

***mite-wirken** *cooperare* 257, 258, 259, 260.

***mittel-lîch** *mediante* 394.

***müglichi** (1) *facultas* 153; (2) *possibilis* 357.

nâch-komen *subsequi* 271[2].

nâch-komende *subsequens* 270-71.

nâch-volgen *imitari* 313.

nâch-volgende (1) *sequens* 184, 416; (2) *subsequens* 271; (3) —sin *subsequi* 20; (4) das — ist *consequens est* 399; (5) *ex consequenti* 316.

nâch-volgunge (1) *imitatio* 309; (2) *sequela* 192.

nâhe *conjunctus* 194; nacher *propinquius* 73, 86; (aller) nahst *propinquius* 51, 59; *magis propinquius* 43; *propinquissimus* 391; *proximus* 348.

natûr-lich natürlich (1) *connaturalis* 80, 228, 252; (2) *naturalis* 21, 22.

natûr-lîchen naturiclichen *naturaliter* 158, 329.

neigen (1) *flectere* 349; (2) *inclinare* 204, 208, 418; geneiget werden *inclinari* 252.

neigunge (1) *fomes* 91, 134, 135; (2) *inclinatio* 169, 183; (3) *pronitas* 89.

nemen (1) *accipere* 71, 82, 376; (2) *derogare* 38; (3) *recipere* 53; (4) *resumere* 106; (5) *sumere* 382, 384; (6) *transferre* 122; (7) an sich — (a) *assumere* 29, 48; (b) *suscipere* 42; (8) genomen werden *sortiri* 408.

nemmen (1) *denominare* 317, 407; (2) *nominare* 303.

***nemunge** *acceptio* 363.

nider (1) *inferior* 64, 109, 165, 239, 397; (2) *infimus* 365; (3) *posterior* 271.

***nider-gân** (1) *derivare* 70; (2) *descendere* 391.

***nider-gâunge** *derivatio* 52.

***nider-komen** (1) *derivari* 52, 75, 85, 91, 146, 255; (2) *descendere* 144.

***nider-lîp** niderlibe *inferiora* 261.

nider-vallen *collabi* 31.

niemer (1) *nunquam* 71, 353; (2) *omnino non* 189.

niezen (1) *sequi* 230; (2) *uti* 192.

***niht-wesen** *non esse* 357.

nôt: von not (1) *necesse* 51, 73, 264; (2) *ex necessitate* 297; (3) *necessarium* 193.

nôt-durft (1) *necessitas* 32, 33, 194, 212; (2) *victus* 90; (3) *necesse* 240.

nôt-dürftic (1) *necessarius* 2; (2) *necesse* 61.

notdurfticlichen *necessarium* 108.

nû *instans* 140.

nutz nutze *utilitas* 258, 337; nütz sin *expedire* 420.

N

***nâch-gên** *succedere* 387; nachgende *posterior* 346; von den nachganden willen *consequenter* 324.

nâch-heit *propinquitas* 59, 68, 139.

O

oberst öberst oberrest (1) *summus* 1; (2) *summus et primus* 317; (3) *superior* 45, 67, 109, 166, 401; (4) *supremus* 110, 365.

oder....oder (1) *aut....aut* 149; (2) *sive....sive* 206.

offenbar (1) *expressus* 307; (2) *manifestum* 19, 49; (3) — sin (a) *apparere* 9, 147, 148; (b) *patere* 1; (4) — werden *representari* 387.

offen-bâren (1) *apparere* 273; (2) *demonstrare* 145, 315; (3) *exprimere* 121, 122; (4) *manifestare* 57, 273; (5) *repraesentare* 165, 312, 395; (6) geoffenbart werden (a) *innotescere* 3; (b) *repraesentari* 282; (c) *tradi* 3.

*offenbarende *manifestativus* 306.

offen-bârunge (1) *evidentia* 191, 294; (2) *manifestatio* 57, 258, 356; (3) *pronuntiandus* 275; (4) *repraesentatio* 311.

offen-lîche *expresse* 399.

ordenen (1) *instituere* 397; (2) *ordinare* 4, 20, 57, 152, 255; (3) *praeordinare* 127, 347; (4) geordent *ordinatus* 109, 257.

ordenunge (1) *ordinatio* 120; (2) *ordo* 7, 31; (3) *status* 60, 85, 243.

ortfrümer -frümmer (1) *auctor* 123; (2) *doctor* 58.

*ortfrümunge *auctoritas* 41, 115.

ouge (1) *oculus* 68; (2) *fenestra* 212, note.

P

persôn-lich *personalis* 19, 21, 26, etc.

persôn-lîcheit *personalitas* 25, 26, 30.

*philosoph(us) phylosoph *philosophus* 21, 36, 400.

pîn (1) *poena* 137, 183, 236; (2) *punitio* 56.

pînen *punire* 340; sich — *conari* 12, 400; gepint werden *puniri* 324; *torqueri* 392.

pîn-lich (1) *difficilis* 355; (2) *poenosus* 182.

*platoni *platonici* 400.

predigen *praedicare* 102, 108, 383.

*prelatschaft *praelatio* 129.

prophêzîunge -ciunge *prophetia* 225, 275.

prüeve-lich *experimentalis* 79.

prüeven (1) *argumentare* 133; (2) *probare* 36, 400; (3) gebrüfet *praedicatum* 376.

*prüefnisse brüfnüsse *experientia* 169; mit — *experimentalis* 78.

prüevunge (1) *argumentum* 274; (2) *experimentum* 399; (3) *praedicatum* 356.

R

râten (1) *exhortari* 349; (2) *persuadere* 216, 217, 272.

rede (1) *narratio* 42; (2) *opinio* 134; (3) *ratio* 1, 10, 15; (4) *sermo* 273; (5) — hân, tuon *mentionem facere* 41, 133; (6) von — *ex parte* 49; (7) in einer höchern — *analogice* 317.

rede-lich *rationalis* 1, 10, 27.

rede-lîcheit *esse rationale* 375; *ratio* 42.

reden (1) *loqui* 171; (2) *ratiocinari* 1.

*regelen *regulare* 240.

regulieren *regulare* 240.

reht adj. (1) *directus* 388; (2) *justus* 411.

rehte adv. *recte* 211; — alse *sicut* 256.

*rehtigung *rectitudo* 405-6.

rehtikeit (1) *justitia* 406; (2) *rectitudo* 159.

*rehtmachung *justificatio* 406.

*reie *radius* 400.

rihte (1) *directe* 180, 207, 208, 215; (2) *gubernatio* 76; (3) *recte* 159.

rihten (1) *dirigere* 76, 196, 198, 222, 246; (2) *gubernare* 76, 209, 335; (3) *judicare* 170; (4) *regere* 397, 398, 401; (5) der daz schif rihtet *gubernator* 209; (6) daz — *regimen* 398.

*rihtende (1) *directivus* 223; (2) *gubernans* 343.

rihtaere (1) *gubernator* 335; (2) *judex* 82; (3) *rector* 68.

*rihtigunge *regimen* 362.

rihtunge (1) *gubernatio* 68, 76, 209, 342; (2) *justitia* 335; (3) *regimen* 90.

riuwe rüwe (1) *poenitentia* 240; (2) *poenitudo* 349.

ruowen (1) *conquiescere* 162; (2) *quiescere* 162, 163; (3) *quietare* 161.

rüren (1) *attingere* 63, 219; (2) *pertingere* 63, 285.

*rüwigen *quietare* 161.

S

sache (1) *causa* 42, 59; (2) *radix* 220; (3) andere — *causa secunda* 339, 398; (4) entliche — *c. finalis* 223; (5) erste — *c. primaria* 339; (6) mitterste — *c. media* 43; (7) teilliche — *c. particularis* 89; (8) wirkende — *c. agentis* 80, *c. efficiens* 51.

saelec selig (1) *beatus* 21, 138, 191, 285; (2) *felix* 139, 328; (3) *salvatus* 392; (4) *salvus* 324; (5) selig werden *salvari* 324.

saelec-heit selikeit (1) *beatitudo* 20, 152, 191; (2) *felicitas* 157, 338, 361; (3) *salus* 179, 214, 343, 345; (4) *vita aeterna* 421; (5) gebruchunge der selikeit *fruitio patriae* 72.

sagen (1) *loqui* 188; (2) *praedicare* 10, 99, 102, 107; (3) *tradere* 133; (4) gesaget *praedictus* 102; (5) vorgesagt *praedictus* 33; (6) zesagen *dicendus* 38.

sagunge *praedicatio* 99.

samenen samen *congregare* 201; gesamnete namen *nomina concreta* 103, 104.

schade (1) *damnatio* 214; (2) *detrimentum* 236; (3) *nocumentum* 137.

schaffen (1) *causare* 22; (2) *procurare* 137; (3) geschaffen *creatus* 16, 29; (4) ungeschaffen *increatus* 29, 313.

scheiden (1) *differre* 132; (2) *dividere* 256; (3) *recedere* 73, 202; (4) *separare* 291, 294, 396.

schepfen *creare* 332; ungeschepft *increatus* 313.

schîn (1) *fulgor* 147; (2) *radius* 118.

schînen (1) *apparere* 12, 217; (2) *fulgere* 147; (3) *patere* 13; (4) *videri* 39, 182; (4) schinende *splendens* 418.

schouwe-lich *speculativus* 155, 195.

schouwaere *speculator* 208.

schouwende *contemplativus* 191, 195, 361.

schouwunge *contemplatio* 91, 187, 361.

schrîben (1) *conscribere* 101, 351; (2) *describere* 351; (3) *scribere* 77; (4) geschriben sin *haberi* 390, 404.

schulde (1) *culpa* 56, 90, 340; (2) *debitum* 338; (3) *natura corrupta* 238; (4) *reatus* 235, 236.

schuldec sîn (1) *debere* 150, 193, 209, 338, 339; (2) *teneri* 176, 180.

*****sechlicheit** *causalitas* 43, 44, 300.

sehen (1) *videre* 98, 282; (2) daz — *videre* 390; (3) gesehen werden *cognosci* 291; (4) sehent *ecce* 135.

selb *ipse* 16, 86; der selbe *ille* 35, 46.

*****selbe-stân** *subsistere* 13.

*****selbe-stânde** *subsistens* 9, 10, 13, 36, 378; selbes standez ding *subsistens* 378.

*****selbe-standunge** -stadunge (1) *hypostasis* 13, 130; (2) *subsistentia* 12.

*****selbe-stâunge** (1) *hypostasis* 11, 12; (2) *subsistens* 378; ·(3) *subsistentia* 46.

sêle *anima* 2, 8; redeliche — *anima rationalis* 44; sele haben *animatus esse* 401.

*****sêlich:** der selichen mehte *potentiae animae* 256 (cf. Grimm s.v. seelich).

*****selp-lîcheit** *identitas* 371.

senden (1) *mittere* 6, 66, 342; (2) *transmittere* 341.

sendunge (1) *missio* 66; (2) *transmissio* 341.

sententie sentencie *sententia* 35, 170.

setzen (1) *condere* 31, (2) *constituere* 6, 14, 41, 48, 71, 157, 240; (3) *instituere* 31; (4) *ponere* 20, 50, 248; (5) *praedicare* 102, 317.

setzunge *positio* 15.

sicher-heit (1) *certitudo* 140, 273, 349; (2) *tutela* 137.

sicher-lich sicherlicher *rectius* 355.

sicher-lîchen (1) *certior* 139; (2) *certissime* 93 (note), 348; (3) *certitudinaliter* 350, 403.

siecheit *infirmitas* 6.

sige-nünfter *triumphator* 349.

sihtec (1) *visivus* 282; (2) *visus* 53.

siht-lich sihtilich *visibilis* 394.

sihtec-lichen *visibiliter* 140.

sin (1) *ingenium* 157; (2) *sensus* 67, 275.

sîn (1) *existere* 43, 45, 84, 243, 331; (2) *praeexistere* 338, 361; (3) *sistere* 93.

sin-lich (1) *brutus* 190; (2) *inferior* 240; (3) *sensibilis* 35, 36, 225; (4) *sensitivus* 68, 77, 241, 283; (5) *sensualis* 120; 5) — berürde *sensus tactus* 92; 5) — bewegung *sensualitas* 135.

sin-lîcheit *sensualitas* 120, 239.

site-lîcheit *actus morales* 205.

sitte *mos* 136; getat der — *actus morales* 205.

smertze (1) *dolor* 91; (2) *laesio* 92, 95.

solich (1) *huiusmodi* 174; (2) *talis* 60, 63.

soln *debere* 48, 196; niht — *noli* 194.

spendaere spender *dispensator* 335.

sprechen (1) *dicere* 10, 35, 365; (2) *loqui* 309; (3) gesprochen *praedictus* 407; (4) gesprochen ist *dictum est* 25; *ostensum est* 34.

stân von *distare* 131, 132; stande sîn *existere* 36, 343.

stark *firmus* 352; — werden *invalescere* 391.

stat (1) *civitas* 93; (2) *locus* 41, 64, 149, 289, 371; (3) *status* 226; (4) an einer stat *alicubi* 149; (5) uf der stat (a) *statim* 46; (b) *simul* 47; (6) von einer stat *localis* 13, 149.

substanzje (1) *subsistentia* 12; (2) *substantia* 10.

substenz(i)lich *substantialis* 7, 359.

*****substentilichen** -tencilichen -tentzlich (1) *per se* 7; (2) *substantialiter* 148, 166.

sünde (1) *delictum* 5, 405; (2) *peccatum* 4, 89; (3) *vitium* 222.

sünder-lich (1) *seorsus* 112; (2) *singularis* 19, 35, 74; (3) *singuli* 52, 237, 290; (4) *specialis* 50; (5) — ere *privilegium* 133.

sünder-lîch *specialiter* 118, 159.

*****sunderlichi:** in der — *in singulari* 301.

sün-lîcheit *filiatio* 25, 125, 375.

suochen süechen (1) *quaerere* 42; (2) *requirere* 19, 40, 89, 120, 150, 237.

suochunge *inquisitio* 154.

swâr-heit (1) *gravitas* 64, 203; (2) *pondus* 240.

swenne (daz) (1) *cum* 194; (2) *dum* 177; (3) *quando* 60, 63.

T

tat (1) *actio* 23; (2) *actus* 14, 21, 26, 84.

*****taeteclich** tetticlich *actu* 387.

teilen (1) *dispensare* 269; (2) *distribuere*

81; (3) *dividere* 101, 274, 389; (4) geteilt *participativus* 31.

*teilgenomen *participatus* 126.

teilhaftic-heit -heftikeit *participatio* 118, 148, 158, 249.

teil-haftic (1) *participative* 126; (2) *participatus* 148; (3) *participans* 285; (4) — werden (a) *participare* 51, 112, 256; (b) *sortiri* 272.

teil-lich *particularis* 89, 227, 229.

*teillicheit *participatio* 31.

*teillichen *divisim* 25.

*teillichi: in einer — *in particulari* 346.

teil-nemer *consors* 254.

teil-nemunge *participatio* 63, 85.

teilunge (1) *dispensatio* 91, 146; (2) *dispositio* 118; (3) *separatio* 382; (4) ân — *inseparabiliter* 114.

tier-lich *animalis* 319.

tötunge *occisio* 327.

tragen (1) *ferre* 179, 394; (2) *gestare* 139; (3) *importare* 22, 374; (4) *portare* 111; (5) *referre* 162.

trenker *prodigus* 198.

trîben (1) *agere* 55; (2) *impellere* 369.

trîbunge (1) *actus* 56; (2) *impulsio* 369; (3) *instinctus* 190, 328.

trûren (1) *contristari* 94; (2) *dolere* 391.

*tügunge *actio* 16.

*tülich ***tüwelich** ***tüwenlich** (1) *activus* 195; (2) *actualis* 315, 387.

*tülichi (1) *actio* 16; (2) *actualitas* 279.

tuon tügen tüwen (1) *agere* 170, 258; (2) *committere* 237; (3) *facere* 79, 226, 261, 277; (4) *impendere* 248.

*tüewunge tuowunge (1) *actio* 23, 25, 79, 109; (2) *actus* 252, 280; (3) *commissio* 200.

U

üben (1) *conari* 350; (2) *exercere* 90, 165.

über (1) *supra* 284, 376; (2) *ultra* 283.

über-bringen (1) *transferre* 373; (2) *transmittere* 341.

*übererbietunge *hyperdulia* 131.

*über-erhaben werden elevare 151.

über-vliezen (1) *abundare* 273; (2) *redundare* 146^2; (3) *superfluere* 192.

über-vlüzzec (1) *abundans* 135, 193; (2) *superfluus* 201.

über-gân (1) *superare* 390; (2) *transcendere* 21, 32, 120; (3) *transire* 394.

*übergeburt *genealogia* 137.

*übergewandelt *transmutatum* 7.

übermitz (1) *mediante* 42, 48, 49; (2) *per* 7, 18, 36, 114; (3) *supra* 376.

*überrede *analogia* 278.

*überschinlich *supereminenter* 282.

über-sendunge *transmissio* 342.

über-vallen *superaddere* 4.

*überwandeln *transmutare* 407.

*überwandelunge *transmutatio* 407.

*ûfenphâhen *assumere* 133.

*ûferhaben werden *elevari* 18.

*ûf-erstanden *resurgere* 236-37.

ûf-erstên *resurgere* 236.

ûf-gehören *cessare* 264; ufgehört werden *cessare* 263.

ûf-gestân *resurgere* 235.

ûf-hören *dimittere* 184.

ûf-nemen *assumere* 16, 19.

ûf-nemunge (1) *assumere* 22; (2) *assumptio* 16; (3) *sumptio* 23.

ûf-stân (1) *consurgere* 248, 269; (2) *insurgere* 239.

ûf-tuon *aperire* 143, 144^2.

ûf-ziehen (1) *desistere* 182; (2) *suspendere* 163.

*umberingelunge *circulatio* 356.

*umbe-sprechen *circumscribere* 24.

un-behuotheit *incautela* 138.

un-behörlich *inconveniens* 46.

un-besint (1) *brutus* 58, 310; (2) *insensibilis* 130, 190.

*unbeterminieret *indeterminate* 381.

un-betrogenlich *infallibilis* 348.

*un-betrogenlîch *infallibiliter* 267, 348.

un-bewegelich *immobilis* 31.

un-bewegelîch *immobiliter* 325.

*unbewiselich *indemonstrabilis* 403.

*under-gescheiden *distingui* 102.

under-scheiden (1) *differre* 9, 26, 199, 200, 252; (2) *distinguere* 24, 102, 196, 199, 315, 379, 389; (3) *dividere* 271.

under-scheiden *differentia* 248.

under-scheidenlich *differens* 249.

under-scheidenlîchen *differenter* 186.

under-scheidunge (1) *differentia* 16; (2) *discretio* 275; (3) *distinctio* 24, 35, 198, 263, 310, 379; (4) *divisio* 382.

under-scheit (1) *differentia* 16, 71, 199, 249, 308; (2) *distare* 303; (3) *distinctio* 87, 199, 311; (4) ân — (a) *indifferens* 110, 308, 384; (b) *indifferenter* 103.

under-setzen *supponere* 99, 100, 101, 273.

*under-setzlich *supponendo* 35.

*under-sîn *subdi* 348.

under-stân *supponere* 99, 100; *suppositum* 384.

under-stant *suppositum* 129.

under-taenec -tenig *subjectus* 76, 117, 236; — sîn (1) *subdi* 240; (2) *subjacere* 3, 263; (3) *subjicere* 237.

under-taenicheit -tenikeit *subjectio* 117, 118.

under-tuon (1) *subruere* 11; (2) *tollere* 24, 236.

under-werfen (1) *subdere* 138, 155, 260, 290, 343; (2) *subjacere* 32; (3) *subjicere* 82, 121, (4) *supponere* 98.

under-werfunge *subjectio* 118.
under-wurf (1) *subjectum* 62, 63, 255;
(2) *suppositum* 9, 34, 39.
*under-ziehunge *subtractio* 211.
un-endelîcheit *infinitas* 293; biz in die —
in infinitum 85, 150, 233.
un-êre (*inconfuse*) 114[2].
*un-geberlich *ingenerabilis* 8.
*un-geberlicheit *innascibilitas* 386.
un-gebornheit *innascibilitas* 385, 386.
un-gelouplich *impossibilis* 401.
un-gemischet *immixtus* 294.
un-geordenet *inordinatus* 104, 184, 196.
un-ge-ret *inenarrabilis* 390.
un-geschaffen *increatus* 80.
un-geschendet *inconfusus* 80.
*un-geseliht *inanimatus* 229, 310.
un-gesihtig *non visus* 52 cf. gesihtec.
un-geteilt *indivise* 114.
*un-gewandelich *inconvertibiliter* 114.
un-gelîcheit (1) *dissimilitudo* 306; (2) *in-aequalitas* 413.
un-kiusche unküsch (1) *incontinens* 179;
(2) *luxuriosus* 198.
un-kiuschaere *fornicator* 327.
*un-lîphaftig *incorporeus* 283.
un-lümunt *infamia* 138.
un-materjelich *immaterialis* 293.
*un-materilicheit *immaterialitas* 293.
un-mittelich *immediate* 275, 280, 393.
un-mügelîcheit *difficultas* 89.
un-ordenlich *inordinatus* 135, 241.
un-ordenliche *inordinate* 207.
*un-ordenlîcheit *inordinatio* 241.
un-ordenunge (1) *confusio* 7; (2) *inordi-natio* 90.
un-redelich *irrationalis* 33, 229.
un-redelîch *irrationabiliter* 177.
un-reht *injuria* 96; — tuon *praejudicare*
115.
*un-rihti, die *indirecte* 207, 208.
*un-scheidenlîcheit, mit *inseparabiliter*
104.
un-schulde (1) *immunitas* 135; (2) *natura integra* 238.
un-schuldec *immunis* 137.
un-sicher *incertus* 167.
un-sicherheit *incertitudo* 166.
un-teillich werden *individuari* 37, 300.
*un-underscheidenlich *indifferens* 110.
*un-underscheidenlich *indifferenter* 26.
*un-urlouplich *illicitus* 93.
un-vergenklich *incorruptibilis* 8.
*un-vergenklicheit *incorruptio* 97.
un-volkomen *imperfectus* 8, 113.
*un-volkomenlichen *imperfecte* 163.
un-wandelich *immutabilis* 8, 325, 408.
un-willec *involuntarius* 181, 183.
un-willeclîchen *involuntarie* 184.
un-wizzentheit *ignorantia* 89, 91, 180, 244.

ur-sprünglich *originalis* 407.
*ur-sprünglîch *originaliter* 4.
ur-teil (1) *judicium* 5, 93; (2) *sententia*
170.
ûz-besliezen *excludere* 367.
ûzer *exterior* 67, 76, 116, 181, 232; uzzerst
131; — ding *extra* 364; *extrinsecus* 368.
*ûz-erbietung *extensio* 60.
ûz-gân -gên(1) *exire* 323, 366; (2) *pro-cedere* 362, 380; (3) *prodire* 380; (4)
progredi 296.
*ûz-gaunge (1) *actio* 370; (2) *emanatio*
365; (3) *processio* 362, 367, 370, 380.
*ûz-gangunge uzgengunge *processio* 314,
315, 380.
ûz-giezen *infundere* 332.
ûz-kêren, sih *tendere in* 364.
ûz-legunge *explicatio* 119.
ûz-leiten (1) *producere* 314; (2) *reducere*
71, 72.
ûz-sliezen *excludere* 28, 53, 158.
*ûz-strekunge *extensio* 182, 293.
ûz-tribunge ûztribung (see p. 241, note 3).
ûz-wendic (1) *exterior* 76, 182, 217, 260;
(2) *extra* 294, 323, 359, 376, 394; (3)
extrinsecus 296, 376.
ûz-ziehen *desistere* 182.

V

val (1) *casus* 6; (2) *lapsus* 416.
vallen (1) *cadere* 49, 214, 344; (2) *deci-dere* 238, 344; (3) *deficere* 322, 343;
(4) *incidere* 324; (5) *incurrere* 236; (6)
removeri 245.
valsch (1) *erroneus* 35; (2) *falsus* 37, 179.
*fantasilich *phantasticus* 40.
*fantasiunge *phantasma* 79, 155.
vater vatter (1) *pater* 413; (2) *primus pa-rens* 218; (3) — unde muoter (a) *pri-mus parens* 90; (b) *parentes* 140; (4) der
erste — Adam *primus parens* 226; (5)
heilige vetere *sancti Patres* 108.
vehten *interpellare* 132.
ver-bannen *anathema* 12, 101.
*ver-blendunge *excaecatio* 211[3].
ver-borgen (1) *absconditus* 390, 404; (2)
occultus 275.
ver-dampnen (1) *condemnare* 12, 114;
(2) *damnare* 13, 324; (3) verdampt *re-probus* 340.
ver-dampnüsse (1) *condemnatio* 5; (2)
damnatio 214, 215, 236, 340.
ver-dienen (1) *mereri* 140, 183, 232, 236,
347, 411, 413; (2) *promereri* 415.
ver-dienen *meritum* 416.
*ver-dient -diente *meritum* 20, 21, 115,
411, 412.
*ver-dientheit *meritum* 415, 416; sache
der — *causa meritoria* 347.

ver-dientlich *meritorius* 20.

ver-dienunge *meritum* 415.

*ver-dunkernüsse *obscuritas* 244.

ver-gân *deficere* 353; vergangen *corruptus* 227.

ver-geben (1) *dimittere* 340; (2) *relaxare* 340.

ver-gebens (1) *frustra* 33, 79; (2) *gratis* 18, 50, 57, 247, 256.

ver-geben *gratuitus* 18.

ver-gelten (1) *reddere* 411; (2) *retribuere* 334.

ver-genklich *corruptus* 238; — ding *corruptibilia* 85, 220, 365.

*ver-genklicheit *corruptio* 85, 230, 243, 327

*ver-genklichi *corruptio* 149.

ver-henknüsse *consensus* 139.

*ver-hertunge (1) *induratio* 211; (2) *obduratio* 211[3].

ver-jehen (1) *cedere* 11; (2) *concedere* 107; (3) *confiteri* 118, 354; (4) *profiteri* 143.

ver-jehunge (1) *affirmatio* 201; (2) *confirmatio* 274[2]; (3) *distributio* 355.

ver-klaeren -kleren *declarare* 145; verklerend *declarativus* 306.

*ver-klerunge (1) *claritas* 145; (2) *declaratio* 140.

ver-koufunge *emptio* 334.

ver-kriegen (1) *obtinere* 20; (2) *perpetrare* 220.

ver-lâzen (1) *relaxare* 340; (2) *remittere* 408[2].

ver-lâzen *derelictus* 421.

ver-liesen (1) *amittere* 151, 236; (2) *privari* 236.

ver-lîhen *concedere* 35, 61, 133, 257, 310.

ver-mügent sîn *valere* 151.

*ver-nûwern *renovare* 45.

ver-nünftig (1) *intellectualis* 32, 370; (2) *intellectivus* 392; (3) *intelligens* 360; (4) *intelligibilis* 152, 365.

ver-nünftliclich *intellectualis* 326.

ver-nünftikeit (1) *intellectus* 360; (2) *intelligentia* 401[2].

verre (1) *distans* 189, 288; (2) *remotus* 44, 203, 278; (3) verre sin *distare* 413.

ver-samenunge *collatio* 42, 167.

ver-sehen *providere* 251; sich — *videri* 324.

ver-smaehen (1) *contemnere* 192, 241, 404; (2) *respuere* 142.

ver-stân, daz (1) *intellectus* 24, 25, 37, 41, 77, 78, 79, 153, 156, 298, 305, 318; (2) *intelligentia* 85, 374; (3) *intelligere* 297, 360.

ver-stân (1) *accipere* 82; (2) *considerare* 67, 372; (3) *conspicere* 274; (4) *intelligere* 10, 25, 37, 50, 104; (5) *sapere vel*

intelligere 308; (6) e verstan *praeintelligere* 33; (7) ze versten ze geben *interpretativus* 124.

ver-standen *intellectus* 304, 364.

ver-stendic (1) *intellectualis* 10, 308, 309; (2) *intelligens* 296, 361; (3) *intelligibilis* 396.

ver-stenlich -stentlich (1) *intellectivus* 164, 256; (2) *intellectualis* 307; (3) *intelligens* 295; (4) *intelligibilis* 77, 79, 156, 224, 360, 387, 394, 396.

ver-suochen *pacari* 408.

ver-tilkunge *deletio* 353.

ver-tragen (1) *parcere* 349; (2) *sustinere* 142.

ver-trîben (1) *depellere* 336[2]; (2) *expellere* 337.

ver-wandelt werden (1) *conversio* 149; (2) *permutari* 8.

ver-wandelunge (1) *transfiguratio* 145, 146; (2) *transmutatio* 49.

ver-werfunge *reprobatio* 343, 344.

ver-werfen (1) *abjicere* 137, 193; (2) *reprobare* 130, 343, 345.

ver-winnen (1) *vincere* 38, 403, 404; (2) *vitare* 158.

vetter-lich (1) *dominativus* 412; (2) *paternus* 412.

veter-lîcheit *paternitas* 25, 375, 377.

viant vigende (1) *hostilis* 313; (2) *inimicus* 39.

vil (1) *multus* 252; (2) *plures* 383; (3) alse vil alse *inquantum* 32; *quasi* 22; (4) also vil *intantum* 421; (5) als vil als zuo *quantum ad* 20; (6) niht wan also vil *nisi quatenus* 3.

vil-heit (1) *multitudo* 203; (2) *pluralitas* 383.

villiht (1) *fortassis* 239; (2) *saltem* 150.

vinden (1) *invenire* 9, 44, 45, 90, 174; (2) *inveniri* 309, 370; (3) *sentire* 295.

vindunge *inventio* 213.

vinster *tenebrosus* 212; — werden *tenebrescere* 274.

vinstri(n) *tenebrae* 299[3].

fiur für füwer (1) *ignis* 21, 74; (2) — machen *ignire* 265; (3) — werden *ignire* 281.

fleischunge *incarnatio* 43.

vol-bringen *perficere* 145, 182, 231, 397.

vol-bringunge *consummatio* 270.

volgen (1) *assentire* 53; (2) *assequi* 305; (3) *consequi* 11, 54, 348; (4) *sequi* 7, 29, 87, 230, 296.

volgunge *consecutio* 159.

vol-herten (1) *continuere* 182; (2) *durare* 85; (3) *perseverare* 245.

*vol-hertunge *perseverantia* 245, 418, 419.

vol-komen *perfectus* 7, 19, 52, (volkomeist) 140, 141, 160, (volkoment) 277.

vol-komen (1) *excellenter* 55; (2) *perfecte* 55.

vol-komenlîch (1) *excellenter* 360; (2) *perfecte* 58, 86, 299; (3) *plene* 53, 86.

***vol-komlîch** *perfecte* 299.

vollec-lîche fölklich (1) *abundante* 59; (2) *plene* 55, 58.

vol-machen *perficere* 52, 166, 194, 253, 396.

***vol-machunge** see p. 10.

vor-bedâht *praecogitatus* 184.

vor- *see also für-*.

***vor-bereiten** fürbereiten (1) *destinare* 342; (2) *praedestinare* 126, 127, 250, 342; (3) *pradestinatio* 127.

vor-bereitunge fürbereitunge (1) *praedestinatio* 72, 126, 127, 346; (2) *praeordinatio* 349.

***vor-beterminieren** *praedestinare* 321, 322 (?).

vorderst (1) *praecipue* 136, 223; (2) *principalis* 16, 57; (3) *principaliter* 54, 70, 84; (4) *principalius* 5.

vorderlichest *principalis* 143.

vor-gân fürgan (1) *antecedere* 324; (2) *excedere* 143, 160, 197; (3) *praecedere* 19, 20, 346, 415; (4) *procedere* 25, 52, 201; (5) *progredi* 296; (6) *provenire* 248; (7) *transire* 147, 235.

***vor-genant** *praedictus* 342.

***vor-gesîn** *praeexistentia* 342.

vor-gesprochen *praedictus* 32, 246, 396.

vorhte (1) *metus* 204; (2) *timor* 55², 56, 94.

vor-komen fürkomen (1) *excedere* 62; (2) *praevenire* 93, 270³; (3) *provenire* 22, 159, 250.

vor-lâzen *praetermittere* 338.

forme-lich förmelich (1) *formalis* 10, 199; (2) *formativus* 90.

förme-lîchen (1) *formale* 164; (2) *formaliter* 165.

formen geformet werden (1) *conformari* 304, 322; (2) *informari* 295.

***vor-ordenen** *praeordinare* 128.

***vor-ordenunge** fürôrdenung *praeordinatio* 126.

***vor-râten** vorgeraten *praeconsiliatus* 167.

vor-sagen vorgesagt (1) *praedictus* 33, 401; (2) *praemissus* 39.

vor-schînunge (1) *eminentia* 56; (2) *praeeminentia* 18.

vorschunge *inquisitio* 166, 167.

vor-sehen fürsehen *providere* 350; vorgesehen *praedestinatus* 126; *provisus* 342; vorgesehen ding *praevisio* 292.

vor-setzen fürsetzen (1) *praeponere* 398; (2) *praesupponere* 189, 233, 249; (3) *proponere* 216; (4) vorgesetzt -sast (a) *praedictus* 419; (b) *praefixus* 60.

vor-setzunge *praesuppositio* 413.

vor-sîn *praeexistere* 248, 253, 302, 341.

vor-stân (1) *praeexistere* 153; (2) *praestare* 75.

***vor-wissen** fürwissen *praescire* 354².

vor-wissenheit für- *praescientia* 344, 346.

fragen (1) *interrogare* 118; (2) *quaerere* 81.

fraget *quaestio* 255.

frî-heit (1) *liberalitas* 151, 194, 336; (2) *libertas* 348.

vremde frömede (1) *alienus* 382; (2) *alter* 293.

vröude fröide fröde (1) *delectatio* 91; (2) *gaudium* 329, 330, 361.

fügen *conjungere* 18, 59; sich — *tendere* 160.

vuotunge fütunge (1) *alimentum* 220; (2) *fomes* 134².

für (1) `*prae* 86; (2) *ultra* 264.

für-baz (1) *amplius* 29; (2) *infra* 53; (3) *item* 289; (4) *rursus* 329, 338; (5) *ulterius* 94, 228; (6) *ultra* 224.

für-betrahtunge *praemeditatio* 242.

für-bringen (1) *perducere* 352; (2) *producere* 171, 310, 314; (3) *proferre* 104, 167, 272, 275; (4) *proponere* 178; (5) fürbringend *productivus* 301.

für-erweln *eligere* 250.

für-ganc (1) *processio* 417; (2) *processus* 190; (3) *progressus* 417.

***für-gâunge** *processio* 369.

***für-gegân** *prodire* 243.

***für-gangunge** *processio* 313.

vürhten (1) *respicere* 56; (2) *timere* 56, 421.

für-legunge *propositio* 98, 102, 107.

***für-leiten** (1) *perducere* 232; (2) *traducere* 218.

***für-locken** (1) *elicere* 206; (2) *provocare* 332.

***für-ordenung** *praeordinatio* 126.

für-sihtic wisheit *prudentia* 202.

für-sihticheit -keit (1) *praedestinatio* 250; (2) *providentia* 135, 214, 244.

fürst-engel *principatus* 74.

***für-stecken** *praefigere* 64.

für-treffen (1) *excedere* 231, 243, 264; (2) *superexcedere* 227.

für-varend *transitorius* 158 (*transire* 158).

***für-vliezen** *profluere* 248.

W

wahsen (1) *accrescere* 115; (2) *crescere* 418; (3) — tuon *augere* 400; (4) gewachsen *adultus* 140; (5) wachsende creatur, ding *planta* 58, 311.

wan (1) *enim* 22; (2) niht wan *nisi* 56;

(3) *quia* 47; (4) niht wan alleine *salvus* 24.

wân (1) *opinio* 35, 40, 114, 228; (2) *positio* 42.

wandelbaeric-heit wandelberkeit *variabilitas* 167.

wandelich (1) *commutabilis* 207; (2) *commutativus* 334.

wandeln (1) *ambulare* 155, 255; (2) *convertere* 8; (3) *mutare* 325, 349.

wandelunge (1) *commutatio* 334; (2) *mutatio* 15, 16, 149, 325, 365.

waenen (1) *aestimare* 332; (2) *existimare* 321.

*wân-lîche *putative* 39.

wâr *verus* 39; für wär *vere* 17, 94.

wâr-heit (1) *veritas* 35, 51, 86; (2) *verum* 304.

*wârig *verus* 305.

werden (1) *esse* 14; (2) *fieri* 27, 93, 409; (3) *effici* 254; (4) zewerden haben *fieri* 302.

werc werk werke (1) *actus* 259; (2) *agere* 23; (3) *effectus* 42, 43, 96, 195, 259; (4) *operatio* 49, 79, 259; (5) *opus* 4, 20, 58, 135, 190, 349.

*werke *actor* 342.

werkunge *effectus* 195.

waer-lich werli *verus* 305.

wesen *esse* 146; wesendes ding (1) *ens* 61, 74, 83, 84, 209, 286; (2) *existens* 82, 331.

wesen (1) *ens* 171, 280²; (3) *esse* 19, 21, 36, 50, 61, 62, 331.

wesent-heit (1) *ens* 209, 357²; (2) *entitas* 319.

wesunge (1) *esse naturale* 249; (2) *essentia* 8, 10, 15, 21, 80, 210; (3) nach der — *essentialiter* 191.

wider (1) *contra* 37, 47; (2) daz wider ist *contrarium* 407²; (3) hin wider *e converso* 113.

wider-bringen (1) *recipere* 235; (2) *reparare* 31, 149, 152, 236; (3) *restaurare* 31; (4) wider gebraht werden *recuperare* 409.

wider-bringunge *reparatio* 32, 151.

*wider-dankunge *recognitio* 248.

*wider-geberung *regeneratio* 256.

*wider-geborn (1) *renatus* 245; (2) — werden *regenerari* 254.

wider-gelten *recompensatio* 247.

wider-geltunge *retributio* 411.

*wider-leiten (1) *inducere* 210; (2) *reducere* 323, 347.

*wider-leitunge *reductio* 386.

wider-machunge *recreatio* 256.

wider-nemen *resumere* 155.

*wider-sîn *contrariari* 331.

wider-stân (1) *reprimere* 239; (2) *resistere* 56, 239.

wider-tragen (1) *referre* 161, 192, 331; (2) widergetragen *relativus* 375.

wider-tragunge *relatio* 15, 16, 310, 370.

*wider-treglich *relativus* 375, 379, 389.

*wider-treglîchen *relative* 375.

wider-vallen *relabi* 324.

wider-varn *attingere* 341.

wider-wegen (1) *praeponderare* 150; (2) *recompensare* 411, 412.

wider-wertic (1) *contrarius* 191, 202, 393; (2) *perversus* 97.

wider-wertic sîn (1) *aversari* 42; (2) *opponi* 91, 199; (3) *repugnare* 41, 356.

wider-ziehen *retrahere* 192.

wie-lîche -chi *qualitas* 147, 250, 251, 370, 372.

wielîch-heit *qualitas* 252, 372.

wille (1) *arbitrium* 135; (2) *velleitas* 124; (3) *voluntas* 3, 18, 19.

willec willeg willig (1) *spontaneus* 194; (2) *voluntarius* 180, 204, 206, 335.

willec-lich (1) *spontaneus* 193; (2) *voluntarius* 139, 206; willec-lichen *voluntarie* 212.

wirdec wirdig (1) *dignus* 151, 275; (2) *excellens* 275; (3) wirdegest *dignior* 45.

wirdec-heit wirdikeit wurdikeit (1) *dignitas* 32, 33, 43, 132, 335, 361; (2) *excellentia* 116, 129, 221, 403; (3) *privilegium* 402; (4) *reverentia* 56, 57, 129; (5) von glicher — *condignus* 416.

wirken (1) *afficere* 147; (2) *agere* 27, 43, 74, 167, 210; (3) *inficere* 219; (4) *operare* 110, 143, 183, 253; (5) mit gotte — *Deo cooperare* 115; (6) geworhte ding *operata* 109, 110.

wirken *effectus* 259.

wirkend wirkunde wurkend würkend (1) *activus* 191, 231; (2) *agens* 48, 49, 78, 113, 201, 280; (3) *effectivus* 318; (4) *faciens* 49²; (5) *operans* 258, 259.

wirke-lich würklich (1) *activus* 191, 193, 218, 300; (2) *agens* 78; (3) *agibilis* 202; (4) *effectivus* 119; (5) *operativus* 112; (6) *practicus* 155; (7) — dinge *agenda* 166, 171.

*wirke-lîchen *active* 343.

wirkunge würkunge wirkünge (1) *actio* 196, 210; (2) *effectus* 58, 231; (3) *infectio* 219, 244; (4) *operatio* 18, 19, 20, 109, 118, 231, 259; (5) *opus* 159, 190.

wis (1) *conditio* 28, 410; (2) *modus* 2, 3, 5, 7, 11, 36, 128; (3) *ratio* 131, 322; (4) *status* 226, 407²; (5) in etlicher wis *aliqualiter* 32; (6) in einer höchern wis *eminentius* 131; (7) in der aller höchsten wis *in maxima excellentia* 60; (8) in drier hand wis *tripliciter* 6.

wîs-heit *sapientia* 22, 25, 64, 86, 130; fürsihtig — *prudentia* 202.
*wîzede wissede (1) *albedino* 58; (2) *albedo* 276.
wizzen (1)*considerare* 370; (2) *dijudicare* 404; (3) *scire* 124, 354; (4) niht (en) wissen (a) *ignorare* 42, 95, 361; (b) *nescire* 244, 354, 363; (5) ze wizzen dicendum (6) wizzende *conscius* 405.
wîtunge *amplitudo* 293.
wol-getân ding *beneficium* 247.
*wol-gevallen *complacere* 169.
wort (1) *oratio* 305; (2) *verbum* 2, 30, 31, 38, 43; (3) *ly* 81.
wüeste wiesti *desertum* 55.
wunderunge *admiratio* 42, 362.
wunschunge *adoptio* 126.
wünschen gewunschet gewinschet *adoptivus* 125, 126, 250 (?)

Z

zetten zeden *ordinare* 341.
ze-hant (1) *illico* 6; (2) *statim* 5, 153, 188.
zeichen (1) *exemplum* 273; (2) *signaculum* 352; (3) *signum* 57, 141, 147, 341, 352; (4) werk der — *opus miraculosum* 274, 398; (5) in wis eines — *miraculose* 225.
zeigen (1) *demonstrare* 143, 314; (2) *ostendere* 3, 306; (3) *repraesentare* 283.
zeln (1) *enumerare* 269; (2) gezellet sîn, gezelte werden *limitari* 4, 29.
ze-mâle (1) *omnino* 296; (2) *totaliter* 54.
zer-brechen *interrumpere* 408.
*zer-spreiunge *disparitas* 382.
zer-störunge (1) *corruptio* 239, 262, 327; (2) *desolatio* 313.
zesamen-gebunden *connexus* 203.
zer-gangen *corruptus* 39.
zer-genklîcheit *corruptio* 85.
zer-storen *interrumpere* 416.
*zesamen-gesast *compositus* 9.
*zesamen-geslozen *connexus* 201.
*zesamen-gesmeltzet *conflatus* 113.
zesamen-komen (1) *concurrere* 154, 417; (2) *convenire* 15, 16.
*zesamen-loufen *concurrere* 164.
*zesamen-setzen *componere* 9, 164-65.
*zesamen-setzunge *compositio* 7.
*zesamen-sitzen *considere* 167.
*zesamen-sitzunge *considium* 167.
*zesamen-sliezunge *connexio* 202³.
*zesamen-striken *connectere* 315.
zesamen-füegen *conjungere* 17, 18, 131, 132.
zesamen-fügunge *conjunctio* 17, (*conjungere*) 131.

ziehen (1) *pertrahere* 107; (2) *retrahere* 192; (3) *traducere* 4; (4) *trahere* 93, 237; (5) ziehen von *abstrahere* 292.
ziln: gezilt *limitatus* 29, 62.
zime-lich (1) *aptus* 229; (2) *congruus* 415, 416; (3) *debitus* 242.
zime-lich sîn (1) *congruere* 253; (2) *competere* 119, 229; (3) *expedire* 244.
zime-lichi (1) (*condignus*) 417; (2) (*congruus*) 416.
zime-lîcheit *opportunitas* 183.
zît (1) *saeculum* 74; (2) *status* 227, 228, 230; (3) *tempus* 43; (4) *via* 394; (5) der zît *interdum* 422.
zorn-lîcheit *irascibilis* 188, 192.
zucken *cupere* 194.
zuo-behören (1) *competere* 23, 407; (2) *deberi* 131, 173, 197.
zuo-binden *alligare* 398.
*zuo-einigen *unire* 11³, 22.
zuo-fügen (1) *adjungere* 9; (2) *comparare* 45, 203; (3) *conjungere* 2, 70, 257.
*zuo-gâbung *attributum* 25.
zuo-geben *attribuere* 12, 80, 337.
zuo-gelîchen *comparare* 419.
*zuo-gelîchunge *adaequatio* 306.
*zuo-hangend *assistens* 373.
zuo-komen (1) *advenire* 47², 155; (2) *inferre* 96; (3) *invenire* 212.
zuo-legen (1) *addere* 12, 107, 181; (2) *applicare* 101; (3) *attribuere* 57, 335, 374; (4) *superaddere* 174, 228.
zuo-legunge *additio* 359.
zuo-nemen (1) *augeri* 63⁴, 65; (2) *augmentum* 63; (3) *crescere* 63.
zuo-nemunge *augmentum* 65, 417², 418.
*zuo-ordenen *ordinare* 76.
zuo-val (1) *accidens* 9, 15, 174; (2) *superadditio* 228.
zuo-vallen (1) *accidere* 127, 372²; (2) *superaddere* 224.
zuo-vellic(h) (1) *accidentalis* 7; (2) per *accidens* 7.
*zuo-vellîchen *accidentaliter* 14.
zuo-versiht (1) *spes* 53, 95, 154, 191; (2) mit — *confidenter* 402.
zuo-versiht haben *sperare* 55, 153.
zuo-vliezunge *affluentia* 192.
*zuo-volgunge *imitatio* 311.
zuo-vüegunge (1) *applicatio* 175; (2) *comparatio* 64, 150, 195; (3) *conjunctio* 138.
*zuo-werfunge *adjectio* 12.
*zwi-valtigunge *reduplicatio* 106.
zwivel (1) *dubitatio* 105; (2) *dubium* 392.
zwi-veltic (1) *duplex* 61, 182, 358; (2) *duplus* 376.
zwi-veltigen *duplicare* 182.
zwi-veltikeit *reduplicatio* 107.